La Maison des sœurs

CHARLOTTE LINK

La Maison des sœurs

FRANCE LOISIRS

Titre original : Das Haus der Schwestern
Traduit de l'allemand par Corinne Tresca

Édition du Club France Loisirs
avec l'autorisation des Éditions Presses de la Cité

France Loisirs
123, boulevard de Grenelle, Paris
www.franceloisirs.com

© 1997 by Blanvalet Verlag, Munich.
© 2002, Presses de la Cité, pour la traduction française.
© France Loisirs, 2002 pour la présente édition.
ISBN : 2-7441-5168-8

PROLOGUE

Yorkshire, décembre 1980

Depuis ma table de travail, devant la fenêtre, le regard porte loin sur les hautes landes. Le vent glacé de décembre balaie les vastes étendues désolées, le ciel est chargé de lourds nuages gris et tumultueux. On dit que nous aurons de la neige pour Noël, mais au fond rien n'est moins sûr. Ici, dans le Yorkshire, on ne sait jamais comment ça va tourner. On vit de l'espoir que le temps va s'arranger. Parfois cet espoir est mis à rude épreuve, au printemps surtout, quand l'hiver se refuse à prendre congé, comme un visiteur importun s'attarde dans l'entrée au lieu de se décider à passer la porte. Les cris affamés des oiseaux résonnent dans l'air et une pluie froide mouille le visage des marcheurs chaudement emmitouflés qui vont par les chemins boueux, leurs souvenirs de soleil et de chaleur enfouis au fond d'eux-mêmes comme un précieux trésor.

Au moins, en décembre, avons-nous Noël devant nous. Non que Noël signifie grand-chose pour moi, mais cela représente tout de même un petit point lumineux dans une période sombre. J'ai aimé cette fête, autrefois. Mais la maison était alors pleine de gens, pleine de voix, de rires et de chamailleries. Tout était décoré, des semaines durant on se mettait en cuisine, et on donnait des réceptions et de grands dîners. Personne ne savait mieux organiser une fête que ma mère. Je crois que c'est avec sa mort que pour moi s'est évanoui tout plaisir de fêter Noël.

Laura, la bonne et fidèle Laura, la dernière à rester auprès de moi, s'affaire pour que la maison soit belle. Tout à l'heure, je l'ai entendue qui descendait la caisse de décorations du grenier. Maintenant, ce sont les inévitables disques de chants de Noël qui tournent en bas sur la platine du salon. Elle doit être en train d'installer les guirlandes de sapin au-dessus des cheminées. Au moins a-t-elle quelque chose à faire.

La façon dont elle m'est attachée, de même qu'à la maison, me touche. Néanmoins, quand elle trottine derrière moi comme un petit chien et me regarde avec ses yeux d'enfant battu, elle me porte souvent sur les nerfs. Laura a cinquante-quatre ans mais son visage reflète toujours ses terreurs de petite fille. Et maintenant elle ne changera plus. Elle a été traumatisée par ce qu'elle a vécu pendant la guerre, quand elle était enfant. A l'époque, on connaissait mal la façon de traiter les blessures d'ordre psychologique. On misait sur le fait que les choses s'arrangeraient d'elles-mêmes, seulement il arrivait que, justement, elles ne s'arrangent pas.

Ce fut aussi le drame de mon frère George. Il n'a pas su trouver en lui la force de surmonter ses angoisses, tout comme Laura. Il y a des gens comme ça. Jamais ils ne parviennent à réparer les ravages que le destin fait dans leurs cœurs.

Dehors, le ciel s'assombrit lentement. Quelques flocons de neige commencent à tourbillonner. J'ai hâte d'être à ce soir. Je m'installerai devant la cheminée et je boirai un vieux whisky ; assise à côté de moi, Laura tricotera, et, avec un peu de chance, tiendra sa langue. Elle est gentille, mais elle n'est ni perspicace ni particulièrement maligne. Quand elle parle de politique ou d'un film qu'elle a vu à la télévision, elle manque chaque fois me faire sortir de mes gonds. Ce qu'elle dit est toujours convenu, elle ne sait que répéter ce que d'autres ont rabâché une dizaine de fois. Il faut dire aussi qu'elle ne fait pas grand-chose pour s'ouvrir l'esprit. Jamais elle ne lit un vrai livre : que des romans de gare. Et là, elle soupire de plaisir en s'identifiant à la ravissante héroïne tout de rose vêtue qui sur la couverture offre ses lèvres pulpeuses au beau ténébreux, lequel l'enlace de ses bras puissants. Laura est alors transportée au point que son visage en perd momentanément son expression de peur.

Peut-être même qu'au fil de la soirée je m'accorderai un deuxième whisky, et tant pis si elle me jette l'un de ses regards désapprobateurs ou me dit que l'abus d'alcool est mauvais pour la santé. Bonté divine, je suis une vieille femme, non ? Qu'est-ce que ça peut bien faire que je boive un peu ?

De surcroît, j'ai quelque chose à fêter, mais je n'en dirai rien à Laura, sinon elle va commencer à se lamenter. Je viens d'écrire le mot FIN sur la dernière page de mon livre et je me sens maintenant libérée d'un grand poids. Je ne sais pas combien de temps il me reste à vivre ; l'idée que je puisse ne pas avoir le temps de finir m'a été insupportable. Mais j'y suis arrivée. Maintenant je peux me laisser aller en toute quiétude.

J'ai écrit l'histoire de ma vie. Quatre cents pages, soigneusement tapées à la machine. Toute ma vie sur papier. Enfin, presque toute ma vie. Les trente dernières années, je n'y ai pas fait allusion, il ne s'est pas passé grand-chose pendant cette période ; et qui cela peut-il intéresser, les petits ennuis qui rythment le quotidien d'une vieille femme ? Non que j'aie l'intention de remettre ce récit à qui que ce soit. Mais je n'aurais moi-même pris aucun plaisir à raconter ma vieillesse. J'aurais dû, par respect de la vérité, parler de mes rhumatismes, de ma vue qui faiblit, de l'arthrite qui peu à peu rend mes doigts crochus, et je n'en avais vraiment pas envie. Rien ne doit être excessif, pas même l'honnêteté.

Du reste, je me suis montrée bien assez honnête comme ça. A nul endroit je n'ai prétendu avoir été particulièrement jolie, particulièrement digne de respect ou particulièrement courageuse. Certes, j'ai parfois été tentée de le faire. C'eût été tellement facile! Quelques petites corrections par-ci, quelques petites dissimulations charitables par-là. J'aurais pu passer tous les mots que j'ai utilisés dans une sorte de tamis qui les aurait adoucis, et tout ce que j'ai formulé sans fard serait resté dans le flou. Si je n'avais pas dit certaines choses, si j'en avais dit certaines autrement, déjà le tableau aurait été retouché. Et l'histoire est forcément différente. On peut se mentir à soi-même, transformer sa propre histoire, mais pourquoi l'écrire, alors?

Et on peut tout bonnement s'en tenir à la vérité. Elle est dure, parfois elle fait mal, mais au moins c'est la vérité. C'est elle qui donne son sens à l'entreprise. Je m'y suis contrainte, à chaque ligne. Il est vrai que je me demande si le fait de m'être racontée, moi, Frances Gray, non à la première personne mais à la troisième n'est pas lié au désir inconscient de pouvoir tout de même tricher un petit peu. Un « je » oblige à des analyses autrement plus sincères qu'un « elle ». Néanmoins, si telle était ma motivation profonde, et donc peu honorable, je peux dire que je ne me suis pas laissée aller à embellir ce qui était laid. J'ai été impitoyable avec la Frances fictive de la troisième personne. J'en conçois d'ailleurs un agréable sentiment de courage et de force.

Je vais bien cacher mon récit. Laura a beau m'aimer beaucoup, je serai à peine morte qu'elle détruira tout, tant elle a peur que quelqu'un puisse apprendre certaines choses. Laura a du mal à se mettre à la place des autres, mais au fond qui le peut vraiment ? Le plus sensé serait certes de tout brûler. Que le paquet de feuillets pourrisse lentement au fond d'une cachette ou n'existe plus du tout revient au même. En ce qui me concerne, l'écriture a de toute façon atteint son but : écrire contraint à la précision. Des souvenirs incertains ont retrouvé leurs contours, leurs vraies couleurs. J'ai été obligée de faire l'effort de me souvenir. Et ça m'a permis de me réconcilier. Avec moi, avec ma vie, avec le destin. J'ai pardonné aux hommes, et surtout, je me suis pardonné à moi-même. C'était quelque chose qui me tenait beaucoup à cœur, et j'y suis parvenue. Pourtant...

Je ne peux pas jeter ça au feu. Cela représente trop de travail, trop de temps. Je n'y arrive pas. Je devine que c'est une erreur, mais j'ai commis tellement d'erreurs dans ma vie qu'une de plus ou de moins n'a guère d'importance.

Il fait nuit maintenant ; la lampe de ma table est allumée depuis longtemps. En bas, Laura prépare le dîner et passe le même chant de Noël pour la centième fois. Elle va se réjouir que je mange à nouveau de bon appétit, après si longtemps. Quand quelqu'un ne se sert pas copieusement, il faut tout de suite qu'elle s'imagine que ce qu'elle a fait n'est pas bon. Mais, pendant ces mois d'écriture, j'étais trop tendue pour avoir faim. C'est une chose qu'un être comme Laura, dont l'imagination évolue dans un espace relativement restreint, est incapable de soupçonner. C'est pour cette raison qu'un jour est arrivé où j'ai renoncé à essayer de le lui expliquer. Mais là, elle va rayonner parce qu'elle pensera qu'elle a enfin réussi à préparer quelque chose qui me plaise. Et elle va en être très heureuse.

11

Laura est maladivement dépendante de l'opinion des autres, et surtout de la mienne. Souvent, je me demande qui elle va poursuivre de son regard « S'il te plaît, aime-moi » quand je ne serai plus là. Je n'arrive pas à imaginer que Laura puisse soudain découvrir la liberté et l'indépendance. Elle a besoin de pouvoir s'investir corps et âme pour quelqu'un, besoin d'une personne à laquelle elle puisse donner le maximum. D'une certaine façon, elle a également besoin de quelqu'un qui exerce une pression sur elle, sans quoi elle se sent complètement perdue.

Elle trouvera quelque chose. Elle trouvera ce quelqu'un. Un arrangement quelconque. Les choses vont évoluer. Je le disais : ici, dans le Yorkshire, on ne sait jamais comment ça va tourner...

Frances Gray

Dimanche 22 décembre 1996

Le voyage avait mal commencé.

Refermé sur lui-même, Ralph avait à peine desserré les dents de la matinée. A l'aéroport, son humeur s'était encore assombrie. Ils passaient au pas de course devant un kiosque à journaux quand, à la une du journal à sensation placé devant le kiosque, la photo de Barbara leur sauta à la figure. Ralph s'arrêta, regarda le journal et aussitôt plongea la main dans sa poche pour sortir son porte-monnaie.

— Mais laisse donc ! s'exclama Barbara, agacée. Elle regarda sa montre.

— Notre avion décolle d'une minute à l'autre !

— On a encore assez de temps. Ralph prit un exemplaire du journal et tendit une pièce au vendeur par-dessus le comptoir.

— Cette photo de toi a l'air excellente. On ne va tout de même pas l'ignorer.

C'était effectivement une très bonne photo de Barbara. Elle portait un tailleur noir dans lequel elle paraissait à la fois féminine et sérieuse ; elle tenait la tête bien droite et sa bouche était entrouverte. Ses cheveux blonds flottaient dans son dos. Un gros titre rouge barrait la une : LA GAGNANTE.

— C'est le journal d'hier, expliqua Barbara après un coup d'œil à la date. La photo a été prise vendredi, au tribunal, à la fin du procès Kornblum. Je me demande d'ailleurs pourquoi on en a tant parlé.

Cela ressemblait à une justification et elle s'en

13

irrita. Pourquoi fallait-il qu'elle s'excuse auprès de Ralph d'avoir gagné un procès, qu'elle s'excuse pour l'intérêt que la presse avait manifesté ? Parce que Ralph n'appréciait pas que sa femme fasse l'objet d'articles racoleurs dans la presse à sensation ? Parce que les affaires spectaculaires n'étaient pas assez bien pour lui ? Parce qu'il considérait que les avocats pénalistes étaient des juristes de second plan ? Ralph faisait une nette distinction entre pénalistes et civilistes. Il était, cela va de soi, avocat d'affaires. Il appartenait à un cabinet renommé de Francfort et s'occupait presque exclusivement de grands procès d'assurances qui, en dehors des protagonistes, n'intéressaient personne. Barbara défendait des criminels et inscrivait tant de succès à son actif qu'elle était régulièrement en charge d'affaires qui tenaient l'opinion publique en haleine pendant des mois. Ralph gagnait beaucoup d'argent, Barbara était l'enfant chérie des journalistes. Chacun était l'épine dans le pied de l'autre.

Lorsque enfin ils furent assis dans l'avion – ils s'étaient présentés à l'embarquement à la dernière seconde – et que les hôtesses commencèrent à servir les boissons, Barbara se demanda, comme souvent au cours des derniers mois, quand ce ton irrité, cette agressivité permanente s'étaient installés dans leur couple. Cela avait dû se produire de manière insidieuse car elle ne se souvenait d'aucun événement précis. Elle n'avait pas dû voir les premiers signaux d'alerte. Ralph, en revanche, avait évoqué des problèmes.

Son regard tomba à nouveau sur le journal, sur les genoux de Ralph. LA GAGNANTE ! Ce type de presse en faisait toujours trop, il n'empêche, elle avait effectivement gagné. Elle avait tiré Peter Kornblum d'une sale affaire.

14

Kornblum était maire d'une petite ville. Ce n'était pas ce qu'on appelle une grosse pointure mais une chose était sûre, il adorait qu'on parle de lui dans les journaux et il se donnait un mal certain pour être présent au moins dans la presse locale. Le jour où on le soupçonna d'avoir tué à coups de hache sa jeune maîtresse de dix-neuf ans et de l'avoir découpée en morceaux, il acquit une notoriété nationale dont il se serait volontiers passé. Quant à Mme Kornblum, ce fut pour elle l'occasion de découvrir que son mari entretenait des relations intimes avec une jeune demoiselle aux mœurs légères. Ses certitudes en furent ébranlées. Peter Kornblum se transforma en une pauvre chose qui suppliait qu'on veuille bien pardonner et comprendre, et qui pour le reste clamait haut et fort son innocence. Comme il le raconta plus tard à Barbara, il s'était entretenu avec ses amis politiques du choix d'un défenseur. Un nom avait fait l'unanimité : Barbara Amberg. « Elle réussit toujours ! »

Ce n'était pas entièrement vrai, mais elle n'en avait pas moins une belle liste de succès à son actif.

— Tu crois que c'était lui ? demanda Ralph en pointant son doigt sur la petite photo de Peter Kornblum au bas de la page.

Barbara secoua la tête.

— Non. Il n'en est absolument pas capable. Mais sa carrière politique est quand même terminée. Sa femme a demandé le divorce. Il est fini.

Elle prit le journal et le glissa dans le filet fixé au dos du siège précédent.

— Allez, n'y pense plus. On est partis. Et dans deux jours, c'est Noël.

Il eut un sourire contraint. A cet instant Barbara se demanda si elle avait eu raison d'imposer ce face à face à son mari, dans l'espoir de sauver leur mariage.

Le scénario se répétait depuis seize ans : chaque fois que Laura Selley devait laisser Westhill House quelques jours ou quelques semaines à des gens qui payaient pour avoir le droit de s'y conduire en maîtres des lieux, elle se mettait à fouiller, quête éperdue et vaine d'une chose dont finalement elle n'était plus très sûre qu'elle existât vraiment. Etait-ce un fantôme qu'elle poursuivait ? N'avait-elle pas depuis long-temps retourné jusqu'au moindre recoin de cette vieille ferme ? Ne fouillait-elle pas encore et toujours les mêmes endroits, alors qu'elle savait fort bien qu'il était improbable que ce qu'elle cherchait s'y fût entre-temps matérialisé ?

Le souffle court, elle s'extirpa du placard dans lequel elle s'était glissée à quatre pattes, en dépit de ses articulations douloureuses, pour en mettre, une fois de plus, tout le contenu sens dessus dessous. A soixante-dix ans, elle commençait à ne plus être toute jeune, et cela faisait des années qu'elle était accablée de rhumatismes qui la faisaient horriblement souf-frir, surtout l'hiver. Les vents âpres et glacés qui s'en-gouffraient dans les vallées du Yorkshire n'arran-geaient rien. Cela lui ferait du bien de passer les fêtes de Noël et du nouvel an chez sa sœur, dans le Sud-Est. Il y faisait doux. Si seulement, pendant ce temps, il n'y avait pas ces intrus...

Elle se redressa en se tenant le bas du dos et en gémissant doucement. Son regard s'arrêta sur la fenêtre et au-delà sur les collines herbeuses du Wens-leydales, si vertes et si lumineuses en été. En ce moment, elles paraissaient grises et arides, le vent courbait les branches dénudées. De lourds nuages bas filaient dans le ciel. Quelques flocons tourbillon-naient dans l'air. Ce matin, à la radio, le présentateur avait dit qu'ici, dans le nord de l'Angleterre, il fallait qu'ils s'attendent à avoir de la neige pour Noël.

On verra bien, pensa Laura, on verra bien. De toute façon, l'hiver sera long. L'hiver est toujours long, par chez nous. Je devrais vendre la maison et aller m'installer quelque part dans un pays chaud.

C'est une idée qu'elle agitait de temps à autre, tout en sachant parfaitement qu'elle ne la mettrait jamais à exécution. Westhill House était le seul vrai foyer qu'elle ait jamais eu, son refuge, son île protectrice. Elle était indéfectiblement attachée à cette maison, à cette terre, même si elle en détestait l'isolement, le froid, et les souvenirs avec lesquels elle y était prisonnière. Il n'existait pas d'autre lieu dans lequel elle aurait pu vivre.

— Où est-ce que je pourrais bien encore chercher ? se demanda-t-elle à haute voix.

La maison regorgeait de placards, de cagibis, de recoins. Laura les connaissait tous, elle les avait tous fouillés. Jamais elle n'avait fait de découverte d'importance. A croire qu'il n'y avait rien à trouver. Et qu'elle se tourmentait pour rien.

Elle sortit de la pièce, s'engagea prudemment dans l'escalier trop raide, descendit au rez-de-chaussée et retourna dans la cuisine. Un bon feu brûlait dans la cuisinière et l'odeur des biscuits de Noël qu'elle avait cuits le matin pour les apporter à sa sœur flottait encore dans l'air. La cuisine était équipée d'une cuisinière électrique depuis près de quarante ans mais Laura préférait se servir de l'antique monstre en fonte sur lequel on cuisinait en 1900 pour une grande et bruyante maisonnée. Elle s'accrochait farouchement aux vieux objets, comme si elle risquait de perdre une part d'elle-même en se séparant de ce qui avait tenu une place dans sa vie. Tout ce qui était nouveau lui paraissait hostile. La tournure que prenait l'univers constituait à ses yeux une telle menace qu'elle s'efforçait de chasser de son

17

esprit tout ce qui pouvait lui rappeler le monde moderne.

Elle mit de l'eau à chauffer. Elle éprouvait l'impérieux besoin d'une tasse de thé brûlant. Ensuite, elle ferait ses bagages et préparerait les lits pour ses locataires. Ils devaient arriver le lendemain, dans le courant de la journée. Un couple d'Allemands. Elle n'avait encore jamais eu de locataires allemands. Pour elle, les Allemands étaient toujours l'ennemi contre lequel on s'était battu deux guerres de suite. En même temps, Peter lui aussi était allemand. A lui non plus, elle n'aimait pas trop penser. Enfin, elle aurait préféré recevoir des Français ou des Scandinaves mais elle avait un besoin pressant d'argent et il ne s'était trouvé personne d'autre pour louer Westhill House à Noël.

Laura passait des annonces dans un catalogue qui proposait des locations de vacances. Jamais sa modeste retraite ne lui aurait permis de payer les incessantes réparations sans lesquelles la maison serait tombée en ruine. La location était l'unique possibilité d'accroître ses revenus, même si la seule idée d'inconnus dans sa maison lui était intolérable, et le mot était faible. Aujourd'hui, par exemple, c'était le toit qui devait être refait, il tiendrait tout juste jusqu'à l'hiver prochain. Mais il n'était pas facile de trouver des locataires. Les touristes qui visitaient le Nord allaient dans le Lake District ou montaient directement en Ecosse. Le Yorkshire était un pays de landes sauvages, de vents glacés et de maisons à l'architecture exubérante qui n'attirait pas grand monde. Quand on pensait au Yorkshire, on imaginait des mines de plomb et de charbon, des cheminées crachant de la suie, de sinistres lotissements ouvriers dans des vallées brumeuses.

Qui savait la douceur et la légèreté d'un printemps

18

qui partout faisait éclore de lumineux tapis de jonquilles ? Qui connaissait les légers voiles gris-bleu qui
l'été, quand il faisait chaud, estompaient le contour
des collines ? Qui avait jamais senti l'odeur épicée que
le vent d'automne répandait dans les vallées ? Comme
toujours lorsque Laura pensait à tout cela, son amour
pour cette terre l'envahit comme une douleur soudaine qui lui coupa la respiration. Une fois de plus
elle se dit que jamais elle ne partirait. Qu'elle supporterait les longs hivers. La solitude. Les souvenirs. On
ne quitte pas ce que l'on aime vraiment, c'était sa
conviction profonde, même si ce doit être une source
constante de tracas. Il est possible qu'un jour on y
laisse sa santé, mais on ne part pas.

La bouilloire siffla. Laura versa l'eau brûlante sur
les feuilles de thé. Le seul parfum eut déjà un effet
apaisant sur ses nerfs ; une première gorgée, elle le
savait par expérience, et elle serait une personne
neuve.

« Laura et sa tasse de thé, se moquait toujours
Frances, avec ça, elle soigne les maux de ventre, les
crampes dans les mollets, les cauchemars et la
dépression. Si ça ne tenait qu'à elle, il n'y aurait pas
d'autre médicament sur terre. »

Frances aussi avait aimé boire du thé, mais elle
n'avait jamais rien réussi à calmer avec ce simple
breuvage. Il lui fallait quelque chose de plus corsé.

— Un bon scotch avec de la glace, et la machine
repart ! disait-elle volontiers.

Jamais son foie ne semblait lui donner de fil à
retordre.

Laura ferma les lourds rideaux à fleurs pour se protéger de l'obscurité naissante et du vent qui gémissait
autour de la maison. Penser à Frances avait fait
resurgir son anxiété. Voilà qu'à nouveau l'idée que ces
étrangers puissent fouiller partout, jour après jour et

deux semaines durant, la mettait dans tous ses états. Les gens étaient curieux. Ils aimaient bien apprendre des choses sur les autres. Laura le savait parce qu'elle aussi, parfois, fouinait dans les affaires des autres. Un jour, on lui avait remis par erreur une lettre destinée aux Leigh, qui habitaient le manoir voisin. Elle avait tourné autour une demi-journée entière, puis elle n'y avait plus tenu et l'avait ouverte à la vapeur. A sa grande déception, elle ne contenait qu'une invitation à la fête de printemps que donnait une famille de Hawes.

Sa tasse de thé à la main, Laura passa dans la salle à manger pour une ultime inspection des lieux. La porcelaine fine et les verres à vin étaient correctement alignés dans les placards. Les nappes de lin blanc, soigneusement repassées et pliées au carré, étaient disposées en piles sous la desserte. L'argenterie, triée par type de couvert et par tailles, était rangée dans des coffrets tapissés de velours. Laura approuva d'un hochement de tête satisfait. Il ne fallait pas que ces messieurs dames trouvent à redire.

Elle ferma là aussi les rideaux et se dirigea vers la porte. Elle avait tout le temps gardé les yeux baissés, en prenant soin de ne les laisser à aucun moment errer où ils ne devaient pas. Mais en sortant, son regard croisa tout de même le rebord de la cheminée et s'arrêta sur le cadre doré qui était posé dans un angle. Elle ne put résister à l'envie de s'en approcher. La photo, en noir et blanc, représentait Frances Gray à dix-sept ans. Elle portait une robe de style marin qui semblait très sage et ses cheveux noirs étaient lissés en arrière. Avec son teint clair et ses yeux bleus lumineux, elle était de pur type celtique. Sur ce portrait, elle arborait le sourire légèrement arrogant qui avait toujours été destiné à intimider les gens et duquel elle ne s'était jamais départie, même dans ses moments les plus difficiles, quand les gens disaient qu'il n'y avait plus rien dont elle pût encore s'enorgueillir. A vrai dire, jamais elle n'avait montré la moindre faiblesse. Il ne s'était trouvé que peu de ses concitoyens pour saluer son courage. La plupart avaient pensé que ça ne lui aurait pas fait de mal de se tenir modestement en retrait.

Frances, en rabattre ! Pour un peu, Laura aurait éclaté de rire. Elle regarda la jeune fille de la photo et dit à voix haute :

— Tu aurais dû me le dire ! Tu aurais dû me dire où tu l'as caché !

Dans son cadre, Frances souriait, muette.

L'avion se posa à Londres vers 17 heures. Barbara et Ralph avaient prévu de passer une nuit sur place à l'hôtel, puis de se rendre dans le Yorkshire avec une voiture de location le lendemain matin. Barbara s'était dit qu'il pouvait être agréable de se promener un peu dans une ville parée pour les fêtes et de dîner ensuite quelque part dans un petit restaurant chaleureux. Quand ils sortirent de l'avion, il pleuvait à verse et la situation alla empirant au fil de la soirée. Dans des conditions pareilles, pas même Regent Street avec toutes ses illuminations et son grand sapin n'invitait à s'attarder.

En fin de compte, Barbara et Ralph, trempés, se réfugièrent dans un taxi et se firent conduire à Covent Garden, où ils décrochèrent la dernière table libre de *Maxwell's*. C'était bondé et bruyant mais au moins il y faisait chaud et sec. Ralph rejeta ses cheveux mouillés en arrière et survola la carte en plissant le front.

— Prends quelque chose de vraiment bien, suggéra Barbara. Les deux semaines qui viennent, tu ne vas avoir d'autre choix que ma cuisine et tu sais ce que ça veut dire.

Ralph rit mais il n'avait pas l'air d'être gai.

— Il y a des restaurants, même dans le Yorkshire.

— D'après ce que j'ai compris de la description de la maison, je crois que nous allons nous retrouver dans un coin perdu, expliqua Barbara. Il existe bien un village pas très loin, mais...

Elle haussa les épaules sans achever.

Ils se turent l'un et l'autre quelque temps, puis Ralph demanda doucement :

— Crois-tu que tout cela ait un sens ?

— C'est toi qui ne jures que par l'Angleterre ! Toi qui ne cesses de répéter que tu voudrais visiter le Yorkshire ! Toi qui...

— Ce n'est pas de ça que je parle, l'interrompit Ralph, mais de nous. Vu les circonstances... est-il bien indispensable d'aller s'enterrer ensemble deux semaines là-bas ? D'être constamment l'un sur l'autre, confrontés à tout ce qui...

— Mais oui ! Le problème est justement que nous n'avons jamais de temps l'un pour l'autre. Qu'en dehors de « Bonjour, bonsoir » nous ne nous adressons quasi plus la parole. Que chacun ne vit que pour son métier et ne sait même plus comment va l'autre.

— Ce n'est pas ce que je voulais, tu le sais.

— Oui, je le sais. A mes dépens.

Ils s'absorbèrent à nouveau dans leurs pensées puis Ralph reprit :

— Nous aurions aussi bien pu parler à la maison. Maintenant, pendant les fêtes.

— Quand, exactement ? Rappelle-toi que nous avions mille choses en prévision.

Il s'en souvenait. Réveillon de Noël chez les parents de Barbara. Repas de Noël chez sa mère. Lendemain de Noël chez le frère de Barbara. Et, le 27 décembre, son anniversaire – ses quarante ans – et énième repas de famille. Ce voyage était d'ailleurs le cadeau de Barbara pour cet anniversaire. C'est pour cela qu'il n'avait pu s'y opposer. Barbara avait tout organisé, tout payé. Elle avait parlé à leurs deux familles, atténué la déception et les rancœurs, expliqué la situation. La vérité, en revanche, elle l'avait gardée pour elle. « Vous savez, Ralph et moi, pour ce qui est de notre mariage, nous ne sommes pas loin du désastre, alors nous... » Non, elle n'avait rien dit. Ralph n'avait aucun mal à imaginer comment elle avait mis en avant son souhait à lui, et son désir à elle de satisfaire ce souhait. « Un petit cottage perdu dans les brumes du nord de l'Angleterre. Dans le Yorkshire, le pays des *Hauts de Hurlevent*. Ralph en rêve depuis des années. Quarante ans, c'est tout de même une belle occasion, vous ne trouvez pas ? Allez, ne nous en veuillez pas. L'année prochaine nous ne bougerons pas, promis ! »

Y aura-t-il seulement une année prochaine pour nous ? se demanda Ralph. Leurs rôles s'étaient curieusement inversés. Longtemps Barbara n'avait pas remarqué que les choses n'allaient pas entre eux et elle avait systématiquement refusé toutes ses offres pour mettre le problème sur la table. Elle n'avait pas le temps, pas envie, était trop fatiguée ou convaincue qu'il n'y avait pas de problème. Elle ne semblait pas avoir remarqué qu'ils ne se voyaient plus qu'entre deux portes, au pas de course.

Et puis, un jour, au cours des derniers mois, elle avait enfin réalisé qu'il y avait des choses qui n'allaient pas du tout et elle avait décidé d'y remédier. En « superwoman » habituée à saisir les problèmes à bras-le-corps et à ne pas se laisser rebuter par les obstacles, elle avait pris les choses en main et, sans demander l'avis de personne, réservé ce séjour au fin fond du Yorkshire, où pendant deux semaines rien ni personne ne pourrait les déranger. Il avait le net sentiment qu'elle l'avait mis devant le fait accompli, ce dont elle était coutumière, et ce qui l'agaçait prodigieusement. C'était le coup d'envoi d'une course. Objectif : « Sauvetage de notre mariage. Temps imparti : deux semaines. »

Il avait l'impression d'être le héros d'un mauvais jeu télévisé. Au cours des dernières années, à force de ne se sentir que frustré et déçu, d'avoir le sentiment d'être livré à lui-même, il avait fini par s'essouffler. Il avait cessé de croire que quelque chose pouvait encore changer. Aujourd'hui, c'était lui qui n'avait plus envie d'en parler. Plus envie de réclamer ce que de toute façon elle ne lui accorderait pas.

Barbara était plongée dans l'étude de la carte. Son murmure à peine audible trahissait sa concentration. Barbara faisait tout avec une concentration extrême.

Quand elle travaille, songea Ralph avec amertume, je pourrais agoniser à côté d'elle qu'elle ne s'en rendrait même pas compte.

Depuis quelque temps, il avait un peu trop tendance à s'apitoyer sur lui-même. Il le savait mais ne faisait pas grand-chose pour y remédier. A vrai dire, il ne lui déplaisait pas de se complaire dans ce rôle de mari malheureux.

Barbara leva les yeux.

— Tu as déjà choisi ? demanda-t-elle enfin.

Ralph tressaillit.

— Oh, excuse-moi. J'étais ailleurs.

— Regarde, il y a une entrée pour deux personnes. Je pensais qu'on pourrait peut-être la partager.

— D'accord.

— Vraiment ? Parce que, si tu n'en as pas envie, tu n'es pas obligé, je peux prendre autre chose.

— Barbara, je suis tout à fait capable de dire ce dont j'ai envie ou pas ! répliqua Ralph avec agacement. C'est d'accord !

— Mais ce n'est pas une raison pour tout de suite me parler sur ce ton! Parfois, j'ai l'impression que tu me laisses décider exprès pour pouvoir ensuite prétendre que tu t'es fait avoir.

— C'est absurde!

Ils se dévisagèrent. C'était chaque fois la même chose : toute l'agressivité qu'ils avaient trop longtemps refoulée explosait pour une broutille et une petite chamaillerie était toujours à deux doigts de se transformer en grosse dispute.

— Peut-être, dit Barbara, mais je prendrai autre chose quand même. Je n'en veux plus, de cette entrée pour deux personnes.

Elle savait que son attitude était puérile. Eh bien, tant pis, c'était comme ça, elle était puérile!

— Tu as raison. Pourquoi diable partagerions-nous une entrée quand nous ne partageons rien d'autre?

— Voilà une remarque intelligente. Et tellement spirituelle!

— Ah? Et qu'attendais-tu, au juste, comme réaction?

— Tu n'as pas besoin de réagir. Tu n'as qu'à ne pas m'écouter.

— Je croyais que tu nous imposais ce voyage de deux semaines précisément pour que je t'écoute, répliqua sèchement Ralph.

Barbara ne répondit pas. Elle fit mine de se replonger dans l'étude de la carte, mais son esprit était ailleurs. Elle ne devait pas retenir grand-chose de ce qu'elle lisait. Ralph le devina à ses yeux pleins de colère. Pour sa part, il n'avait plus du tout envie de manger. Quand une serveuse apparut à côté d'eux, le crayon fébrile et le regard plein d'espoir, il laissa échapper un soupir.

— Nous n'avons pas encore choisi, s'excusa-t-il.

Lundi, 23 décembre 1996

Elle était prête. Deux valises attendaient en bas, dans l'entrée, devant la porte. Un sac de voyage et un sac en plastique étaient posés à côté. Le sac en plastique contenait des provisions pour le voyage. Ces dernières années, Laura avait appris à économiser sur tout, et le wagon-restaurant était hors de prix. Elle s'était préparé des sandwiches et deux grandes Thermos de thé brûlant. Le voyage allait durer toute la nuit, il fallait bien ça. Mais demain matin elle serait dans le Kent, chez sa sœur, et elle dégusterait un vrai repas. Du moins si Marjorie était disposée à faire la cuisine. La plupart du temps, elle était de trop mauvaise humeur pour se mettre aux fourneaux et on pouvait s'estimer heureux qu'elle consente au moins à réchauffer une boîte de conserve. Marjorie avait toujours une bonne raison pour ne pas être d'humeur enjouée : le temps qu'il faisait, l'augmentation du coût de la vie, un scandale à Buckingham. Elle avait une façon bien à elle de démoraliser son entourage avec des prophéties sinistres et elle répétait à qui voulait l'entendre qu'elle était heureuse de ne plus être jeune, car ainsi lui seraient épargnées toutes les catastrophes qui n'allaient pas manquer de s'abattre sur la terre. Elle considérait l'avenir et le progrès avec un pessimisme identique à celui de sa sœur, si ce n'est que chez elle ce trait n'était pas dicté par l'inquiétude mais par l'égoïsme. Marjorie ne se souciait pas le moins du monde des autres alors que c'était l'essentiel de la vie de Laura.

Laura appréhendait son séjour chez Marjorie. Si elle n'avait été obligée de quitter la maison de temps à autre pour la louer, c'est tout au plus un week-end qu'elle aurait passé chez sa sœur. Par respect des convenances, parce qu'elle était sa seule parente encore de ce monde. Peut-être aussi lui aurait-elle envoyé quelques lettres, de loin en loin.

Plus l'heure du départ approchait, plus Laura était malheureuse. Fernand Leigh, son voisin de Daleview, devait passer la prendre à 5 heures pour la conduire à la gare de Northallerton. En fait, c'est à Lilian, sa femme, qu'elle avait demandé ce service, mais il avait appelé la veille pour prévenir que c'était lui qui viendrait. Lilian devait, une fois de plus, ne pas être en état de sortir.

Pourvu que d'ici là ses locataires soient arrivés ! Dans sa lettre de confirmation, elle avait bien précisé qu'il était impératif qu'ils arrivent au plus tard à 16 h 30. Mme Barbara Machin – Laura ne parvenait pas, même avec la meilleure volonté du monde, à mémoriser son nom – avait répondu que cela ne posait aucun problème.

Laura n'avait plus rien à faire, elle errait de pièce en pièce, une tasse de thé à la main. Dehors, il neigeait. Elle était descendue à la cave pour pousser la chaudière. La maison était chaude, confortable. Ils avaient bien de la chance, ces étrangers qui la chassaient, qui...

Arrête ! se sermonna-t-elle. Ne sois pas injuste. Personne ne te chasse. Personne ne te chassera jamais.

Elle passait en revue chaque objet, l'un après l'autre, pour s'en imprégner. Parfois son regard restait accroché à un tiroir ou une latte de parquet disjointe. Aussitôt elle se précipitait pour examiner l'endroit qui avait retenu son attention, ne trouvait rien et revenait sur ses pas.

Arrête de chercher, s'ordonna-t-elle avec sévérité. Tu te rends malade à ne penser qu'à ça !

Elle regarda la pendule : 14 h 30. Le ciel ne s'était pas véritablement éclairci de la journée et maintenant la nuit n'allait plus tarder à tomber. Si seulement elle n'était pas obligée de s'en aller !

Elle s'approcha d'une fenêtre qui donnait sur la cour de devant et fouilla le chemin du regard. Pas de locataires allemands en vue.

Vers le nord, la pluie s'était transformée en neige. Barbara et Ralph se relayaient au volant. L'un et l'autre s'étaient rapidement adaptés à la conduite à gauche. Ils avaient rencontré quelques difficultés pour sortir de Londres, à cause de la circulation, mais depuis qu'ils étaient sur l'A 1, la route à deux fois deux voies qui relie le Sud au Nord, tout allait bien. Il commençait toutefois à neiger. Les essuie-glaces balayaient le pare-brise sans relâche. Barbara, qui conduisait, constata que la visibilité devenait de moins en moins bonne.

— J'espère qu'on va bientôt arriver, dit-elle.

— Tu veux que je te remplace ?

Jusque-là, il avait regardé le paysage sans dire un mot.

— J'en fais encore un petit bout. Après, je te céderai le volant avec plaisir. Ça commence à devenir vraiment pénible.

Barbara quitta fugitivement la route des yeux pour observer Ralph du coin de l'œil. Elle l'observait ainsi, à la dérobée, depuis le matin. Quelle gamine ! Elle connaissait cet homme depuis quinze ans, était mariée avec lui depuis onze et voilà qu'elle le dévisageait en cachette comme, adolescente, elle dévisageait les beaux garçons inaccessibles. Ce n'était ni de son âge ni de cette façon que d'ordinaire une femme regardait son mari, elle en avait conscience, mais elle ne parvenait pas à s'en empêcher. Il lui paraissait tellement différent, ce jour-là – preuve qu'ils étaient trop rarement ensemble, qu'ils s'étaient terriblement éloignés l'un de l'autre. Elle ne le connaissait plus qu'en costume-cravate, ne connaissait plus que le brillant avocat qui partait pour son cabinet le matin, le regard toujours ailleurs parce que jamais il ne cessait de penser aux dossiers sur lesquels il travaillait. Le découvrir soudain en jean et pull-over, ses cheveux châtain foncé négligemment rejetés en arrière, certes perdu dans ses pensées mais calme et détendu, absorbé dans la contemplation du paysage, la déstabilisait.

— Je trouve que tu fais plutôt jeune pour quelqu'un qui doit fêter ses quarante ans dans trois jours, dit-elle.

Ralph plissa le front.

— C'est un compliment?

— A ton avis?

Il haussa les épaules.

— Je ne sais pas. Tiens, regarde, un restaurant! Tu vas pouvoir t'arrêter. On va changer de place.

Elle suivit son conseil et s'arrêta sur le parking du *Happy Eater*. Ralph descendit et contourna la voiture tandis que Barbara se glissait sur le siège voisin. Quand Ralph remonta, ses cheveux étaient couverts de neige.

— Ça tombe fort! dit-il. On n'a pas intérêt à traîner. Si jamais ça s'aggrave, on va rester bloquer quelque part.

— Moi qui croyais qu'il ne neigeait pratiquement pas en Angleterre!

— C'est effectivement plutôt rare dans le Sud, mais

pas dans le Nord ni en Ecosse. Il leur est même déjà arrivé d'être complètement coupés du monde à cause de la neige...

Ralph démarra et rejoignit la route.

— Mais ce n'est pas du tout la tournure que ça prend, ajouta-t-il pour la rassurer.

Vers 15 h 30, ils atteignirent Leyburn où ils s'enquirent de la route de Leigh's Dale auprès d'un policier.

— Vous restez toujours sur la A 684, expliqua-t-il. Wensley, Aysgarth, Worton. A Worton, vous prenez la direction de Askrigg. Vous trouverez Leigh's Dale un peu plus au nord, direction Whitaside Moor.

Une fois quittée la nationale qui traversait la Wensleydale, ils eurent le sentiment croissant de pénétrer dans les solitudes glacées d'un improbable bout du monde. De part et d'autre de la route, des collines et des vallons quadrillés de murets de pierre sèche qui commençaient à disparaître sous la neige s'étendaient à perte de vue. Le squelette noir des arbres dépouillés jalonnait le paysage. Ici ou là, une maison blottissait ses murs bruns au creux d'un vallon, une autre défiait les bourrasques au sommet d'une colline. Au loin, la terre et le ciel se fondaient en des nuées grises et tourbillonnantes. Des oiseaux noirs criaient dans l'air. Quand un panneau enneigé indiquant « Leigh's Dale, 1 mile » apparut, Barbara poussa un soupir de soulagement :

— Enfin ! J'ai cru que ça ne finirait jamais !

Outre une église et un cimetière, Leigh's Dale se révéla ne compter qu'une douzaine de maisons réparties le long d'une étroite rue principale. Quelques voitures garées dehors, mais pas âme qui vive. Des ampoules électriques colorées brillaient néanmoins derrière quelques fenêtres et deux portes étaient décorées de couronnes de Noël ornées de grands nœuds rouges.

— J'ai l'impression qu'il y a un magasin, dit Ralph. Ils vont sûrement pouvoir nous dire comment trouver Westhill House. Et nous pourrons en profiter pour faire quelques courses. Notre logeuse n'a certainement pas prévu de repas à notre intention, et j'ai une faim de loup !

— Bonne idée, approuva Barbara. Nous parons au plus pressé maintenant et demain nous ferons un vrai ravitaillement pour Noël. Gare-toi donc derrière ce carrosse de luxe !

— C'est une Bentley, fit Ralph avec respect. Il doit y avoir des gens qui ont les moyens, dans le coin.

A cet instant, le ciel gris anthracite explosa en millions de gros flocons blancs et les quelques mètres qui les séparaient du magasin suffirent à les transformer en bonshommes de neige.

Une femme entre deux âges qui se tenait près de la porte et regardait le ciel se déchaîner salua aimablement les arrivants, puis leur lança :

— Et ça ne fait que commencer ! Je le disais bien. Déjà, la semaine dernière, je le savais. Personne ne voulait me croire. On va avoir beaucoup de neige pour Noël, que je leur ai dit, mais mes petits-enfants ont prétendu que je ne pouvais pas le savoir !

Elle fronça le nez avec dédain.

– Les jeunes ne savent rien. Ils se mettent devant la télévision, écoutent la météo, et ne croient que ce que le présentateur raconte. Je ne sais même pas s'ils se rendent compte du nombre de fois où il tombe à côté. Le temps de par chez nous, je l'ai dans le sang, vous savez. Je le vois à la couleur du ciel. Je le sens à l'odeur qui monte de la terre. Je sais toujours ce qui va arriver.

Elle eut petit hochement de tête qui disait toute sa fierté d'être aussi perspicace.

— Ma mère aussi était comme ça. Elle avait prévu

la catastrophe de 1947. Quand on a eu plus de deux mètres de neige. Il y a des maisons qui ont été ensevelies. Eh bien cette fois, ça ne va pas être beaucoup mieux.

Ses prévisions achevées, elle sourit et s'enquit :

— Que puis-je pour vous ? Vous n'êtes pas d'ici, n'est-ce pas ?

— Effectivement. Je suis Barbara Amberg. Voici mon mari, Ralph. Nous allons à Westhill House.

— Oh, à la maison des sœurs ! Je m'appelle Cynthia Moore. C'est à moi qu'appartient le magasin.

— La « maison des sœurs » ? répéta Barbara. Je croyais que Mlle Selley vivait seule.

— C'est seulement une façon de parler. Autrefois, il y avait toute une famille qui vivait à Westhill et puis, un jour, il n'y a plus eu que deux sœurs. C'est là qu'on a pris l'habitude d'appeler la maison comme ça. Elles ne sont plus là ni l'une ni l'autre, mais le nom est resté. Tout le monde continue à parler de la maison des sœurs.

Elle sourit à nouveau puis soudain baissa la voix, comme si elle s'apprêtait à dire quelque chose d'inconvenant :

— Vous parlez très bien anglais, mais j'ai l'impression que...

— Nous sommes allemands, dit Ralph.

— Allemands ? Et vous êtes arrivés jusque-là ? Bienvenue à Leigh's Dale ! Westhill Farm va vous plaire, cela dit, ce n'est plus vraiment une ferme. Laura n'aurait pas pu continuer à s'occuper toute seule des moutons et des chevaux. Elle est un peu dérangée mais elle est brave !

— Dérangée ? fit Barbara.

— Enfin... C'est une vieille fille. Elle est parfois un peu bizarre, un peu hystérique. Depuis qu'elle a treize ou quatorze ans, elle n'a pour ainsi dire rien vu d'autre que Westhill et Leigh's Dale. Elle va bien de temps en temps un peu chez sa sœur, dans le Kent, mais je ne crois pas qu'elles sortent beaucoup de l'appartement, et Marjorie n'est pas d'un commerce très agréable. Ça explique que Laura soit peut-être devenue un peu étrange...

Ralph n'était que très modérément intéressé par la vie de Laura Selley. Il intervint dès que Cynthia Moore marqua une pause pour reprendre sa respiration.

— Vous seriez très aimable de bien vouloir nous indiquer comment nous rendre à Westhill, demandat-il poliment. Et nous voudrions également acheter deux trois choses.

— Mais bien volontiers, s'empressa Cynthia. Prenez donc ce dont vous avez besoin ! Je vous indiquerai le chemin quand vous aurez terminé.

Le magasin était plus profond qu'on ne le supposait de l'extérieur. De longues gondoles le divisaient en plusieurs allées. En s'engageant dans la seconde allée, Barbara se trouva nez à nez avec un homme très grand qui tenait une pile de boîtes de conserve à deux mains et semblait surgir de nulle part. Il portait une veste Barbour vert foncé et des bottes hautes.

Barbara se figea sur place ; Ralph, qui se tenait juste derrière elle, ne put l'éviter. Tous trois se dévisagèrent, stupéfaits ; chacun s'était cru seul dans le magasin.

— Excusez-moi, dit enfin l'homme.

— Je vous en prie, répliqua Barbara.

L'homme la fixa. Ses yeux étaient sombres, son regard pénétrant. Barbara soutint son regard mais elle était mal à l'aise. Elle sut qu'elle serait la première à détourner les yeux s'il ne le faisait pas immédiatement.

Brusquement, il tourna les talons.

33

— Lil !

Le ton, aimable quelques secondes plus tôt, était sec et brutal.

— Tu viens, oui ou non ?

Cela sonnait plus comme un ordre que comme une question.

Une jeune femme apparut, être quasi transparent et effarouché qui adressa un sourire hésitant aux deux étrangers puis baissa timidement la tête. L'homme lâcha d'une main la pile de boîtes de conserve, qui vacilla dangereusement, et saisit fermement le bras de la jeune femme. Elle réprima un cri de douleur.

— Je n'ai pas toute la vie devant moi ! Il faut encore que j'emmène Laura Selley à la gare.

— Nous sommes les locataires de Mlle Selley, dit Barbara.

— Ah, vraiment ?

Cette fois, c'est tout juste si ses yeux s'arrêtèrent sur elle ; elle semblait avoir perdu tout son intérêt.

— Dans ce cas, nous allons être voisins pour quelques jours. Leigh. Fernand Leigh.

— Barbara Amberg. Mon mari.

Ralph adressa un bref signe de tête à Fernand, qui parut alors se souvenir de la femme dont il serrait si fort le poignet que ses articulations en étaient blanches.

— Ma femme, Lilian, dit-il.

Lilian, qui avait tout ce temps fixé le sol, releva brièvement la tête. Barbara tressaillit, elle entendit derrière elle Ralph reprendre bruyamment sa respiration. Dans la faible lumière de plafonniers sans âge, ils venaient l'un et l'autre de découvrir ce qui leur avait échappé de prime abord : l'œil gauche de Lilian était cerné d'un vilain hématome bleu-vert qui commençait à peine à s'estomper. Sa lèvre inférieure était enflée, du sang séché était collé à une commissure.

— Enchanté d'avoir fait votre connaissance, dit Fernand Leigh. Peut-être nous rencontrerons-nous à nouveau !

Il les salua de la tête puis se dirigea vers la caisse en traînant Lilian derrière lui.

Barbara et Ralph se regardèrent.

— C'est le genre à prétendre que sa femme est tombée dans l'escalier, commença Ralph, alors qu'il est évident que...

Il n'acheva pas sa phrase mais Barbara savait ce qu'il pensait et elle acquiesça.

— J'ai vu tellement de femmes dans cet état ! dit-elle. Et je ne parle pas seulement des traces de coups. Je pense aussi à cette expression dans leurs yeux. A la façon dont elles sourient, dont elles gardent la tête baissée. Dont elles vous regardent, l'air de s'excuser d'exister. Cette femme est complètement détruite, Ralph. Et il est probable qu'elle ne l'était pas avant de rencontrer ce type.

Il se pencha légèrement vers la devanture.

— La Bentley est à lui. Ils sont en train de monter dedans.

Ils n'avaient pas remarqué que Cynthia s'était approchée d'eux.

— Pratiquement toutes les terres de la région sont à lui, dit-elle, et toutes les maisons de ce village aussi. Les Leigh étaient de vrais seigneurs dans le temps. Le seul domaine indépendant était Westhill Farm, qui appartenait aux Gray. Ça les agaçait pas mal. Depuis, Fernand a racheté une bonne partie des terres de Westhill. Il y en a d'ailleurs beaucoup qui se demandent avec quoi. On raconte qu'il boit trop, qu'il a des dettes. Et puis, tout d'un coup, il y a eu cette voiture ! Il faut bien qu'il ait un petit matelas quelque part.

— Et sa femme ? demanda Barbara. Elle n'a pas l'air d'aller bien.

Cynthia soupira.

— C'est un gros souci. Vous savez, au fond, Fernand Leigh n'est pas un mauvais bougre. Je ne sais pas ce qui se passe entre lui et Lil, mais, à l'évidence, il semble avoir souvent du mal à se contrôler. La plupart du temps, elle est encore plus mal en point qu'aujourd'hui.

— Et personne n'intervient ? s'étonna Ralph. C'est quand même simple de faire condamner ce type pour violences conjugales !

— Il faudrait que Lil le veuille. Sinon, ça ne ferait que l'enfoncer un peu plus, répliqua Cynthia. Jusqu'à présent, elle le défend farouchement. Pour ce qui est de trouver des explications à ses plaies et bosses, elle est d'une remarquable inventivité.

— C'est souvent le cas, intervint Barbara. Tant que leurs femmes ont peur de déposer contre eux, les types comme ce Leigh sont inattaquables.

— Je vous assure que ce n'est pas quelqu'un de mauvais, insista Cynthia. Il n'a pas eu une enfance facile. Son père était alcoolique, lui aussi, et sa mère – une réfugiée française, d'où son prénom français – avait tellement le mal du pays qu'elle en est devenue neurasthénique. Fernand était coincé entre les deux.

— Je ne vous cacherai pas qu'il y a un bout de temps que cette façon de justifier la violence ne m'impressionne plus, répliqua Ralph. L'homme n'est pas un pantin, il naît libre et doué de volonté. Il y a un moment où il est seul responsable de ce qu'il fait, quoi qu'il ait pu vivre.

Cynthia acquiesça :

— Ce n'est pas faux, mais... euh... Eh bien, avez-vous trouvé ce dont vous aviez besoin ? fit-elle, manifestement soucieuse de changer de sujet.

— Pour le moment, c'est bon, expliqua Barbara, mais nous repasserons demain pour faire de vraies courses de Noël.

Cynthia se tourna vers la devanture et posa un regard dubitatif sur la rue qui disparaissait sous les bourrasques de neige.

— J'espère que vous pourrez encore passer. Quand il y a beaucoup de neige, la garnison de Catterick donne un coup de main avec ses blindés pour dégager la grand-route, mais les voies secondaires, il n'y a personne qui s'en inquiète. Et, ma foi, Westhill est joliment à l'écart !

— Bah, ça ne sera sûrement pas bien méchant ! lança Barbara sur un ton joyeusement insouciant. Et puis nous avons des chaînes dans le coffre. On y arrivera bien. Pourriez-vous nous indiquer le chemin, maintenant... ?

Le bruit sourd du heurtoir de cuivre ébranla le silence de la maison. Laura, qui guettait pourtant l'arrivée de ses locataires, sursauta si fort qu'elle faillit renverser sa tasse. Du thé brûlant lui éclaboussa la main. Elle était décidément bien nerveuse. C'était ce voyage qui lui mettait les nerfs en pelote ; sa confrontation avec le monde à l'affût au-delà des murs protecteurs de Westhill lui mettait l'estomac à l'envers. Elle posa la tasse, se hâta vers l'entrée, arrangea ses cheveux en passant devant la glace, puis redressa les épaules et ouvrit.

La tempête lui arracha presque la porte des mains pendant que des milliers de flocons s'engouffrèrent dans la maison. Il faisait déjà sombre. Laura devinait à peine les contours des deux silhouettes qui se tenaient sur le seuil.

— Bonjour, je suis Laura Selley, dit-elle en forçant la voix pour couvrir le bruit du vent. Entrez donc !

Barbara comprit ce qui faisait dire à Cynthia que Laura était « étrange ». La vieille dame était assurément charmante, mais elle était aussi distraite et très agitée. Elle avait invité ses hôtes à la cuisine pour leur offrir une tasse de thé, mais à peine étaient-ils installés devant leur tasse qu'elle se souvint qu'il fallait absolument qu'elle leur montre d'abord toute la maison parce qu'on allait venir la chercher d'un instant à l'autre. Barbara et Ralph reposèrent leurs tasses et suivirent docilement Laura à travers la maison. Au rez-de-chaussée se trouvaient la cuisine, très vaste, le salon et la salle à manger. Le regard de Barbara fut aussitôt attiré par la photo qui était posée sur le rebord de la cheminée.

— Qui est-ce ?

— Frances Gray. Tout, ici, appartenait aux Gray, autrefois.

— Et vous le leur avez acheté ? s'enquit Ralph tout en se demandant d'où cette femme d'apparence modeste pouvait bien avoir tant d'argent.

— J'en ai hérité, répondit fièrement Laura. De Frances. Elle était la dernière de la famille. Il n'y a aucun descendant.

— N'est-ce pas un peu trop isolé ? interrogea Barbara.

L'idée de devoir vivre seule ici douze mois sur douze lui semblait angoissante.

Laura secoua la tête.

— Pas pour moi. Je vis ici depuis plus de cinquante ans, vous savez.

Elle semblait considérer que c'était une explication suffisante.

Un escalier de bois peint en blanc menait au premier étage. Ils y découvrirent deux grandes chambres, trois petites et une antique salle de bains équipée d'une grande baignoire aux pieds tarabiscotés.

— J'ai fait le lit de l'une des grandes chambres, expliqua Laura. J'ai pensé que c'est là que vous seriez le mieux.

Barbara et Ralph échangèrent un bref regard et décidèrent tacitement de ne pas sous-entendre devant Laura qu'il y avait déjà plusieurs années qu'ils faisaient chambre à part.

Laura avait néanmoins perçu le léger trouble de ses hôtes et l'avait intuitivement interprété.

— Les trois petites chambres sont naturellement également à votre disposition, précisa-t-elle alors, gênée. Il n'y a que ma chambre qui...

— Evidemment, l'interrompit Ralph.

En descendant l'escalier, Barbara apostropha Laura :

— Vous étiez une amie de Frances Gray ?

Ralph secoua imperceptiblement la tête ; il détestait cette habitude qu'avait Barbara de questionner les étrangers sans la moindre retenue. Mais Laura parut répondre volontiers.

— Oui, en quelque sorte, on peut dire ça comme ça. En fait, j'étais la gouvernante. Mais quand je suis arrivée, j'étais encore une enfant et c'était ma maison. Frances et moi n'avions personne d'autre.

— Vous viviez ici seules toutes les deux ?

Une ombre passa sur le visage de Laura.

— Une fois Adeline morte et Victoria Leigh partie... oui.

— Victoria Leigh ?

— La sœur de Frances.

— Avait-elle un lien avec les Leigh de... comment s'appelle l'endroit ?... Daleview ?

— Barbara ! souffla Ralph.

— Elle s'était mariée avec le père de Fernand Leigh. Mais le mariage n'a pas tenu.

— Il la battait ?

— Barbara ! répéta Ralph, cette fois plus sévèrement.

Barbara savait ce qu'il pensait. Il la trouvait impossible.

Laura eut l'air surprise.

— Non. Pourquoi ?

— Nous avons rencontré Fernand Leigh et sa femme, à Leigh's Dale, expliqua Barbara, et Mme Leigh avait l'air passablement mal en point.

— Eh bien, commença Laura alors qu'une expression songeuse assombrissait ses traits, il faut toujours être deux pour ce genre de choses, non ? Parfois, je me demande si c'est le destin qui fait de vous une victime ou si on se met soi-même en situation d'être une victime.

Tandis que Barbara, déconcertée, enregistrait la réponse – elle n'avait pas imaginé que Laura puisse être aussi soucieuse de mettre en lumière la complexité de ce type de relation –, Ralph sortit prendre les bagages dans la voiture. Sur le seuil, il faillit se heurter à une grande ombre noire qui émergea soudain de la tempête. Fernand Leigh. Les deux hommes échangèrent un salut glacial. Fernand recula d'un pas pour laisser sortir Ralph, puis il entra au milieu d'un tourbillon de neige et de froid. Sa haute silhouette emplit aussitôt l'espace. Bien qu'il fût à peine plus grand que Ralph, il y avait quelque chose dans son attitude, une présence, qui faisait paraître plus petit tout ce qui était autour de lui.

— Mademoiselle Selley, dit-il, nous devons y aller. Le temps s'aggrave. Votre train sera sûrement le dernier à pouvoir partir avant longtemps.

— Dieu tout-puissant ! Jamais je n'aurais imaginé que ce serait aussi terrible, marmonna Laura en commençant à trottiner en tous sens pour ramasser ses gants, son écharpe et son chapeau.

— Nous n'allons tout de même pas disparaître sous la neige ? dit Barbara.

Fernand se tourna vers elle. Dans la pénombre de l'étroit couloir, elle sentit son regard plus qu'elle ne le vit.

— Je n'en jurerais pas, répondit-il. Il est possible que vous soyez bloqués ici dès demain matin.

— Ce serait assez désagréable.

Il haussa les épaules.

— Je ne pense pas que le temps va se mettre au beau fixe pour vous être agréable.

— Ce n'est pas non plus ce que j'escompte, répliqua sèchement Barbara.

Il rit et, alors que personne ne s'y attendait, baissa les armes :

— Naturellement. Excusez ma remarque, elle était stupide.

Déjà il s'était détourné et empoignait les deux valises et le sac que Laura avait posés à côté de la porte.

— On y va, mademoiselle Selley ?

— On y va, répondit Laura.

Elle enfonça sur sa tête un bonnet qu'elle avait manifestement tricoté elle-même et qui semblait un peu juste, prit le sac en plastique contenant ses provisions de voyage dans une main, son sac à main qui ressemblait à un gros bonbon au chocolat dans l'autre, et respira à fond. Soudain, elle se souvint qu'elle n'avait pas pensé à prendre congé de Barbara. Enfin elle quitta sa maison, avec l'expression inquiète et fermée du petit soldat qu'on envoie à la guerre et qui n'a pas grand espoir de beaucoup y briller ni même d'en revenir.

Le jeune homme qui occupait le coin fenêtre face à celui de Laura ronflait doucement, la tête reposait de biais sur l'appui-tête, la bouche légèrement ouverte. Il ressemblait à un bébé, doux et rose. Il devait faire un rêve agréable car ses traits étaient calmes et détendus.

L'étudiante du coin couloir dormait, elle aussi. A vrai dire, Laura supposait que la jeune femme était une étudiante. Elle en avait l'air : jean et sweat-shirt, visage intelligent, lunettes cerclées de métal, cheveux courts coiffés à la va-vite. Avant de s'endormir, elle était restée tout le temps plongée dans un livre qui, pour autant que Laura pût en juger, traitait de mathématiques.

Le train grondait dans la nuit et elle ne trouvait pas le sommeil. Seule une veilleuse éclairait encore le compartiment ; elle voyait dehors les flocons tourbillonner. Fernand l'avait conduite à la gare en Jeep ; aucune autre voiture n'aurait pu passer. A York, elle avait dû attendre longtemps sa correspondance parce que les horaires étaient déjà bouleversés. De partout lui étaient parvenues des bribes d'informations alarmantes sur la météo. Une vraie catastrophe semblait s'annoncer sur le nord de l'Angleterre et l'Ecosse.

Ils vont être bloqués par la neige, et ils vont avoir tout leur temps pour fureter dans la maison, songeait Laura, au supplice. Elle aurait voulu ne jamais être partie ; elle aurait voulu pouvoir descendre au prochain arrêt et refaire le trajet en sens inverse. Mais outre le fait que réapparaître chez elle aurait été contraire aux dispositions du contrat de location, il ne semblait pas du tout évident de retourner à Westhill.

— C'est terminé, maintenant, avait dit Fernand à la gare de Northallerton, au vu du chaos qui s'annonçait. Souhaitez-moi bonne chance ! Il va m'en falloir beaucoup pour être à la maison ce soir !

Elle pensa à Barbara. Cette étrangère lui semblait... suspecte. Pas antipathique, mais pas complètement

42

inoffensive non plus. Volontaire et très directe dans sa façon de poser des questions. Curieusement, Laura ne l'avait pas du tout perçue comme quelqu'un de curieux. La curiosité avait pour elle un arrière-goût désagréable, et elle n'avait rien perçu de désagréable chez Barbara. La curiosité s'accompagnait d'un besoin malsain d'émotions et il n'y avait rien de cela chez sa locataire. Barbara était quelqu'un qu'animait un authentique et insatiable intérêt pour ce qui arrivait autour d'elle et pour les gens qui croisaient son chemin. Un intérêt qui allait jusqu'à vouloir également connaître les dessous d'une affaire, l'historique d'une histoire, quitte à déflorer le mystère et ainsi casser le ressort de l'intérêt. Barbara ne regardait pas par le trou de la serrure, elle entrait directement dans la pièce et demandait ce qu'elle souhaitait savoir.

Comme Frances, songea Laura, et elle comprit alors que c'était précisément ce qui lui rendait Barbara sympathique, et en même temps éveillait sa méfiance.

Barbara était comme Frances Gray.

Barbara ne savait pas ce qui l'avait réveillée, du vent qui hurlait dans la nuit ou du désarroi qui avait dû la troubler jusque dans son rêve, car son visage brûlait de honte quand elle s'assit dans son lit. Dehors, la tempête faisait rage. Le vent semblait vouloir tout emporter, il soufflait et mugissait autour de la maison comme un monstre en fureur. Il faisait trembler les vitres, s'engouffrait dans la vieille cheminée avec des bruits terrifiants. C'était l'enfer qui se déchaînait dehors, mais à cet instant précis cela sembla à Barbara moitié moins menaçant que ce qui se passait dans son corps. Elle ne savait plus quand elle avait fait un rêve érotique pour la dernière fois.

— C'est complètement ridicule, dit-elle à haute voix dans l'obscurité, puis elle se coucha sur le ventre, enfouit sa tête dans l'oreiller et attendit que s'apaisent les pulsations douces, mais paradoxalement presque douloureuses, qui faisaient palpiter son corps.

Quand par chance elle s'était réveillée, Fernand Leigh, sur la banquette arrière d'une voiture, venait juste de lui ôter son collant et elle se souvint qu'il l'avait rendue à demi folle de désir. Si elle avait gémi dans son sommeil ou même dit des mots inconvenants, du moins cela resterait-il son secret, Dieu merci, puisqu'elle était seule dans la pièce. Ralph lui avait laissé la grande chambre que Laura leur avait destinée ; il s'était installé dans l'une des petites chambres avec sa couverture et son oreiller. Ils ne s'étaient guère étendus sur le sujet.

— Je pense que c'est ce que tu préfères, avait simplement dit Ralph.

Et elle avait répliqué :

— On garde nos habitudes, c'est tout.

Elle se rassit et, tandis qu'elle cherchait l'interrupteur de la lampe de chevet, elle se demanda si c'était là le rêve d'une femme trop longtemps sevrée de sexualité. Depuis combien de temps vivait-elle ainsi ? Un an ? Plus ? Jamais elle n'avait eu l'impression d'être en manque de quelque chose. Elle considérait son lit essentiellement comme un lieu où elle pouvait jouir jusqu'à la dernière seconde des quelques heures de sommeil qu'elle disputait au stress quasi permanent de sa vie professionnelle. Il ne lui serait pas venu à l'idée de gaspiller le moindre de ces précieux instants. Presque toutes ses soirées étaient consacrées à des rendez-vous d'affaires ou des obligations professionnelles, et quand enfin elle rentrait, Ralph était presque toujours endormi. En échange, c'est lui qui se levait le premier et il était déjà en train de quitter la maison quand, à peine réveillée, elle poussait la porte de la salle de bains. Ils avaient fini par opter pour une solution qui leur semblait mieux adaptée à leurs rythmes de sommeil respectifs en décidant de faire chambre à part.

Elle avait trouvé l'interrupteur mais sans réussir à allumer. Elle pria intérieurement pour que cela vînt de la lampe et non d'une panne qui aurait touché toute la maison.

Barbara se leva et lentement – l'obscurité ne lui était pas familière – tâtonna jusqu'à la porte où se trouvait un autre interrupteur. Toujours pas de lumière. Rien non plus dans le couloir.

— La barbe ! murmura-t-elle.

Elle alla jusqu'à la chambre de Ralph et frappa doucement.

— Ralph ! appela-t-elle à mi-voix.

— Entre !

Sa voix était claire, il paraissait réveillé.

— De toute façon, je n'arrive pas à dormir. La tempête fait trop de bruit.

Barbara entra. Elle entendit un clic puis Ralph dit :

— Tiens, il n'y a pas d'électricité !

— C'est ce que je venais te dire !

Le sol était glacé. Barbara, frigorifiée, se tenait en alternance sur un pied puis l'autre.

— Il n'y en a nulle part !

— En bas non plus ?

— Je ne suis pas allée voir. C'est quoi, à ton avis ?

— Peut-être un fusible qui a sauté. Je m'en occuperai demain matin.

— Peut-être aussi la tempête a-t-elle endommagé la ligne. Et là, on ne pourra rien faire.

— Ce sera très vite réparé, sans doute.

Leurs yeux s'étaient peu à peu habitués à l'obscurité et chacun voyait maintenant l'autre. Ralph constata que Barbara tremblait.

— Va vite te recoucher, dit-il, sinon tu vas attraper froid. Ou... viens dans mon lit. Mais ne reste pas là, au milieu de la chambre.

Vu le rêve qu'elle venait de faire, Barbara eut le sentiment que ce n'était pas le moment de rechercher la présence de Ralph.

— Je file ! Et j'espère que cette tempête va se calmer d'ici demain. Elle commence à me taper sur le système.

Elle regagna sa chambre à tâtons, se glissa sous les couvertures et attendit, incapable de trouver le sommeil. Longtemps elle se tourna et retourna dans son lit avant de sombrer à nouveau dans l'inconscience aux premières heures du matin.

Quelqu'un la secouait par l'épaule. Elle ouvrit les yeux : c'était Ralph. Il était habillé mais ne s'était pas rasé et semblait très agité.

— Barbara, lève-toi ! Il faut que tu voies ça !

— Quoi donc ?

— Va à la fenêtre !

Elle se tira du lit et s'approcha de la fenêtre. Un petit cri lui échappa.

— Mon Dieu ! Ce n'est pas possible !

Dehors, la neige recouvrait tout. De la neige, encore de la neige, aussi loin que portait le regard. Les prairies, les chemins, l'allée de la maison, le jardin : on ne reconnaissait rien. Tout était uniformément blanc, enfoui sous la neige. La moitié des troncs des arbres de l'allée émergeaient de la neige, étrangement petits, et leurs branches semblaient sur le point de casser. Deux arbres avaient été déracinés par la tempête. Les énormes souches renversées témoignaient de la violence des bourrasques qui avaient dévasté le pays durant la nuit. Le vent était tombé, mais il neigeait sans discontinuer et un silence opaque, mystérieux enveloppait la campagne.

— Je n'arrive pas à le croire ! s'exclama Barbara, stupéfaite. Jamais je n'ai vu ça !

— Nous n'avons plus de courant du tout, en bas non plus. Les fusibles sont bons. C'est sur la ligne qu'il doit y avoir un problème.

— Mais ça va être réparé, n'est-ce pas ? C'est un endroit reculé mais ce n'est quand même pas coupé du monde...

— Certes... Il faut seulement que quelqu'un réussisse à accéder au lieu de la panne. Et, vu l'enneigement, je crains qu'une paire de chaînes ne servent pas à grand-chose.

— A propos de chaînes, commença Barbara en scrutant la blancheur immaculée, où est passée notre voiture ? Elle était bien devant la porte, non ?

— Elle y est toujours, répliqua Ralph, qu'un sentiment de panique diffus empêchait de rire franchement. Sous la neige !

— Nous ne pourrons pas aller à Leigh's Dale, alors !

— Non. Aucune chance qu'on bouge d'ici. Il doit déjà y avoir plus d'un mètre de neige et ça continue à tomber. On n'y arrivera pas.

Barbara qui ne portait qu'un tee-shirt et une petite culotte, ne sembla prendre conscience du froid qui régnait dans la pièce qu'à cet instant. Frissonnante, elle noua ses bras autour d'elle pour se réchauffer.

— Qu'est-ce que j'ai froid, ce matin... Hier soir, la maison m'a semblé plus chaude.

— Hier soir, la maison était plus chaude, expliqua Ralph, accablé : la chaudière marchait.

Elle le dévisagea.

— Quoi ?

Il hocha la tête.

— Je suis allé à la cave. Sans courant, la pompe ne fonctionne pas. Et je n'ai rien vu qui ressemble à un groupe électrogène.

— Alors nous n'avons pas d'eau chaude non plus ! Nous ne pouvons pas allumer la cuisinière. Nous ne...

— Au fait, le téléphone ne marche pas. Il n'y a pas de tonalité.

Barbara regagna son lit, se laissa tomber sur le bord et se prit la tête dans les mains.

— Saloperie de neige !

Ralph tenta un sourire encourageant.

— Ce n'est pas la fin du monde, Barbara. Nous ne sommes pas perdus dehors, sans toit au-dessus de nos têtes ou coincés dans une voiture à demi ensevelie. Nous sommes dans une grande maison bien solide, avec plein de cheminées dans lesquelles nous pouvons faire du feu. Nous serons coupés du monde un jour ou deux, mais il ne va pas neiger éternellement. Tout rentrera dans l'ordre. Et puis, regarde, ajouta-t-il en guise de consolation, nous ne sommes pas seuls dans notre cas. Partout autour de nous, ils ont le même problème, et eux aussi vont s'en sortir.

Barbara bondit sur ses pieds et attrapa son peignoir.

— J'ai d'abord besoin d'un café, dit-elle. Après, j'essaierai de penser. Tu descends avec moi ?

Il la retint par le bras.

— Tu veux faire du café... comment ?

— La vieille cuisinière en fonte. Je vais réussir à en tirer quelque chose. Et s'il faut que je fasse un feu de joie au milieu du salon, je ferai un feu de joie au milieu du salon : mais il me faut un café !

Trois bûches étaient empilées dans une corbeille de laiton à côté de la cheminée de la salle à manger : le seul bois à brûler dans toute la maison, peut-être, mais Ralph voulut se persuader qu'il y avait une réserve quelque part.

— Il y a un appentis derrière la maison, je l'ai vu hier soir. Je suis sûr que c'est là que Mlle Selley stocke son bois. Il faut seulement que j'y arrive. Et pour cela, il suffit de trouver une pelle à neige !

Tandis qu'il descendait fouiller la cave, Barbara s'affaira au chevet de la vieille cuisinière en fonte. Elle ne tarda pas à constater que des bûches seules ne prendraient pas. Elle fit le tour du rez-de-chaussée et dénicha un programme de télévision qui, faute d'électricité, ne leur serait d'aucune utilité. Elle en déchira quelques pages, les chiffonna et les glissa entre les bûches. Un bon ronflement s'éleva bientôt de la cuisinière et elle put mettre de l'eau à chauffer. Elle se faisait l'impression d'une pionnière au fin fond d'un Canada inexploré. Dans un placard, elle découvrit une cafetière ordinaire et des filtres en papier. Elle posa une poêle sur la cuisinière, cassa deux œufs et prit deux tranches de pain dans le paquet acheté la veille. Il commençait à faire plus chaud dans la cuisine et une bonne odeur de café réveillait l'atmosphère.

— Le petit-déjeuner est prêt, annonça Barbara quand Ralph remonta.

Il arborait une tache noire sur la joue et une toile d'araignée dans les cheveux. Il éternua.

— Cette cave est pleine de poussière et de saletés. Mais j'ai vu plusieurs pelles à neige. Je vais pouvoir creuser un chemin jusqu'à l'appentis.

Il s'approcha de la cuisinière, souleva le couvercle de la plaque et tendit les mains au-dessus du feu.

— Il fait un froid mortel dans cette cave... Dis donc, ça sent bon, ici !

— Café et œufs au plat. On peut au moins manger chaud.

Il prit place à table et dit en pesant ses mots :

— Il faut que nous soyons prudents, avec nos réserves. Il est possible que nous devions les faire durer quelque temps.

— Tu penses que nous ne pourrons pas aller à Leigh's Dale à pied pour faire des courses ?

— C'est exclu. La neige m'arrive déjà à la taille, et je suis plutôt grand. Il est impossible d'avancer sans déblayer la neige à la pelle à chaque pas. Ça prendrait beaucoup trop de temps. En plus, je vois mal comment on ne se perdrait pas. Il n'y a plus aucun repère, plus aucune route visible, et tu connais le coin aussi peu que moi.

— Eh bien, le réveillon promet d'être fameux ! Bon, après le petit-déjeuner, nous dressons un inventaire de nos réserves, d'accord ?

L'inventaire n'était guère encourageant. Il leur restait quatre œufs et six tranches de pain de mie, un quart de beurre entamé et un morceau de fromage à peine gros comme le poing. S'y ajoutaient un petit pot de confiture d'orange, un paquet de café moulu, une boîte de lait concentré, un petit paquet de sel et un petit paquet de sucre. La veille, ils avaient préparé des spaghettis dont il restait la moitié, de même qu'un reliquat de la sauce qui les accompagnait. Les deux pouvaient être réchauffés, mais il n'y aurait pas de quoi satisfaire de gros appétits.

— Si seulement nous avions écouté Cynthia Moore ! gémit Barbara. Elle pensait qu'il fallait faire de vraies provisions.

— Allons donc voir dans le cellier. Laura Selley aura bien quelques boîtes de conserve. Nous les remplacerons plus tard.

Mais Laura Selley ne semblait pas être une adepte du stockage et encore moins du stockage de boîtes de conserve. Sans doute n'éprouvait-elle que méfiance à l'égard de ces inventions furieusement modernes qu'étaient les conserves. C'est du moins ce que supposa Barbara, qui ne découvrit rien de comestible dans la resserre attenante à la cuisine, hormis quatre petites pommes de terre et quelques pommes piquées. La seule chose qu'il y avait en abondance, c'était du thé. En flacons, en boîtes, en sachets. Du thé noir, du thé vert, du thé parfumé, du thé pour le matin, du thé pour le soir. Tout ce qui se faisait comme thé de par le monde. Il devait y en avoir pour des sommes astronomiques. Le thé était le luxe de Laura Selley. Le seul.

— Eh bien, au moins, nous ne mourrons pas de

51

soif, dit Ralph. Il y a du thé pour un régiment. Pour le reste... ce n'est pas terrible.

— Le réfrigérateur est complètement vide, lui aussi ! Tu veux savoir ce que je crois ? C'est le genre de vieux radins qui s'obligent à finir des restes infâmes pendant des jours ou de même des semaines avant un voyage, pour ne rien avoir à acheter les derniers jours. Et si jamais ils ont quand même des restes, ils les emballent et les mangent dans le train parce qu'ils sont trop chiches pour s'offrir un sandwich au wagon-bar !

Ralph songea qu'elle n'avait pas dû se tromper de beaucoup : lui-même avait le sentiment que Laura Selley ne devait avoir que peu de moyens et que l'entretien de Westhill devait être une lourde charge pour elle.

— Regarde le seul truc qu'il y a dans ce maudit frigo ! poursuivit Barbara, furieuse.

Elle brandit un litre de lait, vide aux trois quarts.

— Formidable, non ? Nous voilà donc, en plus de nos trois gouttes de lait concentré pour le café et de tout ce satané thé, avec un extraordinaire quart de lait frais !

— Barbara !

Ralph semblait soudain très fatigué.

— C'est nous qu'il faut incriminer, pas elle. Nous aurions dû faire de vraies courses hier. Et puis ça ne sert à rien de s'énerver maintenant.

— Combien de temps va-t-on pouvoir tenir, à ton avis ?

Il haussa les épaules.

— On verra bien. Pour le moment, il faut que je m'occupe du bois. Toi, tu t'habilles et tu essayes de rassembler toutes les bougies que tu peux trouver dans la maison. Il fait nuit à 16 h 30, je te le rappelle.

Des bougies, il y en avait plus qu'il ne fallait. D'innombrables chandeliers étaient disséminés partout dans la maison et tous étaient garnis de bougies. Barbara en transporta quelques-uns dans la salle à manger, où elle les disposa sur la table et le rebord de la cheminée. Plus petite que le salon, la salle à manger serait plus facile à chauffer et il lui sembla judicieux d'en faire momentanément leur seconde pièce à vivre, en plus de la cuisine. Par la porte vitrée qui donnait sur le jardin, elle voyait Ralph qui creusait une sorte de couloir jusqu'à l'appentis. Elle s'arrêta un instant sur son visage, ce visage toujours un peu trop pâle d'intellectuel dont les traits étaient déformés par l'effort. Lui qui n'était pas habitué à solliciter son corps poussait ses forces à l'extrême. Barbara décida d'aller lui prêter main-forte ; il serait capable, sinon, de faire un infarctus.

Ils atteignirent l'appentis à midi. Tous deux étaient épuisés ; ils n'auraient pas fait trois mètres de plus. Barbara sentait la sueur couler le long de son dos. Comme il ne cessait de neiger, ses cheveux étaient trempés, et la neige, ignorant superbement le mal qu'ils s'étaient donné, menaçait de réduire leurs efforts à néant.

— Tu comprends maintenant qu'on ne serait jamais allés à pied à Leigh's Dale, dit Ralph en respirant péniblement.

Barbara reprenait son souffle, appuyée sur sa pelle.

— M'as-tu entendue en reparler ?

Elle alla jusqu'à la porte de l'appentis et la poussa. Elle constata avec soulagement qu'elle n'était pas fermée à clé. Etre obligée maintenant de fouiller la maison à la recherche d'une clé hypothétique aurait été au-dessus de ses forces.

— Viens, dit-elle, qu'on transporte tout de suite le bois. Après, je ne bouge plus un orteil de la journée !

A l'intérieur de l'appentis, une surprise désagréable

les attendait. Il y avait bien du bois, mais sans doute ne s'était-il trouvé personne pour débiter en bûches prêtes à l'emploi les demi-troncs qui y étaient entreposés. Ralph contempla en grimaçant le billot installé au milieu de l'appentis et l'énorme hache qui y était fichée.

— Je n'ai jamais fendu de bois de ma vie. Je ne sais pas comment il...

— Pas question que tu essayes, l'interrompit Barbara. Tu n'as aucune idée de la façon dont il faut s'y prendre et, si jamais tu te blessais, on ne pourrait même pas appeler un médecin. J'ai entendu parler d'un gars qui s'était comme ça planté la hache dans la cuisse.

Il la regarda, agacé.

— Ah, oui ? Et on fait comment, alors ? C'est toi qui transformes les troncs en bûches ?

— Bien sûr que non. Je ne sais pas plus que toi. Mais je ne veux pas que tu le fasses. La maison a été chauffée pendant des semaines. Les pièces du bas ne sont pas très chaudes, mais elles ne sont pas froides. Chaudement habillés et avec des couvertures, on ne devrait pas avoir froid.

— Ça peut facilement durer une semaine, cette histoire, et je te garantis que nous allons vite trouver cela très inconfortable. Sans compter que sans feu il n'est pas question de café ou de thé, et nous n'avons rien d'autre à boire. Pas question non plus de manger les œufs ou les pommes de terre. Il faut que j'essaye, je n'ai pas le choix.

Il choisit la plus petite des billes de bois, arracha la hache du billot et posa la bille de bois à sa place. Barbara recula d'un pas. Elle osait à peine regarder. Ralph était un juriste hors pair, mais un handicapé du travail manuel ; c'est tout juste s'il était capable de planter un clou dans un mur. Le voir dans cet appentis mal éclairé, une hache à la main, le regard dur, les traits crispés par la détermination était une vision tellement saugrenue qu'il était difficile de ne pas fermer les yeux.

Il prit son élan – pas assez, pensa aussitôt Barbara, trop timidement. Elle retint sa respiration. Il y eut un grand bruit. Quand elle rouvrit les yeux, elle vit que le tronc avait traversé l'appentis et roulé dans un coin. Il était intact. La hache était à nouveau fichée dans le billot. Ralph, le visage fermé, essayait de la décoincer.

— Tu vois bien que nous devrions...

Ralph se redressa d'un coup. La colère que Barbara lut dans ses yeux lui ôta toute idée de suggestion.

— Aurais-tu l'amabilité de me laisser seul? Crois-tu que ça m'amuse que quelqu'un soit planté là à me regarder faire ce numéro pitoyable? Tu me trouves ridicule, c'est ça? Tu aurais dû épouser un homme, un vrai, pas un petit gratte-papier minable!

— Tu sais ce que je trouve surtout ridicule? C'est ce discours imbécile que tu es en train de me tenir! Tu ne te figures tout de même pas que ce que j'aime chez un homme c'est qu'il soit capable de débiter un tronc d'arbre en petits morceaux?

Ralph, dont jusque-là le visage était rougi par le froid, blêmit.

— Puisqu'on en parle, commença-t-il à mi-voix, serait-ce trop te demander que de me révéler ce que tu aimes chez un homme? Ça me permettrait peut-être un jour d'espérer que...

Il s'interrompit.

— D'espérer quoi?

— Que tu veuilles bien retrouver le chemin de mon lit! Et maintenant, fiche le camp. Laisse-moi seul!

Elle avait lu un jour quelque part que les hommes pensaient toujours au sexe, quelle que soit la situation, mais elle n'arrivait pas à en croire ses oreilles.

55

— Penses-tu vraiment que ce soit le bon moment de... ?

— C'est le bon moment pour toi de me laisser tranquille et de trouver quelque chose à faire !

Barbara ne répliqua pas, pivota sur les talons et sortit d'un pas rageur de l'appentis. Elle claqua la porte si violemment derrière elle qu'un paquet de neige glissa du toit. Eh bien, qu'il se débrouille ! Et tant pis s'il se coupait une jambe, se démettait l'épaule ou faisait une crise cardiaque ! Elle n'était pas responsable des chutes de neige et elle ne le laisserait pas lui coller sa mauvaise humeur sur le dos. Sauf à vivre chacun de leur côté, ils n'arrivaient plus à ne pas se disputer. Se retrouver bloqués par la neige, seuls au milieu de nulle part, contraints de se supporter, de surcroît sans chauffage et avec la faim qui n'allait pas tarder à les tenailler, c'était probablement ce qui pouvait leur arriver de pire.

Elle s'arrêta un instant sous la neige qui tourbillonnait, au milieu du petit chemin qu'ils avaient creusé en unissant leurs forces. Elle avait encore chaud de l'effort qu'elle avait fourni et elle bouillonnait de rage. Elle leva les yeux vers la maison. Les murs, sombres et massifs, étaient montés en grosses pierres calcaires brutes. Avec leur châssis de bois peints en blanc, les fenêtres à croisillons conféraient à la maison un aspect familier et chaleureux. C'était le genre d'endroit où l'on se sentait chez soi. Entre deux des fenêtres du premier étage, Barbara découvrit un reste de treillage en bois semblable à ceux destinés à supporter les vignes vierges. Autrefois, la maison devait avoir été couverte de feuillage, du moins sa façade arrière. C'était aussi sur l'arrière que s'étendait le vaste jardin. Barbara se souvenait d'avoir aperçu un muret de pierre, la veille, avant qu'il ne fasse complètement nuit. Il était enfoui sous la neige, maintenant.

Et soudain, elle eut comme une vision : c'était un soir d'été, il faisait chaud, des enfants jouaient sous les arbres fruitiers, une jeune femme était assise sur le mur. Elle plongeait les doigts dans la mousse qui poussait entre les pierres, les yeux clos, le visage offert à la tiédeur de la brise du soir. La maison était pleine de vie et de bruits, oubliés le silence et la solitude d'une vieille femme qui était trop avare pour laisser des provisions quand elle s'en allait et que personne n'attendait quand elle revenait. La maison avait une histoire, sans doute plus heureuse autrefois qu'aujourd'hui.

— Parfois aussi peut-être plus triste, murmura-t-elle.

L'image de la douce soirée d'été s'effaça. A nouveau ce fut la neige, les lourds nuages bas qui restaient immuablement accrochés au-dessus de champs de poudreuse qui s'étendaient à perte de vue. C'était le 24 décembre. Ils étaient bloqués par les intempéries, ils avaient à peine de quoi manger et Ralph avait piqué une crise parce qu'il ne savait pas fendre du bois et s'estimait atteint dans son orgueil masculin. Il avait paru très affecté.

Barbara secoua la tête pour chasser l'image de son esprit.

Joyeux Noël, songea-t-elle.

— ... de nombreuses localités et quelques hameaux sont complètement isolés, conclut le présentateur du journal du matin sur un ton uni. Laura, assise devant une assiette d'œufs brouillés à laquelle elle n'avait pas encore touché, se leva et éteignit la radio aux premières mesures de *Douce nuit, sainte nuit*. Elle n'avait pas l'esprit à fêter Noël. Elle était bien trop inquiète.

Pour une fois, elle était presque reconnaissante à sa sœur d'être aussi peu encline à la dépense. C'est tout juste si quelque chose dans le petit appartement rappelait que c'était Noël. Une bougie verte en forme de sapin et à demi consumée était posée sur le rebord de la fenêtre, les biscuits que Laura avait apportés étaient disposés dans une assiette en carton, à côté. Il n'y avait aucune décoration de Noël.

— Ça coûte de l'argent et c'est tout, avait coutume de dire Marjorie. Et à quoi bon se donner du mal à installer des boules, des guirlandes et tout le reste ? Ça ne sert qu'à être obligé de tout remballer quinze jours plus tard. Et le monde n'en devient pas meilleur !

Jusque-là, cette attitude systématique avait affecté Laura sans qu'elle puisse trouver un argument solide à lui opposer. Dans l'absolu, Marjorie avait raison : les décorations de Noël coûtaient cher, étaient longues à installer et n'étaient d'aucun effet sur la triste réalité du monde. Il n'empêche : elles apportaient tout de même, le temps de quelques jours, un peu de chaleur et de réconfort, et ça, pensait Laura, on en avait parfois besoin pour affronter le quotidien.

Toute jeune, Marjorie cultivait déjà ce style austère et revêche, Laura le savait, et plus tard, elle avait ajouté le ronchonnement permanent. Elle était la plus jeune des deux, mais elle avait toujours paru plus âgée que la craintive Laura avec ses grands yeux ronds. Après avoir soigné leur père jusqu'à sa mort en y laissant presque sa santé – ça, il fallait lui en savoir gré, pensait souvent Laura –, elle avait chassé tous les hommes qui faisaient mine de l'approcher, et à vrai dire ne se bousculaient pas. Puis elle avait emménagé dans un immeuble calamiteux de Chatham où elle vivait depuis maintenant trente ans et dont la tristesse aurait réussi à déprimer même les plus optimistes. Laura n'avait jamais compris pourquoi elle avait choisi ce sinistre bloc de béton gris. Il y avait, dans le Kent, tant de charmants villages où Marjorie aurait pu louer un petit cottage confortable et vivre heureuse ! Mais comme, dans toutes ses réflexions, seuls les aspects pratiques revêtaient une certaine importance, elle s'était arrêtée à ces cages à lapins qui défiguraient le paysage alentour comme un monstrueux abcès, pour la raison essentielle qu'elles se trouvaient à quelques minutes de l'entreprise dans laquelle elle travaillait encore quelques années auparavant : une petite usine qui fabriquait des assiettes et des gobelets en carton et des serviettes en papier.

L'appartement comptait trois pièces, une cuisine et une salle de bains. Il disposait d'un petit balcon mais qui, orienté au nord, ne recevait jamais le soleil. Laura ne trouvait pas surprenant que Marjorie devienne de plus en plus désagréable. La plupart des gens que l'on croisait dans l'escalier avaient des mines renfrognées.

Cependant, Laura était présentement beaucoup trop préoccupée par ses propres affaires pour se mettre martel en tête au sujet de Marjorie. Depuis la veille, elle suivait avec anxiété toutes les émissions d'information à la radio et à la télévision. La neige qui avait enseveli le nord de l'Angleterre faisait partout la une de l'actualité. On parlait de catastrophe. La télévision transmettait des vues d'hélicoptères : le pôle Nord. Des étendues blanches, immenses, avec ici ou là un point noir quand émergeait une maison ou un village.

Laura, qui suivait tout cela le cœur battant, se demandait d'où lui venait ce sentiment de menace qui montait en elle. Elle avait l'impression d'avoir abandonné ce qu'elle avait de plus cher au pire moment. Westhill. Qu'allait devenir la maison ? Elle existait depuis plus de cent ans, immuable. Elle avait résisté à toutes les catastrophes, petites et grandes. Au fond, ce n'était peut-être pas pour la maison qu'elle craignait quelque chose. Peut-être était-ce dans les gens qui s'y trouvaient à cet instant qu'elle percevait un danger. Cette jeune femme, avec son regard fier et perçant...

Laura poussa un soupir. Elle essaya de se remémorer les hivers dramatiques qu'ils avaient connus, là-haut, dans le Nord. Il y en avait eu quelques-uns. Le pire avait été celui de 1947, juste après la guerre. A l'époque, Adeline, la vieille gouvernante, était déjà gravement malade et il lui fallait sans cesse prendre des médicaments pour ne pas souffrir. Frances avait eu peur de ne pas avoir assez de morphine pour tenir jusqu'à ce que la neige fonde et qu'un médecin puisse venir. Mais il avait cessé de neiger à temps et finalement les engins de déblaiement avaient réussi à atteindre la ferme. C'était la seule et unique fois où Laura avait vu Frances sur le point de perdre son sang-froid.

— Je trouve que les enfants d'aujourd'hui sont beaucoup trop gâtés, ronchonna Marjorie, qui venait d'entrer dans la cuisine.

Elle portait une vieille robe de chambre bleue râpée qui avait appartenu à leur mère et des pantoufles en fourrure avachies. Ses cheveux n'étaient pas peignés. Elle faisait plus vieux que ses soixante-sept ans. Le bas de son visage était marqué, surtout la bouche.

Laura, absorbée dans ses pensées, sursauta :

— Oui... Qu'est-ce que tu dis ?

— Apparemment, le gamin de l'appartement du dessus a reçu une bicyclette pour Noël, expliqua Marjorie. Il fait des tours avec devant la maison. Une bicyclette... quand ils ont tant de tracas ! Il leur faut toujours ce qu'il y a de mieux ! Pourtant, le père est au chômage et ils vivent de l'aide sociale !

Elle s'approcha de la fenêtre et se pencha au carreau pour observer une seconde fois cette absolue monstruosité. Pleine de rancœur, elle constata que le garçonnet maigrichon, d'ordinaire grave et réservé, semblait heureux.

— Ça a l'air sérieux, la neige, là-haut, dans le Yorkshire, dit Laura, contrariée.

— Ici, il neige rarement, repartit Marjorie, qui regardait toujours dehors. Il va bientôt pleuvoir.

— Nous devrions peut-être sortir avant ? Pour prendre un peu l'air.

— Fais ce que tu veux. Moi, je n'en ai pas envie.

Elle se détourna de la fenêtre, gagna la table et s'assit lourdement à sa place. Puis, sans transition, elle déclara :

— Ils vont drôlement mettre ta maison en l'air, tes locataires. J'espère que tu as bien caché les lettres de tes amoureux !

Elle eut un rire méchant : elle savait bien que Laura n'avait jamais reçu de lettres d'amour de sa vie.

Laura pâlit.

— Tu crois qu'ils vont fouiner partout ?

Marjorie prit la théière, se servit et grimaça en constatant que le thé était froid.

— J'en sais rien. Mais tu voudrais qu'ils fassent quoi, sinon ?

— C'est vraiment curieux...

Barbara était assise devant le petit secrétaire du salon, une pile de papiers qu'elle venait de sortir d'un tiroir sur les genoux. Elle lut un document, plissa le front, en lut un autre.

— Depuis 1986, Laura Selley a vendu plein de terres de Westhill Farm à cet affreux Fernand Leigh. Et... ce qui m'étonne, ce sont les sommes... Elles sont ridiculement peu élevées !

Ralph venait d'entrer dans la pièce, le visage rouge de froid ; ses vêtements étaient sales et il avait l'air épuisé.

— Tu trouves que c'est bien de fouiller dans des papiers qui ne te regardent pas ? J'estime que tu...

— Nous avons besoin de papier. Pour faire démarrer le feu. J'ai cherché partout, Ralph. Je n'ai découvert qu'un seul vieux journal. Il ne reste rien du programme de télévision et, comme il n'est pas question qu'on brûle les livres, j'ai pensé que je dénicherais peut-être quelque chose dans ce secrétaire. Mais il est bien évident que je ne vais pas prendre ces actes de vente !

Elle remit tous les papiers dans le tiroir et se leva. La pièce était glaciale. Barbara portait deux gros pull-overs l'un sur l'autre et des chaussettes de laine aux pieds, mais elle avait tout de même froid. Et la faim commençait à la tenailler. La veille, ils avaient réveil-lonné avec le reste des spaghettis, une louchée cha-cun, juste de quoi faire taire leurs estomacs quelques instants. La seule bonne surprise de la soirée avait été la découverte d'une bouteille de cognac à demi pleine au fond d'un placard de la salle à manger. Elle représentait à elle seule toutes les réserves d'alcools forts de Laura Selley, à l'évidence une antialcoolique militante. Le cognac avait réchauffé un peu leurs os et donné un minimum d'apparence festive à la soirée.

Pour le premier repas de la journée, chacun avait eu droit à une tranche de pain de mie, un demi-œuf dur et un peu de fromage. Ils avaient décidé de tenir jusqu'au soir sans manger puis de faire cuire les quatre pommes de terre et de se les partager en s'accordant à nouveau un peu de fromage. Mais Barbara se sentait déjà tremblante de faim.

Ralph ôta ses gants.

— J'ai encore fendu un peu de bois. A force, je commence à y arriver. Au fait, il a recommencé à neiger.

Barbara regarda la fenêtre derrière laquelle des flocons tourbillonnaient :

— Oh, non ! Je ne m'en étais pas rendu compte !

Vers 9 heures, quand ils s'étaient levés – ni l'un ni l'autre n'étant pressé de quitter son lit pour s'attabler devant un petit-déjeuner trop frugal –, ils avaient découvert un paysage d'une beauté exceptionnelle. Pas le moindre nuage dans le ciel. D'un bleu arctique, à la fois profond et glacial, il formait une voûte immense qui s'arrondissait sur l'horizon comme une gigantesque boule de verre coloré. Le soleil matinal baignait de lumière la blancheur immaculée qui s'étendait à perte de vue. Il dessinait des ombres roses, légères comme un souffle, et faisait étinceler la neige qui semblait pétiller. Plusieurs minutes durant, Barbara et Ralph avaient oublié les crampes qui malmenaient leur estomac. Ils avaient regardé le paysage, subjugués, muets, se sentant, l'espace d'un instant, dédommagés de tous leurs malheurs.

— Je retourne au grenier, dit Ralph. Si je trouvais un peu de laine de bois, ça nous serait drôlement utile.

— Cette Laura Selley a l'air d'être une redoutable femme d'intérieur. Du genre à faire le ménage par le vide plus souvent qu'à son tour. Je n'ai découvert que quatre cartons, dans le grenier, et le fameux journal. J'aimerais voir un jour mon bureau aussi bien rangé que ses débarras !

— C'est vrai qu'on accumule trop, marmonna Ralph. Mon Dieu, qu'est-ce que j'aimerais avoir un chauffage qui marche !

— Tu devrais te reposer un peu. Prends donc un livre et va t'allonger sous tes couvertures. Il n'y a pas grand-chose d'autre à faire pour le moment.

Il acquiesça et se tourna vers la porte.

— Promets-moi de ne pas retourner tous les tiroirs. Ce n'est vraiment pas correct.

— De toute façon, il n'y a rien ici de bien intéressant, dit Barbara en refermant l'abattant du secrétaire.

Elle pensait que Ralph était bien trop honnête, avec tous ses scrupules, mais elle n'avait pas envie d'en faire le sujet d'un débat de fond. D'ailleurs, elle n'avait plus envie de parler avec lui. Pourtant, c'était à cela que ce séjour était destiné.

Il faisait déjà sombre quand Barbara se mit en route pour l'appentis. Elle avait besoin de bûches pour faire cuire les quatre ridicules pommes de terre de leur dîner. La réserve de bois que Ralph avait rapportée à midi était épuisée. Barbara l'avait brûlée dans la cheminée de la salle à manger au cours de l'après-midi. Elle s'était installée tout près du foyer, avait lu un peu et s'était accordé un petit verre de cognac. Une douce chaleur régnait dans la pièce et, avec l'image des flocons qui dansaient devant la fenêtre et le jour qui descendait lentement, elle avait éprouvé un réel sentiment de bien-être. A un moment, elle était montée au premier voir comment allait Ralph. Elle l'avait trouvé profondément endormi sur son lit. Barbara était restée un instant à observer le visage familier à la lumière de la bougie. Ralph respirait profondément. Il y avait quelque chose d'émouvant en lui, de curieusement fragile, comme un arbre abattu. Elle avait résisté à la tentation de se pencher vers lui et de lui caresser les cheveux. Elle aurait risqué de le réveiller. Il pouvait bien se reposer jusqu'au dîner.

Barbara avait quitté la pièce sans faire de bruit, était redescendue et avait enfilé des bottes et un manteau pour se rendre à l'appentis. La maison craquait et gémissait. Avec la tombée de la nuit, la tempête avait repris et les bourrasques faisaient trembler les fenêtres. Elle avait trouvé dans la cave une lampe tempête montée comme une vieille lampe à pétrole, et fixé une bougie à l'intérieur. Elle espérait que le vent ne l'éteindrait pas, mais par précaution elle glissa une boîte d'allumettes dans la poche de son manteau.

La tempête lui arracha la porte des mains, puis faillit lui arracher sa lampe. La neige tombait en gros flocons serrés qui se collaient sur son visage. Le chemin qu'elle et Ralph avaient tant peiné à creuser était toujours visible mais Barbara s'y enfonçait désormais presque jusqu'aux genoux. Elle progressait pas à pas, la tête baissée. La lampe tempête se balançait furieusement au bout de son bras, la flamme de la bougie vacilla puis s'éteignit. Barbara, qui avançait les yeux à demi fermés à cause de la tempête, en tâtonnant, s'en rendit à peine compte. Elle atteignit la porte de l'appentis, entra et, une fois à l'abri, reprit enfin sa respiration. Son manteau était couvert de neige, ses cheveux devaient l'être aussi. Elle sortit la boîte d'allumettes de sa poche et ralluma la lampe. Des ombres fantomatiques s'animèrent aussitôt sur les murs de pierre, une souris terrorisée détala pour aller se cacher derrière des outils de jardinage. Dans un coin, le regard de Barbara s'arrêta sur une grande corbeille en osier. Il lui sembla que ce serait une bonne idée de l'utiliser pour transporter les bûches ; elle pourrait en rapporter beaucoup plus à chaque voyage. Elle posa la lampe et commença à remplir la corbeille. La taille des bûches était très inégale et elles étaient pleines d'éclats, mais, à en juger par l'importance du tas de bois fendu, Ralph avait travaillé d'arrache-pied. Barbara empila dans la corbeille autant de bûches qu'elle le pouvait puis fouilla des yeux la pénombre. Il lui fallait quelque chose pour protéger le bois de la neige, sinon il serait très vite mouillé et brûlerait encore moins bien. Elle devina une vieille couverture de laine, pliée sur une étagère au fond de l'appentis.

Barbara se fraya un passage au milieu des billes de bois, des vieux outils et de tout un bric-à-brac poussiéreux. L'appentis était le seul endroit épargné par la passion du rangement qui animait Laura. Elle ne devait pas venir souvent ici. Ce n'était sans doute pas elle, à son âge et menue comme elle l'était, qui fendait le bois dont elle avait besoin ; du reste, entretenir le grand jardin devait déjà être au-dessus de ses forces. Peut-être confiait-elle ce travail à un jeune de Leigh's Dale en échange de quelques pièces.

Barbara s'accrocha à un clou qui dépassait du mur et entendit le tissu de son pantalon se déchirer. Elle jura à mi-voix et s'éloigna du mur avant de reprendre sa progression. Soudain, son pied gauche s'enfonça dans le vide. Elle perdit l'équilibre et tomba en avant sans pouvoir se retenir. Dans sa chute, son menton heurta violemment le coin d'une table et elle s'érafla la joue sur une tige de métal qui dépassait d'une cage à hamster, posée sur la table. Un cri, à la fois de douleur et de surprise, lui échappa. Elle resta un instant sans bouger puis tâta délicatement sa mâchoire. Apparemment, toutes ses dents étaient intactes et elle n'avait rien de cassé, mais elle allait avoir un sacré bleu.

— La poisse ! lâcha-t-elle à voix haute.

Avant de se relever, elle se retourna pour examiner de plus près le trou dans lequel son pied avait glissé.

Une des grandes lattes du plancher s'était brisée en son milieu. Le bois était presque entièrement pourri. Autre chose attira son attention. Deux lattes ne reposaient pas comme le reste du plancher sur la terre battue, mais recouvraient une cavité d'environ dix centimètres de profondeur. La grande latte qui s'était brisée reposait également dans le vide : rien d'étonnant à ce qu'elle n'ait pas supporté le poids de Barbara. Que personne ne soit tombé avant elle tenait sans doute au fait que le bois n'avait jamais été ni aussi humide ni aussi abîmé. Sans compter qu'il devait être rare que quelqu'un s'aventurât à chercher quelque chose dans cet appentis, et *a fortiori* dans ce coin quasi inaccessible.

— Et, évidemment, il faut que ça tombe sur une pauvre cloche comme moi, murmura Barbara.

Elle se demanda si la cavité s'était formée d'ellemême ou si elle avait été aménagée par quelqu'un. Elle passa la main à l'intérieur du trou. Comme elle avait laissé la lampe près du billot, elle avait du mal à distinguer quelque chose. A sa grande surprise, ses doigts rencontrèrent un objet. Un objet dur et froid... Elle le sortit du trou ; c'était un petit coffre en acier. Elle l'ouvrit. Il contenait un gros paquet de feuilles, du papier machine blanc, couvert de caractères d'imprimerie.

Il devait bien y avoir quatre cents pages.

. . . .

Quand Ralph descendit, elle lisait, installée à la table de la cuisine. Elle ne l'avait pas entendu arriver et sursauta quand soudain elle le découvrit devant elle.

— Ah, c'est toi ! dit-elle.

Elle se leva et alla jusqu'à la cuisinière, où elle souleva le couvercle de la casserole qui y était posée.

— Les pommes de terre sont presque cuites. Encore cinq minutes.

Il la regarda et fronça les sourcils.

— Qu'est-ce que tu t'es fait au visage ?

Elle se toucha le menton, mais Ralph secoua la tête.

— Non, plus haut. A la joue droite !

L'éraflure était plus profonde que ce qu'elle avait cru. Ses doigts rencontrèrent une balafre de sang à peine sec.

— Oh ! fit-elle.

Ralph se passa la main dans les cheveux. Son visage s'était creusé. Le sommeil ne semblait pas l'avoir reposé. Il avait l'air fatigué et paraissait de mauvaise humeur.

— Je suis allée chercher du bois dans l'appentis et je suis tombée, expliqua Barbara. J'imagine que d'ici demain mon menton aura toutes les couleurs de l'arc-en-ciel. Je pourrais faire un concours avec Mme Leigh !

Ralph s'assit et regarda, intrigué, le paquet de feuilles manuscrites éparpillées sur la table.

— Qu'est-ce que c'est ?

— Ce sur quoi je suis précisément tombée. C'est

extraordinaire, Ralph. Formidablement intéressant. C'est un manuscrit. Il était caché dans un coffret sous des lattes de parquet, dans l'appentis. C'est un roman autobiographique de Frances Gray. Tu sais, la femme qui...

— Je sais, l'interrompit-il. Mais comment ça, un roman autobiographique ? Tu veux dire un journal intime ?

— Non. C'est vraiment un roman. Mais qui raconte l'histoire de Frances Gray. Du moins une partie. Il est écrit à la troisième personne.

— Tu l'as lu ?

— Oui. En diagonale. Mais maintenant, je veux le lire en entier, du début à la fin.

— Tu ne vas pas faire ça ! Ce... manuscrit... il ne t'appartient pas !

— Ralph, la femme qui a écrit ce roman est morte. Et elle ne l'a pas détruit avant de mourir. Ça prouve bien que...

— Mais elle l'a manifestement caché. Je pense donc que tu n'as aucun droit de le lire.

Barbara se rassit à la table et rassembla en une pile bien ordonnée les feuilles éparses.

— Je vais le lire, dit-elle, quoi que tu en penses. Je vais le lire parce que je l'ai trouvé et que ça m'intéresse prodigieusement. Que tu puisses comprendre ça, je ne l'espère même pas. Tu ne t'intéresses pas aux gens qui t'entourent, tu ne risques pas d'avoir envie d'en savoir plus sur eux, et encore moins d'avoir envie de connaître l'histoire de cette vieille maison.

Il eut un petit rire ironique.

— Et revoilà notre brillante avocate au mieux de sa forme ! Attaquer pour mieux se défendre, même de mauvaise foi, c'est ta devise, non ? Et ton abruti de mari au cœur de pierre ne s'intéresse pas aux gens qui l'entourent. Tout le contraire de sa charmante femme, si ouverte, si compatissante. Sais-tu ce que tu es, Barbara ? Une curieuse et une indiscrète. Ça ne te plaît certainement pas d'entendre ça, mais c'est la vérité !

Il parlait sur un ton cinglant. Ce qu'il disait était exagéré, il le savait, mais il voulait blesser Barbara. Pour la première fois depuis qu'ils se connaissaient, il cédait à une obscure envie de lui faire du mal, lui d'habitude poli et attentionné. Si la fatigue et la faim l'avaient désarmé en émoussant sa combativité, il se sentait submergé de colère et d'agressivité à l'encontre de Barbara. Il enrageait contre le marasme dans lequel ils se débattaient. Elle n'était pas plus responsable que lui et ne pouvait rien faire, mais il lui fallait un exutoire pour ces deux jours catastrophiques et pour ces années – surtout pour ces années – de non-dits, ces semaines passées à se taire, à refouler ses propres désirs. Cette histoire de manuscrit le mettait en rage parce qu'elle était typique de Barbara. Ce formidable et merveilleux intérêt pour ceux qui l'entouraient était aussi la source de l'exceptionnel désintérêt qu'elle manifestait à son égard. Pourquoi se serait-elle intéressée à l'homme qui vivait à ses côtés quand le monde était si intéressant, quand il y avait ailleurs tant d'histoires autrement plus passionnantes, tant de destins autrement plus palpitants ?

Barbara avait tressailli mais elle s'était vite ressaisie.

— Je comprends mal pourquoi il faut que tu sois aussi agressif. Si tu te sens comme un abruti au cœur de pierre, c'est ton problème. Pour ma part, je ne t'ai jamais perçu comme ça.

— Ça fait des années que tu ne me perçois plus du tout ! Tu peux bien avoir l'honnêteté de reconnaître que je suis la part la moins intéressante de ta vie. Sans doute que je ne te dérange pas particulièrement non plus. Je te suis indifférent, tout simplement.

— Si tu arrêtais un peu de t'apitoyer sur ton sort, tu te souviendrais peut-être que c'est moi qui ai organisé ce voyage. Pour qu'enfin on ait le temps de se parler. Et dans quel but, à ton avis ?

Il fit un mouvement de la tête vers le paquet de feuilles manuscrites.

— J'ai cru comprendre que tu voulais lire, et non parler, dit-il d'un ton buté.

— Ça suffit, maintenant !

Les yeux de Barbara brillaient de colère.

— Arrête de faire l'enfant, Ralph ! Si tu veux parler, parlons. Cela n'a rien à voir avec le reste !

— Bien sûr que si. Tout a justement toujours à voir avec tout, dit-il, soudain épuisé malgré sa longue sieste de l'après-midi. Barbara, que tu lises ce journal...

— Ce n'est pas un journal !

— Que tu le lises ou non, au fond, peu importe. Je trouve que ce n'est pas correct, mais après tout, c'est toi qui décides. Ce qui m'énerve, dans cette histoire, c'est une fois de plus cette façon que tu as de débouler dans la vie des gens. « Salut, c'est moi, Barbara, je cherche de l'inédit, du croustillant, de l'excitant ! » Madame la super-avocate, madame la grande dénicheuse des meilleurs coups médiatiques. Et notre reine des soirées mondaines aux fringues hors de prix. Pas une première, pas un vernissage, pas un restaurant branché où on ne la voie. Et toujours à l'affût d'informations de première main. Madame est l'intime des meilleurs journalistes de la République. Et parfois, Madame oublie qu'il y a des choses plus importantes dans la vie.

— Ralph, je...

— Sais-tu que je te trouve cent fois mieux, telle que

tu es ce soir assise dans cette cuisine, que lorsque tu te mets sur ton trente et un pour filer à je ne sais quelle réception ? Tes cheveux sont en désordre, tu as une grosse griffure sur la joue et en plus une tache noire sur le nez et... Non !

Il retint sa main pour interrompre le geste involontaire qu'elle ébauchait pour s'essuyer le nez.

— Ne touche pas ! J'aurai si peu l'occasion de te revoir comme ça.

— C'est probable. J'espère ne plus jamais avoir à m'échiner sur une vieille cuisinière en fonte pour concocter un repas tout juste comestible à partir de rien du tout... Oh, mince ! Les pommes de terre !

Elle bondit sur ses pieds, ôta la casserole du feu, souleva le couvercle et inspecta les légumes :

— C'est de la vraie purée.

Elle sentit son regard peser sur elle et releva la tête. Toute colère avait disparu de ses yeux.

— Ah, Ralph ! fit-elle. Tu avais imaginé autre chose, n'est-ce pas ?

— Tu étais différente quand nous nous sommes connus.

— Je n'étais...

— ... pas aussi belle qu'aujourd'hui. Et pas aussi mince. Mais il y avait en toi une chaleur que tu as perdue en route.

— Je n'ai pas envie de parler d'autrefois, déclara sèchement Barbara, qui savait qu'il suffisait qu'il commence avec *ça* pour qu'elle ait mal à la tête.

— Je n'ai pas envie de parler d'autrefois non plus, précisa Ralph. C'est seulement que... Parfois, j'ai l'impression d'être seul à avoir des désirs. Parfois, je rêve d'une femme qui serait à la maison quand je rentre le soir. Qui aurait envie de savoir comment s'est passée ma journée, qui écouterait quand je me plains d'être débordé, ou qui me dirait que je suis génial quand je

72

lui décris un cas particulièrement complexe et lui explique quelle super idée j'ai eue pour le résoudre.

Il se tut quelques instants.

— Et c'est ce que j'aimerais pouvoir aussi te donner, reprit-il. Du moins, j'espère que c'est ce que je veux vraiment. Que derrière ma frustration ne se cache pas en réalité une incapacité à accepter ton succès et ta notoriété.

C'était ce souci constant d'être honnête vis-à-vis de lui-même que Barbara avait toujours le plus apprécié chez lui. Jamais il n'essayait de se cacher la vérité.

— Tu ne réussis pas moins bien que moi. Tu travailles simplement dans un domaine différent du mien. Tu sais à quel point tu es estimé.

— Toi, tu es aimée et célèbre.

Barbara laissa les pommes de terre trop cuites dans l'eau, sur un coin de la cuisinière, et vint se rasseoir.

— Ralph, c'est le choix que j'ai fait à la fin de mes études. Tu aurais pu faire le même, je ne suis pas plus compétente que toi. Nous nous sommes chacun dirigés vers ce qui nous plaisait le plus. Et tu as nettement plus souvent critiqué mon choix que moi le tien. Pour être tout à fait exacte, je n'ai même jamais critiqué ton choix.

— J'ai toujours pensé que tu étais trop bonne avocate pour te compromettre comme ça dans ces journaux de troisième zone.

— Ce n'est qu'un aspect des choses, et pas le plus important. L'essentiel est que mon travail me procure autant de plaisir. J'aime les gens. J'aime parler avec eux. J'aime découvrir ce qu'ils ont au plus profond d'eux-mêmes. J'en ai besoin. Comme dans le cas de l'affaire Kornblum, que j'ai gagnée la semaine dernière. Je souhaite gagner mes procès, comme tous les avocats, et comme toi aussi. Mais ce qui me motive avant tout, dans une affaire, c'est de découvrir quel genre de personne j'ai en face de moi. Découvrir à quoi ressemble sa vie, à quoi elle ressemblait jusquelà. Ce qui s'est passé. Comment elle en est arrivée à se trouver en situation d'avoir besoin d'un avocat. Kornblum n'est jamais allé voir au-delà des frontières de la petite ville dont il était le maire. Il y était considéré comme le bon petit gars qui avait réussi. Ils étaient tous très fiers de lui. Mais il avait un problème, un gros problème. Il voulait être plus que ça, il voulait continuer à grimper, à monter toujours plus haut, mais il savait qu'il n'en avait pas l'envergure. Qu'il ne serait jamais autre chose qu'un notable local, condamné aux banquets du syndicat des chasseurs, des éleveurs de lapins ou du comité d'organisation du carnaval. Il avait besoin de leurs voix à tous, mais il les haïssait. Qu'il se soit compromis avec une prostituée des bas-fonds de Francfort n'a, je crois, rien à voir avec la satisfaction de quelconques besoins sexuels. Cette fille était sa soupape de sûreté. Elle mettait un peu de piment dans une vie qu'il trouvait pitoyable. Elle lui donnait la force de s'impliquer jour après jour auprès des braves citoyens de sa petite ville. Elle le confortait dans l'idée qu'il n'était pas comme eux, qu'il faisait seulement semblant.

Elle se tut. Ses joues pâles avaient retrouvé un peu de couleur.

— Tu comprends ?

D'une certaine façon, il comprenait, d'une autre, non. Il ne voyait pas en quoi cela aurait dû constituer un quelconque empêchement à la satisfaction de ses désirs les plus chers.

— Je trouve que dans cette histoire tu interprètes beaucoup trop les faits, répondit-il. Ce Kornblum est un type ordinaire affligé de quelques préférences sexuelles plus ou moins perverses que sa femme ne veut pas ou ne peut pas satisfaire, et il va chercher ailleurs. Manque de chance, il tombe sur une prostituée qui a le mauvais goût de se faire découper en morceaux par un sadique et le voilà d'un coup à la une de l'actualité. Sa carrière politique et son mariage sont brisés. Point final.

— Il y a toute une vie derrière cette histoire, Ralph.

Il la regarda un temps sans répondre, puis déclara sans transition :

— Je voudrais avoir des enfants avant qu'il soit trop tard.

Barbara se prit le visage entre les mains, dans un geste d'impuissance et de résignation, puis releva la tête.

— Je sais, dit-elle en soupirant.

Laura se réveilla à 6 heures et sut d'emblée qu'elle ne parviendrait pas à se rendormir. La pluie tambourinait sur les vitres de la fenêtre de sa chambre. Elle pensa un instant à se lever pour se faire du thé, afin de retrouver un peu de paix intérieure, puis elle réalisa que cela risquait de réveiller Marjorie. Elle n'avait pas envie de voir le visage renfrogné de sa sœur dès cette heure matinale ni de supporter ses éternelles jérémiades. Elle resterait au lit. Elle soupira et se tourna de l'autre côté.

Elle se souvenait d'avoir rêvé de Frances, mais elle n'aurait pas su dire précisément ce qu'elle avait rêvé. Il lui en restait – comme toujours lorsqu'il s'agissait de Frances – un sentiment diffus de tristesse et de colère. Laura ne pouvait penser à Frances sans que cette évocation s'accompagne d'une impression d'irritation. D'irritation et de regrets. Jamais elle ne cesserait d'avoir la nostalgie de ces années auprès d'elle, et jamais elle ne pourrait se débarrasser de la colère qui la brûlait quand elle songeait à ses efforts désespérés pour séduire Frances et aux réactions glaçantes qu'elle avait suscitées en retour. Elle s'était donnée pour de la reconnaissance, de l'affection, de l'amour et elle en avait effectivement obtenu, mais jamais sans cette subtile réserve qui faisait mal. Frances venait vers elle, puis brutalement s'arrêtait à un certain point et jamais n'allait au-delà. Elle n'avait jamais laissé une véritable amitié s'installer entre elles, et encore moins accepté le rôle de mère que Laura aspirait à lui voir jouer. Elle était la patronne, Laura l'employée.

Laura avait un jour compris qu'elle ne pourrait rien y changer et s'était alors d'autant plus évertuée à se rendre indispensable. Frances ne devait jamais trouver une raison de la renvoyer. Elle ne l'avait jamais renvoyée, mais jamais non plus un « Laura, personne ne ferait ça mieux que toi » n'avait franchi ses lèvres. Laura n'obtenait pas ce qu'elle désirait si violemment.

Il lui revint soudain en mémoire un incident survenu vers la fin des années 70. C'était un jour de novembre calme, froid et brumeux. Elle s'était donné beaucoup de peine dans le jardin de Westhill, elle avait nettoyé les rosiers, protégé les plantes avec des branchages de sapin en prévision des premières gelées nocturnes. Son haleine gelait, mais s'activer lui tenait chaud et ses joues étaient enflammées. Elle aimait le jardin, elle le soignait, le cajolait sans relâche et savait qu'elle pouvait être fière du résultat.

Ce jour-là, elle était tellement absorbée par son travail qu'elle n'avait pas entendu Frances arriver. Elle sursauta quand elle entendit sa voix derrière elle.

— Un beau jardin, même en novembre, dit Frances en l'observant avec le regard acéré de ses yeux clairs. Très propre !

Laura se redressa en étouffant un gémissement à cause de son dos qui la faisait souffrir.

— Eh bien, oui, fit-elle modestement tandis qu'elle se sentait rougir de fierté et de bonheur.

— Mais il ne sera plus jamais comme du temps où mère vivait encore, poursuivit Frances. Elle entretenait d'extraordinaires relations avec les plantes. Elle leur parlait, dans cet affreux patois de Dublin qu'aucun d'entre nous ne comprenait. Parfois, on aurait dit qu'il suffisait qu'elle la persuade pour qu'une plante fleurisse. Son jardin était célèbre dans tout le comté.

La joie de Laura s'évanouit. Elle s'effondra comme si quelqu'un l'avait rouée de coups de pied.

Pourquoi ne peux-tu jamais être gentille ? aurait-elle voulu crier. Pourquoi rien de ce que je fais n'est-il assez bien à ton goût ? Pourquoi ne t'en rends-tu pas compte quand tu me fais mal ?

Elle avait marmonné quelque chose puis s'était détournée pour que Frances ne voie pas les larmes qui lui étaient montées aux yeux. Ce n'était pas difficile de cacher un chagrin à Frances. Elle se rendait rarement compte que quelqu'un n'allait pas bien.

Que la blessure était encore douloureuse ! Laura se leva, attrapa son peignoir et s'approcha de la fenêtre. Dehors, il faisait encore nuit. Elle voyait la pluie tomber dans la lumière des réverbères. Le sol de la chambre était froid, elle recroquevilla les orteils.

Le même jour, elle s'en souvenait, Lilian Leigh, de Daleview, était passée. Elle avait soudain surgi dans la cuisine où Frances et Laura prenaient leur repas du soir. Frances ne fermait jamais la porte de la maison à clé, ce que Laura, pour sa part, trouvait très imprudent. Lilian était blanche comme le mur. Elle pressait un mouchoir taché de sang sur sa bouche et pleurait en hoquetant. Sa lèvre était fendue et elle avait perdu une dent. Il apparut que c'était à mettre au compte de Fernand, qu'elle avait contredit lors d'une discussion anodine.

— C'est chaque fois la même chose, sanglotait-elle, chaque fois. Quand tout ne marche pas comme il le veut, il ne se contrôle plus du tout.

— Pourquoi, grands dieux, acceptez-vous une chose pareille ? s'étonna Frances, tandis que Laura nettoyait la blessure de Lilian avec un linge propre mouillé.

— Mais comment pourrais-je me défendre ? gémit Lilian. Il est dix fois plus fort que moi !

— Soit. Mais s'il le faut, il reste toujours la solution qui consiste à divorcer, répliqua Frances. En le plumant correctement au passage, bien sûr.

— Je ne peux pas le quitter, murmura Lilian.

— Et pourquoi donc ?

— Je l'aime.

Frances en était restée sans voix. Laura, elle, se disait qu'elle comprenait. Pour Frances, les choses étaient claires et simples. Elle n'irait jamais regarder quel mélange complexe de sentiments pouvait expliquer que l'on puisse un jour dépendre à ce point de quelqu'un. Et elle n'aurait toujours que mépris pour cette attitude.

Apprendre des choses aussi affreuses sur Fernand avait ébranlé Laura. Elle l'avait vu grandir, elle avait préparé ses plats préférés quand il venait en visite, lui avait emballé des gâteaux quand il devait regagner l'internat à la fin des vacances. Elle l'aimait bien, il faisait partie du petit monde qu'elle s'appliquait, chaque jour que Dieu faisait, à maintenir en paix. Adulte, Fernand devint si bel homme qu'il arriva parfois que Laura éprouve des émotions qu'aussitôt elle s'interdisait. Elle avait seize ans de plus que lui. Elle était grise et insignifiante, rien qu'une souris. Pour Fernand elle n'était que la gentille et placide Laura qui aujourd'hui comme hier lui préparait ses plats préférés. Elle ne serait jamais plus que cela pour lui. Et il ne devait jamais être pour elle autre chose que l'aimable jeune voisin, l'aimable jeune homme d'en face.

Ce jour-là, il avait révélé un aspect de lui-même que Laura n'avait jamais soupçonné. C'était comme si un aiguillon empoisonné s'était fiché dans la belle histoire – ou dans l'apparence de belle histoire à laquelle elle était si attachée.

Oui, elle y était terriblement attachée, songea-t-elle. Terriblement...

Elle se rendit compte qu'à rester ainsi pieds nus devant la fenêtre à regarder la pluie tomber, elle était envahie par un froid glacial. Elle se ferait un thé, que ça réveille Marjorie ou pas. Un bon thé brûlant. Le seul remède contre le froid.

Il était 6 h 30 quand la faim réveilla Barbara. La sensation de creux qui rongeait son estomac l'avait poursuivie jusque dans son sommeil. Elle avait rêvé qu'elle était perdue dans une grande ville déserte ; elle avait erré dans des rues sans fin bordées d'immeubles gris et morts, aucune lumière ne brillait derrière les fenêtres, elle ne voyait personne, n'entendait pas un bruit. Loin au-dessus de sa tête, entre les sommets des gratte-ciel, elle apercevait un long et étroit morceau de ciel, gris, immobile et hostile. Une sensation douloureuse de solitude la tourmentait, mais la sensation de faim était plus douloureuse encore. La solitude avait quelque chose d'abstrait, la faim était concrète, palpable. Des crampes contractaient son estomac et en même temps la panique l'envahissait à l'idée de ne plus jamais trouver de quoi de manger.

Quand elle s'éveilla, elle crut l'espace d'un instant qu'elle avait fait un mauvais rêve et un sentiment de soulagement l'envahit, puis son estomac se contracta brutalement et elle comprit que tout dans son rêve n'était pas imaginaire. Au lieu de la grande ville abandonnée, c'était au milieu d'un désert de neige qu'elle était perdue, mais au moins, elle n'était pas complètement seule, Ralph était là. En dépit de leurs précautions, leurs provisions s'épuisaient dangereusement et si leur situation ne s'améliorait pas très vite, ils se trouveraient en mauvaise posture. Elle songea au petit-déjeuner qui les attendait – du café, une tranche de pain de mie chacun, un œuf dur pour deux – et soupira. Dehors, le vent mugissait et elle voyait la neige tourbillonner. Le bout de son nez était glacé ; dans toutes les pièces de la maison, même dans la cuisine et la salle à manger, la température avait sensiblement baissé. La chaleur que les murs avaient emmagasinée au cours des semaines précédentes s'était dissipée depuis longtemps. Il lui faudrait bientôt cinq épaisseurs de couvertures pour pouvoir dormir.

Elle passa mentalement en revue ce qui les attendait en ce lendemain de Noël : après un petit-déjeuner frugal, à peine bon à apaiser momentanément leur faim, les tâches obligées : faire du feu dans la cheminée, ne pas le laisser s'éteindre, déblayer la neige, et encore déblayer la neige afin que le petit chemin jusqu'à l'appentis reste praticable. Transporter des bûches de l'appentis à la maison, recommencer à déblayer la neige puis préparer un dîner qui ne suffirait même pas à leur donner l'illusion de manger. Se laver à l'eau froide, dans une salle de bains encore plus froide...

Elle décida de rester au lit le plus longtemps possible.

Elle tâtonna pour attraper les allumettes sur la table de nuit et alluma les huit bougies du grand chandelier en laiton avec lequel elle était montée se coucher la veille. Le paquet de feuilles découvert dans l'appentis se trouvait à côté du chandelier. Elle n'avait pas pu reprendre sa lecture ; elle avait discuté la moitié de la nuit avec Ralph, puis ils étaient montés se coucher, épuisés. Le miroir lui avait renvoyé l'image d'une Barbara aux traits tirés, aux yeux immenses rougis par la fatigue, aux lèvres pâles et sèches. Elle s'était effondrée sur son lit.

Elle ne s'embarrassait pas des mêmes scrupules que Ralph, et pourtant, un curieux sentiment l'envahit quand elle se saisit des premiers feuillets dactylographiés. C'était quelque chose de très personnel qu'elle tenait entre ses mains. Frances Gray avait peut-être été très franche dans son récit. D'un autre côté, dans cette histoire, Barbara était elle-même neutre. Si Frances avait été sa mère ou sa grand-mère, elle aurait redouté d'apprendre des choses qu'en général on préfère ne pas savoir. Alors que là, c'était comme si elle s'informait de l'histoire d'une cliente, comme si elle étudiait les pièces d'un dossier.

Elle commença par relire le prologue que Frances Gray avait écrit en décembre 1980 en introduction à son récit.

« Depuis ma table de travail, devant la fenêtre, le regard porte loin sur les hautes landes. Le vent glacé de décembre balaye les vastes étendues désolées, le ciel est chargé de lourds nuages gris et tumultueux. On dit que nous aurons de la neige pour Noël, mais au fond rien n'est moins sûr. Ici, dans le Yorkshire, on ne sait jamais comment ça va tourner. On vit de l'espoir... »

Quand elle eut achevé le prologue, elle se trouva projetée des années en arrière, en 1907, et découvrit une jeune Frances Gray de quatorze ans, adolescente désespérée et pleine de colère.

Juin 1907

Frances était assise au bord de la Swale et jouait avec les gravillons de la berge. Une agréable fraîcheur montait de l'eau transparente et les grands arbres alentour dispensaient une ombre bienfaisante. Une vieille femme traversait le pont ; elle jeta un bref regard à la jeune fille et, sans plus s'en soucier, s'engagea dans la pénible montée vers la vieille ville.

Richmond surplombait la rivière, on y accédait par des ruelles étroites et tortueuses. Le château trônait tout au sommet de la colline, sombre et massif dans le bleu du ciel de juin. Le bourg était bruyant, partout résonnaient le martèlement des sabots des chevaux sur les pavés et le roulement des charrettes. Mais aucun bruit de parvenait jusqu'à la rivière. On n'y entendait que le chant des oiseaux et le murmure des Swale Falls, les chutes situées en contrebas.

Frances observa les branches de saules qui plongeaient dans la rivière et dansaient dans le courant. Elle aimait la Swale, elle aimait s'asseoir sur la berge. C'était comme chez elle, sur les rives de la Ure. Quand elle était là, elle pouvait oublier qu'elle était à Richmond. Elle pouvait imaginer qu'elle se trouvait dans la vallée de la Wensleydale et qu'elle n'avait qu'à traverser la prairie pour rentrer à la maison.

Ce jour-là, Frances ne parvenait pas à s'échapper de la réalité. Elle ne pouvait détacher son regard du château médiéval, là-haut sur la colline, et ses yeux ne cessaient de s'emplir de larmes. Larmes de colère, de déception et de tristesse.

La vieille femme avait disparu depuis longtemps quand elle découvrit une autre silhouette sur le pont. C'était John. Elle se leva, lissa sa robe et s'essuya les yeux et le nez avec le revers des manches de lin blanc de sa blouse d'écolière. Elle aurait aimé s'être ressaisie plus tôt, elle n'aurait pas eu à offrir ce visage ravagé par les larmes à John Leigh.

Il venait lui aussi de l'apercevoir et venait vers elle. Il y avait longtemps qu'elle ne l'avait pas vu. Il lui sembla qu'il avait encore grandi et qu'il paraissait plus vieux. Aujourd'hui, le décalage était manifeste : John avait vingt ans, c'était un jeune homme ; elle en avait quatorze et, dans l'état où elle se trouvait ce jour-là, elle ressemblait surtout à une petite fille.

Elle courut vers lui et ils se jetèrent dans les bras l'un de l'autre. Serrée contre lui, elle recommença à pleurer, incapable de s'en empêcher.

— Voyons, Frances, l'entendit-elle dire, ce n'est tout de même pas si terrible ! Ne te désespère pas comme ça !

Il l'éloigna un peu de lui, l'observa avec sollicitude, dégagea de son front ses cheveux noirs en désordre. Elle prit sur elle pour s'arrêter de pleurer, avala sa salive, hoqueta.

— Je suis là, maintenant, dit John. Tout va bien.

Frances fit son possible pour lui rendre son sourire mais sans grand succès.

— Combien de temps peux-tu rester ? demanda-t-elle.

— Seulement jusqu'à demain, malheureusement. Je dois être de retour à Daleview dimanche soir. Mais pour toi ce sera déjà le début d'une autre semaine.

Elle leva le bras pour essuyer à nouveau ses larmes mais se reprit à temps et sortit son mouchoir.

— Je savais que tu viendrais, dit-elle.

— Quand tu m'adresses un appel au secours en forme de télégramme, j'accours. Raconte-moi ce qui s'est passé.

— J'ai lancé ma raquette de tennis sur la tête d'une fille de la classe. Du côté du manche. Il a fallu la recoudre.

— Dieu du ciel ! Mais pourquoi as-tu fait ça ?

Frances haussa les épaules.

— Tu devais bien avoir une raison, insista John.

Frances regarda rêveusement la rivière.

— Elle a raconté des sottises...

Il soupira.

— Sur ta mère, c'est ça ?

— Oui. Ses mots exacts étaient : « Ta mère est une salope d'Irlandaise. » Et j'aurais dû la laisser dire ?

— Bien sûr que non. Mais lui taper dessus n'est pas non plus une solution. Tu vois bien qu'au bout du compte c'est toi qui as des ennuis.

— Cinq semaines ! Cinq semaines sans avoir le droit de rentrer à la maison pour le week-end. C'est plus qu'un mois !

John lui prit la main.

— Viens. Marchons un peu au bord de la rivière. Il faut d'abord que tu te calmes un peu. Un mois, ce n'est pas si long que ça.

— Pour toi, peut-être pas. A l'école Emily Parker, c'est une éternité.

— Il faut que tu arrêtes de détester cette école comme ça, dit John en écartant des branches pour leur frayer un chemin. Essaye d'en voir les bons côtés. Tu apprends des tas de choses et...

— Des tas de choses ? J'y apprends à tenir un ménage, à cuisiner, à tricoter... que des trucs stupides ! A me comporter en vraie jeune fille ! C'est tellement...

— Ce n'est pas vrai. Vous avez également d'autres cours : des mathématiques, de la littérature... et tu apprends à jouer au tennis. Tu aimes bien ça, non ?

Il eut un petit sourire ironique.

— Même s'il t'arrive d'utiliser ta raquette à des fins peu orthodoxes ?

— Je préférerais l'équitation. Mais ce n'est pas possible dans cette école !

— Tu peux monter à Westhill pendant le week-end. Oui, je sais, s'empressa-t-il d'ajouter alors qu'elle ouvrait déjà la bouche pour protester, tu n'es pas autorisée à rentrer chez toi pour le moment. Mais ce n'est que temporaire.

Frances s'arrêta. Des abeilles bourdonnaient dans un buisson de jasmin sauvage. Une odeur d'été, sucrée et enivrante, en émanait.

— Vicky est rentrée à la maison, dit-elle.

— Bien sûr. C'est une élève modèle. Ne va pas te tracasser pour ça.

— Elle a deux ans de moins que moi. Et on me la cite toujours en exemple. « Prends donc modèle sur ta petite sœur, Frances ! » Je ne sais pas comment ça se fait, dit Frances en regardant la jupe bleu foncé qui lui arrivait aux chevilles, mais Vicky réussit à être jolie dans cet horrible uniforme !

— Tu es toi aussi très jolie, la consola John.

Frances savait que ce n'était pas vrai. Elle n'avait jamais été ni aussi jolie ni aussi gracieuse que Victoria, et aujourd'hui, il n'était même plus question de se comparer à elle. Elle avait beaucoup grandi au cours des six derniers mois, elle était devenue maigre comme un coucou et rien dans son corps ne semblait s'accorder avec le reste. Ses cheveux, dont elle ne s'était jusque-là guère souciée, étaient devenus mous et gras. Depuis quelque temps, elle les relevait en chignon, mais elle trouvait que cela lui faisait une tête d'œuf. Elle n'aimait pas non plus le bleu acier, trop clair et trop dur de ses yeux. Les yeux de Vicky avaient la couleur doré foncé de l'ambre. Frances aurait tout donné pour des yeux pareils.

— Tu as pris une chambre à Richmond ? demanda-t-elle pour détourner ses pensées de son aspect physique, sujet qui la rendait toujours malheureuse.

— Bien sûr. Je n'allais tout de même pas dormir dans la voiture.

Les Leigh faisaient partie des très rares personnes assez riches pour posséder déjà une automobile.

— Je ne peux pas passer la nuit avec toi ? demanda-t-elle. J'ai si peu envie de retourner à l'école, si tu savais...

— Voyons, ce n'est pas possible ! Ça ne ferait qu'aggraver ta situation. C'est là que pour le coup tu aurais de sérieux embêtements. Sans compter, ajouta-t-il promptement, les difficultés qui m'attendraient, même si je passais la nuit dans le fauteuil.

— Je ne dirais bien sûr à personne que j'étais avec toi !

— Et tu diras quoi, alors ?

Il se planta devant elle, prit ses deux mains dans les siennes et la scruta, l'air très sérieux.

— Maintenant, Frances, écoute-moi. Je sais que tu trouves cette école abominable. Tu t'y sens enfermée, brimée, et tu supportes ça très mal. Mais il faut que tu tiennes le coup. Tu n'en as plus que pour trois ans. Alors tu vas serrer les dents et tu vas y arriver.

Elle prit une longue inspiration. Ces trois années lui semblaient une éternité.

— Pour moi, maintenant, c'est l'université. Ce n'est pas non plus une partie de plaisir. Mais c'est comme ça.

— L'université ! répéta-t-elle, amère. C'est toute la différence.

— Quelle différence ?

— La différence entre toi et moi. Entre les hommes et les femmes. Dans ton cas, ça a un sens. Tu n'as pas aimé le collège, mais tu savais pour quoi tu y allais. Tu y allais pour pouvoir entrer à l'université. Pour faire quelque chose de bien de ta vie. Pour découvrir tes possibilités et apprendre à les utiliser correctement.

— C'est la même chose pour toi.

— Non ! s'exclama-t-elle avec force. Non, justement pas ! Je suis obligée de subir tout ça pour rien ! Jamais je ne pourrai aller à l'université ! Il n'y en a quasi aucune qui accepte les filles. Et mon père grimperait aux rideaux si je lui parlais d'une idée pareille.

— Tu trouveras quand même peut-être une solution, hasarda John.

Il avait l'air surpris. Frances eut l'impression qu'il n'avait pas idée des problèmes qui la tourmentaient. Elle y avait fait allusion de temps en temps, mais sans doute ne l'avait-il pas comprise.

Ou pas prise au sérieux, songea-t-elle avec amertume.

— Oui, je trouverai peut-être une solution, reprit-elle, mais je n'en aurai pas fini avec les difficultés pour autant. On ne va pas me laisser choisir une profession sans me mettre des bâtons dans les roues. En fait, ce que tous attendent de moi, c'est que je me marie et que j'aie beaucoup d'enfants.

— Et c'est quelque chose que tu n'envisages pas ?

Elle se détourna et reprit sa marche.

— Je ne sais pas. Je ne sais pas ce dont j'ai envie.

Il la rattrapa, la retint par le bras et la fit pivoter vers lui.

— Je me réjouis déjà que tu reviennes à Leigh's

Dale dans trois ans, dit-il en l'enveloppant d'un regard plein de tendresse. Ne l'oublie pas. Je t'en prie.

C'était une promesse d'avenir, elle le lut dans ses yeux. Elle se demanda pourquoi elle n'en ressentait pas le moindre apaisement.

Mai 1910

Personne ne se souvenait d'un mois de mai aussi chaud que celui de 1910. A en croire les journaux, dans le Sud du pays, la chaleur était presque insupportable, notamment à Londres. Des tonneaux remplis d'eau avaient été installés dans les rues afin que les gens puissent se rafraîchir en passant. La saison n'avait pas encore commencé mais les riches partaient déjà se réfugier dans leurs résidences d'été.

Il faisait d'ordinaire toujours plus frais dans le Yorkshire que dans les comtés situés plus au sud, mais ce mois de mai y fut inhabituellement chaud et sec. Le soleil brillait dans un ciel uniformément bleu. Les paysans prédisaient déjà une longue période de sécheresse et de mauvaises récoltes. Leurs inquiétudes semblaient toutefois infondées car le mois d'avril avait été très généreux en pluie et l'herbe poussait dru dans des prairies d'un beau vert lumineux. Les moutons broutaient sans relâche et il suffisait de les regarder pour avoir un avant-goût du merveilleux fromage que l'on préparerait à partir du lait de brebis. Le fromage le plus célèbre de la région était cependant fabriqué à partir de lait de vache : le fameux Wensleydale Cheese que toute l'Angleterre appréciait.

En ce début d'été, Frances Gray se sentait impatiente comme jamais. Elle avait eu dix-sept ans en mars et se considérait comme une adulte, mais elle avait le sentiment que le grand événement qui devait symboliser son entrée dans ce nouvel âge se faisait anormalement attendre. Elle n'avait pas la moindre idée de ce à quoi devait ressembler cet événement. Elle avait seulement l'impression que jusque-là il ne s'était rien passé d'intéressant dans sa vie et que les choses ne pouvaient continuer ainsi.

Début avril, elle avait enfin tourné le dos à l'abominable école Emily Parker de Richmond et, durant ses premières semaines de liberté, elle avait pensé que ce qui pouvait lui arriver de pire dans la vie était derrière elle. Cette école, elle l'avait détestée jusqu'au dernier jour. Elle avait grandi à Westhill Farm, au cœur des douces collines verdoyantes de la Wensleydale, libre et sans contraintes. L'été, elle courait pieds nus dans l'herbe, elle galopait à cru dans la campagne, elle s'asseyait en tailleur sur la table de la cuisine pour écouter les histoires que lui racontait sa grand-mère. Vivre enfermée dans une lugubre maison de ville, partager un dortoir avec neuf autres filles, et en silence parce qu'il était interdit de parler, lui avait été insupportable. Quand elles sortaient, elles devaient se tenir en rang par deux, elles n'avaient pas le droit de courir – excepté pendant les heures d'éducation sportive –, pas le droit de rire fort, pas le droit de raconter le genre d'histoires un peu lestes que Frances connaissait grâce aux ouvriers de la ferme. Une fois, Mlle Parker, la directrice, l'avait surprise assise en tailleur sur son lit. Hors d'elle, elle avait traité Frances de fille perdue, de dévergondée aux mœurs dissolues, et lui avait prédit le plus sombre des avenirs car une dame qui ne gardait pas toujours les genoux serrés incitait les hommes à d'inavouables pensées, et il était même possible, dans les cas extrêmes, qu'ils en arrivent à passer aux actes. Mlle Parker s'était mise presque plus en colère que lors du fameux incident avec la raquette de tennis, bien qu'il n'y eût pas un seul représentant du sexe masculin dans toute l'école et donc personne qui pût concevoir quelque idée pernicieuse. Frances ne faisait pas grand cas de ce que Mlle Parker pensait d'elle, mais, comme une mauvaise conduite se traduisait immanquablement par l'interdiction de rentrer le week-end chez elle, elle s'efforçait d'adapter son comportement aux exigences du règlement. Elle acheva ses études sur un diplôme, en fin de compte, étonnamment bon. Mais elle n'avait qu'une idée en tête : partir, tourner la page, enfin commencer à vivre !

Après toutes ces années à se languir de ses vertes collines, Westhill aurait dû lui apparaître comme le paradis. Mais quelque chose avait changé. Plusieurs semaines s'écoulèrent avant que Frances comprenne que c'était elle qui n'était plus la même. Les années avaient passé et son enfance, sans qu'elle s'en rende compte, l'avait quittée ; sans qu'elle s'en rende compte, parce que dans son désarroi et sa peine elle l'avait protégée comme un trésor sans songer au fait qu'elle devait s'achever. Elle ne retrouvait plus la fillette aux pieds nus qui écoutait les histoires de sa grand-mère ou galopait cheveux au vent dans la campagne. Elle réalisait, désemparée, qu'elle avait oublié de se préparer à la vie qui s'ouvrait devant elle.

Avec sa chaleur inhabituelle, ce mois de mai semblait n'être qu'une seule et unique promesse et l'agitation de Frances s'accentua encore.

— Je me demande ce que je vais devenir, dit-elle un matin à sa mère.

C'était le 6 mai, un vendredi, date dont elle devait, pour plusieurs raisons, se souvenir longtemps.

— Je ne vais tout de même pas rester ici tout le temps à ne rien faire !

Sa mère, Maureen Gray, était en train de chercher une partition de musique dans sa chambre ; son professeur de piano serait là d'une minute à l'autre et elle voulait travailler une dernière fois son morceau avant son arrivée.

— Bien sûr que non, ma chérie, répondit-elle distraitement. Mais en attendant, pourquoi ne profites-tu pas de ce temps merveilleux ?

— Comment veux-tu que j'en profite ? Il ne se passe rien. Et c'est tous les jours la même chose.

— Pourtant, quand tu étais à Richmond, tu disais toujours que Westhill et la vie ici te manquaient. Le week-end, tu te plaignais de devoir travailler et de ne pas pouvoir faire ce dont tu avais envie. Aujourd'hui, tu le peux. Tu rêvais de t'allonger dans une prairie en fleurs et de regarder le ciel, tu...

— Mais je ne peux pas faire ça toute la journée, l'interrompit Frances avec impatience. Je ne... je ne peux pas tout bonnement reprendre là où je m'étais arrêtée. Je n'ai plus douze ans, mère ! J'en ai dix-sept !

Maureen sortit du placard et remit de l'ordre dans sa coiffure. Elle n'avait pas encore trente-sept ans, avait déjà mis quatre enfants au monde, dont l'un n'avait survécu que quelques semaines, et elle avait toujours l'air d'une jeune fille. Frances, qui tenait son type celtique de son père, enviait les cheveux blond roux de sa mère et ses yeux d'ambre. Tout, chez Maureen, avait une nuance dorée, tout était chaud, doux et harmonieux.

En revanche, rien de tout cela chez Frances, dont la palette se limitait à des couleurs froides et tranchées. Pas le moindre souffle de rose n'égayait la blancheur de sa peau, pas une seule mèche châtaine ne se glissait dans le noir profond de ses cheveux de jais. A l'école de Mlle Parker, ses camarades de classe disaient qu'elle était « intéressante ». Jamais le mot « jolie » n'avait franchi leurs lèvres.

— La grande fête de printemps des Leigh a lieu

dans deux semaines, dit Maureen. Ne t'en réjouis-tu pas à l'avance ?

— Si, bien sûr. Mais je ne vais pas passer mon temps à danser dans les fêtes. Ça ne remplit pas une vie.

— Frances, ça ne va pas être bien long avant qu'un des jeunes gens des environs ne demande ta main. Tu te marieras, tu auras des enfants, une maison à tenir. Tu regretteras d'avoir passé ce bel été à remuer des idées noires quand tu pourrais faire tant d'autres choses. Quand tu auras ta propre famille, tu n'auras guère de loisirs, tu sais !

— Je me sens bien trop jeune pour me marier et avoir des enfants.

— J'avais ton âge quand j'ai eu mon premier bébé.

— C'était différent à ton époque. Tu étais toi-même différente. Pour le moment, je ne me sens pas capable de choisir quelqu'un avec qui passer le reste de ma vie.

Maureen soupira. Frances savait que sa mère considérait que ce genre de discussion ne menait à rien. Elle était convaincue que, le jour où sa fille serait amoureuse, elle changerait d'opinion sur le mariage et les enfants.

— Vous en êtes où, au juste, John Leigh et toi ? insista-t-elle avec précaution. Vous êtes quasi fiancés depuis l'enfance, non ?

Elle souriait, et ce sourire exaspéra Frances.

— Voyons, mère, c'était il y a... si longtemps. Il ne m'en a jamais reparlé.

— Il faut dire que tu as toujours l'air de si méchante humeur qu'il n'ose peut-être pas, hasarda Maureen.

Elle sursauta en entendant un coup de corne dans la cour.

— Mon Dieu, c'est Mme Maynard et je n'ai tou-

94

jours pas mis la main sur cette partition! Descends vite lui ouvrir et dis-lui de s'installer au salon. J'arrive tout de suite!

Mme Maynard, le professeur de piano, était réputée pour son franc-parler. Frances savait qu'elle avait ce jour-là l'air renfrogné; aussi ne s'étonna-t-elle pas que Mme Maynard lui en fît aussitôt la remarque.

— Eh bien, qu'as-tu donc avalé de travers? lança-t-elle. Quelque chagrin d'amour?

— Non, répliqua Frances, irritée.

Pourquoi les gens étaient-ils incapables d'imaginer qu'une jeune fille puisse avoir d'autres soucis que des peines de cœur?

— J'ai là quelque chose qui va te redonner le sourire! déclara Mme Maynard en fouillant dans son sac.

Elle agita une enveloppe sous le nez de Frances.

— Je viens de chez les Leigh. La vieille Mme Leigh se figure qu'il faut absolument qu'elle se remette au piano! Tiens, John Leigh m'a priée de te donner cette lettre.

— John est là? s'étonna Frances.

John était à l'université de Cambridge. Il était rare qu'il revienne chez lui.

— Son père ne va pas bien, expliqua Mme Maynard. Je ne sais rien de précis, mais en tout cas, c'est pour ça que John est revenu.

Frances supposa que c'était sérieux. John n'aurait pas fait le long voyage de Cambridge à Leigh's Dale pour un simple refroidissement.

— La lettre est fermée, dit Mme Maynard avec un clin d'œil malicieux. Tu peux vérifier. Je brûle naturellement de savoir ce qu'il y a dedans, mais pas moyen de trouver de vapeur entre Daleview et chez vous.

Elle partit d'un grand rire, précéda Frances dans la maison d'un pas décidé et appela d'une voix forte:

— Maureen ? Tu es là, Maureen ? C'est moi, Dorothy !

Frances se demanda où elle pouvait se réfugier pour lire sa lettre sans être dérangée. Depuis son retour de Richmond, elle n'avait vu John qu'une seule fois, brièvement, à l'office de Pâques. Ils s'étaient trouvés au milieu d'une foule de gens et avaient à peine pu échanger quelques mots. Elle réfléchit en regardant autour d'elle.

Comme toujours lorsque son attention se concentrait sur la maison, un sentiment de paix et de gratitude l'envahit. Aussi loin que portait le regard, ce n'étaient que collines verdoyantes où paissaient vaches et moutons avec, de loin en loin quelques bosquets touffus ou un ruisseau serpentant jusque dans la vallée. Des murets de pierre sèche, pas toujours bien droits ni très réguliers, délimitaient les pâtures. Certains étaient couverts de mousse, d'autres de petites fleurs violettes. Un large chemin de terre reliait la maison à une route sinueuse en contrebas qui menait d'un côté à Leigh's Dale, de l'autre à Daleview, le fief de la famille Leigh. Toutes les terres des environs, à l'exception du domaine – en comparaison bien modeste – de Westhill Farm, appartenaient aux Leigh depuis plusieurs siècles. Et depuis au moins deux cents ans, il ne s'était pas écoulé une génération qu'un Leigh n'eût essayé d'acquérir les terres de Westhill. Aucun n'était parvenu à ses fins et Charles Gray, le père de Frances, repoussait lui aussi les offres du vieil Arthur Leigh, tout alléchantes qu'elles étaient, sans hésiter.

Frances contourna la maison et pénétra dans le jardin par une petite porte. Une impression trompeuse d'exubérance naturelle l'accueillit, trompeuse en ce sens que rien dans le jardin n'était le fruit du hasard. Chaque fleur, chaque buisson, chaque arbre avait été soigneusement choisi et planté par Maureen. On y évoluait parmi les églantiers, d'immenses buissons de rhododendrons et des arbres fruitiers à l'ombre propice au repos ; un grand saule pleureur offrait sa tonnelle à de mélancoliques rêveries. Dans quelques semaines, tous les rosiers seraient en fleurs et les fuchsias tapisseraient le jardin de clochettes roses et violettes.

L'image de sa mère à genoux entre des buissons et grattant la terre était, aussi loin qu'elle s'en souvienne, l'une des plus familières aux yeux de Frances. Un jour, Maureen avait déclaré que c'était sa façon d'oublier les petits tracas de tous les jours :

— Quand je sens la terre entre mes doigts, quand je découvre qu'un nouveau bouton s'est ouvert, quand le parfum d'une rose embaume, mes problèmes s'envolent tellement vite que je ne sais même plus pourquoi j'étais si contrariée quelques minutes auparavant !

Frances aurait été incapable d'égaler Maureen dans ce domaine car elle détestait se mettre à genoux et souffrir mille morts pour traquer les mauvaises herbes. Elle comprenait néanmoins ce qu'éprouvait sa mère car la terre lui donnait, mais d'une autre façon, autant de force qu'à Maureen.

Elle s'assit à l'ombre d'un cerisier, sur un banc peint en blanc, et ouvrit la lettre. Une carte, sur laquelle John avait rédigé de son écriture souple un message pour elle, glissa sur ses genoux.

« Chère Frances, il faudrait absolument que je te parle aujourd'hui en fin de journée. Que dirais-tu d'une promenade à cheval ? Je serai chez toi vers 5 heures. »

— Eh bien maintenant, j'ai envie de savoir ce qu'il veut, murmura Frances pour elle-même.

Elle leva la tête et découvrit sa sœur Victoria qui

venait vers elle à travers le jardin. Elle eut juste le temps de faire disparaître la lettre de John dans la poche de sa robe.

— Oh! Frances! Je te cherche partout! Qu'est-ce que tu fabriques ici?

— Et toi? Comment se fait-il que tu sois déjà là? Depuis quand Mlle Parker vous laisse-t-elle rentrer si tôt pour le week-end? De mon temps, c'était autrement plus sévère!

— Il y a une épidémie de coqueluche. Nous sommes toutes consignées chez nous pour au moins deux semaines!

— Ce n'est pas à moi que ça serait arrivé! On n'a jamais eu de coqueluches ni de maladies de ce genre. Espérons que tu n'as pas déjà été contaminée.

— Je ne pense pas. Ah, c'est vraiment agréable de se retrouver tout d'un coup en vacances, comme ça...

— Je veux bien le croire, dit Frances, néanmoins convaincue que ce cadeau inespéré ne représentait pas pour Victoria ce qu'il aurait naguère représenté pour elle.

Victoria n'éprouvait aucune animosité particulière à l'encontre de l'école. Elle aimait papoter avec les autres filles et portait volontiers l'uniforme rêche et empesé dans lequel Frances s'était toujours fait l'effet d'une prisonnière. Elle n'était pas une élève particulièrement douée, mais elle brillait en chant et en couture. Pour Mlle Parker, Victoria était « l'une de ses plus chères élèves », et se voyait en conséquence accorder maints privilèges. « Comment se peut-il que deux sœurs soient aussi différentes? » Ce que pensait la vieille directrice, Frances aurait pu le lire sur son visage tant c'était manifeste.

Quiconque les aurait rencontrées à cette époque aurait pensé la même chose. A près de quinze ans, Victoria était une jeune fille ravissante. Il n'y avait rien chez elle de ce dont sa sœur avait souffert au même âge. Elle ressemblait beaucoup à sa mère, dont elle avait hérité les couleurs dorées, le sourire gracieux, la voix douce. Elle avait toujours été jolie, tout le monde l'avait toujours cajolée, câlinée, et tous avaient toujours satisfait le moindre de ses désirs. Dès ses premiers mois d'existence, elle avait arraché des cris d'enthousiasme à son entourage. Chacun voulait la porter, la caresser, la serrer dans ses bras. Frances, qui avait deux ans à la naissance de Victoria, était assez éveillée et intelligente pour s'en rendre compte et en souffrir. Plus tard, Maureen lui avait dit qu'elle avait été un bébé différent, d'une maigreur effroyable, mais très résistante et extrêmement déterminée à tout apprendre plus vite et plus tôt que les autres. Attraper, marcher à quatre pattes, se tenir debout... elle avait tout essayé très tôt et s'était entraînée avec une exceptionnelle opiniâtreté.

A aucun moment Maureen ne l'avait formulé, néanmoins Frances avait bien compris que jamais elle n'avait suscité autant d'admiration que Victoria. Son père avait donné à sa seconde fille le prénom de sa très chère reine Victoria et ce n'est que beaucoup plus tard que Frances mesura combien il était étrange qu'il ne lui ait pas attribué ce prénom à elle, l'aînée. Sans doute n'en avait-il même pas eu l'idée en découvrant le bébé maigrichon aux yeux trop bleus que Maureen avait mis au monde en mars de l'année 1893. Ce fut un délicieux poupon aux joues rebondies, deux ans plus tard, qu'il jugea digne de porter le nom de la grande souveraine.

En ce jour de mai, Victoria portait une robe à col bateau bleu marine qui lui arrivait aux chevilles, des bottines lacées, bleu marine également, et un ruban bleu pâle dans ses longs cheveux blond foncé et légèrement ondulés qui brillaient comme de l'or au soleil.

Encore deux ou trois ans, songea Frances, et elle fera tourner la tête de tous les hommes du comté!

— George lui aussi est là, déclara Victoria. Il est arrivé il y a cinq minutes. De Wensley, dans une voiture de louage.

— George? Comment ça?

Son frère était élève à Eton et ne revenait que pour les vacances.

— Il a amené quelqu'un.

— Un ami?

— Une femme! déclara Victoria avec emphase. Elle est très jolie, mais un peu particulière.

Une femme. Voilà qui promettait d'être intéressant. C'était George, son frère aîné, que Frances aimait et admirait plus que tout au monde. Il était aussi la seule et unique personne qui ne faisait jamais les frais de son esprit critique.

George était beau, intelligent, sensible, charmant... Elle l'aurait paré de toutes les grâces. Cette année-là, George terminait ses études. S'il montait dans le Yorkshire en pleine période de révisions, sans doute pour à peine un jour ou deux et en plus avec une femme... Frances était capable d'additionner deux et deux. Il voulait présenter la jeune femme à la famille. Cela ressemblait à une histoire sérieuse.

— Pourquoi ne le dis-tu pas tout de suite? fit-elle en se levant. Où sont-ils? Il faut que je dise bonjour à George!

Et que je voie cette femme d'un peu plus près, songea-t-elle.

George était devant la maison, très occupé à modérer les débordements d'enthousiasme que lui manifestait Molly, la jeune chienne bâtarde qui semblait incapable de cesser d'aboyer et de sauter autour de lui pour fêter son retour. On aurait juré qu'elle savait ce qu'elle devait à George. Il l'avait trouvée au bord de la route, deux ans auparavant, un soir d'automne sombre et froid, pitoyable boule de poils au bord de l'inanition. Il était à cette époque en congé, et deux semaines durant il s'était relevé chaque nuit pour donner du lait et du jaune d'œuf au jeune chiot. Où que George aille, quand il partait, les adieux étaient déchirants, et quand il revenait, Molly ne tenait plus en place.

— George! appela Frances de loin, puis elle courut vers lui et se jeta dans ses bras grands ouverts.

Elle ferma les yeux. Il sentait bon! Que c'était agréable de se blottir contre lui!

Elle l'entendit rire, tendrement, doucement.

— Parfois, je me demande qui de toi ou de Molly est la plus heureuse de me voir! En tout cas, je me sens très flatté.

Elle recula d'un pas et le regarda.

— Tu restes longtemps?

Il secoua la tête, l'air désolé.

— En fait, je n'aurais même pas dû venir. Il faut que je me remette à réviser. Mais...

Il n'acheva pas, regarda sur le côté et Frances, qui suivit son regard, découvrit une jeune femme, adossée à l'automobile de Mme Maynard. Elle vint vers eux.

— Alice, puis-je te présenter ma sœur Frances? dit George. Frances, voici Mlle Alice Chapman.

— Bonjour, Frances, dit Alice.

Elle avait une voix grave et chaude.

— J'ai beaucoup entendu parler de vous. Je suis très heureuse de faire votre connaissance.

Frances tendit une main hésitante à Alice.

— Bonjour, fit-elle.

Les deux femmes s'examinèrent. Frances pensa que Victoria avait raison. Alice était effectivement très jolie. Elle avait des traits fins et réguliers, des yeux d'un vert profond et un nez délicatement arqué. Ses cheveux châtain cuivré étaient brossés en arrière. Elle était petite et menue, et il émanait d'elle une énergie presque palpable, quelque chose d'extraordinairement fort. Peut-être ce que Victoria avait voulu dire par « particulière ».

— George, commença Alice, peut-être devrais-tu d'abord entrer seul et préparer ta mère à ma présence ? Je vais rester un peu dehors et me promener. Ta sœur aura peut-être la gentillesse de me tenir compagnie ?

— Nous pourrions aller dans le jardin, proposa Frances.

George opina.

— D'accord. De toute façon, mère est en train de prendre sa leçon de piano. Nous nous retrouverons tout à l'heure.

Il sourit à Alice et Frances lut de l'adoration dans ses yeux. Elle eut la désagréable impression qu'il était le plus amoureux des deux. Alice Chapman l'avait bien en main.

Victoria s'était retirée, du moins n'y avait-il trace d'elle nulle part. Alice s'assit sur le petit muret de pierre du fond du jardin. Westhill était située sur une colline et, depuis le jardin, la vue sur les vallées avoisinantes, les fermes et les écuries du domaine était superbe.

Alice regarda autour d'elle et aspira une longue goulée d'air.

— Hum... c'est bon d'être à la campagne ! Ce voyage en train n'en finissait plus. A Wensley, ou je ne sais plus comment s'appelle l'endroit, George a loué une calèche. (Elle sourit.) Comme c'est beau, ici !

— Oui, mais parfois on s'y ennuie un peu.

Elle s'assit sur le muret à côté d'Alice.

— Vous avez connu mon frère comment ?

— Lors d'une manifestation. A vrai dire, ce n'est pas tout à fait le mot juste. C'était plutôt une belle bagarre.

Elle éclata de rire.

— Frances, vous avez l'air déconcertée ! Je parie que vous êtes en train d'essayer d'imaginer votre frère en manifestant. Rassurez-vous. Il n'avait rien à voir dans cette histoire. Nous avons seulement fait irruption dans Eton pendant les cours avec nos banderoles et nos affiches. Ça a fait un beau chahut.

— Qui ça, nous ?

— La WSPU. Vous en avez entendu parler ?

Bien sûr qu'elle connaissait de nom la WSPU, ou plus précisément la Women's Social and Political Union, l'association d'Emmeline et Christabel Pankhurst, des militantes féministes qui se battaient, et avec des moyens de plus en plus radicaux, pour le droit de vote des femmes. On en parlait beaucoup, la plupart du temps de façon négative. Surtout les hommes, qui dans leur grande majorité n'avaient pas de mots assez méprisants pour se moquer d'elles : viragos, vicieuses insatisfaites, laiderons, pauvres folles...

Frances comprenait mal pourquoi ils étaient si nombreux à croire que l'Empire s'effondrerait si les femmes obtenaient le droit de vote. « Et après, pourquoi ça serait pas mon chien qui obtiendrait le droit de donner son avis sur l'avenir politique de l'Angleterre, hein ? » s'était récemment indigné le vieil Arthur Leigh en public, en grognant lui-même comme un chien hargneux. Tout le monde avait applaudi et ri à grand bruit, y compris les femmes. Frances savait que même son père, qui certes votait pour les conservateurs mais était au fond un vrai libéral, tempêtait lui aussi contre les « suffragettes ».

« La politique n'est pas une affaire de femmes »,
avait-il coutume de dire. Maureen ne s'était jamais
exprimée sur la question. Frances avait interprété son
silence comme une approbation muette. Mais elle
résolut néanmoins de la prendre en tête à tête et de lui
demander son avis.

— Je n'ai encore jamais rencontré quelqu'un qui
faisait partie de la WSPU.

— Je suppose que vos parents sont très vigilants
sur vos fréquentations, fit Alice, moqueuse. Et les
féministes ne doivent pas être ce qu'ils préfèrent.

— Mes parents sont également très vigilants sur
les fréquentations de George.

— Oui, je n'en doute pas un instant. Ils seront tout
sauf ravis de faire ma connaissance.

C'est aussi ce que craignait Frances. Et ce pourquoi
elle s'étonnait que George soit tombé amoureux de
cette fille. Alice était séduisante et certainement très
intelligente, mais Frances avait toutes les peines du
monde à imaginer que George n'éprouve pas les
réticences les plus vives à l'égard de son engagement
politique.

— George... commença-t-elle prudemment.

Alice la coupa d'un nouvel éclat de rire.

— Je sais. Il n'est pas d'accord avec ce que je fais.
Sans doute espère-t-il qu'en vieillissant je retrouverai
la raison. Mais je suis presque sûre qu'il fait fausse
route. Peut-être est-ce lui qui deviendra raisonnable.
Qui sait ?

— Souhaite-t-il vous épouser ?

Alice hésita.

— Oui, dit-elle enfin, il le souhaite. Seulement je
ne sais pas encore si j'en ai envie moi aussi.

Tandis que Frances méditait cette stupéfiante
déclaration – une femme ne s'estimait pas follement
heureuse que George Gray voulût l'épouser ! –, Alice

plongea dans son sac et en sortit un étui brun et plat dans lequel elle prit un cigare.

— Je vous en offre un ? proposa-t-elle.

Frances n'avait naturellement jamais fumé et savait de surcroît qu'une dame ne le devait pas. Mais comme elle ne voulait pas passer pour une petite fille, elle prit un air détaché et marmonna :

— Oui, volontiers.

Elle s'étrangla dès la première bouffée et dut lutter une bonne minute contre une violente quinte de toux. Alice attendit patiemment qu'elle se remette puis déclara :

— C'est votre premier cigare, n'est-ce pas ?

Il eût été stupide de le nier. Frances hocha la tête et s'essuya les yeux.

— Oui. Je n'avais encore jamais essayé.

La remarque moqueuse qu'elle attendait ne vint pas.

— Quel âge avez-vous ? demanda simplement Alice.

— Dix-sept ans, répondit Frances en aspirant craintivement une deuxième bouffée.

Le goût du tabac était abominable, mais cette fois elle réussit au moins à ne pas tousser.

— Ah, dix-sept ans. J'ai vingt ans, je ne suis donc pas beaucoup plus vieille, mais j'ai déjà vécu pas mal de choses. Il me semble que vous aimeriez ça, vous aussi. Vous me faites l'impression d'une jeune fille plutôt protégée qui prendrait volontiers son envol. Ou bien souhaitez-vous seulement faire ce que l'on attend de vous ? Vous marier, avoir des enfants, tenir une maison digne de ce nom, organiser des thés entre dames de la bonne société ?

— Je... ne sais pas... répondit Frances.

Elle avait continué à tirer un peu trop hâtivement sur son cigare et éprouvait soudain de grandes difficultés à se concentrer sur ce que disait Alice. Elle se sentait malade à mourir, son estomac se révulsait, des petites étoiles clignotaient devant ses yeux.

Oh, non, pensa-t-elle, consternée. Je vais vomir. Devant une étrangère !

— Vous devriez venir me voir à Londres, poursuivait Alice. Je pourrais vous mettre en relation avec des gens très intéressants.

Frances se laissa glisser du muret. Ses genoux tremblaient, ses jambes refusaient de la porter. La voix d'Alice lui parvint de loin :

— Frances ? Que vous arrive-t-il ? Vous êtes pâle comme un linge !

Des bras solides la retinrent par la taille. Elle ne s'était jamais sentie aussi mal de sa vie. Elle commença à vomir.

— Oh, c'est ma faute, entendit-elle. Je n'aurais jamais dû vous laisser fumer.

Frances se pencha au-dessus d'une grosse touffe de fougères et rendit son petit-déjeuner.

John Leigh ne vint pas. Ni à 5 heures, ainsi qu'il l'avait annoncé dans sa lettre, ni à 6, et il n'apparut pas non plus à 6 h 30.

— Il est grand temps que nous fassions installer le téléphone, déclara Frances, furieuse, à sa mère. Dans un cas comme celui-ci, je pourrais au moins appeler John. J'espère qu'il a une bonne raison pour ne pas être venu.

— Il a certainement une bonne raison, dit Maureen.

Elle avait l'air fatiguée. Une heure auparavant, George lui avait déclaré ainsi qu'à son père qu'il envisageait d'épouser Mlle Chapman. Charles Gray avait voulu en savoir plus sur la jeune femme, et son fils lui avait appris qu'elle militait au sein de la WSPU.

Charles était entré dans une telle colère que Maureen elle-même avait eu du mal à le calmer.

— Mais pourquoi as-tu été leur raconter ça ? demanda plus tard Frances à George qui, très affecté, lui rapportait son entretien avec leurs parents.

Il haussa les épaules, résigné.

— C'est elle, sinon, qui l'aurait dit. A un moment où à un autre, père lui aurait demandé de parler d'elle.

— Et elle aurait tout raconté ?

George eut un rire triste.

— Tu peux en être certaine ! Alice n'est malheureusement pas du genre réservé. Elle lui aurait expliqué par le menu quelles étaient ses motivations et elle n'aurait eu de cesse de le convaincre de la nécessité d'embrasser sa cause. Tu vois d'ici ce que ça aurait donné !

George avait essuyé seul la colère de son père. A la fin, Charles avait même déclaré qu'il ne tolérerait pas « cette personne » sous son toit. Il avait fallu que sa femme use de tous ses dons de persuasion pour que finalement il accepte d'héberger les jeunes gens jusqu'à leur départ.

Maureen, qui dressait la table pour le repas du soir dans la salle à manger, oublia un instant ses préoccupations et ses soucis quant à l'avenir de leur fils et considéra sa fille avec attention.

— Es-tu triste parce que John n'est pas venu ? demanda-t-elle. Tu es vraiment très pâle...

Frances ne s'était pas encore remise des effets dévastateurs du cigare.

— Je ne me sens pas très bien, avoua-t-elle, mais cela n'a rien à voir avec John. A la vérité, il m'est plutôt indifférent. Mais je ne crois pas que je vais pouvoir manger quelque chose.

— Mets-toi à table avec nous et fais un petit effort.

Le dîner va être assez difficile comme ça sans qu'en plus ta présence nous fasse défaut. Mon Dieu, George ne pouvait-il donc pas choisir une autre fille ?

Peu à peu, les membres de la famille arrivèrent. Charles Gray, en costume sombre, gilet gris clair et cravate de soie, comme toujours pour dîner, occupait la tête de table. Il avait perdu le statut auquel il aurait pu prétendre de par sa naissance, mais il ne s'en efforçait que plus de respecter certains usages. Une tenue élégante, un éclairage aux chandelles et l'apparition de la famille au complet – ou du moins de ses membres présents à Westhill – étaient notamment exigés. Qu'il ne puisse offrir à Maureen, pour tenir la maison et s'acquitter de toutes les tâches ménagères, que l'aide énergique mais unique de l'excellente Adeline l'affectait beaucoup. Mais il n'aurait pu à la fois envoyer ses enfants dans de bons établissements et assumer les salaires de domestiques supplémentaires.

A l'autre bout de la table se tenait Kate Lancey, la mère de Maureen. Kate portait une longue robe noire, un petit bonnet noir sur ses cheveux blancs et pour tout bijou, autour du cou, une fine chaîne en or ornée d'une croix. C'était une femme petite et mince que le moindre souffle de vent semblait pouvoir renverser. En vérité, elle était plus solide et résistante que tout le reste de la famille réuni. Elle s'était endurcie au fil de longues et difficiles années dans les taudis de Dublin, quand chaque jour elle devait se battre pour trouver de quoi nourrir son enfant tandis que son époux, peu à peu, sombrait dans l'alcool. Grand-mère Kate en avait tellement vu dans sa vie que plus grand-chose sur cette terre ne la troublait vraiment.

George et Alice revenaient de promenade, George le visage sombre, Alice d'excellente humeur. Elle avait cueilli des fleurs qu'elle offrit à Maureen. Victoria fit son apparition, jolie comme un cœur avec ses joues roses, ses cheveux blonds et ses yeux pétillants. Sa vue arracha un bref sourire à Charles, qui s'était enfermé dans un silence têtu. Elle était ouvertement sa préférée. Elle ressemblait à Maureen et ne lui avait encore jamais causé le moindre souci.

L'atmosphère était glaciale. Charles regardait devant lui et ne disait pas un mot. Frances picorait dans son assiette sans parvenir à manger et ne disait pas un mot. George avait l'air de n'avoir qu'une envie : quitter la pièce. Victoria elle-même était silencieuse. Elle avait remarqué que quelque chose n'allait pas, mais ne sachant pas de quoi il s'agissait, elle préférait se taire de peur de s'attirer quelque reproche par une remarque maladroite.

— Ce repas est absolument délicieux, finit par dire Alice. Qui doit-on féliciter, la gouvernante ou vous-même, madame Gray ?

— Je ne peux malheureusement pas m'enorgueillir de ce dîner, répliqua Maureen en s'efforçant au même ton enjoué. Tous les honneurs en reviennent à Kate. C'est elle qui officiait aux fourneaux.

— Je suis très admirative, madame Lancey, dit Alice. Je suis moi-même incapable de faire la cuisine. Je n'ai absolument aucun don pour ça.

— Ça s'apprend, dit Kate, c'est simplement une question d'entraînement.

Charles leva la tête.

— Je crains que Mlle Chapman n'ait strictement aucune envie d'apprendre à faire la cuisine, Kate. Ce doit être contraire à ses principes. Puisqu'elle est d'avis que la place des femmes est dans les bureaux de vote et pas dans les cuisines !

— Charles ! l'avertit Maureen.

— Père ! souffla George.

Victoria ouvrit de grands yeux.

Alice eut un sourire charmant à l'intention de Charles.

— Je ne pense pas que l'un exclue l'autre, déclarat-elle, mais peut-être avez-vous quelques raisons susceptibles de me convaincre du contraire, monsieur Gray?

— Quelqu'un veut-il encore des légumes? s'empressa d'intervenir Maureen.

Personne ne répondit. Tous avaient les yeux rivés sur Charles.

— Une femme, mademoiselle, commença-t-il lentement, de par son essence, ses dispositions naturelles, ne raisonne pas politiquement. De ce fait, elle n'est pas non plus en mesure de comprendre l'organisation, les buts et les idées d'un parti. Elle voterait sur la foi de vagues émotions, de concepts irrationnels. Je considère qu'il est extraordinairement dangereux de confier pour moitié l'avenir politique d'un pays à des personnes qui n'ont pas la moindre idée de ce dont il s'agit!

Frances vit que George en avait presque le souffle coupé. Cette déclaration de leur père devait être une véritable provocation pour Alice. Alice cependant, semblait tout à fait maîtresse d'elle-même.

— Combien de discussions politiques avez-vous déjà eues avec des femmes, monsieur? demandat-elle. Sans doute de très nombreuses pour que vous déniiez toute conscience politique aux femmes avec une telle assurance.

— Je n'ai jamais discuté politique avec aucune femme! répondit Charles avec force. Et c'est bien pour ça que je sais que...

— Etait-ce de votre fait ou de celui des femmes? Je veux dire : n'avez-vous jamais rencontré de femme qui fût disposée à discuter politique avec vous ou bien était-ce vous qui n'y étiez jamais disposé?

Une petite flamme de mauvais augure s'alluma

dans les yeux de Charles. Quiconque le connaissait savait qu'il devait faire des efforts pour rester poli.

— Je ne pense pas que ces chinoiseries nous feront avancer, dit-il sur un ton trop calme.

— Et moi je crois que c'est justement là que le bât blesse, rétorqua Alice. Les femmes ne discutent pas politique avec les hommes parce que les hommes ne les écouteraient pas trois minutes. Les femmes ne disent rien parce qu'elles n'ont pas droit à la parole et qu'elles le savent. En déduire une incapacité des femmes à s'occuper de politique, voire une incapacité à avoir des opinions sensées sur des problèmes d'ordre général, pour ma part, je tiens cela, et le mot est faible, pour une infamie.

Alice était restée souriante et aimable, mais elle avait adopté un ton beaucoup plus dur.

Charles posa ses couverts.

— Je crois que personne ne s'opposerait à ce que vous quittiez cette maison, mademoiselle, dit-il.

— Nous craignez-vous donc tant, nous autres féministes, que vous ne supportiez même pas un débat sur nos revendications ? lança Alice d'un ton moqueur, tout en se levant.

George jeta sa serviette sur son assiette.

— Si elle part, je pars aussi, père, menaça-t-il.

Charles opina.

— Assurément. Il faut bien que quelqu'un la conduise à la gare de Wensley.

George bondit sur ses pieds. Il était blanc à faire peur.

— Si je pars maintenant, je ne reviendrai pas, dit-il.

— George ! s'exclama Frances, atterrée.

Charles ne dit rien. Il regardait son fils sans ciller.

George se tut un instant puis il dit, d'une voix que la colère et l'émotion faisaient trembler :

— Venant de toi, père – justement de toi ! – je

n'aurais jamais imaginé ça. Tu devrais savoir ce que je ressens. Après que ton propre père a rompu avec toi parce que toi et mère...

Ce fut à Charles de bondir. On aurait cru qu'il allait frapper George au visage.

— Dehors ! hurla-t-il. Dehors ! Et n'ose plus jamais comparer ta mère à cette... cette insupportable suffragette, cette personne qui n'est ni homme ni femme mais une misérable créature quelque part entre les deux !

George s'empara de la main d'Alice.

— Viens ! Partons avant que je ne sache plus ce que je fais !

Il l'entraîna vers la porte. Sur le seuil, ils faillirent heurter John Leigh, qui justement arrivait et découvrait avec stupéfaction la scène qui se déroulait sous ses yeux. Il portait des bottes cavalières et était très essoufflé.

— Bonsoir, dit-il. Excusez-moi de...

— Nous partions, dit George en poussant Alice hors de la pièce.

Charles était toujours debout devant sa chaise, ses mains tremblaient.

— Bonsoir, monsieur Leigh, dit-il en s'efforçant de reprendre son calme.

— John Leigh ! s'exclama Frances sur un ton un peu ambigu. Je ne comptais plus sur toi !

Il ne lui accorda qu'un bref regard. Elle remarqua à quel point il était pâle et semblait ému.

— Que se passe-t-il donc ? demanda-t-elle.

— Asseyez-vous, je vous en prie, proposa Maureen. Je fais ajouter un couvert tout de suite...

Il refusa.

— Je vous remercie, mais je ne peux pas rester. Je voulais simplement vous... Vous n'êtes pas encore au courant ?

— De quoi ? demanda Charles.

— Des cousins de Londres nous ont téléphoné... commença John. Sa Majesté le roi est mort cet après-midi.

Tous se regardèrent, stupéfaits et bouleversés.

— Oh, non ! fit Maureen à mi-voix.

— C'est une terrible nouvelle, murmura Charles, vraiment une terrible nouvelle.

Il sembla soudain s'affaisser et parut d'un coup plus vieux, ses cheveux plus gris.

— Il faut que je retourne à la maison, déclara John. Mon père est très malade et il est très irritable. Frances... je suis sincèrement désolé pour cet après-midi.

— Je t'en prie. Dans des circonstances pareilles...

Maureen se leva.

— Je vous accompagne jusqu'à la porte, monsieur Leigh, dit-elle. Nous vous sommes très reconnaissants d'être venu jusqu'ici pour nous informer.

Frances savait que sa mère espérait surtout que George et Alice n'étaient pas encore partis et qu'elle pourrait leur parler. Si affectée qu'elle pût être de la mort du roi, ce soir-là, la brouille entre son mari et son fils l'atteignait bien plus.

John et Maureen partis, un long silence s'installa dans la pièce.

— Le roi est mort... dit enfin Charles d'un ton las. Une ère s'achève.

Il regarda au loin par la fenêtre ouverte sur la douceur du soir. Sans doute songeait-il aux bouleversements dramatiques que cette mort annonçait. Le roi Edouard VII incarnait le dernier lien avec l'Angleterre dans laquelle Charles Gray avait grandi, une Angleterre qui l'avait façonné et avait représenté son idéal. Dans ces temps de libéralisation croissante de la société, de troubles, de lutte des classes, de violentes remises en question des traditions, le roi Edouard avait représenté le prolongement de l'ère victorienne, de ses valeurs et de ses idéaux. Sa mort marquait la fin d'une époque. Une inquiétante période d'instabilité s'annonçait.

Charles saisit son verre de vin. Sa main tremblait toujours.

— Dieu protège l'Angleterre, dit-il.

Frances avait mis longtemps à comprendre que sa famille était différente des autres et pourquoi il en était ainsi. Jadis, le monde dans lequel elle grandissait lui était si doux et si familier qu'elle n'en aurait jamais remis le moindre élément en question. Ils ne possédaient certes pas autant d'argent que les Leigh ou les gens qui fréquentaient Daleview, mais les repas étaient toujours généreux, ils portaient de beaux vêtements et ils vivaient dans une grande maison ancienne que tous aimaient et dans laquelle ils se sentaient comme dans un cocon. Mme Leigh inspirait parfois un certain respect à Frances, car elle portait des robes somptueuses, toujours à la dernière mode et ornées d'une profusion de ruchés, de dentelles et de rubans. Elle se faisait chaque matin coiffer par sa femme de chambre. Elle parlait sans élever la voix, avait toujours soit une tasse de thé à la main, soit un ouvrage de broderie quand elle se tenait au salon, et dirigeait tout un bataillon de domestiques avec une poigne que l'on n'aurait jamais soupçonnée chez cette délicate personne à la voix sucrée. Mme Leigh avait souvent la migraine, ou bien se sentait indisposée, et alors personne dans la maison ne devait parler fort, il fallait marcher sur la pointe des pieds et ouvrir les portes sans faire de bruit.

Pour Frances, qui vivait dans une maison où trois enfants dévalaient les escaliers et couraient dans le jardin, cela semblait extraordinaire. Après avoir trouvé Mme Leigh et ses minauderies très chics, elle recommença à nettement préférer sa mère.

Aussi loin que ses enfants s'en souvenaient, jamais Maureen n'avait été malade et jamais elle ne se languissait au salon, les joues pâles, une tasse de thé à la main. Ses robes étaient plus simples que celles de Mme Leigh et le matin elle se coiffait seule. Quand elle travaillait dans son cher jardin, elle chantait souvent de vieux chants irlandais de sa belle voix chaude. Il y avait peu de choses qu'elle interdisait à ses enfants, et en tout état de cause elle ne les punissait jamais.

John Leigh, qui était fils unique, menait, en revanche, une vie très réglementée, rythmée par les interdits, et un « non » de sa mère avait valeur de loi sacrée. A un moment, Frances n'eut plus du tout envie d'être à sa place. Elle continua toutefois à se rendre avec plaisir à Daleview. En dépit des six années qui les séparaient, il y eut une époque où ils jouèrent beaucoup ensemble. Frances vénérait John et, si lui-même trouvait parfois ennuyeux de passer son temps avec une petite fille, il n'avait guère d'autre choix. Il ne s'entendait pas particulièrement avec George Gray et il n'avait pas le droit de jouer avec les enfants de Leigh's Dale ou des fermiers du domaine. Puis un jour, Frances fut témoin d'une conversation entre M. et Mme Leigh, et elle découvrit qu'elle n'était pas du tout considérée comme une demoiselle digne de Daleview.

A cette époque, elle avait huit ans. John était déjà interne dans un pensionnat et les vacances venaient de commencer. Impatiente de le voir, elle s'était précipitée à Daleview. John, cependant, lui avait dit ne pas avoir de temps et après avoir échangé quelques politesses, il l'avait priée de s'en retourner chez elle.

Ainsi qu'elle en avait l'habitude, car on ne savait jamais si Mme Leigh n'était pas précisément en train de dormir ou de souffrir de maux de tête, elle descendit les escaliers à pas de loup. La porte du salon était entrebâillée, et en approchant elle entendit prononcer son nom. Curieuse, elle s'arrêta.

— Je trouve que cette petite Frances est beaucoup trop souvent ici, disait Mme Leigh.

Le ton était charmant et policé, comme toujours, mais la nuance de reproche était indéniable.

— Nous devons absolument limiter cela, Arthur.

— Mais ce n'est que pour les vacances ! Après, nous...

— Les vacances sont longues.

— Et tu me suggères de faire comment ? demanda Arthur. Je ne peux tout de même pas mettre la petite-fille de lord Gray à...

— Tu n'as pas à la considérer comme sa petite-fille. Il a tout de même coupé les ponts avec la famille de ce fils.

— Frances n'en reste pas moins sa petite-fille. Ce n'est pas une simple fille de paysan !

Frances perçut un léger bruit de porcelaine entre-choquée. Mme Leigh avait dû reposer sa tasse plus brutalement que d'habitude.

— Elle est à demi une fille de paysan, Arthur, ne nous cachons pas la vérité. Mon Dieu, je ne comprendrai jamais comment Charles Gray a pu s'oublier au point d'épouser cette petite Irlandaise de rien du tout. Je me demande ce qu'il trouve à cette femme !

Arthur Leigh, que les maux de tête perpétuels de sa femme avaient poussé dans le lit d'une bourgeoise blonde et voluptueuse de Hawes – la moitié du comté le savait et Frances l'apprendrait plus tard elle aussi –, était pour sa part tout à fait à même d'apprécier ce qui chez la gracieuse et pétillante Maureen Lancey de

116

Dublin avait séduit Charles Gray, encore qu'il ne comprît pas, lui non plus, pourquoi Charles n'avait pas opté pour un arrangement identique au sien – et d'usage, même dans les plus grandes familles : épouser une jeune fille de bonne famille à la réputation irréprochable et entretenir parallèlement une liaison amoureuse pour satisfaire les pulsions qu'un homme éprouvait de temps à autre mais qui étaient par trop susceptibles de choquer une respectable épouse. Si l'on couchait volontiers avec des filles du peuple, on ne les épousait jamais. Charles Gray avait beau s'être conduit en homme d'honneur – personne ne le contestait –, il n'en passait pas moins, aux yeux de ses pairs, pour un simple crétin.

Arthur Leigh semblait mal à l'aise.

— C'est une situation délicate. Je ne peux pas aller voir Charles Gray et lui déclarer tout de go qu'à l'avenir je souhaite que ses enfants ne fréquentent plus mon fils !

— Il n'est naturellement pas question que nous nous expliquions de façon aussi directe. Nous limiterons progressivement les relations, en utilisant des prétextes, jusqu'à ce qu'ils comprennent. Et ils comprendront, sois-en assuré.

Elle s'exprimait avec, dans la voix, cette inflexibilité qui surprenait toujours ceux qui de prime abord la sous-estimaient. Quand elle poursuivit, elle était presque haineuse :

— Gray aura à supporter sa vie entière les désagréments de cette mésalliance. Ce n'est ni à nous, Arthur, ni à notre famille de lui faciliter les choses.

— Assurément, ma chère, conclut Arthur sans conviction.

Le tintement que firent des glaçons en tombant dans un verre trahit son besoin de boire quelque chose de fort après cette conversation.

Frances dévala les dernières marches et courut chez elle sans reprendre haleine. A un moment, elle tomba et se fit mal au genou mais elle se releva aussitôt et reprit sa course sans prêter attention à sa blessure. Elle entra dans la maison comme une tornade et appela aussitôt sa mère.

Elle trouva ses parents au salon. Ils se regardaient, main dans la main, près de la fenêtre. La lumière rasante du soleil couchant jetait dans la pièce des rayons flamboyants. Le visage de Charles était baigné d'un éclat doré. Si jeune et inexpérimentée qu'elle fût, Frances devina à son expression l'immense tendresse et l'adoration qu'il portait à sa femme.

— Mère !

Elle ignorait que le sang de sa blessure au genou avait transpercé sa robe et que ses joues étaient maculées de terre.

— Mère, je n'aurai plus jamais le droit de jouer avec John ?

Maureen et Charles sursautèrent en découvrant leur fille. Maureen poussa un cri d'effroi.

— Que t'est-il arrivé ? Tu es dans un état ! Et ce sang, sur ta robe ?

— Je suis tombée. Ce n'est pas grave. Mère, Mme Leigh a dit que John n'avait plus le droit de jouer avec moi. Parce que je suis à moitié une fille de paysan. Et elle ne comprend pas pourquoi père s'est marié avec toi !

— Elle t'a dit ça à toi ? demanda Charles, incrédule.

Frances baissa piteusement la tête. Elle savait qu'il était incorrect d'écouter aux portes.

— Je l'ai entendu quand elle le disait à M. Leigh.

— Ça, alors !

Charles était rouge de colère. Il marcha à grands pas vers la porte.

— Je vais à Daleview dire à Arthur ce que je pense de lui !

Maureen le retint par le bras.

— N'y va pas, Charles. Ça ne changerait rien. Nous savons bien que les gens disent tous à peu près la même chose de nous. N'y prêtons pas attention.

— Je ne veux pas que les enfants en souffrent !

— Ils y seront confrontés, tu ne pourras pas l'empêcher.

Elle caressa les cheveux de Frances.

— La seule chose que nous puissions faire est de leur donner suffisamment confiance en eux et en nous pour qu'ils soient toujours fiers de leur famille et d'eux-mêmes.

Maureen avait treize ans lorsque sa mère quitta Dublin et émigra avec elle vers l'Angleterre. Kate Lancey assumait depuis longtemps le rôle de chef de famille et subvenait elle-même aux besoins du ménage depuis que son mari avait perdu son travail. Il lui arrivait bien, de temps à autre, de retrouver une place, mais comme il était incapable d'arrêter de boire, il y restait rarement plus de deux jours. La semaine, Kate faisait le ménage du matin au soir dans un hôpital. Le week-end, elle travaillait comme aide-cuisinière dans de riches familles qui embauchaient des extras lorsqu'elles donnaient des réceptions.

Pourtant, aussi loin que Maureen s'en souvenait, l'argent manquait toujours. Les Lancey occupaient un petit appartement humide dans l'un des îlots insalubres de Dublin, un quartier misérable aux rues semées de flaques d'eau et encombrées d'immondices ; les maisons étaient toutes identiques et uniformément grises et sales. La plupart des logements ne possédaient que deux pièces, parfois aussi une minuscule cuisine, mais habituellement c'était la pièce principale qui servait à la préparation des repas. Ces très modestes habitations abritaient souvent des familles de six, voire sept personnes, et, en comparaison, les Lancey, qui n'y vivaient qu'à trois, étaient des privilégiés. Les parents possédaient leur propre chambre, un réduit au plancher gondolé toujours sombre et froid qui donnait au nord. La nuit, on installait un lit pour Maureen sur le vieux sofa défoncé et elle avait la salle de séjour pour elle. Parfois, elle se sentait terriblement seule. Elle aurait beaucoup aimé avoir des frères et sœurs mais Kate ne voulait rien savoir.

— La plus grande erreur de ma vie a été d'épouser ton père, disait-elle. Ce qui est fait est fait, mais je ne vais pas rendre les choses encore pires en ayant un enfant après l'autre. Dis-moi donc avec quoi on les nourrirait... Et puis on ne ferait que se marcher sur les pieds, dans cet appartement !

Kate parlait avec beaucoup de mépris des gens qui autour d'eux « se reproduisaient comme des lapins » et ainsi, disait-elle, ne faisaient qu'aggraver un peu plus leur misère. Elle-même tenait farouchement son mari à distance, qui de toute façon était habituellement trop saoul quand il rentrait à la maison. Les rares fois où il était à jeun et assez en forme pour éprouver l'envie d'honorer sa femme, elle le repoussait avec une telle énergie qu'il se recroquevillait dans un coin, tout effarouché. Dan était un homme faible, plutôt paisible, dominé par l'alcool et incapable de subvenir aux besoins d'une famille, mais jamais il n'avait levé la main sur Kate ni sur Maureen. C'est essentiellement pour cette raison que Kate l'avait supporté aussi longtemps. Elle n'ignorait pas ce qui se passait dans les familles voisines. Elle savait qu'elle aurait pu être plus mal lotie.

Mais souvent la nuit elle restait éveillée parce que les soucis l'empêchaient de trouver le sommeil. Il fallait payer le loyer, acheter de quoi manger, acheter du bois pour le poêle. Maureen n'avait plus de vêtements à sa taille, ses chaussures tenaient à peine ; il lui en faudrait de nouvelles pour l'hiver. Et à côté d'elle, Dan cuvait sa gnôle...

Il se mettait en route pour le pub dès les premières heures de la matinée et ne rentrait que tard le soir. Les quantités astronomiques d'alcool qu'il consommait représentaient de grosses sommes d'argent. Kate ne lui donnait pas un penny et prenait soin de ne rien laisser traîner dans l'appartement. Mais il mettait la main sur tout ce qui était transportable ou démontable et filait avec chez un revendeur. Il n'en tirait pas même la moitié de la valeur d'achat, mais cela suffisait toujours pour une journée au pub.

Un matin glacial de novembre, il disparut avec les bottines que Kate avait achetées à Maureen pour l'hiver et qu'elle avait, au sens propre du terme, acquises à la sueur de son front en travaillant plusieurs heures de nuit à l'hôpital. Dan en obtint une somme rondelette, ce qui lui permit de jouer les grands seigneurs au pub et de payer une tournée après l'autre à ses compagnons de beuverie. Kate l'apprit le soir de la bouche d'un voisin. Elle ne dit rien, mais le lendemain, aux premières heures du matin, alors qu'il faisait encore nuit noire, elle apparut vêtue de pied en cap et un sac à la main au pied du vieux sofa où dormait Maureen.

— Lève-toi et habille-toi, dit-elle simplement. Nous partons.

Ensommeillée, tremblante de froid, Maureen réunit ses affaires et s'habilla. Elle entendait son père ronfler dans la pièce voisine.

— Où allons-nous ? Et papa ?

— Il n'y a rien de bon à attendre de lui. A partir de maintenant, nous volons de nos propres ailes. Qu'il se débrouille.

Maureen pleura deux jours et deux nuits car, en dépit de tout, elle aimait beaucoup son père et avait peur de ce qu'il pouvait lui arriver. Mais elle n'osa rien dire. Sa mère avait l'air si déterminée qu'elle savait que rien ne la ferait fléchir.

Kate paya la traversée en bateau de l'Irlande vers l'Angleterre avec ses dernières économies. Elles débarquèrent à Holyhead le 22 novembre 1886. De là, elles se rendirent à Sheffield, puis à Hull, où Kate trouva à s'employer dans une filature. Elle devait travailler autant qu'à Dublin, mais au moins n'y avait-il personne pour essayer de lui soutirer une part de ses revenus ou revendre ses modestes biens. Elle parvint à louer une chambre relativement correcte pour elle et Maureen, et put même envoyer sa fille à l'école, l'une de ces rares écoles pour enfants d'ouvriers qui ne dispensaient qu'un enseignement minimal. Maureen se révéla une élève appliquée et ambitieuse. Elle lisait tous les livres qui lui tombaient sous la main et Kate, qui était prête à toutes les privations pour encourager sa soif de savoir, renonçait souvent à son pain du midi pour pouvoir acheter un nouveau livre à sa fille. Maureen acquit ainsi un niveau de connaissances très supérieur à celui auquel pouvaient d'ordinaire prétendre les jeunes filles de son milieu.

Ce fut un temps heureux où les relations entre mère et fille devinrent chaque jour plus intenses et plus profondes. Pour Maureen, sa mère était pragmatique, solide, efficace, directe et toujours décidée quand il s'agissait d'atteindre les buts qu'elle s'était fixés; c'était une femme forte. Elle ne s'accordait qu'exceptionnellement le luxe de regarder en arrière et de rêver à ses espoirs déçus. Il était très rare qu'elle laisse les souvenirs remonter à la surface, mais alors il arrivait qu'elle parle à Maureen de sa jeunesse dans un petit village des environs de Limerick, à l'extrême ouest de l'Irlande, là où la campagne était verte et humide, et disparaissait parfois des semaines durant derrière un rideau de pluie. Elle lui parlait de la force des vagues qui se brisaient sur la grève, des nuages sombres qui roulaient dans le ciel et que les marées poussaient vers la côte. « Je pouvais marcher au bord de la mer ou courir dans les rochers pendant des heures, puis quand je rentrais à la maison, je m'amusais à interpréter les reflets changeants des flaques d'eau sur les chemins, les miroitements de ciel et de nuages qui me promettaient un avenir merveilleux... »

Maureen songeait aux années de misère à Dublin, puis regardait la minuscule chambre qu'elles partageaient à Hull et elle pensait secrètement que pas un seul des rêves de Kate ne s'était réalisé. Elle en tira pour elle-même quelques préceptes auxquels elle ne dérogea pas : pas de rêves de vie meilleure, pas d'évasion dans le futur. Travailler dur et vivre pleinement l'instant présent. Telle devint la philosophie personnelle de Maureen.

Puis elle eut seize ans et sa route croisa celle de Charles Gray.

Charles Gray était le troisième fils de lord Richard Gray, huitième comte Langfield. Les Gray étaient riches et mondains. Ils menaient, comme tous ceux de leur condition, une vie insouciante et bien remplie où alternaient parties de chasse, bals, politique, matches de polo et soirées à l'opéra. Lord Gray occupait un siège à la Chambre haute et était convaincu que la possession de terres allait de pair avec l'exercice du pouvoir. A Londres, les Gray habitaient une maison à la façade ornée de colonnes sur Belgravia

Square. Ils avaient une demeure familiale dans le Sussex et un autre domaine dans le Devon. De nombreuses terres leur appartenaient également dans le Yorkshire, dans la vallée de la Wensleydale, essentiellement consacrées à l'élevage de moutons. Entre eux, ils n'appelaient Westhill Farm, le manoir du domaine, que le « pavillon de chasse ». Ils y séjournaient fin août pour la chasse à la grouse et en octobre pour la chasse au renard. Ces chasses étaient des événements mondains d'importance et, plusieurs semaines d'affilée, fêtes et soirées se succédaient.

C'est à l'occasion d'une de ces réceptions que Charles Gray, qui certes n'hériterait pas du titre de comte mais néanmoins de biens conséquents, rencontra, à l'automne de l'année 1889, la jeune Maureen Lancey qui avait grandi dans les taudis de Dublin.

A cette époque, Kate n'allait pas très bien. Maureen, qui avait souhaité travailler pour gagner un peu d'argent, avait trouvé une place d'aide-cuisinière chez des notables de Leeds. La maîtresse de maison, sa patronne, l'avait en quelque sorte prêtée à lady Gray pour une semaine car en cette période de chasse elle avait chaque soir de très nombreuses personnes à dîner. C'est ainsi que Maureen arriva à Westhill. Elle partageait une petite pièce du sous-sol, froide et sans fenêtre, avec une autre fille et devait pour le reste se tenir du matin au soir à ses fourneaux et veiller aux mille détails du séjour « en toute simplicité » d'une famille de la haute société.

L'amour les surprit, elle et Charles, sans que rien les y eût préparés. Charles avait alors déjà plus de trente ans et, dans sa famille, son manque d'empressement à se marier commençait à inquiéter. Il était bel homme, avec ses cheveux noirs et ses yeux clairs, mais il était gauche, timide et beaucoup trop réservé pour courtiser une jeune fille. Il avait, sa vie durant, souffert sous le joug d'un père autoritaire et coléreux qui ne lui avait laissé aucune chance d'acquérir de la confiance en lui. Les minauderies et les caprices des jeunes filles avec lesquelles sa mère ne se lassait pas d'essayer de le marier le terrorisaient. Il préférait de loin les longues promenades dans la campagne et les bois, et plus ses parents se montraient pressants dans leur désir de le voir marié, plus il se repliait sur lui-même.

Il prit pour la première fois conscience de la présence de Maureen un matin d'une semaine de chasse où il s'était réveillé inhabituellement tôt et était descendu à la cuisine pour demander un café longtemps avant le petit-déjeuner officiel. Maureen était alors seule dans la cuisine. Elle avait l'air fatiguée, mais elle sourit gentiment en le voyant pousser la porte.

— Bonjour, monsieur. Vous êtes très matinal !

Ce furent sans doute sa voix grave, légèrement voilée, et l'ombre d'accent irlandais qui perçait derrière les mots qui fascinèrent Charles, puis il tomba sous le charme de ses cheveux dorés, de ses yeux de chat et de son sourire.

Plus tard, Maureen devait raconter volontiers à ses enfants l'histoire de son départ de Dublin, de sa jeunesse à Hull et de sa première rencontre avec Charles à Westhill. Le récit de ce qui arriva ensuite était plus succinct. Il semblait qu'ils soient tombés très rapidement dans les bras l'un de l'autre. Maureen fut vraisemblablement la première expérience sexuelle de Charles, qui était envoûté par elle. Il dut avoir très tôt le sentiment d'être incapable de vivre sans la petite Irlandaise.

Ils réussirent un temps à garder leur secret. Puis Maureen dut rentrer à Leeds et ils se rencontrèrent dans des auberges de campagne entre Leeds et Leigh's Dale. Ce fut alors à Charles de ne pas pouvoir prolonger son séjour à Westhill et d'être obligé de rentrer à Londres. Malheureux comme les pierres loin de Maureen, il se lança dans d'incessants allers et retours entre Londres et le Yorkshire pour passer quelques heures avec elle. Le manège parut suspect à sa famille. Son père ordonna aussitôt une enquête.

Il ne fallut guère de temps pour qu'il apprenne que Charles entretenait une liaison avec une domestique. Il n'en fut, dans un premier temps, nullement affecté. Il considéra même que c'était plutôt une bonne nouvelle eu égard aux soucis qu'il commençait à se faire à propos des réserves de Charles envers les femmes. Son fils était enfin un homme. Qu'il jette donc sa gourme, il serait bien temps ensuite qu'il épouse une jeune fille de son rang.

En mai 1890, Maureen effondrée annonça à Charles qu'elle était enceinte. L'enfant viendrait au monde en décembre.

— Ce n'est pas grave, déclara aussitôt Charles. Je voulais de toute façon te demander de devenir ma femme.

Maureen, qui, en dépit de ses dix-sept ans à peine, semblait avoir beaucoup plus les pieds sur terre que le gentil Charles, avait déjà compris qu'ils allaient au-devant de très grosses difficultés.

— Réfléchis bien, Charles. Cela ne va pas plaire à ta famille.

— Il faudra qu'ils s'y fassent, répliqua-t-il.

L'orage qui s'abattit sur eux fut d'une telle violence qu'un couple moins soudé que Charles et Maureen n'y eût pas résisté. Le vieux Richard Gray hurlait sa colère à qui voulait l'entendre. Sa femme sanglotait dans ses appartements et refusait de voir quiconque.

— Ma parole, tu as perdu la tête ! s'emporta-t-il. Ce que tu envisages est absolument exclu ! Il n'en est pas question !

— J'épouserai Maureen, père. Ma décision est prise, rien ne pourra m'en faire changer, rétorqua-t-il avec dans la voix une détermination que personne ne lui avait encore entendue.

Puis Richard eut un soupçon.

— Est-ce que par hasard... Je veux dire : est-elle... ?

— Oui. Elle attend un enfant.

— Eh bien, il n'y a pas de quoi en faire un drame, mon fils !

Richard s'efforça de reprendre son calme et de parler sans crier.

— Je comprends tout à fait ton attitude. Tu veux te conduire en homme d'honneur. C'est très méritoire. Mais que tu sacrifies ton avenir ne sera un bien ni pour elle ni pour toi. Nous ne la laisserons pas tomber, je t'en donne ma parole. Nous lui offrirons de l'argent. Assez d'argent pour qu'elle puisse tranquillement élever son enfant. Entendu comme ça ? C'est beaucoup plus que ce qu'elle pouvait espérer.

Charles regarda son père avec infiniment de dégoût et de mépris.

— Elle n'acceptera jamais d'argent de nous. Jamais. Je vous en donne à mon tour ma parole. Et sachez que je ne l'épouse pas par respect des convenances mais parce que je l'aime.

Richard devint rouge brique.

— Tu ne l'épouseras pas ! hurla-t-il. C'est une domestique ! Et, ce qui est pis, une domestique irlandaise ! Et, pis encore, comme si cela ne suffisait pas, elle est catholique !

— Je sais tout cela.

— Tu ne seras plus jamais admis dans la bonne société si tu fais une chose pareille !

— La bonne société, j'y renonce volontiers.

— Je te déshériterai ! Tu n'auras rien ! Rien du tout ! Et tu ne seras plus mon fils !

Charles haussa simplement les épaules.

Plus tard, Maureen devait expliquer qu'elle aurait honte toute sa vie d'avoir alors douté de Charles. Elle avait cru qu'il ne résisterait pas, qu'au bout du compte il ne supporterait pas de rompre avec sa famille.

En réalité, c'était l'idée de rompre avec Maureen que Charles n'aurait pas supportée. Il s'en tint à sa décision, même quand son père lui dénia tout droit sur les terres et les biens de la famille. De par la loi, il ne pouvait toutefois pas être déshérité sans qu'un bien d'une valeur en rapport avec l'ensemble du patrimoine familial lui soit donné en compensation. On lui attribua Westhill Farm, la propriété du Yorkshire, ainsi qu'une somme d'argent dont il tira un revenu mensuel. Il avait voulu refuser cet argent, mais Maureen l'avait convaincu de penser à l'avenir de ses enfants. C'est essentiellement grâce à ce capital qu'il leur fut possible plus tard d'envoyer George à Eton.

Charles et sa famille cessèrent toutes relations. Ses parents et ses deux frères ne se manifestèrent jamais. Seule sa sœur Margaret, qui avait toujours été très proche de lui et vivait seule à Londres, lui écrivait régulièrement et venait quelquefois leur rendre visite. Elle s'entendait bien avec Maureen. Les deux jeunes femmes ne cessaient d'inciter Charles à tenter de se réconcilier avec son père, mais il s'y refusait avec obstination. Margaret dut avouer que Richard, qu'elle avait maintes fois tenté de convaincre de tendre la main à son fils, refusait tout autant de faire le premier pas.

— J'attends qu'il revienne un jour en rampant, disait-il en guise de commentaire. Et il rampera, vous pouvez me croire.

Frances ne regretta jamais de ne pas avoir connu le luxe dans lequel vivait la famille de son père. Elle savait qu'elle n'aurait jamais eu une enfance aussi libre et aussi insouciante. Les Yorkshire Dales, qu'elle aimait tant, n'auraient pas été son pays, mais un lieu parmi d'autres où elle aurait séjourné lors de vacances. Elle n'aurait jamais eu le droit de courir pieds nus dans l'herbe ou de monter à califourchon. Sa mère n'aurait pas jardiné les deux genoux dans la terre en fredonnant des chansons irlandaises. Et elle n'aurait jamais éprouvé le délicieux frisson qu'elle ressentait en observant grand-mère Kate qui récitait son chapelet, le soir dans la cuisine, les perles filant entre ses doigts tandis qu'elle murmurait de mystérieux mots latins, les paupières mi-closes.

C'était le 20 mai 1910. Il faisait une chaleur étouffante. Des abeilles gorgées de pollen bourdonnaient lourdement dans l'air saturé de senteurs florales. Dans les prairies, les vaches et les moutons réfugiés à l'ombre attendaient que le soir apporte un peu de fraîcheur.

La maison, écrasée de soleil, était silencieuse ; anormalement silencieuse, pensa Frances. Même si l'austère et trop calme manoir de Daleview lui faisait toujours penser à une tombe, il y avait toujours au moins une petite chose pour rappeler que des gens y vivaient. Ce jour-là, rien ne semblait bouger derrière les hautes fenêtres, c'était comme si les vieux murs retenaient leur respiration.

C'était le jour où le grand bal d'été aurait dû avoir lieu, mais les festivités avaient été annulées en raison de la mort du roi. D'autant que c'était ce 20 mai, quinze jours après son décès, que ses obsèques auraient lieu dans la capitale anglaise. Des milliers de fidèles sujets de Sa Majesté, venus tout exprès à Londres, s'étaient massés le long des rues que devait emprunter le cortège funèbre. La chaleur était telle que les gens s'évanouissaient par dizaines, on ne comptait plus les victimes d'insolation. Tout le pays communiait dans le même deuil. Pour quelques heures ou quelques jours, le peuple semblait à nouveau uni. Au-delà des dissensions politiques, des vagues de révolte et de la lutte des classes qui agitaient périodiquement le pays, tous pleuraient le souverain.

Frances et John étaient convenus d'une promenade ensemble et Frances espérait que John ne l'avait pas une nouvelle fois oubliée. Le silence de mort qui pesait sur la maison l'effraya. Personne ne venait prendre son cheval en charge, comme c'était l'usage à Daleview. Aucun bruit ne provenait non plus des habitations des ouvriers du domaine.

Frances sauta de cheval, lissa sa longue jupe de cavalière et conduisit sa monture tout près de la maison, à l'ombre, et l'attacha à la rampe de l'escalier de l'entrée. Elle monta les quelques marches d'un pas hésitant puis actionna le heurtoir de bronze en forme de tête de lion. Rien ne bougea à l'intérieur. Elle pesa alors sur la poignée de la porte, d'une main ferme cette fois. La porte s'ouvrit ; elle entra.

Le grand hall d'entrée était agréablement frais, mais la pénombre qui y régnait avait quelque chose d'oppressant. Les murs étaient lambrissés de bois sombre et ornés d'une collection de portraits d'ancêtres dans des cadres dorés. Un escalier monumental à la rampe sculptée menait à l'étage supérieur. Un lustre immense, que Frances n'avait jamais vu briller excepté lors des grandes soirées, pendait au centre du hall. Il était pourvu de bougies qui devaient être allumées une par une, travail long et pénible qui requérait les services de plusieurs domestiques pendant un temps assez long.

Je ne sais pas si je pourrais vivre dans une maison pareille, songea Frances.

Elle rentra la tête dans les épaules et frissonna. A cet instant, elle perçut un bruit en haut des marches et leva les yeux.

John descendait lentement l'escalier. Même la semi-obscurité du hall ne parvenait pas à masquer son extrême pâleur et sa fatigue. Il ne s'était pas rasé depuis la veille, une barbe d'un jour creusait ses joues. Il portait un pantalon noir, des bottes cavalières, et sa chemise était froissée. D'un geste las, il repoussa la mèche qui lui tombait sur le front.

— Frances, je descendais justement voir si tu étais déjà là. Cette fois, je n'ai pas oublié notre rendez-vous.

Il s'arrêta devant elle et prit ses mains dans les siennes. Elles étaient glacées.

— Quelque chose est arrivé? demanda-t-elle. Tout est tellement silencieux, ici! Et toi, John... tu es si pâle!

Son regard sombre reflétait une peur qu'elle n'y avait encore jamais vue.

— Mon père, souffla-t-il. C'est la fin.

Quelque part dans la maison, une horloge sonna trois coups. Quelqu'un ouvrit une porte en s'appliquant à ne pas faire de bruit, puis la referma aussi doucement.

— Oh, non! fit Frances.

Elle frissonna de nouveau et fut prise d'une violente envie de bondir hors de cette maison froide et sinistre, de courir dans le soleil, de fuir l'odeur de renfermé qui collait aux vieux murs et de plonger son visage dans les lilas en fleurs qui embaumaient à l'entrée de Westhill Farm.

Elle se ressaisit. Fuir était impossible.

— John, c'est affreux. Cela me fait beaucoup de peine. Je savais qu'il était malade, mais je ne pensais pas que c'était aussi grave.

— Cela fait longtemps qu'il souffre de problèmes cardiaques. C'est du reste pour ça qu'on m'a fait revenir de Cambridge, il y a deux semaines. Mais son état s'est aggravé, surtout depuis le jour où le roi est mort.

Frances songea à son père. La mort du roi l'avait lui aussi affecté. Il restait des heures replié sur lui-même à ruminer de sombres pensées.

— Père s'est beaucoup énervé, poursuivit John. Ce qui se passe dans le pays l'inquiète tellement... Pour lui, le roi était comme une sorte de dernier rempart. J'ai l'impression qu'il craint qu'une catastrophe ne s'abatte maintenant sur l'Angleterre. Il ne parle que de l'invasion du pays par les Allemands, de la révolution des travailleurs, de la victoire du socialisme. Et il tente désespérément d'avaler une goulée d'air entre chaque mot car il a de plus en plus de mal à respirer. Ce matin, nous avons même cru que... Je ne crois pas qu'il tienne encore bien longtemps.

— Comment va ta mère ?

— Elle est là-haut. Elle souhaite être seule avec lui quelque temps.

Frances avait toujours les mains dans celles de John.

— Viens, dit-elle. Il faut que tu sortes. Il fait très beau dehors. Allons marcher un peu !

Il la suivit. Dès que la porte d'entrée se referma derrière eux, Frances se sentit revivre. Elle prit une longue inspiration et s'avança dans le soleil.

Ils suivirent un petit chemin. Des prairies vertes et grasses s'étendaient de part et d'autre des murets de pierre. Quelques vaches broutaient, d'autres se reposaient dans l'herbe ou tentaient de chasser un essaim de mouches d'un coup de queue paresseux.

— Je suis heureux que tu sois là, Frances, dit soudain John alors qu'ils marchaient côte à côte depuis plusieurs minutes. Il y a tant de choses auxquelles je pense en ce moment... à propos de mon avenir. Et de toi.

— De moi?

— Te souviens-tu de cette lettre, il y a deux semaines? Je voulais te voir.

— Je m'en souviens.

— Je disais qu'il fallait à tout prix que je te parle.

— Oui, en effet.

John s'arrêta. Le soleil mettait des reflets roux dans ses cheveux châtain foncé. La tension marquait ses traits. Il semblait avoir vieilli de plusieurs années au cours des dernières heures.

— Je voulais te demander de m'épouser. Et c'est ce que je souhaite te demander aujourd'hui.

Dans le silence qui suivit ces derniers mots, Frances perçut les criaillements de deux oiseaux qui se bagarraient quelque part au loin. C'était le seul bruit qui montait de la campagne. Pas une feuille ne bruissait dans l'air immobile de cet après-midi de mai.

— Tu ne réponds rien soit parce que tu es très émue, soit parce que tu cherches désespérément le moyen de te sortir de ce mauvais pas sans me blesser, dit John au bout d'un moment.

— Je suis surprise, c'est tout.

— Je t'aime, Frances. C'est ainsi, et il en sera toujours ainsi. Alors, ajouta-t-il en arrachant presque rageusement quelques feuilles d'un buisson qui poussait au bord du chemin, dis simplement oui ou non. Mais ne reste pas comme ça, l'air désemparé.

— Je ne suis pas désemparée. Mais je ne peux pas non plus dire oui ou non. Tu as eu le temps d'y penser. Moi pas. Laisse-moi au moins le temps de réfléchir un tout petit peu.

Il changea d'attitude.

— Bien sûr, Frances. Excuse-moi. Je ne voulais pas te bousculer.

Elle l'observa de côté. Il était très séduisant et se comportait en homme très conscient de sa séduction. En réalité, elle s'en rendit compte à cet instant, il ne comprenait pas pourquoi il fallait qu'elle réfléchisse. Il avait hérité d'une bonne part du sentiment de supériorité que cultivait sa famille et il s'attendait à ce qu'une jeune fille à qui il proposait le mariage réagisse avec enthousiasme.

— Que comptes-tu faire dans l'immédiat ? demanda-t-elle.

— Eh bien, je comptais t'épouser. Mais, mis à part le fait que...

— Oui ?

— Si mon père... si mon père disparaît, je ne pourrai pas retourner à Cambridge. Je ne peux pas laisser mère gérer seule le domaine. Il faut que je trouve un bon régisseur. Et puis j'aimerais aussi essayer de réaliser mon vieux rêve.

Elle le connaissait depuis assez longtemps pour savoir quel était ce vieux rêve.

— Tu voudrais faire de la politique ?

Il acquiesça.

— Maintenant que le roi est mort, le Parlement va être renouvelé. Je voudrais représenter les conservateurs dans le canton.

— Ça ne va pas être facile.

Elle ne pensait pas qu'à son jeune âge et son inexpérience. Le nord de l'Angleterre donnait pas mal de fil à retordre aux conservateurs. Il y régnait une grande pauvreté et les tensions sociales y étaient particulièrement vives. Depuis l'année précédente, l'ouest du Yorkshire était d'ailleurs représenté à la Chambre des communes par un socialiste exalté.

— Bien sûr que ce ne sera pas facile, répliqua John.

Il s'arrêta à nouveau. Son visage reflétait un mélange de fatigue et de détermination.

— Je n'ai que vingt-trois ans. Mais d'un autre côté, les Leigh sont la famille la plus riche et la plus influente du comté. Je peux y arriver. J'aurai un jour un siège à la Chambre basse, tu verras. Et... c'est aussi une chose à prendre en compte. Peut-être que l'idée de vivre ta vie durant à Daleview t'effraie, mais tu n'auras pas à le faire. Nous séjournerons plusieurs mois par an à Londres. Nous pourrons aller au théâtre, à l'opéra, assister à de grandes soirées. Et si tu le souhaites, nous ferons des voyages. Paris, Rome, Venise... nous irons partout. Nous aurons des enfants et...

— John ! Tu n'as pas besoin de me convaincre que nous aurions une vie agréable. Je n'en doute pas.

— Alors, pourquoi hésites-tu ?

Elle évita de croiser ses yeux et regarda au loin. Ce jour-là, les collines ne se confondaient pas avec les nuages. Leurs contours se détachaient nettement sur le bleu du ciel. Pourquoi hésitait-elle ? Elle n'aurait pas su, à cet instant, donner de réponse claire à cette question, pas plus à John qu'à elle-même. Mais d'une certaine façon, elle n'avait pas été tout à fait honnête quand elle avait prétendu que la question de John la surprenait et qu'elle avait besoin de temps pour réfléchir. Elle ne s'attendait pas à ce qu'il lui fasse sa demande ce jour-là, mais elle avait toujours su qu'il lui demanderait un jour de l'épouser. C'était en quelque sorte une évidence depuis l'époque où il lui avait appris à monter à cheval ; ils galopaient ensemble à travers champs et elle avait essayé de laver dans un ruisseau son pantalon maculé de terre et de taches d'herbe un jour qu'il était tombé : il craignait que sa mère n'ait une crise de nerfs ou ne s'évanouisse d'horreur en le voyant dans pareil état. Tout le monde le savait. Sans doute était-ce d'ailleurs pour cette raison que Mme Leigh avait tenté, sans aucun succès, de les éloigner l'un de l'autre.

Au cours des longues années que Frances avait dû passer dans son horrible école de Richmond, ce fut John qui lui rendit l'éloignement moins pénible et qui sut la convaincre de ne rien faire qui pût provoquer son renvoi. De même qu'il était venu ce jour de juin la retrouver sur les bords de la Swale pour la consoler, il s'était toujours montré prêt à lui venir en aide. Il lui avait écrit des monceaux de lettres, des tendres, des légères, des gaies, des drôles qui l'avaient fait rire aux éclats. Il était, après les membres de sa famille, l'être qui lui était le plus proche.

Qu'y avait-il alors soudain entre eux qui les éloignait ? Elle n'aurait su le dire, mais elle sentait confusément qu'il devait y avoir un lien avec cette insatisfaction latente qui ne lui laissait pas de répit depuis son retour de Richmond. Cette nervosité diffuse, cette attente d'elle ne savait quoi.

Ce qu'Alice Chapman lui avait dit ce fameux jour où elle lui avait offert un cigare alors qu'elles se promenaient dans le jardin lui revint tout à coup à l'esprit : « Souhaitez-vous simplement faire ce que l'on attend de vous ? Vous marier, avoir des enfants, tenir une maison digne de ce nom, organiser des thés entre dames de la bonne société ? »

— Je n'en serais pas capable aujourd'hui, dit Frances à voix haute.

John la dévisagea.

— Pardon ?

Vivre dans cette maison austère où il faisait toujours froid et où l'on n'avait jamais le droit de parler normalement parce que cela donnait la migraine à Mme Leigh...

— J'ai besoin de temps, prétendit-elle. Je ne peux pas passer sans transition de la maison de mes parents à ta maison. Quand donc volerais-je de mes propres ailes ? Comment saurais-je si je suis capable de me débrouiller seule ?

— Mais pourquoi voudrais-tu savoir cela ? A quoi cela pourrait-il te servir ?

— Tu ne me comprends pas...

Il lui prit la main. Ces derniers jours avaient apporté trop de peines et de chagrins pour qu'il ait à cet instant envie de se lancer dans une discussion avec elle.

— Non, dit-il d'un ton las, je ne te comprends pas. J'aimerais être près de père.

Ils revinrent lentement sur leurs pas. Les hauts murs sombres de Daleview apparurent.

Frances demanda soudain :

— Que penses-tu du droit de vote des femmes ?

— Pourquoi me poses-tu une question pareille maintenant ?

— Parce qu'elle me vient à l'esprit.

— Tu t'intéresses à de drôles de choses !

— Alors, tu en penses quoi ?

Il soupira. Le sujet ne semblait pas l'intéresser, à cet instant. Son père était mourant. La femme qu'il aimait venait de le repousser. Il était malheureux et se sentait seul.

— Je pense que la société n'est pas mûre pour ça.

— Pour les hommes, elle ne le sera jamais.

— Je ne suis pas opposé à ce que les femmes obtiennent le droit de vote. Mais je ne pense pas que les moyens qu'utilisent les militantes féministes pour se faire entendre soient les bons. Elles perdent leur crédibilité, avec ces actions violentes. Et elles perdent aussi la sympathie de l'opinion publique.

— Il me semble, parfois, qu'il y a des choses que seule la force permet d'imposer. Quand les femmes exposent leurs revendications poliment et calmement, on ne les écoute pas. Il n'y a que lorsqu'elles crient et cassent les vitres que l'on prend conscience de leur existence.

Ils avaient presque atteint la maison. John, qui n'avait pas lâché la main de Frances, la lâcha à cet instant pour prendre son visage entre ses mains. Il l'embrassa sur le front puis recula d'un pas.

— Ce sont des pensées bien dangereuses que tu agites là, Frances. Prends garde à ne pas t'emballer.

Elle ne répondit pas. Elle lut dans les yeux de John une réelle inquiétude. Des années plus tard, il devait lui raconter qu'à cet instant il avait perçu avec une telle fulgurance la menace qui pesait sur eux qu'en dépit de la chaleur un frisson glacé l'avait parcouru de haut en bas. Il avait eu l'impression que ce qu'ils avaient eu de plus précieux en commun venait de se briser. Il ne savait rien de la guerre qui devait éclater quatre années plus tard, rien des abîmes dans lesquels le conflit devait les entraîner, mais il avait pressenti que les jours heureux étaient terminés. Il dit avoir eu cet après-midi-là le sentiment qu'en refusant de l'épouser elle avait mis en jeu et perdu le paradis qu'ils auraient pu construire ensemble. Et il lui avoua qu'il n'avait jamais réussi à lui pardonner.

— Pourquoi veux-tu donc aller à Londres ? demanda Maureen pour la troisième fois.

Elle semblait à la fois déconcertée et inquiète. Elle était tout habillée de noir car la famille revenait de l'enterrement d'Arthur Leigh. Dans la salle à manger, Frances avait annoncé à ses parents qu'elle avait décidé de passer quelque temps à Londres.

— Tu comptes faire quoi, à Londres ? insista Charles. Tu ne peux pas arriver comme ça sans savoir ce que tu as l'intention de faire !

— Je pensais que je pourrais habiter chez tante Margaret. Et découvrir Londres, tout simplement.

— Je trouve que c'est trop dangereux pour une jeune fille, dit Maureen. Londres n'est pas Leigh's Dale. Et ce n'est pas Richmond non plus. C'est un monde que tu ne connais pas.

— C'est précisément pour cette raison que je veux partir. Dois-je passer ma vie à moisir à la campagne ?

— Tu aurais tout loisir de découvrir Londres avec John Leigh si tu l'épousais, suggéra imprudemment Maureen. Et au moins tu serais...

Frances fusilla sa mère du regard.

— Comment se fait-il que tu sois au courant ?

— Eh bien, une des domestiques de Daleview y a fait allusion. Il semblerait qu'il y ait eu une discussion entre John et sa mère. Il lui aurait dit qu'il a demandé ta main et que tu as refusé.

— Quelque chose m'aurait-il échappé ? intervint Charles, surpris.

— John a demandé la main de Frances et elle a refusé, répéta Maureen.

— J'ai dit que c'était trop tôt. Que je ne pouvais pas l'épouser maintenant.

— Tu ne l'aurais, de toute façon, pas épousé maintenant. Ils vont observer une période de deuil pour la disparition d'Arthur Leigh. Tu aurais eu largement le temps de t'habituer à l'idée.

— Je veux aller à Londres, s'entêta Frances. Et je ne veux prendre aucun autre engagement pour le moment.

Un voile soucieux assombrit le visage de Maureen.

— Un homme comme John ne t'attendra pas éternellement. Si tu hésites trop longtemps, une autre te le soufflera.

— C'est possible, mais John Leigh n'est pas le seul homme sur terre, s'interposa Charles. Frances aura bien d'autres propositions de mariage.

— Mais elle aime John. Elle fait des manières

aujourd'hui, mais quand il sera trop tard, ce sera un drame, insista Maureen.

— Mère, je ne sais pas si j'aime John. Je ne sais pas si j'ai envie de l'épouser. Je ne sais pas du tout où j'en suis et je ne sais pas ce que je souhaite faire de ma vie. J'ai besoin de recul. Il faut que je voie autre chose. Je veux aller à Londres.

— J'ai du mal à te comprendre, se plaignit Maureen. Quand tu étais à Richmond, rien n'allait parce que Westhill te manquait. Tu n'avais de cesse de revenir, et maintenant que tu es là, tu veux t'en aller !

— Ce n'est pas la même chose.

— D'ailleurs, je ne sais pas si tante Margaret prendrait soin de toi. Elle n'a jamais eu d'enfants et elle est un peu coupée des réalités. Peut-être ne saurait-elle pas s'y prendre avec une jeune fille.

— Margaret a tout à fait les pieds sur terre, assura Charles.

Maureen alla à la fenêtre et s'absorba dans la contemplation du paysage. La journée avait commencé sous le signe du soleil, puis le temps s'était dégradé. Des nuages presque noirs arrivaient maintenant par l'ouest et on entendait le tonnerre gronder dans le lointain. Les oiseaux s'agitaient dans les bosquets. Un parfum lourd et sucré emplissait l'atmosphère. L'air commençait à sentir la pluie.

— Enfin ! dit Charles. Cette sécheresse n'a que trop duré.

Maureen se détourna de la fenêtre. Frances lut dans ses yeux qu'elle n'opposerait plus de résistance. Il en avait toujours été ainsi. Au bout du compte, Maureen n'avait jamais pu interdire quelque chose à ses enfants.

— Papa ? interrogea Frances.

Charles avait lui aussi lu dans les yeux de Maureen

son consentement tacite. Il était capable de résister à la pression de ses enfants, mais il répugnait à s'opposer à Maureen. Il eut un haussement d'épaules résigné.

— Si tu dois y aller, eh bien, vas-y.

La chambre de Kate Lancey sentait l'essence de lavande. Kate n'avait jamais utilisé d'autre parfum, et ce depuis toujours. Même à Dublin, durant la période la plus noire de sa vie, elle avait toujours réussi à en acheter un petit flacon par an et elle posait chaque matin deux petites gouttes derrière ses oreilles. Personne n'aurait imaginé Kate sans ce léger nuage de lavande autour d'elle.

Lorsque ce soir-là Frances entra dans la chambre au papier fleuri et aux rideaux ornés d'un motif identique, l'odeur familière lui fit l'effet d'un baume au cœur. Elle avait pris une décision et elle s'y tiendrait ; mais depuis que ces parents avaient cédé, elle avait une boule dans la gorge et le cœur serré. Tant que l'accord de ses parents demeurait en suspens, tout avait semblé très lointain. L'heure de la séparation approchait maintenant à grands pas. Elle était restée silencieuse au dîner et n'avait prêté qu'une oreille distraite au joyeux babillage de Victoria, qui rapportait des anecdotes amusantes de son école.

Maureen avait mangé du bout des lèvres, puis soudain déclaré :

— Il y a maintenant plus de deux semaines que nous n'avons aucune nouvelle de George. Et voilà que Frances s'en va. Bientôt, je ne saurai plus où sont mes enfants ni comment ils vont.

Le visage de Charles s'était assombri à l'évocation du nom de George.

— George va revenir à la raison et donner de ses

nouvelles, grommela-t-il. Quant à Frances, tu sais bien où elle sera. Et Margaret prendra soin d'elle.

— Si seulement nous avions le téléphone ! Nous pourrions...

— Je t'achèterai un téléphone, s'impatienta Charles, sinon tu vas finir par me rendre fou. Je t'en achèterai un et tu pourras appeler Margaret dix fois par jour pour lui demander si Frances est encore en vie.

Quand Frances poussa la porte de la chambre de sa grand-mère, Kate lisait dans son rocking-chair près de la fenêtre. Entre-temps, la nuit était tombée et la pluie tombait dru.

— Tu voulais me parler, grand-mère ?

Kate ferma son livre et le posa de côté. Elle acquiesça d'un hochement de tête.

— Je voulais te dire que tu avais pris une bonne décision. C'est bien, ce que tu as l'intention de faire. Ne te laisse pas convaincre du contraire, même si ta mère veut te dissuader de partir.

Frances s'assit sur le lit de sa grand-mère. Elle n'était pas moins troublée ou plus apaisée qu'avant d'avoir pris la décision d'aller à Londres.

— J'espère que je fais le bon choix, grand-mère. John Leigh m'a demandé de l'épouser. Je lui ai dit que je ne pouvais pas lui donner de réponse maintenant.

— Sans doute ne le peux-tu pas. Et dans ce cas, tu as bien fait de lui répondre ça.

— Je crois que ça n'a rien à voir avec lui. Seulement avec moi. Ma vie serait déjà toute tracée si je me mariais maintenant. J'ai le sentiment d'avoir envie, avant, de connaître autre chose de la vie. D'en découvrir une autre facette, un côté où tout n'est pas écrit à l'avance. Ce que j'en connais aujourd'hui... j'ai l'impression que ça m'étoufferait. Penses-tu que ce soit normal ?

— Normal ou pas, tu dois faire ce que tu veux. Ce

que tu veux réellement. Pas ce que t'impose une certaine norme sociale. Tu comprends ? dit Kate en souriant. De ce point de vue, tu pars avec un handicap sérieux. Tes parents ont fait fi de toutes les conventions en se mariant. Tu as grandi dans une grande liberté, hormis pendant les années où ils t'ont mise dans cette abominable école mais, Dieu merci, cela ne t'a pas brisée. J'imagine que les contraintes te pèseront toujours et c'est quelque chose qui ne va pas te rendre la vie facile. Mais c'est ainsi, et il faut que tu t'en accommodes.

— Si John en épouse une autre...

Kate fouilla ses yeux du regard.

— L'aimes-tu ?

Frances eut un geste d'impuissance.

— Oui. Je crois que oui. Mais...

— Mais pas assez pour vouloir l'épouser... Frances, il est possible que tu le perdes. Mais cette éventualité ne doit pas influencer ta décision. Peut-être John est-il le prix que tu dois payer. On en paie toujours un. Regarde, je...

Kate s'interrompit, hésita.

— Je ne l'ai jamais dit à ta mère, reprit-elle, car je pense qu'elle ne le supporterait pas. Mais tu es plus solide qu'elle.

— De quoi s'agit-il ?

— De ton grand-père Lancey. De Dan, ce bon à rien d'Irlandais que j'ai épousé il y a cinquante ans...

Il y avait à la fois de la tendresse et de la résignation dans la voix de Kate.

— Ta mère pense que nous n'avons plus jamais entendu parler de lui. Je crois qu'elle s'accroche à l'idée qu'il est soit encore en vie, soit qu'il a connu une fin heureuse, un jour, quelque part.

Frances avait les yeux rivés sur sa grand-mère.

— Et toi, tu sais ce qui lui est arrivé, n'est-ce pas ?

143

Kate acquiesça.

— Cinq ans après avoir quitté Dublin avec Maureen, je me suis mise en relation avec des personnes que je connaissais là-bas. Je voulais savoir ce que Dan était devenu.

Ses yeux s'assombrirent.

— Il était mort. Et il est mort misérablement. Seul, dans la rue, déguenillé et affamé. A la fin, il ne buvait même plus parce que personne ne lui donnait plus rien. Comme il ne payait pas le loyer, il a fini par se faire chasser de l'appartement. Du jour où il n'a plus eu de toit, il a commencé à errer dans les rues de Dublin. Il vivait des détritus que les marchands des rues laissaient sur les trottoirs quand ils démontaient leurs éventaires. Quand il réussissait à se faire quelques pièces en tendant la main, il allait aussitôt les boire au pub. L'hiver, il se faisait héberger par de braves gens du quartier qui le prenaient en pitié. C'est pour ça qu'il a pu tenir plusieurs mois alors qu'il faisait très froid. Mais, dans ces maisons, les gens vivent tellement à l'étroit, ils sont si pauvres et ont eux-mêmes de telles difficultés qu'un jour il a bien fallu qu'il retourne dans le froid et la pluie. Tu n'as pas idée de la pluie qui tombe l'hiver à Dublin.

— C'est terrible, dit Frances doucement.

— Il devait être raide de crasse et de vermine, et empester jusqu'au ciel. Et j'imagine aussi que pour un peu d'alcool il devait supplier les gens à genoux, oui à genoux. Le pire... le pire c'est que lorsqu'ils refusaient, au prétexte qu'il ne pouvait pas payer, il disait toujours : « Kate va arranger ça. Kate est en voyage, mais elle va rentrer, et elle vous donnera de l'argent. Kate va revenir! » Mais Kate ne revenait pas. Kate n'est jamais revenue.

— Grand-mère... commença Frances.

Mais Kate l'interrompit :

— Non, tu n'as pas besoin de me consoler. Je ne t'ai pas parlé de ça pour m'ôter un poids de la conscience. C'était une façon de t'expliquer une chose : quand j'ai quitté ton grand-père pour me construire une nouvelle vie en Angleterre, je savais que c'était la seule voie à suivre. Non parce que j'aurais fini par m'effondrer. J'aurais pu rester à Dublin, continuer comme avant à m'occuper de Maureen et traîner Dan derrière nous. J'aurais seulement dû faire encore plus attention à mes affaires pour qu'il ne les transforme pas en ce maudit tord-boyaux sans lequel il ne pouvait pas vivre. Mais d'une certaine façon, j'y aurais laissé mon âme. Chaque jour, quelque chose en moi mourait un peu plus. Chaque jour je perdais un peu de ma joie de vivre, de mon amour-propre, de mon optimisme. La Kate que j'avais été disparaissait, morceau par morceau. Je savais qu'il fallait que je parte. Et je suis partie. Le prix à payer... dit-elle en prenant une longue inspiration. Eh bien, le prix à payer, c'est de savoir comment il est mort, et de devoir vivre avec ça.

Frances se leva. Elle s'approcha de sa grand-mère, s'assit par terre à côté d'elle et lui prit la main.

— Je suis fière d'être ta petite-fille, dit-elle.

De juin à septembre 1910

L'été 1910 fut caniculaire, et chaque jour Frances regretta un peu plus d'être venue à Londres. Jour après jour, le soleil se levait et brillait avec la même ardeur resplendissante que la veille ; le ciel était désespérément bleu. Mais, tandis que dans la Wensleydale il y avait toujours un souffle d'air pour caresser les collines, à Londres l'air était irrespirable et une chape de plomb rendait le moindre mouvement pénible. C'était un temps à se reposer à l'ombre dans le jardin de Westhill, à rêver sous les feuillages, à se rafraîchir dans l'eau vive des ruisseaux ou à attendre le soir et la fraîcheur qui montait de la campagne pour seller son cheval et chevaucher par les chemins, cheveux au vent.

Dans la belle maison de tante Margaret, sur Berkeley Square, où il n'y avait rien à faire et où la chaleur l'assaillait dès qu'elle mettait le pied dehors, Frances se sentait comme un oiseau en cage. Elle éprouvait un violent désir d'être dans la cuisine de Westhill avec sa mère, de boire du babeurre en bavardant de tout et de rien, mais quand l'idée de prendre le train pour le Yorkshire devenait trop pressante, elle songeait à la honte qu'elle éprouverait devant sa famille si elle mettait un terme à une aventure pour laquelle elle s'était battue avec une telle détermination. Alors elle serrait les dents.

Le pire, c'est que l'aventure n'avait rien d'une aventure. D'après ce qu'elle disait, tante Margaret menait d'ordinaire une vie très mondaine, mais, chaque été, ses amis et ses relations, naturellement tous issus de la meilleure société, quittaient la capitale pour se retirer sur leurs terres, à la campagne. Quiconque n'était pas obligé de rester à Londres n'y restait pas, dans ce milieu privilégié.

— Ne t'impatiente pas. Attends un peu l'automne, la consolait Margaret. Nous aurons des soirées à ne plus savoir où donner de la tête.

Margaret ne s'était jamais mariée. On murmurait dans sa famille que, voilà très longtemps, un soupirant lui avait brisé le cœur en épousant une autre jeune fille, mais Margaret elle-même raconta à Frances qu'il n'y avait pas un mot de vrai dans cette histoire.

— Je n'avais tout simplement aucune envie de me marier. Etre liée pour le reste de mes jours à un homme qui deviendrait de plus en plus gros, dont je serais obligée de supporter la mauvaise humeur et qui finalement me tromperait avec une petite évaporée? Merci bien! Ma liberté et ma tranquillité ne valaient pas ce sacrifice!

Margaret avait demandé à entrer en possession de sa part d'héritage et jouissait donc de confortables revenus qui lui permettaient de mener grand train. Ainsi employait-elle, pour tenir sa maison, une cuisinière, un majordome, deux filles de cuisine et deux femmes de chambre. Chaque matin au réveil, Frances se voyait servir un thé et un toast beurré dans son lit; la douce et calme Peggy venait ensuite l'aider à s'habiller et à se coiffer. Frances découvrit ce qu'aurait été la vie de son père s'il ne s'en était pas tenu à sa décision d'épouser Maureen. Il avait renoncé à nombre d'agréments et, au cours de ces mois passés à Londres, Frances éprouva un respect grandissant pour lui.

Il apparut rapidement que la garde-robe de Frances n'était pas adaptée à la vie à Londres. Elle passa alors de délicieuses semaines à choisir parmi les modèles et les tissus que proposait la couturière de tante Margaret puis à se rendre aux essayages. Chez elle, lorsqu'une tenue élégante s'imposait, elle portait encore le corset, mais les Londoniennes avaient depuis peu remisé cette antiquité malcommode au fond de leurs placards. D'ailleurs, la nouvelle mode plaçait la taille si haut que ces instruments de torture n'avaient plus lieu d'être. Frances se fit faire un costume, deux jupes, une élégante jaquette très cintrée et s'acheta de jolies bottines à lacets couleur sable. Le style des nouveaux chapeaux – immenses et ornés de fleurs et de rubans – l'enthousiasma, de même que la toute nouvelle mode des pull-overs. C'étaient des vêtements tricotés en laine ou en soie, merveilleusement souples et confortables, que l'on enfilait en les passant par la tête. Frances fit l'acquisition d'un pull-over en soie bleu foncé et d'un autre en laine marron.

Elle fut même bien près de céder à l'engouement de certaines pour la jupe-culotte. Au premier coup d'œil, on avait l'impression qu'il s'agissait d'une jupe car le vêtement s'évasait jusqu'aux chevilles en grands plis souples, mais dès que la jeune personne marchait, on découvrait qu'il s'agissait en réalité d'un pantalon. Frances était emballée par l'aspect pratique de cette fausse jupe ; toutefois tante Margaret lui en déconseilla vivement l'achat. La jupe-culotte suscitait beaucoup d'émoi et d'agressivité. Récemment, lui raconta Margaret, deux jeunes femmes qui portaient des jupes-culottes avaient été prises à partie par une horde de ménagères en colère qui les avaient injuriées, sous prétexte d'atteinte à la morale et aux bonnes mœurs et les avaient même rouées de coups.

— Ces choses ont encore besoin de temps, dit

Margaret. Les gens se feront à tout, mais à en juger par ce que nous voyons autour de nous, il semble indispensable de commencer par s'opposer à tout ce qui est nouveau.

Ainsi passèrent les semaines. Frances se promenait dans Hyde Park et sur le Strand. Elle écrivit à John deux lettres auxquelles il ne répondit pas. Elle assista à quelques pièces de théâtre avec tante Margaret, et à une opérette, le célèbre *Mikado* de Gilbert. Dans la bibliothèque du salon de tante Margaret, elle découvrit, cachée derrière les œuvres complètes de William Shakespeare, une rangée de livres au contenu singulièrement déroutant. De la littérature érotique. Le soir, quand sa tante s'était retirée dans sa chambre, elle ouvrait *Fanny Hill* de Cleland.

Ce qu'elle lut dans ces ouvrages la choqua et elle se félicita chaque jour un peu plus d'avoir pris la décision de refuser d'épouser John. Il semblait que le mariage impliquât de faire avec son époux des choses très particulières et très embarrassantes.

Margaret organisa plusieurs dîners pour ses quelques amis restés à Londres. Frances ne tarda pas à se rendre compte que la conversation des dames l'ennuyait et qu'elle tentait toujours d'écouter d'une oreille ce que disaient les hommes. Depuis que le tricot faisait fureur, outre les inépuisables sujets sur les enfants et les soucis avec les domestiques, les dames s'entretenaient maintenant de points de ceci et de points de cela et de mailles à l'endroit et de mailles à l'envers. Frances trouvait cela mortel. Les discussions des hommes tournaient souvent en rond, elles aussi, mais au moins parlaient-ils de choses plus intéressantes.

Au cours de ce torride été, trois grands sujets alimentaient les conversations. Le premier, c'était l'affaire de la Parliament Bill, une loi qui prévoyait l'abolition du droit de veto de la Chambre haute. La Chambre basse l'avait adoptée en avril, mais les élections, rendues nécessaires par la mort du souverain, remettaient cette décision en question et relançaient donc le débat.

Pièces de théâtre, articles de journaux, livres, violents débats au coin des rues : l'éventuelle invasion du pays par les Allemands constituait le deuxième grand sujet d'actualité. Aucun moyen prêté à l'Allemagne pour mettre ses funestes projets à exécution n'était trop absurde. L'inquiétude qui avait gagné toutes les couches de la société basculait dans l'hystérie collective.

Les suffragettes étaient la troisième grande source d'émotion nationale. Ces « viragos » menaient une véritable guerre contre l'Empire pour compenser leurs frustrations, assurément nombreuses, disait-on. Dans leur grande majorité, les hôtes de tante Margaret étaient des partisans des conservateurs qui considéraient le mouvement féministe comme l'extrême et catastrophique débordement d'un mouvement de libéralisation en soi déjà très inquiétant et soupçonnaient de surcroît les militantes de soutenir l'internationale socialiste.

Frances se mêlait rarement aux discussions, mais elle écoutait avec attention. Quand la soirée se prolongeait et que le vin commençait à délier les langues, les hommes se laissaient aller à des plaisanteries grivoises ; ou bien ils s'amusaient avec quelques extraits particulièrement crus des ballades érotiques de Swinburne, qui était mort l'année précédente. Les mêmes qui l'instant d'avant préconisaient de jeter en prison tous les féministes et les communistes sans exception semblaient prêts à pardonner les prises de position politiques d'un Swinburne pour quelques poèmes sulfureux, à l'évidence très excitants. Les visages s'empourpraient, les nez commençaient à briller, la lubricité et la concupiscence perçaient sous les rires gras.

Frances, que ses lectures secrètes avaient sensibilisée au décryptage des plaisanteries à double sens, trouvait ces hommes parfaitement méprisables. Elle se demandait de plus en plus souvent ce qui leur permettait de croire qu'ils étaient plus aptes à présider aux destinées d'un pays que les femmes. Quantité d'idées lui tournaient en tête, mais même s'il lui arrivait de bouillir intérieurement, elle appréciait ces soirées qui la distrayaient et rompaient la monotonie d'un été assommant dans tous les sens du terme.

Il faisait en effet très chaud. Et il continua à faire très chaud et il ne se passa rien jusqu'au mois de septembre.

Elle rencontra à nouveau Alice Chapman le jour où Phillip Middleton emménagea chez tante Margaret.

On était début septembre ; bien que la fin de l'été fût elle aussi inhabituellement chaude et sèche, les grosses chaleurs étaient terminées et la vie en ville était redevenue supportable.

Ce matin-là, Margaret avait reçu un appel téléphonique d'une amie qui la priait de venir chez elle au plus vite car elle avait de gros problèmes.

— Cette chère Anne me semble un peu hystérique, dit Margaret tandis qu'elle ajustait son chapeau devant le miroir du vestibule. Mais je crois que je ferais bien d'y aller quand même. Puis-je te laisser seule ?

Elle se tourna vers Frances, l'examina en fronçant les sourcils puis lui caressa légèrement la joue.

— Tu es bien pâle, ma chérie. Tu devrais sortir un peu.

— Je suis toujours pâle, tante Margaret, mais tu as raison. Je vais aller me promener.

Elle flâna dans Hyde Park. Des hommes en chapeau melon profitaient de l'heure du déjeuner pour se reposer sur les pelouses. Des femmes se promenaient par petits groupes dans les allées, bavardaient, murmuraient puis éclataient de rire. De jeunes chiens s'amusaient à se pourchasser en aboyant, oreilles au vent. Des enfants faisaient rouler leurs cerceaux. Les feuilles des arbres commençaient à prendre des couleurs automnales. Ce fut le premier jour où Frances ne souffrit pas de ce lancinant mal du pays qui lui avait gâché son été. Elle eut soudainement le sentiment qu'à Londres aussi la vie pouvait être agréable.

Elle remarqua un gros attroupement à quelques centaines de mètres. Curieuse, elle pressa le pas. Il devait bien y avoir une centaine de personnes. En approchant, elle se rendit compte qu'il s'agissait presque exclusivement de femmes. La plupart semblaient appartenir à la haute société londonienne, leurs vêtements étaient de qualité et leur apparence soignée. Deux d'entre elles tenaient une banderole sur laquelle était inscrit « LE DROIT DE VOTE AUX FEMMES ! » en grosses lettres noires.

Les femmes se pressaient autour d'une estrade du haut de laquelle une jeune femme s'adressait à la foule. Très mince et vêtue d'une robe bleu marine à col montant, elle avait un visage aux traits fins qui exprimait une grande sensibilité. Elle ne devait guère avoir plus de trente ans et s'exprimait avec une énergie et une détermination qui surprenaient chez une femme aussi jeune et d'apparence aussi fragile.

— Depuis des siècles, nous, les femmes, soutenons les hommes. Nous prenons soin d'eux, nous les écoutons, nous les consolons, nous les encourageons. Nous élevons les enfants, nous leur épargnons tous les problèmes quotidiens. Et ainsi, nous les soutenons dans leur travail, nous leur permettons de faire carrière. Je pense qu'il est temps que nous utilisions l'énergie que nous avons jusque-là mise au service de la réussite sociale de nos hommes, au service de *notre* réussite et de *notre* ascension sociale !

Les applaudissements crépitèrent. La jeune oratrice prit le verre qu'une femme lui tendait et but une gorgée d'eau.

— De tout temps les femmes ont prouvé qu'elles étaient fortes, courageuses et raisonnables, et qu'en la matière elles ne le cédaient en rien aux hommes, poursuivit-elle. C'est la raison pour laquelle il n'est pas admissible que les femmes soient totalement exclues de tout un domaine de la vie publique, du domaine peut-être le plus important : le domaine politique ! Aucun homme n'a encore été capable de fournir le moindre argument susceptible de justifier que les femmes ne possèdent pas le droit d'intervenir directement dans les affaires politiques !

Frances était restée en retrait. Un petit groupe d'hommes se tenaient à quelques mètres d'elle, assez à l'écart des femmes pour se sentir entre eux, mais assez près de Frances pour qu'elle pût entendre ce qu'ils disaient.

— Non mais écoutez-moi ça ! marmonna l'un d'entre eux. Elles veulent « le droit d'intervenir dans les affaires politiques » ! Il faudrait maintenant qu'on ait des femmes au Parlement ?

— Et pourquoi pas une femme Premier ministre, pendant qu'elle y est ? s'interrogea un autre.

— Mais bien sûr ! Et pourquoi pas tout de suite ?

Tous éclatèrent de rire. Un homme à l'embonpoint marqué qui suait à grosses gouttes et ne cessait de s'éponger le front avec un mouchoir intervint à son tour :

— Elle est pas mal du tout, cette môme ! Elle pourrait facile se trouver un homme. Et elle aurait pas besoin de traîner comme ça dans un jardin public à raconter des âneries !

— Elle est trop maigre, estima un autre. On n'a rien dans les mains avec ça !

Tous rirent à nouveau.

— Ce qui leur faut, à toutes ces bonnes femmes, dit le gros, c'est un type qui les b...

Son regard croisa celui de Frances et il s'interrompit, comme un enfant pris en faute. Ses compagnons comprirent à leur tour qu'une femme les écoutait et des petits rires gênés fusèrent. Frances mit tout le mépris dont elle était capable dans le regard qu'elle leur décocha et se faufila entre les femmes pour se rapprocher de l'estrade.

— Des siècles durant, les femmes se sont battues avec les armes que les hommes leur ont accordées, poursuivait l'oratrice. Des armes qui ne présentaient aucun danger. Pour l'essentiel, elles se sont montrées souples et pleines de bonne volonté, elles ont fait passer les désirs des hommes avant les leurs et elles se sont efforcées de n'exprimer aucune revendication inconvenante comme la réduction des inégalités de traitement entre hommes et femmes. Les rares à s'en être sorties ont pour la plupart payé cher leur audace. Quelques-unes – mais leurs revendications étaient souvent bien modestes – ont obtenu ce qu'elles voulaient avec ces fameuses armes que les hommes accordent aux femmes et qui sont la flatterie, les minauderies... et la prostitution !

Un murmure d'émotion parcourut l'assistance.

L'oratrice força la voix.

— Oui. La prostitution ! Combien de fois avez-vous essayé d'obtenir quelque chose de cette façon ? Et si vous étiez bien gentilles et bien dociles, la récompense ne se faisait pas attendre longtemps, n'est-ce pas ? Les hommes ne se montraient que trop empressés à vous faire plaisir – mais seulement jusqu'au point où cela convenait à ces messieurs. Pas jusqu'au point où vous-même le souhaitiez!

Tout près de Frances, une femme fondit brutalement en larmes. Une autre passa un bras autour de ses épaules et l'entraîna à l'écart de l'assemblée.

— Pendant des années, la WSPU s'est battue avec les moyens que l'on veut bien reconnaître d'ordinaire à un mouvement de femmes. Nous nous sommes comportées poliment et aimablement. Nous avons expliqué, nous avons discuté calmement. On s'est gentiment moqué de nous. Pas une seconde on ne nous a prises au sérieux.

Frances tenta de s'approcher un peu plus de l'estrade, son coude heurta le dos d'une jeune femme qui se tenait devant elle.

— Oh, excusez-moi.

— Il n'y a pas de mal, répondit la jeune femme en se retournant.

C'était Alice Chapman. Elle poussa un léger cri.

— Frances Gray! Ça, alors!

— Alice! C'est vraiment extraordinaire!

Alice sourit.

— La jeune demoiselle à l'estomac sensible... A des centaines de kilomètres de chez elle, au beau milieu d'une manifestation de la WSPU. Je suis très impressionnée!

— A vrai dire, je suis tombée sur la manifestation par hasard, avoua Frances.

Elle fit un signe de la tête vers l'estrade.

— Qui est-ce?

— Vous ne la connaissez pas? C'est Sylvia Pankhurst.

— Oh! souffla Frances, pleine de respect.

Sylvia Pankhurst était la fille d'Emmeline Pankhurst, la cofondatrice de la WSPU.

— Je la trouve vraiment bien, murmura-t-elle.

— Nous faisons désormais en sorte que l'on nous prenne au sérieux, disait Sylvia Pankhurst. Et nous continuerons à le faire. Il y a beaucoup de choses chez les hommes dont nous devrions nous inspirer, notamment leur façon d'utiliser la violence pour obtenir gain de cause. La plupart des grands changements ne se sont pas faits en douceur. Depuis la nuit des temps, les hommes ont recours aux armes pour obtenir ce qu'ils veulent. Et cela leur réussit. Montrons que nous avons retenu la leçon. Prenons nous aussi les armes! Cessons de demander gentiment, battons-nous! Il y aura d'autres combats de rue. Du sang va couler. On va nous jeter en prison. Nous continuerons quand même le combat. Et nous gagnerons!

De longs applaudissements saluèrent la fin de son discours. Alice prit Frances par le bras.

— Venez. Il va y avoir d'autres discours mais, pour le moment, je préfère que nous parlions. Marchons un peu, d'accord?

Elles se glissèrent hors du groupe. Frances découvrit que quelques policiers casqués et armés de matraques surveillaient les manifestantes.

Alice secoua la tête avec dédain.

— Regardez-les donc! On dirait qu'ils ont affaire à des criminelles! Et je vais vous dire une chose, ils meurent d'envie de pouvoir intervenir. Vous n'imaginez pas quelle agressivité les hommes développent à l'égard des femmes qui s'opposent à eux.

Elles s'étaient suffisamment éloignées pour ne plus entendre Sylvia Pankhurst. Une petite allée ombragée s'ouvrait devant elles. Le soleil qui tombait à l'oblique à travers le feuillage dessinait des arabesques légères sur le sol.

— Comment va George? demanda Frances. Nous n'avons pas eu de nouvelles depuis l'autre soir.

— Il a obtenu de très bonnes notes à son examen de fin d'études, dit Alice. Il prépare maintenant l'examen d'entrée à l'école militaire de Sandhurst. Il espère obtenir une bourse car il ne veut accepter aucun argent de son père.

Frances hocha la tête.

— Il y arrivera. Habite-t-il chez vous, en ce moment ?

— Oui. Temporairement. Et vous, que faites-vous à Londres ? demanda Alice en la scrutant du regard.

— Je suis chez la sœur de mon père. Depuis le mois de juin. Je ne sais pas au juste ce que j'espérais de Londres, mais je m'en promettais monts et merveilles. Jusque-là, j'ai surtout souffert de la chaleur, et plus encore du mal du pays.

— Pourquoi ne seriez-vous pas des nôtres ? proposa Alice sans détour. Vous êtes pour le droit de vote des femmes, n'est-ce pas ?

Elle fouilla dans son sac sans attendre de réponse et en sortit un crayon et un bloc-notes. Elle griffonna quelques mots sur la première page, l'arracha et la tendit à Frances.

— Tenez, c'est mon adresse. Passez donc un jour. Cela me ferait plaisir. Et à George aussi.

Frances, surprise, prit l'adresse.

— Quand j'écoutais, tout à l'heure, il y avait un petit groupe d'hommes qui discutaient pas très loin de moi. Ils disaient du mal de Mlle Pankhurst et des femmes en général. Mais ce n'était pas comme s'ils avaient une opinion sur la question. Il y avait un tel mépris dans leurs propos, une telle haine... C'était bête et obscène... J'ai eu comme l'impression d'être salie moi-même.

Alice sourit.

— Vous êtes encore très jeune, Frances. Vous apprendrez à ne plus souffrir de cela. Vous comprendrez que c'est eux-mêmes que ces personnages traînent dans la boue, pas nous. Vous vous endurcirez, je vous le promets. Un jour, vous n'aurez que faire de ce que les autres pensent de vous.

Lorsqu'elle reprit le chemin de la maison – honteuse parce qu'elle avait laissé passer le temps et que Margaret devait être affreusement inquiète –, elle se demanda si elle réussirait un jour à se sentir aussi sûre d'elle qu'une Alice Chapman. Elle avait parfois le sentiment que plus elle se posait de questions, moins les réponses étaient évidentes. Elle avait fui John parce qu'elle redoutait l'absence d'ouverture sur le monde qu'elle prêtait au mariage. Elle était venue à Londres dans l'espoir de voir clair en elle, de se découvrir. Elle se sentait encore plus perdue qu'avant.

Alice la fascinait. La jeune femme suivait la voie qu'elle s'était tracée avec une remarquable détermination et sans que l'affecte ce qu'elle pouvait briser au passage. Frances n'avait pas l'impression qu'être à l'origine de la rupture entre George et son père l'empêchât beaucoup de dormir. Mais si George s'était plié à la volonté de son père et n'avait pas été de son côté, elle n'en aurait pas été perturbée outre mesure. Il y avait des sacrifices à faire, elle les faisait. Elle avait quelque chose de l'absence d'état d'âme et du pragmatisme que Frances avait observés chez sa grand-mère. C'était le « prix à payer ».

Frances était rentrée à pied. Elle s'était beaucoup dépêchée et, quand elle atteignit Berkeley Square, elle était hors d'haleine. La nuit était tombée, une odeur d'automne flottait dans l'air nocturne, une odeur diffuse d'humus et d'humidité que cet été sec et chaud avait occultée des mémoires. La maison était éclairée *a giorno*, une lumière brillait derrière chaque fenêtre.

Bien qu'elle eût marché très vite, Frances frissonnait. Les soirées commençaient à être fraîches.

Ce fut M. Wilson, le majordome, qui lui ouvrit la porte, mais Margaret apparut presque aussitôt, pâle et le visage défait.

— Mais où étais-tu donc ? s'exclama-t-elle. Je me suis tellement inquiétée !

— J'ai rencontré une amie, expliqua Frances et, comme piquée par le diable, elle ajouta : J'ai assisté à une manifestation de la WSPU. Sylvia Pankhurst prononçait un discours.

— Bonté divine ! s'horrifia Margaret.

M. Wilson lui-même, rompu à l'art de rester de marbre en toute circonstance, eut quelque peine à ne rien laisser paraître de son effroi.

— Je suis désolée que tu te sois inquiétée, s'excusa Frances. J'ai laissé passer l'heure sans m'en rendre compte.

Soudain, elle se sentit affamée.

— As-tu déjà dîné, tante Margaret ?

— Je crains d'être incapable d'avaler quelque chose. Je suis bien trop tendue. Cette journée a été abominable !

A la consternation de Frances, la voix de Margaret trembla. La jeune fille glissa un bras autour de ses épaules.

— Je suis désolée que cela te contrarie à ce point. Je suis tombée tout à fait par hasard sur cette manifestation. Il ne faut pas que tu t'en inquiètes.

Elles passèrent au salon, où Margaret se laissa tomber sur le sofa. Frances lui servit un cognac, qu'elle vida d'un trait.

— Ça fait du bien, soupira-t-elle en posant le verre de côté. Frances, ma chérie, excuse-moi. Tu dois me prendre pour une folle. Ce n'est pas à cause de toi que je suis si contrariée. Je me fais tellement de souci...

— A cause de quoi, alors ?

— C'est Anne. Anne Middleton. Tu sais, cette amie que je devais voir aujourd'hui. Il faudrait que je prenne en charge tous les malheurs des autres. Dès qu'ils ont des problèmes, en particulier avec leurs enfants, c'est moi qu'ils appellent. Ils s'imaginent sans doute qu'une vieille fille comme moi n'a aucun souci et qu'ils peuvent tranquillement m'envoyer leurs enfants pour que...

Elle s'interrompit, consciente que ses paroles pouvaient blesser sa nièce.

— Je ne parle naturellement pas de toi, Frances. Toi, tu n'as pas de problèmes !

— Mais de qui s'agit-il, tante Margaret ?

— De Phillip. Il est ici ! Je ne voulais pas, mais Anne n'en peut plus. Et il semble que, si Phillip continue à vivre sous le même toit que son père, ça va finir par un drame.

Frances plissa le front.

— Qui est donc ce Phillip ?

— Le fils d'Anne. Un jeune homme charmant. Vraiment charmant. Tout d'abord, je me suis dit que cette histoire ne me regardait pas et que je n'allais pas m'en mêler. Mais Anne avait l'air si désemparée que finalement, par amitié pour elle – nous nous connaissons depuis si longtemps –, j'ai pensé que je pouvais lui rendre ce service. Et maintenant, j'ai peur de ne pas être à la hauteur. Si jamais il arrive quelque chose, ce sera ma faute !

Alors que Frances cherchait toujours à démêler le discours de sa tante, quelqu'un frappa à la porte. Sur le « Entrez ! » de Margaret, un jeune homme ouvrit la porte et s'avança dans la pièce. Il s'arrêta, effrayé, en découvrant que Margaret n'était pas seule.

— Oh ! Excusez-moi, vous avez de la visite...

160

Il fit mine de se retirer mais Margaret l'invita à rester d'un geste de la main.

— Non, non, restez, Phillip, et approchez-vous donc. Frances, je te présente Phillip Middleton. Phillip, voici ma nièce Frances Gray, du Yorkshire.

Margaret se leva. Peut-être cela tenait-il au cognac, toujours est-il qu'elle semblait remise de ses émotions.

— Nous allons devoir vivre quelque temps tous les trois ensemble, dit-elle.

Phillip s'approcha, prit la main de Frances et l'effleura des lèvres. Quand il se redressa et la regarda, Frances se dit qu'elle n'avait encore jamais rencontré d'homme aussi beau, et qu'elle n'avait encore jamais croisé de regard qui reflétât autant de solitude, de tristesse et d'absolu désespoir.

— Il a tenté trois fois de mettre fin à ses jours, révéla Margaret à Frances. Il a chaque fois été sauvé de justesse, et par hasard. Sa mère ne vit plus, avec l'idée qu'il pourrait recommencer.

— C'est de soins médicaux qu'il a besoin. Pourquoi sa mère te l'envoie-t-elle à toi ?

— Elle craint qu'il ne ressorte plus jamais de l'asile, s'il met un jour le doigt dans l'engrenage. Elle a pris des renseignements. Il semble qu'il se passe des choses affreuses dans les hôpitaux psychiatriques. Elle attend beaucoup de cette séparation d'avec son père. D'après ce qu'elle dit, il est particulièrement dur avec lui.

Elles prenaient leur petit-déjeuner dans la salle à manger. Frances avait renoncé à son thé au lit car elle brûlait de s'entretenir avec Margaret. Phillip ne s'était pas montré. M. Wilson, que Margaret avait envoyé au premier voir si tout allait bien, était redescendu en disant que Phillip était levé, qu'il se tenait à sa fenêtre, habillé, et regardait dehors. Margaret était alors montée à son tour et était redescendue un moment plus tard, déconcertée.

— Il dit qu'il n'a pas faim. Il souhaite seulement regarder dehors. Il est poli mais complètement absent.

— Pour quelle raison a-t-il tenté de se suicider? voulut savoir Frances.

Elle s'était servie en saucisses et œufs brouillés sur la desserte. Elle se sentait une faim de loup, ce matin-là.

— Il doit avoir déjà une tendance à la dépression, mais il semble que ça remonte au temps de l'école primaire...

Margaret n'avait, elle, manifestement pas faim. Elle était pâle et semblait très soucieuse. Elle ne but qu'un peu de thé.

— Son père l'a envoyé dans un internat très sévère alors qu'il était encore tout petit. Phillip était un enfant excessivement sensible et rêveur, très timide, très réservé. Son père voulait que ça lui passe. Les autres enfants n'ont pas tardé à percer ses points faibles, et il est aussitôt devenu leur souffre-douleur. Ils se moquaient de lui et le martyrisaient du matin au soir.

— Ses parents ne pouvaient pas le mettre dans une autre école?

— Il n'en était pas question. Son père tenait à ce que ce soit cette école et pas une autre. De toute façon, il se serait probablement passé la même chose dans n'importe quelle école. Du moins en ce qui concerne l'attitude des autres enfants. Mais, ce qui a été très difficile pour le petit Phillip, c'est que le directeur de cette école était un véritable sadique. Il battait les enfants pour un rien – et il les battait comme plâtre, il ne faisait pas semblant. Il avait de surcroît toute une panoplie de tortures en réserve, toutes plus méchantes les unes que les autres, comme de les enfermer trois jours et trois nuits dans une cave sans lumière. Ou de les obliger à se mettre complètement nus et à recevoir plusieurs sauts d'eau glacée sur le corps. Ou encore de tremper une serpillière dans de l'urine, de la mettre en boule et de l'enfoncer dans la bouche du malheureux enfant...

Frances eut un haut-le-cœur. Elle repoussa son assiette. L'histoire lui avait coupé l'appétit.

— Mais Phillip ne devait rien faire de mal, si ?

— Volontairement, bien sûr que non. C'était même le contraire. Il était paralysé de peur et ne pensait qu'à ne pas se faire remarquer. Mais ça le rendait tellement maladroit qu'il enchaînait catastrophe sur catastrophe. Et il était un bouc émissaire de rêve. Il se faisait punir pour les bêtises des autres – de l'encre renversée sur un pupitre, un lit pas fait, un vêtement déchiré.

— C'est affreux !

— Il semble aussi que le directeur en ait fait sa tête de Turc. Il ne le lâchait pas. Et le père de Phillip, convaincu que c'était comme ça que son fils deviendrait un homme, était son meilleur allié.

— Je me demande comment on peut être aussi cruel avec son propre enfant. A-t-il déjà à l'époque tenté de se suicider ?

— Non, pas quand il était aussi jeune. Il a bien essayé de se sauver plusieurs fois, mais il s'est toujours fait rattraper et il payait très cher ses velléités d'évasion. C'est plus tard, au collège – toujours dans le même établissement scolaire et où ça n'allait guère mieux –, qu'il s'est ouvert les veines, mais on l'a découvert à temps. Il avait quinze ans.

— Quel âge a-t-il aujourd'hui ?

— Vingt-quatre ans. Son père a exigé qu'il entre

dans une académie militaire. Il voulait à tout prix en faire un officier supérieur. Il n'a bien évidemment supporté ni les méthodes d'entraînement ni les brimades et il a derechef tenté d'en finir en s'ouvrant les veines. Ça lui a valu un renvoi immédiat de l'académie. Les tendances suicidaires y sont très mal vues.

— Que fait-il depuis ?

Margaret haussa les épaules.

— En réalité, rien. Il ne bouge pas de chez lui, il est apathique. Son père est constamment sur son dos, il le harcèle, le traite de lâche, de raté. Au début de l'année, il a tenté de s'empoisonner.

— Et sa mère ? demanda Frances avec une pointe de colère dans la voix. Pourquoi ne fait-elle rien ? Comment peut-elle tolérer une situation pareille ? Il y a des années qu'elle aurait dû s'opposer au père !

— Et comment ? C'est son mari, répliqua Margaret comme si c'était en soi une explication suffisante.

Frances méditait encore cette réponse quand la porte s'ouvrit. Phillip entra, un sourire timide sur les lèvres.

— Bonjour, lady Gray. Bonjour, mademoiselle Frances.

— Comme je suis heureuse que vous ayez tout de même décidé de vous joindre à nous ! s'exclama Margaret avec une gaieté un peu forcée. Venez vite vous asseoir !

Il prit place en face de Frances.

— Je ne boirai qu'un peu de thé, dit-il.

— Vous êtes beaucoup trop mince pour votre taille, décréta Margaret. Vous devriez manger quelque chose.

— Je n'ai jamais faim le matin, s'excusa Phillip.

Frances l'examina à la dérobée.

Il avait des traits particulièrement fins et réguliers, une bouche aux lèvres minces et d'épais cheveux blond foncé. Ses yeux, verts et ourlés de longs cils, auraient pu être ce qu'il y avait de plus beau dans son visage s'ils n'avaient reflété un tel désespoir. Comme la veille, Frances en fut bouleversée.

Il leva soudain la tête. Elle faillit promptement détourner les yeux mais n'en fit rien. Leurs regards se rencontrèrent. Frances sourit et, après une seconde d'hésitation, surprise, Phillip lui rendit son sourire.

— Que diriez-vous d'une sortie ensemble ? proposa Margaret. Le beau temps risque de ne pas durer. Nous pourrions aller à Helmsley et pique-niquer sur les bords de la Tamise.

— Oui, volontiers. Si cela vous convient, répondit poliment Phillip.

Margaret soupira.

— Excusez-moi !

Personne n'avait remarqué la présence de M. Wilson, le majordome.

— Quelqu'un demande Mlle Gray au téléphone.

C'était Alice Chapman. Elle invitait Frances à participer à une réunion de la WSPU l'après-midi même.

Frances accepta. Margaret eut une seconde bonne raison de ne pouvoir réprimer un soupir de consternation et d'impuissance.

Elle savait maintenant qu'il n'y avait pas qu'un jeune homme aux tendances suicidaires qu'elle hébergeait sous son toit. Elle hébergeait aussi une suffragette.

Barbara lisait depuis si longtemps sans bouger qu'elle avait les mains gelées. Elle posa le manuscrit de côté, glissa ses mains sous la couverture et les frotta l'une contre l'autre pour faire circuler le sang et les réchauffer. Sa chambre se transformait lentement en caverne glacée. Elle se demanda qui avait jadis dormi dans ces lieux. Charles et Maureen? Grand-mère Kate? Un des enfants, Frances, peut-être? Elle imagina un instant à quoi devait ressembler un matin d'hiver. De bons feux crépitant dans les cheminées. Une appétissante odeur de café et de bacon grillé s'échappant de la cuisine et embaumant l'escalier. Un sapin décoré dans le salon. Et des voix, les voix de six personnes, de sept, même, en comptant Adeline, la gouvernante, qui s'appelaient, parlaient, riaient, se disputaient. Une maison pleine de chaleur et de vie. Un sentiment de nostalgie envahit Barbara. Quelque chose en elle s'éveillait qu'elle n'avait jusque-là jamais ressenti comme un désir.

Une maison à la campagne, une famille, c'était aussi une façon de vivre, songea-t-elle.

Oui, mais la fille aînée s'en allait, s'engageait aux côtés des militantes féministes pour le droit de vote des femmes, ce qui aujourd'hui devait être quelque chose comme adhérer à un mouvement terroriste. Qu'allait-il arriver à la famille Gray? La Première Guerre mondiale était imminente; George, le fils, était en âge d'être incorporé.

Elle continuerait à lire. Elle ne renoncerait à la suite pour rien au monde. Mais d'abord, il fallait qu'elle mange quelque chose. Au cours des dernières heures, elle avait été tellement absorbée par sa lecture qu'elle avait oublié sa faim, mais là, cette faim se rappelait à sa mémoire avec une insistance grandissante. Cela la surprit que deux jours de jeûne puissent induire une telle faiblesse.

— Je peux entrer ? fit une voix dans le couloir.

C'était Ralph. Il entra, apportant avec lui un souffle d'air glacé. Ses joues étaient rouges de froid.

— Le petit-déjeuner est prêt, annonça-t-il.

— Mon Dieu ! s'exclama Barbara. Et moi qui suis encore au lit ! Je suis désolée.

Elle remarqua ses cheveux mouillés.

— Il fait quel temps ?

— Il neige. J'ai dégagé le chemin jusqu'à l'appentis et rapporté du bois. Ça n'a pas l'air de vouloir s'arrêter.

Il s'approcha de Barbara et tâta délicatement son menton du bout des doigts.

— C'est assez réussi !

— Quelles couleurs ? Vert et bleu ? En tout cas, ça fait plutôt mal.

— Eh bien, on jurerait que tu as pris un sacré uppercut. Tu aurais peut-être dû mettre tout de suite de la glace dessus. Ce n'est pas ce qui manque !

Elle balança ses jambes hors du lit.

— J'étais trop excitée par la découverte du coffret. Quel est le menu du petit-déjeuner ?

— Thé à volonté, répondit Ralph d'un ton morne, un demi-œuf dur et une tranche de pain de mie chacun. Il nous restera alors deux œufs, deux tranches de pain, un peu de fromage, un peu de beurre et un peu de confiture. Et après, plus rien.

— Eh bien, au moins nous n'aurons pas les

problèmes de lendemains de fête comme le commun des mortels, ironisa Barbara. Pas d'urgence à se mettre au régime !

— Sûr. Nous allons rentrer minces et musclés comme des dieux. Diète, pelletage et bûcheronnage, voilà un tiercé efficace.

Ils rirent tous les deux, mais pas bien longtemps et sans joie, puis Ralph avisa le paquet de feuilles manuscrites sur la table de nuit de Barbara.

— Ah ! Alors tu le lis vraiment.

— Oui. C'est formidable. Cette Frances Gray, dont il y a le portrait en bas, sur la cheminée, faisait partie des femmes qui se sont battues pour obtenir le droit de vote.

— Tu m'en diras tant !

Comme beaucoup d'hommes, et même s'il n'était en réalité nullement opposé à leurs revendications, Ralph avait une dent contre les féministes.

— Bon, tu viens, maintenant ?

Barbara enfila son peignoir.

— Rends-toi compte, à une époque, il y avait une famille de six personnes qui vivait dans cette maison, plus une gouvernante, raconta-t-elle en descendant les marches derrière Ralph. Une grand-mère, les parents, trois enfants. Et un chien. Je crois qu'en été le jardin devait être merveilleux. Ils ont vécu très heureux pendant toute une période.

Ralph s'arrêta et se tourna vers elle. La pénombre qui régnait dans la cage d'escalier ne permettait pas à Barbara de distinguer nettement ses traits, mais l'amertume qu'elle perçut dans sa voix n'en était que plus marquée.

— C'est curieux, ça ressemble étrangement à l'idée que je me fais du bonheur. Manque de chance, c'est quelque chose qui t'est longtemps passé au-dessus de la tête ; tu n'as jamais voulu t'y intéresser. Et voilà que tu découvres que ce n'est peut-être pas dénué de charme. C'est formidable.

Barbara ne répondit pas.

Après un petit déjeuner frugal qui excita plus leur appétit qu'il ne l'apaisa, Ralph dit :

— Je n'aurais jamais cru que cette neige de malheur puisse s'éterniser comme ça. Si ça continue longtemps, nous allons avoir des problèmes.

— Tu penses à la nourriture ?

— Nous avons tout juste un petit-déjeuner pour demain matin. Et encore, à condition que nous ne mangions plus rien aujourd'hui, ce qui ne va pas être facile. Après, nous serons complètement à sec.

Barbara hocha la tête. Pour la première fois depuis qu'ils étaient là, elle commença à avoir peur. Elle se vit en train de regarder la neige tomber, cela faisait des jours qu'elle n'arrêtait pas de tomber, des monceaux de neige tombaient du ciel, et elle se vit avec Ralph devant une tasse de café dans la cuisine, puis devant une tasse de thé quand il n'y eut plus de café, et toutes leurs pensées tournaient autour de la nourriture, plus rien d'autre sur terre ne les intéressait...

Arrête de te mettre des idées aussi stupides en tête, se dit-elle, à la fois désemparée et inquiète.

— Il est bien évident que l'on ne va pas mourir de faim aussi vite, dit Ralph, mais, bon, j'ai connu des moments plus agréables et je n'ai pas franchement envie que ça se prolonge.

Il repoussa son assiette. Elle ne contenait que quelques morceaux de coquille d'œuf, maigres reliefs d'un maigre repas.

— Ça commence à me taper sur le système, poursuivit-il. J'ai quarante ans demain et, pour fêter dignement l'événement, nous avons en tout et pour tout un œuf dur et deux tranches de pain de mie. Je commence à avoir des hallucinations. Je rêve d'assiettes pleines, de plats débordants de nourriture!

Barbara se servit du café.

— J'en suis au même point que toi. Mais je crains que nous ne puissions pas faire grand-chose.

— J'ai vu des skis à la cave. Je pourrais essayer d'atteindre Leigh's Dale à ski.

— C'est trop dangereux. Quand nous sommes arrivés, rappelle-toi, la nuit tombait déjà. Nous ne connaissons pas du tout la région. Nous ne savons que très approximativement où se trouve Leigh's Dale par rapport à la maison. Et nous nous trompons peut-être. Si jamais tu te perdais... avec ce froid et cette neige, tu pourrais en mourir.

— J'ai réfléchi, Barbara. Le risque que je ne trouve pas le village existe, tu as raison; et la région est très isolée, c'est vrai, mais enfin, ce n'est pas non plus un désert absolu. On peut se perdre, mais on finit toujours par tomber sur une ferme ou une maison.

— On ne sait jamais. Ce n'est pas sûr.

— Nous sommes dans la Wensleydale, dans le nord du Yorkshire, insista Ralph, pas en Sibérie, même si pour le moment ça y ressemble! Ce n'est pas une région dans laquelle on peut marcher des jours et des jours sans rencontrer âme qui vive.

— Alors allons-y ensemble.

Ralph secoua la tête.

— Il n'y a qu'une paire de skis.

— Je ne trouve pas que ce soit une très bonne idée, mais tu as l'air d'avoir pris ta décision.

Il tendit le bras en travers de la table et lui saisit la main, geste devenu rare entre eux.

— Je n'ai pas l'intention de partir maintenant. Je pense seulement que nous devrions échafauder un plan pour le cas où la situation ne s'améliorerait pas.

Barbara acquiesça et remplit à nouveau sa tasse de café, bien qu'elle sût, pour l'avoir jadis expérimenté lors des régimes draconiens qu'il lui était arrivé de s'infliger, qu'elle ne supportait pas de boire tant de café lorsqu'elle avait l'estomac à moitié vide.

Pour l'heure, c'était le cadet de ses soucis.

Ils déblayèrent des montagnes de neige, coupèrent du bois, et Barbara soigna les vilaines ampoules que Ralph s'était faites aux mains, bien qu'il eût porté des gants pour travailler. Ils étaient épuisés, affamés, et tous deux faisaient de gros efforts pour ne pas penser aux repas dont ils étaient privés ou à quelque extravagance pharaonique comme un bain chaud avec de la mousse. Ralph avait proposé de faire chauffer de l'eau sur la cuisinière pour Barbara et de la monter au premier, jusqu'à ce que la vieille baignoire en fonte soit pleine, mais Barbara avait objecté que la mise en œuvre du projet aurait été sans commune mesure avec son utilité réelle.

Ralph, qui était à bout de forces, parut soulagé. Il s'installa devant la cheminée de la salle à manger avec le roman policier d'Agatha Christie qu'il avait trouvé sur une étagère et Barbara chercha parmi les inépuisables réserves de Laura une tisane susceptible d'apaiser ses violents maux d'estomac. Dehors, la nuit était tombée, de gros flocons blancs cascadaient en tourbillonnant devant la fenêtre de la cuisine. Barbara tira les rideaux d'un geste rageur. Elle ne supportait plus de voir cette maudite neige.

Le manuscrit de Frances Gray était sur la table. Elle l'avait repris plusieurs fois au cours de la journée, dès que les tâches indispensables à leur survie lui en avaient laissé le temps. Frances Gray avait beaucoup vu Alice Chapman au cours de l'automne 1910 et elle avait assisté à de nombreux meetings de la WSPU.

Elle avait revu son frère. George souffrait du différend entre son père et lui, mais sa fierté et son amour-propre lui interdisaient de faire le premier pas. Frances avait de nouveau écrit à John Leigh et il n'avait toujours pas répondu. Plusieurs fois, elle s'était pris le bec avec Margaret, qui n'appréciait pas du tout les choix politiques de sa nièce.

Margaret était en proie à un cas de conscience. D'un côté, elle estimait qu'il était de son devoir d'informer les parents de Frances de son dangereux engagement aux côtés des militantes féministes, et de l'autre, elle craignait, en trahissant Frances, d'être déloyale et de la mettre dans une situation difficile par rapport à sa famille. Elle vivait de toute façon des moments très difficiles car elle soupçonnait que Phillip ne guettait que l'occasion d'attenter à ses jours et elle n'osait prendre le risque de ne pas le surveiller constamment. Elle passait des nuits entières à imaginer dans sa tête toutes les catastrophes qui pouvaient arriver aux deux jeunes gens qui lui avaient été confiés.

Phillip, pour sa part, essayait surtout de se rapprocher de Frances, ce qu'elle n'acceptait qu'avec réticence car elle avait beaucoup trop à faire avec Alice pour s'occuper des états d'âme d'un jeune homme mélancolique.

Phillip ignorait que Frances aimait un autre homme et était tout entière habitée par l'angoisse d'avoir pris la mauvaise décision en refusant de l'épouser. Il croyait que l'impatience qu'elle manifestait à son égard était liée à ses activités au sein du mouvement féministe. Il approuvait d'ailleurs son engagement et ne manquait jamais de l'encourager, toutefois d'une façon si discrète et si timide que Frances n'avait pas encore bien compris qu'elle avait affaire à un sympathisant. Parfois, elle acceptait une promenade à ses côtés, ou bien ils assistaient ensemble à une représentation théâtrale, mais elle le faisait surtout par pitié, parce qu'elle se sentait coupable de refuser son amitié à un jeune homme qui avait déjà tant souffert.

Barbara s'assit à la table de la cuisine et goûta la tisane. Le breuvage était infect, mais, d'après ce qui était écrit sur l'emballage, souverain contre les maux d'estomac. Elle réchauffa ses mains sur la tasse brûlante et but à petites gorgées prudentes.

Puis elle se replongea dans sa lecture.

Novembre-décembre 1910

— Puis-je entrer ? demanda Margaret en passant la tête dans l'entrebâillement de la porte.

Frances était assise sur son lit devant un verre de lait au miel, pâle, les yeux brillants et un épais foulard de laine autour du cou.

— Tu n'as pas l'air bien du tout, constata Margaret en posant la main sur son front. Et tu as de la fièvre !

— C'est bien possible, je ne me sens pas très en forme.

Elle bataillait depuis des semaines avec un méchant refroidissement qui ne voulait pas finir.

— Tu sais, ça m'ennuie que tu sois si mal en point, dit Margaret, mais je dois reconnaître que je suis soulagée que tu ne puisses pas aller à ce... comment avez-vous baptisé cette réunion, déjà ?

— Le Women's Parliament.

— Ah, oui. C'est ça. Je me serais fait beaucoup de souci. On ne sait jamais comment ces manifestations risquent de dégénérer. Je... Tu me promets de rester à la maison ?

Frances remarqua seulement à cet instant que sa tante portait un manteau et des gants.

— Tu dois sortir ?

— Un bridge chez lady Stanhope. J'ai tout d'abord pensé refuser l'invitation, pour être auprès de toi au cas où il t'arriverait quelque chose, et naturellement aussi à cause de Phillip, puis je... Il y aura des amies que je n'ai pas vues depuis longtemps...

— Tu as très bien fait, tante Margaret. Et ne t'inquiète pas, il ne m'arrivera rien. Je ne vais pas bouger de ma chambre de la journée, je vais rester au chaud et me soigner. Je n'ai certes pas l'intention d'aller me battre dans la rue !

— A la bonne heure ! fit Margaret, soulagée. Et tu t'occuperas un peu de Phillip ? Vous pourriez dîner ensemble, qu'en penses-tu ?

— A vrai dire, je crains de ne pas avoir grand appétit. Mais je pourrai lui tenir compagnie. Passe une bonne journée, tante Margaret, et cesse de t'inquiéter pour nous. Nous ne sommes plus des enfants, tu sais !

— Veux-tu que je te dise ? J'ai souvent regretté de ne pas avoir d'enfants à moi, mais finalement, je commence à penser qu'il y a aussi de bons côtés à cela...

Elle caressa les cheveux de Frances.

— Tu es une jeune fille adorable, Frances. Et j'aime beaucoup Phillip aussi, mais, ajouta-t-elle en se dirigeant vers la porte, on n'en a jamais complètement fini avec vos problèmes...

Frances dormit quelques heures. Presque tout l'après-midi, la pluie tambourina sur les vitres, et la nuit, précoce en cette saison, tomba de bonne heure. Quand elle se réveilla, il était 17 heures. Le plus grand silence régnait dans la maison.

Frances se leva. Elle se sentait mieux. Dormir lui avait permis de reprendre des forces, elle avait moins mal à la tête que le matin et elle eut même l'impression d'avoir légèrement faim.

Elle décida de descendre à la cuisine pour discuter du dîner avec la cuisinière. En s'y rendant, elle passa devant la chambre de Phillip. Elle s'arrêta, hésita, puis frappa.

— Entrez ! dit Phillip.

Il se tenait devant la fenêtre, comme presque toujours, le visage tourné vers l'obscurité et la pluie. L'unique petite lampe qui brillait dans la chambre éclairait à peine sa silhouette. Un sourire anima ses traits quand il vit la jeune fille.

— Frances ! s'exclama-t-il en marchant vers elle. Comment allez-vous ? Vous sentez-vous mieux ?

Il sembla à deux doigts de prendre spontanément ses mains dans les siennes, mais il se retint, sans doute par timidité, et il s'arrêta devant elle, les bras ballants.

— Vous avez bien meilleure mine que ce matin, constata-t-il.

— Oui, d'ailleurs je vais mieux. Je m'apprêtais à convenir du menu de ce soir avec la cuisinière. Nous dînons ensemble ?

— Bien sûr ! dit-il avec empressement.

Il y avait quelque chose, dans son attitude, qui mettait toujours Frances un peu mal à l'aise.

— Bon, eh bien, à tout à l'heure, alors.

Il tendit le bras mais à nouveau interrompit son geste et ne la toucha pas.

— Frances !

— Oui ?

— Je... ça a l'air stupide de dire ça, mais... je suis très heureux d'avoir fait votre connaissance.

Mon Dieu, se dit Frances.

— Cela me fait également plaisir de vous connaître, Phillip.

— Je n'aurais jamais cru possible de dire cela un jour à une femme. Je veux dire... que je suis heureux de la connaître.

Il ne savait toujours pas quoi faire de ses mains, mais son regard, d'ordinaire triste et éteint, brillait d'une flamme nouvelle.

176

— Je n'aurais jamais cru ressentir cela pour une femme, ajouta-t-il à mi-voix.

— Phillip, vous me connaissez à peine, répliqua Frances avec un rire mal assuré.

— Je vous connais, Frances. Je vous connais beaucoup mieux que nous ne le croyez. Vous savez, j'ai souvent pensé à vous.

Frances ne sut pas quoi répondre. Elle garda le silence.

Phillip eut bien sûr le sentiment d'être allé trop loin et il se tut un instant, avant de reprendre, sur un ton hésitant :

— Je ne... Je veux dire, j'espère que je ne vous mets pas dans l'embarras ?

— Mais non, assura Frances, qui cherchait désespérément comment se tirer de ce mauvais pas sans le blesser. Je... Si nous allions voir la cuisinière ?

Phillip était blessé. Frances le comprit à l'expression qui se peignit sur son visage. Il s'efforça de n'en rien laisser paraître, mais son sourire contraint le trahit.

— Entendu, dit-il. Descendons.

Ils étaient au milieu de l'escalier quand des coups violents ébranlèrent la porte de la rue. Ils s'arrêtèrent net.

— Ce n'est tout de même pas tante Margaret ? s'étonna Frances.

Déjà M. Wilson se hâtait vers l'entrée. Tout dans son attitude disait combien il réprouvait la grossièreté d'une telle façon de s'annoncer. Il ouvrit la porte. Une jeune femme jaillit dans le hall sans même lui accorder un regard. Son manteau était plaqué sur son corps comme une serpillière mouillée, ses cheveux défaits ruisselaient sur ses épaules. Du sang coulait d'une blessure sous son œil droit.

— Frances Gray habite-t-elle ici ? demanda-t-elle.

— Pourrions-nous savoir qui nous devons annoncer? s'indigna Wilson.

— Je suis Frances Gray! déclara Frances en dévalant la dernière volée de marches.

Elle arriva à temps auprès de la jeune femme pour la retenir alors qu'elle s'effondrait. Aidée de Wilson, elle l'aida à gagner une chaise et à s'asseoir.

— Excusez-moi, murmura l'inconnue dont les lèvres étaient exsangues. J'ai seulement un peu la tête qui tourne.

Frances prit son mouchoir et tamponna délicatement la blessure.

— Wilson, s'il vous plaît, trouvez quelque chose pour désinfecter. Et vous, Phillip, allez chercher le cognac de tante Margaret. Elle a besoin d'un remontant.

Phillip se hâta d'obéir, Wilson hésita.

— Nous ne connaissons pas l'identité de cette personne et... commença-t-il.

— Je m'appelle Louise Appleton, dit l'étrangère d'une voix faible. Je viens de la part d'Alice Chapman.

— Alice? s'exclama Frances, alarmée. Dépêchez-vous donc de faire ce que je vous ai demandé! criat-elle à Wilson, puis elle s'agenouilla à côté de Louise et lui prit la main. Qu'est-il arrivé à Alice?

— Elle s'est fait arrêter. Elle est blessée. Elle a juste eu le temps de me donner votre nom et votre adresse. Il faut que vous préveniez son fiancé. C'était... c'était affreux, dit-elle en refoulant un sanglot.

— La police vous a maltraitées?

Louise ne put retenir plus longtemps ses larmes.

— Je n'avais encore jamais vu des hommes traiter des femmes avec une telle brutalité, raconta-t-elle entre deux sanglots. Ils poussaient les femmes dans les entrées des immeubles pour les rouer de coups. Ils les jetaient par terre, les piétinaient, leur donnaient des coups de pied. Ils les tiraient par les cheveux, faisaient exprès de les frapper sur la poitrine. J'avais l'impression qu'ils voulaient nous tuer.

Phillip revint avec le cognac. Frances remplit un verre et le mit dans la main de Louise.

— Tenez, buvez. Ça va vous faire du bien.

Louise tremblait. Elle but l'alcool à petites gorgées, lentement. Ses joues reprirent un peu de couleur.

— Jamais je n'oublierai, murmura-t-elle. Jamais. Nous voulons avoir le droit de vote. Nous voulons obtenir un droit que les hommes exercent depuis des siècles. Et ça nous vaut d'être traitées comme des criminelles.

— Alice est en prison ? demanda Frances. Ou bien est-elle à l'hôpital ? Vous disiez qu'elle était blessée.

— D'après ce que j'ai pu apprendre, elle devait être emmenée à la prison de Holloway. J'espère qu'il y aura tout de même quelqu'un pour s'occuper d'elle. Elle était couverte de sang...

La voix de Louise vacilla à nouveau. Frances se hâta de lui redonner un peu de cognac et déclara :

— Je vais à Holloway. Il faut que je voie ce que je peux faire pour Alice.

— Vous ne pouvez pas faire ça ! s'écria Phillip, horrifié.

M. Wilson remonta à cet instant du sous-sol avec la cuisinière sur les talons, une bouteille d'alcool iodée et un paquet de pansements à la main.

— Que s'est-il passé ? s'enquit celle-ci, chamboulée.

— La police s'en est prise à des militantes féministes et en a jeté en prison, expliqua posément Frances. Mlle Appleton, que voici, se trouvait au sein des affrontements.

M. Wilson, de même que Mlle Wentworth, la cuisinière, réprouvaient de tout leur être aussi bien les buts des suffragettes que les méthodes qu'elles utilisaient ; néanmoins, la fibre maternelle de la brave cuisinière se réveilla d'un coup lorsqu'elle découvrit la pauvre créature pâle et mouillée des pieds à la tête, tassée sur la chaise, une joue maculée de sang et tremblante comme une feuille.

— Dieu du ciel ! Mais elle va attraper la mort avec ces vêtements trempés ! fit Mlle Wentworth. Il lui faudrait un bon bain chaud au plus vite, et qu'on la mette ensuite au lit.

— Tout à fait, mademoiselle Wentworth, et je vous en charge, décida Frances. Faites-lui couler un bain et préparez la chambre d'ami pour elle. Je file à la prison de Holloway !

— Non ! s'exclamèrent M. Wilson, Mlle Wentworth et Phillip d'une même voix, mais Frances montait déjà l'escalier en courant pour aller chercher son manteau.

Phillip la suivit.

— Vous ne savez même pas où c'est !

— Je vais prendre un fiacre.

— Je viens avec vous.

— Il n'en est pas question ! Il faut que quelqu'un reste ici pour tout expliquer à tante Margaret. Elle va avoir le choc de sa vie.

— Il y a Wilson. Et Mlle Wentworth. Ils seront bien capables de lui expliquer ce qui est arrivé !

— Phillip, soyez raisonnable !

Frances décrocha son manteau de la penderie et prit un châle pour couvrir sa tête.

— Restez, je vous en prie, et rassurez ma tante.

Phillip se tenait dans l'encadrement de la porte. Sur le moment, Frances n'en prit pas conscience, mais en y repensant plus tard, elle se souvint que, pour la première fois depuis qu'elle le connaissait, son visage, à cet instant, ne reflétait plus les tourments d'un enfant blessé mais la détermination d'un homme.

— Je ne vous laisserai pas errer seule dans Londres à une heure pareille, Frances ! Soit je viens avec vous, soit je ne vous laisse pas y aller !

Elle eut un rire bref.

— Pensez-vous que j'aie besoin de votre autorisation ?

Tel qu'il se tenait dans l'encadrement de la porte, il barrait le passage et elle comprit qu'elle perdrait du temps à discuter avec lui.

— Bon, eh bien alors, venez, puisque vous y tenez. Ce n'est pas le moment de se disputer !

Il hocha la tête en signe d'assentiment.

Cinq minutes plus tard, ils couraient sous la pluie. Ils n'avaient pas atteint le bout de la rue qu'ils étaient trempés jusqu'aux os.

C'était le 18 novembre 1910. Un vendredi qui devait devenir le « vendredi noir » de l'histoire du féminisme anglais. Ce jour-là, 115 femmes furent jetées en prison. La police réprima la manifestation féministe avec une violence exceptionnelle. Christabel Pankhurst accusa le Premier ministre, Winston Churchill, d'avoir donné l'ordre à sa police de ne pas ménager les manifestantes, accusation qui indigna Churchill au point qu'il envisagea de faire condamner Christabel Pankhurst pour diffamation.

Il n'empêche qu'il y eut ce jour-là de très nombreuses manifestantes blessées, que la prison de Holloway débordait de militantes féministes et que, pour de nombreuses femmes, un véritable calvaire commença.

Phillip, le Phillip dépressif et mélancolique dont Frances avait cru jusqu'alors qu'il était surtout bon à regarder des heures durant par la fenêtre ou à écrire des poèmes, réussit à dénicher un fiacre près de Bond Street. Ils étaient déjà complètement trempés. Ils atteignirent assez vite Islington, au nord de Londres, où se trouvait la prison. Toutefois, quand au début de Parkhurst Road, le cocher remarqua qu'il y avait une grosse bagarre devant l'entrée du bâtiment, il refusa d'aller plus loin.

— Je ne m'aventure pas là-dedans ! Je tiens à ma voiture, moi !

— Arrêtez-nous là, c'est bon, dit Phillip en sortant son portefeuille.

— C'est encore ces satanées bonnes femmes ! grommela le cocher. Je me demande quand le gouvernement va se décider à leur régler leur compte une bonne fois pour toutes ! Je vais vous dire, moi, dans quatre semaines, je vote pour le parti qui me promet de nous débarrasser de ces femelles !

Phillip lui mit quelques billets dans la main, lança un rapide « Gardez la monnaie ! » et fit descendre Frances derrière lui.

Ils étaient dans la rue, sous la pluie et le visage de Phillip disait tout son désespoir de se trouver embarqué dans cette funeste entreprise. Cent cinquante femmes environ manifestaient devant les portes de la prison pour obtenir la libération des militantes emprisonnées. Des policiers tentaient de dissoudre la manifestation et de refouler les femmes en frappant au hasard dans la foule et en procédant à des arrestations arbitraires.

Phillip, qui grelottait de froid et claquait des dents, retint Frances par le bras.

— Vous ne pourrez pas entrer ! Vous ne réussirez pas à passer ! Rentrons à la maison. Nous reviendrons demain matin et nous...

Sans même s'en rendre compte, elle secoua son bras pour se dégager de son étreinte.

— J'y vais. Je veux savoir comment va Alice. Mais vous n'êtes pas obligé de me suivre !

Elle serra plus étroitement son manteau mouillé contre elle et partit en courant sans un regard pour Phillip. Elle l'entendit jurer discrètement, mais il la suivit.

Frances se faufila entre les manifestantes, elle perçut les cris, les jurons et les aboiements furieux des policiers comme à travers un brouillard. Elle était trop bouleversée pour se rendre compte que la situation était grave et qu'elle prenait de grands risques en persistant dans sa démarche.

Juste devant elle, un policier traînait une femme d'une cinquantaine d'années par les cheveux, un autre bourrait de coups de botte les côtes d'une forme inanimée, recroquevillée sur les pavés luisants. Une femme très élégante qui portait un manteau bordé de fourrure et des pendants d'oreilles ornés de grosses émeraudes se retenait à un réverbère et crachait du sang dans le caniveau.

C'est en la voyant que Frances émergea de l'espèce de transe qui lui brouillait l'esprit. Elle se dirigea vers elle. Au même moment, quelqu'un tomba sur elle et elle reçut un coup violent sur le tibia, mais elle ignora la douleur et prit la main de la femme qui était courbée vers le caniveau.

— Je peux faire quelque chose pour vous ?

La femme se redressa lentement et essuya sa bouche sanglante du dos de la main.

— Ça va, dit-elle d'une voix rauque. Ils m'ont seulement cassé deux dents.

Frances, atterrée, scruta son visage et prit enfin conscience de ce qui se passait autour d'elle. Elle entendit les cris, elle vit les femmes qui couraient pour échapper aux hommes qui les pourchassaient et les frappaient à mains nues. Mais elle vit aussi des femmes qui se battaient comme des tigresses, qui donnaient des coups de pied, des coups de poing, qui griffaient et se débattaient. Seuls quelques rares réverbères éclairaient la rue ; le brouillard et la pluie faisaient le reste pour donner à la scène une monstrueuse irréalité.

Elle se retourna, fouilla la foule du regard.

— Phillip ?

Phillip n'était plus là. Elle hésita, chercha à se repérer au milieu de la confusion générale. C'est à cet instant que la pierre vola. Surgie de l'obscurité, du côté de la petite église qui faisait face à la prison, à la jonction de Parkhurst Road et de Camden Road. Une grosse pierre noire, immonde, aux arêtes vives. Elle manqua la tête de Frances de quelques millimètres, mais elle atteignit à la tempe le policier qui se trouvait à quelques pas d'elle. L'homme fléchit les genoux puis tomba brutalement sur le sol de tout son long. Il ne poussa pas un cri.

Convaincue qu'il était mort, Frances se mit à hurler. Des policiers accoururent, se jetèrent sur elle. L'un d'entre eux lui retourna le bras dans le dos, Frances hurla à nouveau, cette fois de douleur. Il planta un genou dans ses reins et elle bascula en avant. Un autre l'empoigna par les cheveux et lui tira si violemment la tête de côté que ses yeux s'emplirent de larmes. Un troisième se planta devant elle et elle comprit qu'il prenait son élan pour la gifler. Elle tenta en vain de se recroqueviller. Un quatrième policier le retint.

— Non. Laisse-la !

— Elle l'a tué ! Elle a tué Billy !

— Laisse-la quand même. Ça suffit. C'est au juge d'en décider, maintenant.

L'homme qui lui tordait le bras la lâcha, celui qui la tenait par les cheveux aussi. Frances s'effondra sur la chaussée mouillée, pressant son bras meurtri contre elle. Son épaule la faisait tellement souffrir qu'elle se

184

demanda si elle n'était pas démise. Le policier qui lui avait épargné les mauvais traitements de ses collègues se pencha vers elle.

— Mademoiselle, levez-vous, s'il vous plaît. Vous êtes en état d'arrestation.

Il l'aida à se relever. Une douleur fulgurante traversa son bras de part en part. Elle regarda l'homme allongé sur la chaussée ; quelques policiers s'affairaient autour de lui. Soudain elle comprit ce qu'on lui reprochait et une vague de panique la submergea.

— Ce n'est pas moi, dit-elle. Ce n'est pas moi, je vous assure.

— On va tirer tout ça au clair. Pour le moment, vous me suivez.

Elle souffrait trop pour avoir le courage de se défendre. Il l'entraîna vers la prison. Elle sut plus tard qu'elle avait eu de la chance parce que au moins il ne l'avait pas brutalisée.

Lorsque les grandes portes de la prison se refermèrent derrière eux, elle dit encore une fois, d'une voix faible :

— Ce n'est pas moi !

Elle n'eut pas l'impression que quelqu'un la croyait.

Elle fut jetée dans une cellule où se trouvaient déjà quatre autres femmes. La pièce mesurait environ cinq pieds de long sur à peu près autant de large. Le mur opposé à la porte était percé au ras du plafond d'une petite fenêtre grillagée qui donnait sur l'extérieur mais par laquelle on ne pouvait voir qu'en montant sur une chaise ou une caisse. Les murs étaient en brique rouge, le sol en ciment brut. Il n'y avait que quatre lits, en fait deux couchettes à deux étages, garnis de matelas trop minces et défoncés et de couvertures de laine râpées qui devaient grouiller de vermine. Un seau était posé dans un coin.

Les autres femmes paraissaient aussi épuisées, trempées jusqu'aux os et désespérées que Frances. Par chance, aucune ne semblait grièvement blessée, mais l'une d'elles se tenait le ventre, gémissait doucement et répétait qu'elle allait bientôt vomir et qu'elle était désolée d'infliger cela aux autres. Une grande femme aux cheveux gris et aux traits énergiques vint vers Frances qui était restée à côté de la porte.

— Je m'appelle Carolyn, dit-elle. Je suis infirmière. Laissez-moi regarder votre bras. Vous semblez avoir très mal.

— Oui, souffla Frances d'une voix à peine audible, puis elle déglutit et se reprit : Oui, répéta-t-elle, j'ai horriblement mal.

— Enlevez votre manteau. Doucement, voilà, comme ça !

Frances laissa glisser son manteau mouillé par terre.

— Déboutonnez votre robe, maintenant, demanda Carolyn.

Frances hésita mais elle savait que ce n'était ni le lieu ni le moment de faire assaut de pruderie. Carolyn fit glisser le haut de sa robe de ses épaules.

— Elle n'est pas démise, dit-elle après avoir délicatement tâté l'articulation de l'épaule et fait bouger le bras d'avant en arrière. Elle est seulement luxée. Elle va rester encore douloureuse quelque temps, puis ça s'arrangera. Ce n'est pas très grave.

— Merci beaucoup, murmura Frances en se rhabillant.

Elle frissonna. Sa robe mouillée était froide et lourde sur ses épaules et elle se rendit compte que ses bottines de cuir étaient trempées. Elle avait l'impression d'avoir deux glaçons à la place des pieds. Elle se demanda avec angoisse comment elle allait réussir à se débarrasser de sa grippe si elle ne pouvait pas rapidement changer de vêtements. Comme les tremble-ments, la fièvre et les maux de tête étaient des réalités immédiates et concrètes, les dangers qu'ils représen-taient la préoccupaient beaucoup plus que les diffi-cultés qui s'annonçaient si on continuait à penser que c'était elle qui avait lancé la pierre. Elle risquait pour-tant d'être poursuivie pour coups et blessures, voire – si le policier était mort ou succombait à ses bles-sures – pour homicide.

— Comment vous appelez-vous ? lui demanda Carolyn, qui avait ramassé son manteau et l'avait accroché au montant d'un lit pour le faire sécher avec ceux des autres femmes.

— Frances Gray.

Carolyn la regarda, l'air soucieuse.

— Vous avez de la fièvre. Je le vois à vos yeux... Oui, vous êtes malade, reprit-elle après avoir posé la main sur le front de Frances pour confirmer son diagnostic.

Une des femmes s'approcha à son tour. Elle était jeune et jolie ; sa robe était mouillée et en piteux état, mais on devinait le modèle d'un grand faiseur. Il apparut par la suite qu'elle s'appelait Pamela Cooper et était la fille d'un professeur d'Oxford.

— J'ai déjà demandé trois fois des vêtements secs, dit-elle, la voix tremblant d'une colère qu'elle ne maî-trisait qu'avec peine. C'est inadmissible, ce qu'ils nous font, ici. Ils n'ont pas le droit de nous enfermer. Et encore moins de nous traiter de cette façon.

Elle empoigna la grille de la porte et commença à la secouer en criant :

— Il y a quelqu'un qui se décide à venir, oui ou non ? Je veux voir quelqu'un immédiatement !

Une surveillante finit par arriver, une femme revêche avec une ombre de moustache sur la lèvre supérieure.

— Pas la peine de hurler comme ça! lança-t-elle d'un ton peu amène à Pamela. Vous n'êtes pas à l'hôtel ici. Et moi, je ne suis pas là pour obéir à vos ordres!

Pamela ne tint aucun compte de ses paroles.

— Si on ne nous apporte pas immédiatement des vêtements secs pour que nous puissions nous changer et d'autres couvertures, je me plaindrai! Cette jeune femme, poursuivit-elle en désignant Frances, a de la fièvre. Si jamais elle prend froid et tombe gravement malade, vous aurez des comptes à rendre et vous ne trouverez pas ça drôle du tout, vous pouvez me croire!

— Ah oui? fit la surveillante, nullement impressionnée. En tout cas, elle se sentait suffisamment bien pour traîner dans les rues avec le temps qu'il fait et pour mettre le bazar partout! Qui c'est qui lui a demandé de faire ça? Moi, peut-être? Il manquerait plus que je paye pour vos bêtises!

— Nous avons besoin de vêtements secs! répéta Pamela avec la même obstination. Et de couvertures! Et tout de suite!

La surveillante haussa les épaules et disparut en secouant la tête. Aussitôt Pamela recommença à secouer la grille de la porte et à hurler. Finalement, après avoir discuté pied à pied pendant une heure avec la surveillante, elle obtint qu'on leur apporte cinq couvertures de laine supplémentaires. Personne, en revanche, ne se soucia de leur fournir des vêtements de rechange.

— Extinction des feux dans une demi-heure! annonça la surveillante. Que tout le monde se couche!

Pamela remonta aussitôt à l'attaque.

— Nous n'avons que quatre lits! Et il y a cinq femmes dans cette cellule, ça ne vous a certainement pas échappé! Nous avons besoin d'un autre lit!

Les yeux de la surveillante brillèrent d'un éclat mauvais.

— Vous vous aimez tellement, ricana-t-elle, il y en a bien deux qui trouveront rien à redire à dormir dans le même lit, non ?

Elle tourna les talons et disparut.

— Vieille sorcière ! lança Pamela dans son dos, la voix rauque à force d'avoir crié. Je crains que nous n'obtenions plus rien aujourd'hui. Cela dit, il faut vraiment que nous nous couchions avant que nous soyons dans le noir.

Elles réfléchirent à la meilleure façon de répartir les lits. Il fut décidé que Lucy, qui était relativement forte, dormirait seule, de même que Frances, qui était malade et risquait de contaminer quelqu'un. Un troisième lit fut attribué à Carolyn tandis que Pamela et une jeune femme qui s'appelait Helen acceptaient de partager le dernier lit. Helen était originaire d'Oxford ; elle et Pamela, sans être réellement amies, se connaissaient depuis longtemps.

— J'espère seulement qu'il n'y a pas de puces ni de punaises, dit Pamela en contemplant d'un œil sceptique ce sur quoi elles allaient dormir. Je crois bien que je n'ai jamais vu un lit aussi affreux !

Les cinq femmes ôtèrent leurs vêtements mouillés, ce qui n'était pas une mince affaire eu égard à la taille de la cellule, et les suspendirent comme elles purent pour les faire sécher. Puis l'une après l'autre, elles utilisèrent le seau d'aisance, épreuve redoutable et également humiliante pour chacune. Enfin elles se glissèrent avec leurs sous-vêtements humides sous les deux couvertures trop minces pour les réchauffer. L'ampoule électrique qui pendait au plafond s'éteignit, plongeant la cellule dans l'obscurité totale.

Frances ne ferma pas l'œil de la nuit. Elle frissonnait comme une malheureuse, sa tête lui faisait plus mal d'heure en heure et elle sentait la fièvre monter. Des pensées confuses tournaient dans sa tête. Qu'était devenu Phillip? S'était-il rendu compte qu'elle avait été arrêtée? Et tante Margaret... Comment avait-elle réagi? Sa nièce en prison! Et il fallait maintenant qu'elle prévienne son frère, qu'elle lui avoue qu'il y avait déjà quelque temps que Frances fréquentait les milieux féministes. Mon Dieu! Charles lui en voudrait sans doute beaucoup, alors que la pauvre Margaret n'était pour rien dans cette histoire.

Elle pensa aussi à Alice. Se trouvait-elle dans l'une des cellules de la prison? Avait-elle été transportée à l'hôpital? Etait-elle grièvement blessée? Quelqu'un préviendrait-il George?

Et si je tombe gravement malade, se demanda-t-elle, si j'attrape une pneumonie, que vais-je devenir? Y aura-t-il quelqu'un pour me soigner, ou me laissera-t-on seule?

Elle ne parvenait pas à s'empêcher de claquer des dents, de froid ou de fièvre, elle ne savait pas, et elle s'efforçait de ne pas bouger pour ne pas réveiller ses compagnes – si jamais elles dormaient.

Elle se blottit plus étroitement sous les couvertures et songea avec envie à Pamela et Helen, qui avaient au moins la chance de pouvoir se réchauffer mutuellement.

Puis, à un moment, alors qu'il faisait encore nuit noire dehors, l'ampoule nue du plafond s'alluma, emplissant la cellule d'une lumière crue, hideuse. Simultanément, partout dans le bâtiment résonnèrent des claquements de portes ouvertes et fermées, des bruits de vaisselle entrechoquée, des voix, des cris, des tintements de clés.

Les femmes se levèrent. Pamela et Lucy étaient ensommeillées, les autres semblaient ne pas avoir plus dormi que Frances. Quand elle descendit de son lit, elle eut l'impression d'avoir la tête prise dans un étau. Ses cheveux n'étaient plus mouillés mais elle sentait qu'ils devaient être effroyablement emmêlés.

Dans la cellule humide et glaciale, aucun vêtement n'avait séché au cours de la nuit. Il se révéla si désagréable de les enfiler, que toutes se dirent qu'elles auraient mieux fait de ne pas se déshabiller la veille. On leur apporta une bassine d'eau froide ; elles firent une toilette succincte et s'aidèrent les unes les autres à remettre tant bien que mal un peu d'ordre dans leurs longues chevelures. Comme elles ne disposaient ni de brosses ni de peignes, l'entreprise les occupa un certain temps. Puis elles s'assirent sur les couchettes inférieures, grelottantes de froid, épuisées, et attendirent.

Au bout d'un temps indéterminé, une surveillante apparut. Elle apportait le petit-déjeuner. A la surprise de Frances, il était plus copieux qu'elle ne l'avait imaginé. Il y avait du café, beaucoup de pain, du beurre et de la confiture. La surveillante, qui leur parut plus sympathique que celle de la veille, déposa le plateau par terre dans un coin et disparut à nouveau. Lucy, les yeux brillants d'appétit, se levait déjà.

— Non ! l'arrêta Pamela en la contraignant à se rasseoir.

Toutes la dévisagèrent sans comprendre, sauf Carolyn qui aussitôt renchérit :

— Vous avez raison, Pamela, nous allons répondre à notre incarcération comme nos sœurs féministes le font et l'ont toujours fait.

— Nous faisons la grève de la faim ? demanda Frances.

Pamela regarda les autres.

— C'est d'accord ?

La question était purement formelle. En outre, ce n'était pas réellement une question mais un ordre.

Toutes approuvèrent d'un hochement de tête silencieux.

— Dans un ou deux jours, ça commencera à devenir difficile, prévint Carolyn. Mais il faudra tenir. Et qui sait, ils ne nous garderont peut-être pas longtemps...

— Bon, chacune a maintenant droit à son gobelet de café, décréta Pamela, mais c'est tout. Nous ne touchons sinon à rien d'autre.

Le café chaud leur redonna à toutes du cœur à l'ouvrage. Frances buvait encore à petites gorgées quand soudain elle se remémora ce qu'Alice lui avait raconté d'une grève de la faim à laquelle elle avait participé. Au bout de quelques jours, les détenues avaient été alimentées de force.

D'après Alice, c'était la pire expérience qu'elle eût jamais vécue.

Frances fut alimentée de force quatre jours après son arrestation. Malgré l'aspect appétissant des plateaux que l'on déposait dans leur cellule, ni elle ni ses compagnes d'infortune n'avaient flanché. Des heures après que les plateaux avaient été débarrassés, la pièce sentait encore l'odeur de nourriture. Si elle avait été seule, Frances n'était pas sûre qu'elle aurait résisté, mais au sein du groupe elle n'avait pas le choix.

Curieusement, ce ne fut pas Lucy avec son solide embonpoint qui souffrit le plus de ce jeûne forcé, bien qu'elle se plaignît souvent, mais Pamela, la plus déterminée d'entre elles. Elle pâlissait d'heure en heure, devait souvent s'asseoir parce qu'un voile noir lui obscurcissait la vue, et par deux fois elle perdit connaissance et s'effondra au milieu de la cellule. Frances tenta de la convaincre d'avaler quelques cuillerées de soupe en lui expliquant que le sel empêcherait sa tension de chuter, mais Pamela refusa tout net et continua bravement à s'organiser avec ses vertiges et ses évanouissements.

— Tu es une sacrée bourrique! dit la surveillante, le dragon du premier soir. Vous êtes toutes de sacrées bourriques. Vous allez voir où ça va vous mener! Je vous le dis, moi. Comment peut-on être aussi bêtes!

Elle remporta le plateau intact. Cinq femmes affamées la suivirent du regard.

Si Frances avait parfois l'impression d'avoir un vide douloureux à la place de l'estomac, le froid la préoccupait beaucoup plus que la faim. A la vérité, elle n'avait guère d'appétit, en revanche, sa grippe s'était aggravée, et la fièvre, désormais constante, lui rendait le froid encore plus difficile à supporter. Le jour, la nuit, elle grelottait sans discontinuer. Elle commençait même à craindre de perdre la raison tant le désir d'un bain chaud la tourmentait.

Quatre jours d'emprisonnement aussi pénibles avaient suffi pour qu'elle voie sa vie avec d'autres yeux et que s'éveille en elle un sentiment de gratitude qui lui avait été jusque-là complètement étranger. Une grande maison chaude, une jolie chambre, des vêtements propres et secs, manger et boire à satiété... Quand elle était malade, sa mère et sa grand-mère la soignaient et se relayaient à son chevet, elles lui préparaient des tisanes, lui tenaient compagnie, se préoccupaient nuit et jour de son état. Jamais encore quelqu'un ne l'avait traitée avec la rudesse et la froideur que les surveillantes de la prison manifestaient à son égard, ni dans sa famille ni même à l'école Emily Parker. Quant à John...

John. Chaque fois qu'elle pensait à lui, son cœur se serrait. Elle avait craint de passer à côté de la vie si elle l'épousait sans avoir auparavant exploré d'autres horizons. Aujourd'hui, elle pensait qu'il y avait des horizons qu'il valait mieux ne pas connaître. Elle découvrait la vie sous un de ses visages les plus laids. Le froid, la faim, une cellule sinistre, un seau puant dans un coin, une étouffante promiscuité auprès de quatre femmes avec lesquelles elle ne partageait qu'une même conviction, sinon rien. Une même conviction, ce n'était pas suffisant pour être les unes sur les autres vingt-quatre heures sur vingt-quatre.

Et quand justement elle réfléchissait à cette fameuse conviction, Frances était souvent tourmentée par le doute. Non qu'elle remît son bien-fondé en question, mais elle ignorait jusqu'à quel point la flamme brûlait en elle. Elle avait l'impression d'avoir considéré une idée avec sa tête, de l'avoir jugée bonne et de l'avoir adoptée. Mais dans cette histoire, son cœur n'avait pas été séduit, si bien que son cœur, aujourd'hui, ne lui était d'aucun secours. Seule la raison pouvait l'aider à surmonter les épreuves qu'elle traversait ; aucun feu intérieur ne lui donnerait jamais le moindre courage. Parfois, elle se demandait si elle était capable de véritable passion ; capable de se passionner pour quelqu'un ou pour un idéal. Elle avait toujours perçu quelque chose de cette flamme brûlante chez Alice, et elle la redécouvrait chez Pamela. Pamela vivait pour ses idées. Et s'il le fallait, elle mourrait aussi pour elles.

Pamela fut la première qu'ils vinrent chercher pour la nourrir de force. Quand ils la ramenèrent dans la cellule, elle faisait peine à voir. Ses lèvres, qu'elle avait mordues au sang, étaient monstrueusement enflées, ses poignets et ses chevilles, là où elle avait été attachée, portaient de vilaines marques violacées. Les surveillantes qui la raccompagnèrent haletaient. Elles dirent que personne encore ne s'était débattu avec une telle force. Pamela elle-même ne put rien raconter. Le tuyau de caoutchouc qu'on lui avait glissé dans l'estomac lui avait tellement meurtri la gorge qu'elle ne pouvait prononcer aucun mot.

Puis ce fut au tour de Frances.

Depuis le premier jour, elle espérait qu'elle réussirait à sortir avant d'y avoir droit. Elle était convaincue que sa famille remuait ciel et terre pour lui venir en aide. Peut-être même avaient-ils trouvé quelqu'un pour témoigner que ce n'était pas elle qui avait lancé la pierre. Elle était certes irritée que personne ne soit encore venu la voir, mais Pamela supposait que ce n'était pas autorisé. Il y avait eu un si grand nombre d'arrestations que les services administratifs devaient être débordés et dépassés par les événements.

Deux hommes vinrent la chercher vers midi. Deux armoires à glace, choisies pour leur corpulence, les militantes féministes se révélant, en effet, combatives. Le plus âgé des deux demanda à Frances si elle ne souhaitait pas mettre un terme à sa grève de la faim pour leur épargner à tous, et surtout à elle, ce qui allait suivre. Frances répondit qu'elle n'en avait nullement l'intention. Elle trouvait ridicule que ces deux hercules l'encadrent et la tiennent chacun par un bras comme s'ils craignaient qu'elle leur échappât, voire qu'elle s'en prît à eux. Elle était épuisée ; elle avait de la fièvre, elle avait faim, elle était malade, elle ne représentait pas un grand danger.

— Tiens le coup ! lui avait lancé Carolyn alors que la porte de la cellule se refermait derrière elle. C'est dur, mais on n'en meurt pas !

Ses genoux flageolaient tant elle avait peur. Elle se demanda ce qui lui était arrivé pour qu'elle se retrouve dans une situation aussi grave. Elle dut faire appel à toute l'énergie qui restait en elle pour ne pas s'avouer vaincue, demander à ses gardiens de faire demi-tour et leur promettre d'accepter de se réalimenter.

Il faut que je tienne le coup, se répétait-elle, il le faut. Alice a tenu le coup, Pamela aussi. Je ne veux pas être celle qui s'effondrera.

Un escalier sombre aux marches usées les conduisit dans les sous-sol de la prison, puis ils empruntèrent un long couloir étroit dont les murs étaient percés de part et d'autre d'une succession de lourdes portes métalliques. Frances, oppressée, se demanda ce qu'elles cachaient.

Au bout du couloir, une des portes d'acier était ouverte. Ils pénétrèrent dans une pièce carrée, dépourvue de fenêtre, nue et vide à l'exception d'un fauteuil branlant.

— Asseyez-vous, dit l'un des hommes.

Frances se laissa tomber dans le fauteuil. Marcher l'avait achevée, elle comprit qu'elle était plus malade qu'elle ne l'avait cru. Elle avait l'impression d'avoir une cloche sur la tête qui étouffait tous les bruits qui parvenaient à ses oreilles et la plongeait dans une sorte d'abrutissement.

Elle savait qu'elle ne se défendrait pas. Elle n'en avait plus le courage. La seule résistance dont elle était encore capable, c'était de refuser d'interrompre sa grève de la faim. Tout le reste, elle l'accepterait.

Ses deux gardiens la surveillaient toujours comme du lait sur le feu. Ils parlaient entre eux, mais alors qu'ils s'étaient efforcés de s'adresser à Frances dans un anglais relativement châtié, ils utilisaient maintenant un cockney si marqué qu'elle les comprenait à peine. Il faut dire aussi qu'elle n'essayait pas de comprendre, elle ne pensait qu'à une chose, n'espérait qu'une chose : en finir au plus vite.

Quelques minutes s'écoulèrent, puis deux autres hommes forts comme des Turcs entrèrent dans la pièce, suivis de deux surveillantes, aussi grandes et corpulentes que les hommes. A l'évidence, c'étaient les plus gros gabarits que la prison affectait à la « réalimentation » des grévistes, et cela disait assez ce que l'expérience leur avait enseigné.

— Attache-la bien! fit l'une des surveillantes d'un ton las.

De grosses cordes rêches furent glissées autour de ses poignets, de ses chevilles, du haut de son corps et serrées d'un coup sec. Frances étouffa un cri de douleur. Pourquoi faisaient-ils cela? Etait-ce apparu, au fil des grèves de la faim, comme une mesure de précaution nécessaire, ou bien l'humiliation des victimes faisait-elle partie de leur stratégie? Ils ne devaient que trop savoir ce qu'éprouvait un être ficelé sur une chaise, condamné à l'immobilité totale et livré pieds et poings liés à leur bon vouloir.

Monstrueux liens, songea-t-elle, monstrueux liens! Et soudain, une énorme vague de colère bouillonna en elle qui submergea tout, la fièvre, la faim, la fatigue.

Puis elle vit le tuyau. Un tuyau noir, gros. Beaucoup trop gros! Ils ne pensaient tout de même pas sérieusement qu'elle serait capable d'avaler un tuyau pareil! Ou qu'ils allaient pouvoir le lui enfoncer comme ça dans la gorge et l'œsophage! Cela l'étoufferait! Elle ne pourrait plus respirer... Elle mourrait... Ils ne pouvaient tout de même pas...

Si, ils le pouvaient. Et elle savait qu'ils le feraient.

C'est à cet instant qu'elle comprit. Qu'elle comprit les cordes, les six personnes présentes autour d'elle... et pourquoi elles étaient toutes si grandes et si fortes. La seule vue du tuyau suffit à mobiliser en elle des forces et une énergie qu'elle n'avait pas cru posséder encore.

Elle tira sur ses liens, tenta de s'arc-bouter, se débattit comme une furie. Elle entendit une voix dire :

— Surtout, tenez-la bien ! C'est encore une de ces sauvages !

Un homme ajouta :

— Ces misérables garces !

Il y avait plus de lassitude que de colère dans sa voix et Frances eut fugitivement la vision d'un homme qui du matin au soir devait nourrir de force une détenue après l'autre et en avait probablement plus qu'assez de cette détestable besogne.

Deux poignes de fer plaquèrent ses avant-bras sur les accoudoirs. Des mains gantées de cuir saisirent son menton et firent basculer sa tête en arrière. Elle vit au-dessus d'elle des visages déformés, elle sentit le souffle chaud d'haleines étrangères sur son visage. Elle banda tous ses muscles pour tenter de se libérer mais elle ne réussit pas à bouger un cil. Des tressautements nerveux parcouraient son corps par à-coups.

Des doigts, également gantés de cuir, forcèrent sa bouche et d'un geste brutal écartèrent ses mâchoires. Furieuse, elle tenta de refermer la bouche tandis que des larmes de rage et d'humiliation jaillissaient dans ses yeux. Toute résistance était vaine. Elle était prisonnière d'un étau d'acier qui ne lui laissait aucune chance.

— Bon, et maintenant, enfonce-le bien ! dit quelqu'un, un homme, et l'une des femmes eut un rire obscène.

Soudain Frances sentit le goût repoussant du caoutchouc sur sa langue, à la fois amer et chimique qui aussitôt déclencha une nausée presque irrépressible. Elle fut prise de panique. Si elle vomissait maintenant, elle étoufferait, elle en était certaine. Elle lutta comme une folle avec sa langue – le seul et unique muscle qu'elle pouvait encore bouger dans tout son corps – pour repousser l'immonde tuyau de caoutchouc. Vainement. Le violent spasme de régurgitation qui la secoua lorsqu'il s'enfonça dans sa gorge s'accompagna d'un inquiétant gargouillement. Le gros tuyau noir qui progressait dans son œsophage faisait démesurément mal, mais la nausée était pire encore. L'impression d'étouffer était atroce, et le fait que tout dans son corps résistait, se crispait et se contractait était abominable parce que cela ne faisait que rendre le supplice encore plus douloureux. Elle voulait hurler, supplier ses bourreaux d'arrêter, les supplier de la détacher parce qu'elle allait vomir et que, comme elle allait vomir, elle allait étouffer et... Elle ne réussit à produire que des sons sans suite qui n'émurent personne. Personne ne se souciait d'elle.

Ils firent couler de la nourriture liquide dans son estomac et quand ils eurent terminé, ils arrachèrent le tuyau beaucoup plus vite et beaucoup plus brutalement qu'ils n'auraient dû. Une douleur fulgurante la déchira, une brûlure atroce qui ravagea son corps et la laissa pantelante.

Pourtant, en dépit de tout, en dépit de la panique, en dépit du désespoir et de l'épouvantable douleur qui persistait, pour la seconde fois depuis qu'elle était attachée sur ce fauteuil, Frances sentit la colère l'emplir tout entière, une colère brute, primaire que rien n'aurait pu apaiser.

Ses bourreaux eurent la malencontreuse idée, leur tâche quasi achevée, de se montrer moins vigilants. L'homme qui lui maintenait les mâchoires écartées relâcha son étreinte. Le tuyau glissa hors de la bouche de Frances. Et là, elle mordit. Elle planta ses dents dans la main de l'homme avec toute la force que lui donnaient sa rage et son désespoir. Et elle mit dans ce geste la même cruauté qu'ils avaient mise à la torturer. Elle sentit ses dents traverser le cuir du gant et elle perçut le craquement des os broyés. L'homme poussa un hurlement de bête et arracha sa main.

Frances eut juste le temps d'apercevoir son visage dont tout le sang s'était retiré. A la même seconde, elle tomba du fauteuil et perdit connaissance.

Le lendemain, bien que cela fût d'ordinaire interdit, elle eut le droit de rester couchée. La surveillante qui apporta le petit-déjeuner le matin – et le remporta intact quelque temps plus tard – lui jeta un rapide regard et acquiesça d'un hochement de tête quand Frances, d'une voix à peine audible, lui demanda l'autorisation de ne pas se lever.

Elle brûlait de fièvre et à chaque inspiration ses poumons bruissaient douloureusement. Elle avait l'impression que tout l'intérieur de son corps était écorché à vif. Elle avait du mal à parler et à déglutir. Des crampes lui tordaient l'estomac et elle devait constamment se lever pour se traîner jusqu'au seau. C'était peut-être le pire. Utiliser le seau quand on n'était pas malade était déjà une torture, l'utiliser quand on souffrait de nausées et de diarrhée était un enfer.

Au petit-déjeuner, elle refusa même de boire quelques gorgées de café, tant avaler lui faisait mal, mais ses compagnes insistèrent.

— Vous allez trop vous affaiblir, la pressa Carolyn. Buvez au moins un peu d'eau !

Elles soutinrent sa tête et approchèrent le gobelet de ses lèvres. Frances comprit qu'elles seraient inflexibles. Elle avala plusieurs gorgées ; pourtant, même l'eau pure dévastait sa gorge meurtrie. Ses yeux s'emplirent de larmes.

Ils revinrent chercher Pamela après le petit-déjeuner. Elle pouvait toujours à peine parler et était dans un état pitoyable.

— C'est injuste ! s'exclama Lucy après que Pamela eut disparu entre ses surveillants. Pourquoi est-ce encore son tour ?

— Ils savent que l'on brise plus vite la volonté de quelqu'un si on ne lui laisse pas le temps de récupérer, expliqua Carolyn. Mais rassurez-vous. Nous y aurons droit, nous aussi !

Un silence accablé s'installa. Frances songea que si la théorie de Carolyn était juste, elle aurait à nouveau droit au traitement d'ici la fin de la journée. Elle gémit doucement. Elle ne savait pas où elle trouverait le courage de supporter cela une deuxième fois.

Pamela revint. Elle s'effondra sans un mot sur son lit et enfouit sa tête dans l'oreiller. Personne n'osa lui adresser la parole. Plusieurs heures s'écoulèrent sans que rien se passe, puis, en fin d'après-midi, une surveillante ouvrit la porte de la cellule et intima à Frances l'ordre de se lever et de la suivre.

Pour la première fois depuis qu'elle était revenue, Pamela leva la tête. Ses lèvres étaient tellement enflées qu'elles déformaient tout son visage.

— Elle est trop malade, murmura-t-elle indistinctement.

— Mêlez-vous de ce qui vous regarde ! aboya la surveillante.

Frances se mit debout tant bien que mal. Elle avait le vertige, sa gorge lui faisait affreusement mal, mais les crampes d'estomac avaient disparu, c'était déjà ça. Elle lissa sa robe, démêla grossièrement ses cheveux avec ses doigts fébriles. Elle savait qu'elle devait faire peine à voir, mais elle espérait retrouver un peu de sa dignité en remettant de l'ordre dans sa toilette. Elle ressentait une peur panique mais s'efforçait de n'en rien laisser paraître. Quelqu'un semblait avoir entretemps compris à quel point elle était affaiblie, sinon on lui aurait attribuée deux solides gaillards pour l'encadrer et non pas seulement cette femme sinistre.

Je dois être dans un état lamentable, songea-t-elle en se hâtant aux côtés de la surveillante.

A sa grande surprise, ce ne fut pas dans les sous-sols qu'on la conduisit, mais dans une pièce qui se trouvait au rez-de-chaussée du bâtiment et qu'une grande grille séparait en deux parties sur toute sa hauteur. Il y avait une chaise en bois de chaque côté de la grille.

— Asseyez-vous ! lui ordonna la surveillante, qui elle-même s'arrêta dans l'encadrement de la porte et commença à se ronger les ongles.

Frances s'assit et respira. Elle était toujours inquiète et tendue mais la panique refluait. Apparemment, personne n'avait l'intention de lui infliger le supplice qu'on lui avait fait subir la veille. Elle ne quittait pas des yeux la porte, de l'autre côté de la grille. De toute évidence, quelqu'un était venu la voir. Tante Margaret ? Phillip ? Ses parents ? Oui, peut-être ses parents. Pourquoi pas ?

La porte s'ouvrit. Ce fut John qui entra.

Frances fut si surprise qu'involontairement elle se leva. Elle ne savait pas qui au juste elle s'attendait à voir, mais ce n'était certainement pas John. Il vint vers elle et, à l'expression horrifiée qui se peignit sur son visage, elle devina dans quel état abominable elle était.

— Mon Dieu, Frances, tu es...

Il s'interrompit puis reprit :

— Qu'est-ce qui t'arrive ?

Il prit ses mains dans les siennes à travers la grille. Aussitôt la surveillante les rappela à l'ordre.

— Interdiction de se toucher ! Chacun un pas en arrière !

John obtempéra, mais Frances n'avait que faire de la surveillante et elle resta accrochée à la grille.

— John ! articula-t-elle avec peine et d'une voix cassée. John, je suis si heureuse que tu sois là !

Elle réalisa à quel point le contraste qu'ils formaient devait être saisissant : John dans son costume sombre, propre, raffiné et élégant, dégageant un discret parfum d'eau de toilette de prix. Elle dans sa robe tachée et froissée, malade, ravagée, dévastée par la faim et la souffrance, sale et sentant la sueur, les cheveux en désordre et tout emmêlés. John devait plus tard lui raconter qu'il avait eu l'impression d'avoir en face de lui un petit animal galeux et affamé et qu'il avait rarement ressenti un tel choc.

Il déglutit.

— Mais que t'ont-ils fait ? demanda-t-il.

Frances se rendit compte qu'il lui était moins douloureux de murmurer.

— Ils m'ont alimentée de force, souffla-t-elle, et j'ai la grippe.

John pâlit.

— Dieu tout-puissant...

— Ça va aller, murmura Frances d'un ton apaisant.

Il l'enveloppa d'un regard plein de sollicitude et de tendresse et soudain un sourire éclaira son visage.

— Sais-tu que tu es une célébrité dans cette prison ?

— Pardon ?

— J'ai cru comprendre que tu étais le grand sujet de conversation de la maison. Il y a ici quelqu'un qui a failli perdre son petit doigt grâce à toi. Ton seul nom suscite un effroi certain.

— Ils m'ont fait tellement mal ! C'était si...

John méprisa les ordres de la surveillante. Il s'approcha à nouveau de la grille, tendit la main à travers les barreaux et caressa doucement le visage de Frances.

— Ce gardien t'a fait très mal ? demanda-t-il doucement.

— Oui. Lui aussi.

— Dommage que tu ne lui aies pas arraché la main entière ! fit John avec conviction.

Elle fut touchée par la colère qu'elle lut dans ses yeux, mais, presque dans le même temps, elle constata avec consternation que sa colère cédait la place à l'incompréhension et l'embarras.

— Mais pourquoi, Frances ? Pourquoi ?

Elle savait que c'était à sa participation au mouvement féministe qu'il pensait, et à l'irresponsabilité qui l'avait menée là où elle en était maintenant.

— Le plus drôle, murmura-t-elle de sa voix à peine audible, c'est que je n'étais même pas impliquée dans cette manifestation devant la prison. J'étais malade. Je ne voulais pas sortir.

— Mais tu...

— J'ai appris qu'une de mes amies était blessée, et qu'en plus elle avait été arrêtée. Je la cherchais. Je voulais savoir si je pouvais faire quelque chose pour elle. C'est comme ça que j'ai atterri ici.

Elle haussa les épaules.

— C'est vraiment le hasard...

Sans s'en rendre compte, John commença à murmurer comme elle.

— Tu as grièvement blessé un policier. Tu l'as touché à la tempe. Tu as énormément de chance qu'il ne soit pas mort.

— Ce n'est pas moi ! C'est quelqu'un derrière moi qui lançait des pierres, pas moi !

Elle réalisa qu'elle ne pourrait pas continuer longtemps à parler. Sa gorge lui faisait trop mal. Elle ajouta, d'un ton las :

— Ce n'est pas moi qui ai lancé la pierre. Je le jure.

— Il va être difficile de le prouver. Tu as une accusation de coups et blessures sur le dos, de surcroît sur la personne d'un policier. Mon Dieu, Frances... fit-il en passant les doigts dans ses cheveux, à la fois irrité et résigné. Je n'arrive pas à comprendre. Pourquoi a-t-il fallu que tu t'embarques avec ces femmes ? Je t'avais pourtant dit que ça allait devenir dangereux et qu'il valait mieux que tu te tiennes à l'écart !

Oui, c'était à Daleview qu'il le lui avait dit. Un jour de mai. Il faisait si chaud... Combien de temps s'était-il écoulé depuis ? Combien d'années-lumière la séparaient de la jeune fille qu'elle était alors ?

— On ne peut pas continuellement se tenir à l'écart, murmura-t-elle et dans le même temps elle songea que cette ligne de conduite était un bon moyen de s'attirer toute une série de problèmes.

— Frances, je ne suis pas un opposant au droit de vote des femmes, mais ce n'est pas de cette façon qu'il faut s'y prendre. Ce n'est pas possible. Lancer des pierres ou casser des vitres, ce sont pas des arguments !

— Mais ça oblige à écouter, murmura Frances ; puis elle eut un sourire d'excuse et ajouta : Je ne peux plus beaucoup parler, John. Ma gorge me fait horriblement mal.

— Je peux peut-être te sortir d'ici. Je ne sais pas encore ce que nous pouvons faire contre cette accusation de coups et blessures, mais je peux essayer de faire jouer des relations pour qu'au moins on te transfère dans un hôpital. Tu n'as pas l'air bien et je pense que tu as besoin de...

— Ce n'est pas possible.

— Pourquoi ?

— Parce que...

Comment lui expliquer ?

— Je ne peux pas accepter. Les autres doivent rester ici.

— Mais les autres ont manifesté ! Pas toi. Tu disais toi-même qu'en réalité c'est par hasard que tu as été prise dans cette échauffourée !

Ses paupières brûlaient. Elle avait l'impression que sa fièvre augmentait de minute en minute.

— C'est aussi par hasard que je n'ai pas manifesté. Je l'aurais fait si je n'avais pas été malade. Je suis solidaire de l'action de ces femmes. Je ne peux pas aujourd'hui m'arroger un privilège quelconque pour disparaître. Les autres femmes ne vont pas bien non plus, et il faudra qu'elles restent.

Après avoir hésité entre les sentiments les plus divers, le visage de John ne refléta plus que la colère.

— Veux-tu dire qu'après tout ça, ici...

Il fit un geste qui englobait la pièce froide et nue mais signifiait en fait la prison entière.

— ... tu veux rester et continuer ? Tu refuses toujours de te désolidariser de ce mouvement ?

— Oui.

Il la dévisagea, abasourdi. La surveillante était près de se dévisser le cou à force de se pencher pour entendre ce qu'ils disaient.

— Tu es folle. Tu n'as pas l'air de te rendre compte que tu es dans le pétrin jusqu'au cou. Il faut à tout prix que tu prennes tes distances avec ces féministes. C'est ta seule chance d'être un peu crédible le jour où tu devras expliquer que ce n'est pas toi qui as lancé cette maudite pierre. Frances, je t'en prie, sois raisonnable !

— Je ne peux pas. Je n'ai pas lancé la pierre et je dirai que je ne l'ai pas lancée. Mais tout le reste, je le revendique.

Jamais Frances n'avait vu cette flamme de colère briller dans les yeux de John.

— Tu gâches tout, Frances. Tu es douée pour ça ! Tu gâches ce qu'il pourrait y avoir entre nous, et comme si cela ne suffisait pas, il faut aussi que tu gâches ton avenir. C'est stupide. A quoi ça rime ? Le droit de vote des femmes ne dépend pas de toi, que je sache. Ce n'est pas parce que tu vas rester dans cette prison et souffrir encore un peu plus que la loi va changer plus vite ! De toute façon, tu ne vas pas pouvoir continuer à te battre longtemps pour tes idées, parce que tu vas te faire condamner pour un sacré bout de temps. Tu joues les martyres pour rien.

— J'appartiens à ce mouvement. Je ne vais pas m'enfuir le premier jour où j'ai des ennuis. Tu ne le ferais pas non plus.

— Pour commencer, je ne me laisserais pas embarquer dans de pareilles bêtises ! répliqua-t-il vivement. Frances...

Il jeta un regard à la surveillante et baissa la voix avant de poursuivre :

— Frances, je souhaite toujours t'épouser. Tu as assez exploré ce qu'il y avait au-delà de Leigh's Dale comme ça, tu ne penses pas ? Je souhaiterais que...

— Ah, c'est donc ça ! l'interrompit Frances d'une voix rauque.

Elle secoua la tête, et un sourire à la fois méprisant et sarcastique apparut sur son visage dévasté.

— Bien sûr ! J'avais oublié le jeune politicien ambitieux. John Leigh brigue un siège à la Chambre basse ! Et par-dessus le marché, il se présente sous l'étiquette « conservateur ». Et naturellement, pour servir ta carrière, tu as besoin à tes côtés d'une femme présentable. Pas d'une femme qui a été en prison et s'est laissé embringuer avec ces folles de suffragettes ! Tu veux m'épouser, mais bien sûr il faut avant que je me convertisse en vitesse à tes idées. Tu es bien naïf, John. Tu me connais donc si mal ? Tu ne sais pas que c'est justement ce que je ne ferai pas ?

— Frances, je t'en prie, ne...

Mais déjà elle avait tourné les talons.

— Je souhaite regagner ma cellule, dit-elle à la surveillante avec ce qui lui restait de voix.

— Frances ! appela John. Tu fais une erreur !

Elle se retourna et le regarda une dernière fois. Son visage derrière les barreaux, sa façon de tenir la grille se gravèrent dans sa mémoire plus profondément que tous les souvenirs qu'elle gardait en elle. Il détonnait dans ce décor. Mais il était venu parce qu'il venait toujours quand elle avait des ennuis. Ce jour-là, il l'aimait et la détestait en même temps.

Elle comprit à cet instant qu'il ne lui demanderait plus jamais de devenir sa femme. Et si elle désirait un jour quelque chose de lui, il faudrait qu'elle le lui demande à genoux. Ses yeux s'emplirent de larmes et elle se détourna pour qu'il ne le remarque pas. C'était la deuxième fois qu'elle le repoussait. Elle savait maintenant qu'elle l'avait perdu. Cette perte, cependant, signifiait pour elle beaucoup plus que la seule perte de John : elle s'étendait à tout ce qui jusque-là avait été sa vie. Elle venait de prendre une décision qui l'éloignait de tous ceux qu'elle aimait.

Elle sortit de la pièce sans se retourner.

Il arriva un moment où on ne lui demanda plus son avis. Elle fut d'autorité transférée dans un hôpital. Son « refroidissement » s'était transformé en pneumonie sévère et elle avait tellement de fièvre qu'elle comprenait à peine ce qui lui arrivait. Ce n'est que beaucoup plus tard qu'elle réalisa à quel point, durant ces semaines, elle avait été près de mourir.

A l'hôpital, Margaret lui rendit visite, une Margaret très amaigrie qui fondait en larmes pour un rien. Phillip lui aussi vint la voir. Il s'asseyait à son chevet aussi souvent qu'on l'y autorisait. Un jour, ce fut George qui apparut. Il portait l'uniforme de l'académie militaire de Sandhurst. Frances, que la fièvre égarait dans les brumes de l'inconscience, ne le reconnut pas. Il lui dit qu'Alice avait été libérée, mais qu'elle aussi avait été alimentée de force et que, psychologiquement, elle n'allait pas bien du tout. Cette information ne parvint à sa conscience que beaucoup plus tard. Elle ne savait pas non plus qu'elle ne cessait d'appeler sa mère, mais Maureen ne vint pas. Parfois, le visage aux traits fins d'un homme aux cheveux gris et au sourire bienveillant se penchait vers elle et l'espace d'un instant elle pensait que c'était son père. Puis, très vite, en dépit du brouillard qui anesthésiait ses sens, elle se rendait compte qu'il ne s'agissait pas de son père mais du médecin qui la soignait.

Elle se persuadait néanmoins qu'il allait bientôt venir, qu'il allait forcément venir, avec l'espoir d'un enfant qui ne sait pas encore que la vie est peu encline à exaucer les vœux les plus chers.

Son père vint, effectivement, mais sa visite ne fut pas ce que Frances avait espéré. Ce fut peu avant Noël, le jour où Frances eut pour la première fois le droit de se lever et de faire, les jambes flageolantes, ses premiers pas de convalescente au bras d'une infirmière. Dix jours plus tôt, son état était encore si critique que le médecin la croyait perdue. Elle n'avait plus que la peau sur les os, ses yeux cernés de noir étaient profondément enfoncés dans leurs orbites et elle était pâle à faire peur. Elle se sentait beaucoup trop faible pour se lever, mais l'infirmière insista, expliquant qu'il serait dangereux de rester plus longtemps couchée sans bouger. Alors elle entreprit de parcourir le long couloir de l'hôpital dans un sens puis dans l'autre et, peu à peu, du fond de son désarroi, elle sentit quand même ses premières forces revenir timidement. Le désir de se battre et de vivre se réveilla. Elle serra les dents. Elle marcherait. Elle mangerait. Elle guérirait. Après... Après, elle verrait.

Quand elle aperçut Charles qui venait vers elle dans le couloir, elle n'en crut pas ses yeux. Elle lâcha le bras de l'infirmière qui la soutenait et, le pas incertain, se précipita vers lui.

— Père !

Il la rattrapa juste au moment où ses genoux cédaient. Elle était dans ses bras, elle respirait son odeur, rassurante et familière, mélange subtil d'eau de toilette, de cigare et de whisky, et elle eut l'impression d'être de retour à la maison après une très longue absence.

— Mère est-elle là aussi ? demanda-t-elle enfin en relevant la tête.

Alors seulement elle regarda son père et la froideur, la distance, l'hostilité même qu'elle lut dans ses yeux l'épouvantèrent. Sous le coup de l'émotion, elle recula d'un pas. Mais elle avait présumé de ses forces et aussitôt elle vacilla à nouveau. Son père la rattrapa par le bras et la retint.

— J'ai parlé avec le médecin, dit-il. Il t'autorise à quitter l'hôpital. Il pense que tu te rétabliras plus vite dans un environnement familier.

— Tu veux dire, chez nous, à Westhill Farm ?

Charles secoua la tête.

— Ce serait un voyage beaucoup trop long. Margaret est prête à t'accueillir à nouveau chez elle, en dépit de tout ce que tu lui as fait vivre.

Il prononça ces derniers mots sur un ton cinglant et Frances réalisa qu'il se maîtrisait difficilement. En vérité, il était dans une colère noire et il faisait de gros efforts pour se montrer poli.

L'infirmière qui s'était discrètement tenue à l'écart les rejoignit. Un sourire heureux illuminait son visage.

— Je savais que votre père viendrait vous chercher aujourd'hui ! avoua-t-elle sur le ton de la confidence. Mais j'ai pensé que ce serait mieux de vous en faire la surprise. Et je crois que nous avons réussi !

Elle rayonnait. Frances se ressaisit.

— Effectivement, dit-elle en s'efforçant de sourire, je ne m'y attendais pas du tout.

— Venez, je vais vous aider à vous habiller et à rassembler vos affaires.

L'infirmière lui prit le bras. Charles parut soulagé de pouvoir lâcher sa fille.

— J'attendrai ici, dit-il.

Lui, en revanche, ne fit aucun effort pour sourire.

— Prends ton temps, ajouta-t-il.

Frances regagna sa chambre à pas lents et s'habilla avec l'aide de l'infirmière. Quelques jours auparavant, Margaret lui avait apporté des vêtements en prévision de sa convalescence. La longue jupe de laine pendouillait comme un sac à pommes de terre sur son corps décharné et, avec ses omoplates qui saillaient, le pull-over qu'elle enfila ensuite acheva de la transformer en épouvantail à moineaux.

— Ecoutez-moi, l'encouragea l'infirmière, le plus dur est derrière vous maintenant. Vous voilà bientôt à la maison! Il ne vous reste plus qu'à bien manger. Entendu? Vous allez très vite reprendre des forces, vous verrez.

Frances s'examina dans la glace. C'était encore pire de devoir affronter la colère de son père en étant maigre comme un échalas et pâle comme une morte. Il aurait beau jeu de prétendre qu'elle avait gâché sa vie : les apparences ne plaidaient pas en sa faveur. Si seulement elle pouvait se maquiller un peu! Avec cette mine lugubre, elle ne se sentait qu'une misérable petite chose qui d'avance partait perdante. Elle n'avait pas de poudre, pas de rouge, aucun artifice pour lui venir en aide. Elle se pinça les joues, leur redonna ainsi un semblant de fraîcheur, mais l'impression générale – effroyable et affligeante – ne s'en trouva guère améliorée.

— Je crois que nous pouvons y aller, dit-elle à l'infirmière.

Elle dut encore prendre congé des autres infirmières et du médecin. A la façon dont tous la regardèrent, elle devina qu'elle avait été l'enfant chérie de l'hôpital. Peu à peu, elle comprit qu'elle avait longtemps oscillé entre la vie et la mort.

L'infirmière lui porta son sac jusqu'au rez-de-chaussée. Le fiacre que Charles avait réservé attendait devant la porte de l'hôpital. C'était le 19 décembre. Il pleuvait et il faisait un froid de loup. La nuit commençait à tomber. Frances frissonna et se blottit dans son manteau.

— C'est vraiment une journée sinistre, dit-elle.

Tous deux savaient qu'elle ne pensait pas qu'au temps.

Ils prirent place dans la voiture et laissèrent l'hôpital derrière eux. Frances, qui claquait presque des dents tant elle avait froid, se pelotonna au fond du siège. Elle jeta un regard de côté à son père. Charles regardait droit devant lui, les mâchoires contractées, les lèvres serrées.

— Père... fit doucement Frances.

Il se tourna vers elle. Il ne cherchait plus à masquer sa colère.

— Oui?

— Père, est-ce que... est-ce que je devrais retourner en prison? Tu sais, à cause de...

— A cause de cette affaire de coups et blessures? Je suis au courant. Non, dit-il en regardant à nouveau devant lui, tu n'as plus de soucis à te faire. La plainte a été retirée.

Elle mit plusieurs secondes à comprendre.

— Ah?

Charles ne desserra pas les dents.

— Ce n'était pas moi, père, ajouta-t-elle. Sinon, je te le dirais. Mais ce n'était pas moi.

— Tu n'aurais eu aucune chance de t'en sortir. J'espère au moins que tu t'en rends compte. Tu fais partie de ces... de ces suffragettes. Tu étais au milieu de la manifestation. La pierre venait exactement de ta direction. Le policier a été très grièvement blessé. Tout était contre toi.

Il avait raison. Elle s'était trouvée dans une situation très délicate. S'était trouvée ?

— Père, pourquoi n'ont-ils pas porté plainte ?

Il regardait toujours fixement devant lui.

— C'est sans importance.

— Bien sûr que non. Je veux le savoir.

Il resta un instant silencieux, puis d'un geste brusque, presque violent, il lui fit face.

— Ton grand-père ! C'est à lui que tu le dois. Tu es contente, maintenant ?

Frances, pour cause de brouille familiale, n'avait jamais rencontré son grand-père, personnage assez flou qu'elle imaginait en vieux patriarche aux cheveux blancs et aux traits sévères, assis bien droit, l'œil courroucé, dans un fauteuil à oreillettes, en rupture avec lui-même et avec le monde. Pourquoi serait-il intervenu en faveur d'une petite-fille qu'il ne connaissait pas et qui de surcroît était la fille d'une catholique irlandaise ?

— Mais comment était-il au courant ? demanda-t-elle, troublée.

— Je le lui ai dit, répondit sèchement Charles.

— Tu le lui as dit ? Mais je croyais qu'il y avait vingt ans que vous ne vous...

— C'est exact. Il y avait vingt ans que je ne lui avais plus adressé la parole. Et j'en étais fier. J'étais fier de ne pas avoir besoin de lui, fier de renoncer le cœur léger à tout ce dont il m'avait privé en pensant qu'il

213

me serait difficile de m'en passer. Et Dieu sait que je ne voulais plus le revoir. Mon père n'existait plus.

Elle se passa la main sur le front. Sa peau était froide et moite.

— Tu es allé le voir? murmura-t-elle.

— Si je suis allé le voir? J'ai surtout le sentiment d'être allé ramper devant lui! Je suis allé le chercher, j'ai mendié son aide. Il triomphait. Ouvertement. Il ne savourait que trop son triomphe.

Que pouvait-elle dire? Il n'y avait rien qui n'eût pas paru stupide ou déplacé.

— Il était le seul à pouvoir faire quelque chose, poursuivit Charles. Le très respectable comte Langfield et son siège à la Chambre des lords! Il a de l'influence et du pouvoir. Ta mère et ta grand-mère n'ont eu de cesse que j'aille le voir. Il ne lui a pas été trop difficile d'expliquer qu'il était exclu que ce soit sa petite-fille qui avait jeté la funeste pierre et que c'était tout simplement dans un de ces égarements propres à la jeunesse qu'elle s'était trouvée impliquée dans ce fâcheux mouvement qu'au fond elle n'approuvait pas du tout. Il a fait ça très bien. Tu as été lavée de tout soupçon.

Un égarement propre à la jeunesse...

Un fâcheux mouvement qu'au fond elle n'approuvait pas du tout...

Ce n'est pas cela que je voulais, songea Frances, mais elle était trop affaiblie et trop abattue pour se lancer dans une discussion qui de toute façon n'aurait mené à rien.

— Je ne sais pas quelle erreur j'ai commise pour que deux de mes enfants me fassent des choses pareilles! reprit Charles. D'abord George qui s'amourache de cette jeune personne impossible, et qui ose même l'amener sous mon toit. Et maintenant, toi! Voilà que tu deviens une de ces féministes militantes, tu manifestes la nuit, tu te bats dans la rue avec la police, tu es soupçonnée d'avoir blessé un policier et...

— Ce n'était pas m...

— J'ai dit *soupçonnée* ! Et ne fais pas l'innocente. Même si ce n'est pas toi qui as lancé la pierre, tu n'en as pas moins été soupçonnée parce que tu faisais partie du lot ! Quelle que soit la coupable, tu ne vaux pas mieux qu'elle !

Cela ne sert à rien de discuter, songea Frances. A rien. Il a son idée. Rien ne l'en fera changer.

— Que tu me fasses cela à moi ! continua Charles.

Frances lui aurait volontiers expliqué que son combat pour le droit de vote des femmes n'était pas dirigé contre lui. Elle avait l'impression que beaucoup d'hommes prenaient eux aussi cela comme une attaque personnelle.

— Que tu fasses cela à ton pays ! poursuivit Charles. Toi et tes... maudites militantes ! Maintenant... à un moment où l'Angleterre traverse une période si difficile. Des soulèvements sociaux aux quatre coins du pays. Des grèves qui n'en finissent pas. Des menées socialistes. Et en plus, des menaces aux frontières avec les Allemands qui réarment. Tout risque de basculer ! Chacun devrait se faire un devoir de...

Il laissa sa phrase en suspens.

— Bah, fit-il. A quoi bon essayer de t'expliquer ça...

Comme il a l'air fatigué, se dit Frances, et vieux.

Elle prenait douloureusement conscience du fossé qui désormais les séparait, de la profondeur de la blessure qui les éloignait l'un de l'autre. Le jour où John était venu lui rendre visite à la prison lui revint en mémoire. Elle se souvint qu'elle avait pensé qu'elle s'éloignait de tout ce qu'elle aimait.

Elle tendit la main et la posa légèrement sur le bras de son père. Elle lui sut gré de ne pas la repousser.

— Père... implora-t-elle.

215

Il la regarda. Il était grave.

— Je ne te pardonnerai jamais, Frances, dit-il posément, non pas comme s'il parlait sous le coup de l'émotion ou de la colère. Même si je le voulais, je ne pourrais pas. J'aurais pu peut-être te pardonner d'avoir pris part à cette manifestation, bien qu'il me soit incompréhensible que tu frayes avec ce genre de femmes. Mais jamais je ne parviendrai à oublier qu'à cause de cela j'ai été contraint de demander quelque chose à mon père.

— Je comprends, dit Frances en s'appliquant au même ton calme que lui.

Elle sentait une boule monter dans sa gorge, mais elle la refoulait de toutes ses forces. Surtout ne pas pleurer ! Pas maintenant, pas ici. Tout à l'heure, peut-être, quand elle serait seule.

Le fiacre s'arrêta devant la maison de Margaret à Berkeley Square. La nuit, entre-temps, était tombée. Les fenêtres de la façade étaient allumées et brillaient d'une lumière chaude et accueillante en signe de bienvenue. Le cocher descendit et actionna la sonnette de la porte d'entrée. Le zélé Wilson ouvrirait d'une seconde à l'autre.

— Il serait préférable que tu ne viennes pas à Westhill pendant quelque temps, dit Charles. J'ai parlé avec Margaret. Tu peux habiter chez elle aussi longtemps que tu le souhaiteras.

— Je comprends, répéta Frances.

La boule dans sa gorge grossit. Ne pas pleurer, ne pas pleurer, surtout ne pas pleurer !

A travers la vitre de la portière, elle vit la silhouette de M. Wilson qui s'encadrait dans la lumière de l'entrée. Le cocher lui tendait le sac de voyage. Puis Phillip apparut derrière lui.

Phillip. Dans un sens, c'était une consolation qu'il soit là en ce terrible instant.

— Tu ne descends pas ? demanda Frances, bien qu'elle connût déjà la réponse.

Charles secoua la tête.

— Non, je rentre ce soir par le train de nuit. Margaret est au courant.

Il tendit la main à sa fille, distant et formel. Elle la serra dans les siennes.

— Au revoir, dit-il.

M. Wilson ouvrit la porte du fiacre. Déjà Phillip s'empressait pour l'aider à descendre. Un courant d'air glacé s'engouffra dans la voiture.

— Embrasse mère pour moi, demanda Frances, et grand-mère. Et Victoria. Ah, et puis aussi Adeline.

C'était dangereux de prononcer tous ces noms. Les larmes étaient près de jaillir.

Elle s'appuya sur le bras de Phillip. Maudites jambes qui la soutenaient à peine ! Si au moins elle pouvait s'éloigner de son père la tête haute et la démarche assurée ! Non, il fallait qu'elle se traîne au bras de Phillip. La rage fit refluer les larmes et elle trouva la force d'ajouter :

— Transmets, s'il te plaît, également mes amitiés à John !

— Au fait, dit alors Charles, tu n'es pas encore au courant. John a obtenu la majorité dans notre circonscription. Il a enfin son siège à la Chambre basse. On dit qu'il a un très bel avenir devant lui.

De janvier à juin 1911

Frances se souvenait d'avoir lu quelque part qu'il fallait que chacun, une fois dans sa vie, traverse une crise grave. Ce n'était pas aux simples périodes difficiles, aux échecs ou aux erreurs auxquels le terme « crise » faisait référence, mais aux bouleversements profonds qui remettaient en question tout ce dont une vie avait été faite jusque-là, à la fin des certitudes.

Quand Frances traversa cette crise, elle avait dix-sept ans. 1910 s'acheva dans la grisaille et la tristesse. 1911 n'apporta guère de changements. Sa santé ne semblait pas vouloir s'améliorer. Elle était toujours aussi pâle, toujours aussi maigre et elle se sentait si faible que souvent elle en pleurait. Elle était profondément déprimée. Des heures durant, elle sombrait dans la mélancolie et, la nuit, elle cherchait en vain le sommeil. Elle semblait si mal en point que Margaret ne cessait de faire venir le médecin qui chaque fois examinait Frances, diagnostiquait une anémie et un amaigrissement sévères, et prescrivait de l'huile de foie de morue.

— C'est dans votre tête que ça ne va pas très bien, n'est-ce pas ? dit-il un jour en lui soulevant le menton pour la forcer à le regarder. Vous vous tourmentez parce que vous n'arrivez pas à vous rétablir. Il est pourtant tout à fait normal que ce soit long après une maladie aussi grave. Il ne s'en est pas fallu de beaucoup que vous ne soyez plus parmi nous aujourd'hui. Cette bataille que vous avez menée contre la mort, ce n'est pas rien, vous savez. Vous y avez laissé toutes vos forces. Vos réserves sont épuisées, voilà tout. Ça prendra du temps, mon enfant. Il faut laisser les choses se faire.

Il lui lâcha le menton et sourit.

— Tout, dans la vie, prend du temps. Et comme il en est ainsi, on croit parfois que rien ne change. Mais on se trompe. Les choses ne sont pas immuables, et alors qu'un état nous semble désespérément stationnaire, les changements sont déjà en marche. Faites-moi confiance, tandis que vous êtes là, fatiguée et désespérée, de nouvelles forces sont en train de grandir en vous et, un jour, vous serez stupéfaite de les découvrir.

George vint la voir ; indigné que Charles ait rompu avec elle.

— Mon Dieu, quel père ! Il ne vaut pas mieux que le sien. Dès que nous faisons quelque chose qui ne lui convient pas, il ferme toutes les portes. Ne te mets pas martel en tête pour lui, Frances. Fais comme moi, mène ta vie comme tu l'entends.

Alice lui rendit également plusieurs fois visite, une Alice qui cette fois ne semblait pas être sortie indemne de son séjour en prison. Elle était nerveuse, impatiente et fumait beaucoup plus qu'avant. Frances, qui ne parvenait pas à se départir du sentiment d'avoir trahi les autres depuis qu'elle avait été libérée grâce à l'intervention de son grand-père, voulut s'excuser auprès d'elle.

Mais Alice était d'avis qu'elle n'avait aucune raison d'avoir honte :

— Tu as été très courageuse. Ne pense plus maintenant qu'à retrouver la santé. J'espère que tu ne te vexeras pas si je te dis que tu as une mine épouvantable... Il faut absolument que tu te remplumes. Sinon, un courant d'air et tu t'envoles !

Ni George, ni Alice, ni Margaret ne réussirent à lui redonner le sourire ni seulement à la convaincre de réagir. Pis, elle avait l'impression de se sentir encore plus épuisée après chaque discussion, et elle se culpabilisait parce qu'elle ne parvenait pas à les remercier de tout ce qu'ils faisaient pour elle. Au cours de ces semaines, la seule personne dont la présence lui fit du bien était Phillip.

— Raconte-moi une histoire, lui demandait-elle parfois, ou lis-moi quelque chose. J'aime entendre ta voix.

Phillip en vint à passer toutes ses journées auprès d'elle, et il apparut bientôt que son état dépressif s'améliorait autant que s'aggravait celui de Frances. Elle réfléchit plus tard à ce qu'il devait avoir éprouvé. Il ne s'était encore jamais trouvé dans une situation comme celle-là. Un être avait besoin de lui, réclamait sa présence. Et il s'agissait de surcroît de la femme dont il s'était épris. Phillip avait un physique qui lui valait de plaire aux femmes, mais dès qu'elles le connaissaient mieux, il arrivait toujours un moment où elles se rendaient compte que c'était un jeune homme torturé et elles prenaient alors leurs distances.

Frances semblait l'aimer tel qu'il était. Il ne voyait pas qu'elle se trouvait dans une situation d'exception et qu'elle se serait accrochée à quiconque lui aurait manifesté son soutien ou témoigné de la compassion. Jeune homme blessé, marqué à jamais par les douloureux souvenirs de son enfance et de son adolescence brisées, Phillip s'y entendait mieux que personne pour consoler son prochain. C'est cela qui aux yeux de Frances le rendait plus intéressant que les autres. L'euphorie qu'il éprouvait à l'idée d'être soudainement devenu fort reposait sur un malentendu. Il n'était pas devenu plus fort, il avait simplement trouvé quelqu'un qui était plus faible que lui et le rapport de force s'était inversé. Qu'il ne pût s'agir que d'une question de temps avant que Frances se rétablisse ne l'effleurait pas.

Ainsi qu'il le lui révéla plus tard dans une lettre, il avait dès cette époque commencé à faire des projets d'avenir ; il l'imaginait en épouse et en mère de ses enfants. Il se voyait partageant inquiétudes et soucis avec elle et les rendant moins lourds à porter. Il aurait toujours été là pour elle et elle pour lui. Quelque part loin derrière eux, il y avait le gros nuage noir des épreuves et des souffrances que chacun avait traversées. Devant eux, ce n'était que lumière.

Pour son dix-huitième anniversaire, le 4 mars, il lui offrit un médaillon en or qui renfermait un portrait de lui. Fervent admirateur de Marlowe, sur la carte qui l'accompagnait, il avait inscrit une citation de l'une de ses pièces.

Pour la première fois, l'idée effleura Frances que quelque chose se préparait auquel il fallait mettre un terme avant qu'il soit trop tard. Mais ce jour-là, précisément ce jour-là, elle se sentait encore moins forte que d'habitude. Elle fêtait ses dix-huit ans et avait l'impression d'être épuisée comme une vieille femme. Elle avait reçu une lettre de sa grand-mère Kate, mais rien de Charles et Maureen.

Le 4 mars tombait un samedi. Margaret invita Alice et George à prendre le thé. George, qui avait justement congé ce week-end-là, put venir. La cuisinière avait préparé des gâteaux, des tartes et des biscuits en quantité suffisante pour rassasier un régiment affamé. Il y avait du thé, du café et du chocolat chaud avec de la crème fouettée.

Ils ne mangèrent presque rien. Frances n'avait toujours pas retrouvé l'appétit et Phillip n'avait jamais été un gros mangeur. Quant à Alice et George, ils venaient, de toute évidence, de se disputer. Ils se parlaient à peine, picoraient quelques miettes de gâteau et buvaient leur thé du bout des lèvres. Frances supposa que l'éternel sujet du mariage avait dû revenir sur le tapis. Elle ne comprenait pas pourquoi Alice y était si farouchement opposée et cela lui faisait de la peine pour son frère, qui souffrait de la situation.

Ainsi Margaret se trouva-t-elle la seule à piocher généreusement parmi tous les délices qui s'offraient à son solide appétit. Il arriva tout de même un moment où elle se rendit compte que personne, elle exceptée, ne semblait faire honneur aux plats avec grand enthousiasme. Elle posa sa cuillère de côté.

— Vous n'appréciez pas vraiment ? lança-t-elle à la cantonade, l'air contrariée.

— Mais si, tante Margaret, c'est excellent, affirma poliment George, qui se torturait l'esprit pour trouver une explication plausible à son manque d'empressement. Il faut bien que je continue quelque temps à rentrer dans mon uniforme ! ajouta-t-il sans conviction.

— Nous traversons tous une passe un peu difficile, intervint Alice avec sa franchise habituelle. Ne le prenez pas personnellement, Margaret. Je sais que vous vous êtes donné beaucoup de mal.

— Si seulement je pouvais vous changer un peu les idées ! soupira Margaret. Frances, ma chérie, tu ne veux pas rester mince comme ça, n'est-ce pas ? Tu ne prendrais pas un beau morceau de ce merveilleux gâteau au chocolat ?

— Non, merci. Je ne peux vraiment plus rien avaler, répondit Frances, malheureuse.

Elle regarda par la fenêtre. Dehors, il pleuvait et un vent froid balayait les rues désertées.

Vivement l'été, songeait-t-elle, sans être sûre que ce serait un gage de changement, mais peut-être cesserait-elle au moins d'avoir froid. Elle avait toujours froid, même quand un bon feu crépitait dans une cheminée tout près d'elle comme en ce moment. C'était comme si le virus du froid s'était niché dans son corps et ne s'en laissait plus déloger.

Quand George décida soudain qu'il était temps qu'il s'en aille, alors que la soirée commençait à peine, personne ne s'en étonna. Alice reposa sa tasse de café pour se joindre à lui. Tous, autour de la table, avaient compris que, depuis qu'ils étaient là, ils n'avaient qu'une idée en tête : reprendre leur dispute là où ils l'avaient laissée en arrivant.

Alice serra distraitement Frances dans ses bras.

— A bientôt, petite Frances. Et surtout, soigne-toi bien !

Et surtout, soigne-toi bien ! Cela faisait des mois que Frances entendait cette phrase. C'était devenu une sorte de rituel. Elle se demanda si les gens continueraient à l'encourager sur le même ton lorsqu'elle serait devenue une grosse matrone aux joues roses qui passerait ses journées à se balancer béatement dans un rocking-chair. L'idée ne la fit même pas sourire.

— Nous nous voyons bientôt, promit George. Prends bien soin de toi !

Elle réussit à trouver une réponse adéquate et à remercier George pour sa visite. Elle dit à Margaret que cela avait été une très belle journée, qu'elle souhaitait maintenant monter s'allonger car elle avait un peu mal à la tête. Elle éprouvait un besoin quasi obsessionnel de retrouver sa chambre, le calme, la pénombre.

Etre seule, simplement être seule, songeait-elle. Loin de tous ces regards soucieux et inquisiteurs.

Elle monta dans sa chambre et ferma ostensiblement la porte derrière elle. Elle s'approcha de la fenêtre. Il avait cessé de pleuvoir. Le soleil venait de se coucher mais le ciel était encore d'un bleu transparent. Le vent déchirait les nuages. A l'ouest, une dernière lueur rougeoyante enflammait l'horizon.

Frances observa un instant la course des nuages dans le ciel puis ferma les rideaux. Le vent et la transparence du ciel crépusculaire lui rappelaient trop la Wensleydale. C'était plus qu'elle n'en pouvait supporter ce soir-là. Parfois, elle pensait que c'était aussi le mal du pays qui la minait.

Elle s'allongea sur son lit tout habillée, sans même ôter ses chaussures. Elle était tellement épuisée qu'elle s'endormit en quelques minutes. Quand elle se réveilla, sa chambre était plongée dans l'obscurité. Le rai de lumière qui passait tout à l'heure entre les rideaux avait disparu. L'esprit encore embrumé, elle s'assit dans le noir sur son lit. Elle avait l'impression que quelque chose l'avait réveillée mais elle ne savait pas quoi. Quand elle entendit des coups timides à sa porte, elle comprit que ce devait être ce bruit qui l'avait tirée de son sommeil.

— Entrez ! dit-elle.

La porte s'ouvrit. C'était Phillip.

Elle ne perçut d'abord que sa silhouette qui se détachait sur la lumière du couloir. Il tenait encore la poignée de la porte, hésitant à entrer.

— Frances ? demanda-t-il enfin.

Elle alluma sa lampe de chevet. Une lumière diffuse, atténuée par un abat-jour de soie lilas, se répandit dans la chambre.

— Phillip ! Mais quelle heure est-il ?

— Bientôt minuit, souffla-t-il. Je voulais seulement... je voulais seulement m'assurer que tout allait bien. Vous n'aviez pas l'air très en forme aujourd'hui.

Elle releva la mèche qui lui tombait sur le front.

— Je me demande si j'irai bien un jour, soupira-t-elle. Parfois, j'ai l'impression que je ne m'en sortirai jamais.

Phillip entra dans la chambre et referma très doucement la porte derrière lui.

— Je ne voudrais pas réveiller, Margaret, expliqua-t-il.

Margaret n'aurait pas approuvé la présence de Phillip dans la chambre de sa nièce à une heure aussi tardive, Frances le savait mais, pour sa part, il y avait déjà quelque temps que le respect des conventions lui était indifférent.

Elle hocha la tête.

— Effectivement. Elle a déjà assez de soucis comme ça avec moi sans qu'en plus je l'empêche de dormir.

— Vous ne devriez pas dire des choses pareilles. Margaret vous aime beaucoup. Vous n'êtes pas un fardeau pour elle.

— Tout de même... protesta Frances.

Phillip se tenait les bras ballants au milieu de la chambre.

— Euh... Avez-vous... la carte... l'avez-vous lue ?

— Bien sûr.

Elle essaya de se souvenir de ce qu'il lui avait écrit. Quelque chose à propos de la « nostalgie du monde » et de deux êtres qui se trouvaient.

— Marlowe, dit Phillip. C'est un auteur merveilleux, n'est-ce pas ? J'aime particulièrement l'extrait que je vous ai adressé. Ménélas erre dans Troie détruite et retrouve enfin Hélène. Ses sentiments sont contradictoires et confus. Dix ans... que sait-il de ce qu'elle éprouve ? Peut-être en aime-t-elle un autre. Peut-être aime-t-elle Pâris, son ravisseur ?

Frances rassembla ses maigres souvenirs de

mythologie grecque. Depuis l'école, il ne lui en restait guère.

— Puis il ne voit plus en elle que son Hélène bien-aimée, poursuivait Phillip. Quoi qu'il ait pu se passer, seul compte l'instant présent. Tous deux ont vécu des choses terribles, autour d'eux, la ville dévastée est en flammes. Mais ils triompheront de l'adversité.

Frances se demanda pourquoi il lui racontait tout cela. Elle trouvait cette histoire passablement éloignée des réalités. Elle chercha à se souvenir du destin de Ménélas et d'Hélène, mais rien ne lui revint en mémoire.

Phillip, qui s'était laissé envoûter par son propre récit et semblait perdu dans ses pensées, reprit pied dans la réalité. Il parut redécouvrir Frances, la chambre dans laquelle la petite lampe de chevet dessinait de grandes ombres pleines de mystère, la légère odeur de lavande qui flottait dans l'air car, en souvenir de sa grand-mère, Frances conservait des petits sachets de fleurs séchées dans ses placards. Une expression apparut dans ses yeux qu'elle ne sut interpréter.

Il s'approcha soudain du lit, s'assit près de Frances et prit ses mains dans les siennes.

— Je saurais t'aider, dit-il. Je saurais t'aider à surmonter ta peine. Tu as vécu des choses terribles. Je sais ce que tu ressens. C'est pour cela que...

— Non ! Tu ne sais pas ce que je ressens, l'interrompit Frances.

Elle aurait volontiers ôté ses mains des siennes, mais il les serrait trop fort.

— Tu ne peux pas le savoir. Personne ne peut le savoir.

Elle laissa échapper un gémissement involontaire au souvenir de ce qu'elle avait vécu dans les sinistres sous-sols de la prison. Le fauteuil, les gens qui la tenaient, qui pesaient de tout leur poids sur ses bras et ses jambes pour l'empêcher de bouger. La corde qui la ligotait. Les mains qui lui ouvraient les mâchoires, l'immonde tuyau qui descendait dans sa gorge, qui l'asphyxiait. Elle sentit à nouveau la nausée l'envahir, puis la peur panique de mourir étouffée.

— Oh, mon Dieu ! murmura-t-elle tandis que ses yeux s'emplissaient de larmes. C'était affreux. Ça faisait si mal...

Phillip l'attira à lui.

— Je sais.

— J'avais l'impression de mourir.

— Oui. Je te comprends.

— Je croyais qu'ils étaient en train de me tuer, et personne ne m'aidait. Personne ne m'aidait !

Il lui caressait doucement les cheveux. Ses mains étaient légères, apaisantes.

— Je me sentais si démunie... Je ne pouvais pas bouger. Je voulais me défendre, je ne voulais pas me laisser faire. Mais je ne pouvais pas. Je ne pouvais rien faire.

Les larmes roulaient sur ses joues. C'était la première fois depuis ce jour de novembre où elle pleurait réellement. Il ne s'agissait pas de quelques larmes de tristesse ou de fatigue, mais de sanglots qui montaient du plus profond de son être. Toutes les barrières qui les retenaient cédèrent en même temps. C'était comme si une blessure s'ouvrait et que tout le poison qui l'infectait s'écoulait.

— Mais le pire, ce n'était pas la douleur. Ce n'était pas l'horrible nausée, ni même la peur de mourir. Le pire, c'était qu'ils puissent le faire. Qu'ils puissent me tenir comme ça et me... C'était comme un viol. C'est ainsi que je le ressentais. Et c'est ainsi que je le sens encore. Je me sens salie, rabaissée...

Elle était maintenant dans ses bras. Ses larmes

inondaient la poitrine de Phillip tandis que lentement les sanglots qui agitaient son corps s'apaisaient sous les caresses de ses mains.

— C'est fini, maintenant, murmura-t-il d'une voix douce. Là, là, c'est fini.

— Je ne pourrai jamais oublier ce qu'ils m'ont fait. Je ne pourrai peut-être jamais le surmonter.

— Tu le surmonteras. Je serai là. Je serai toujours là pour toi.

Une alarme sonna quelque part au fond de sa tête. Que veut-il donc dire ? C'est un ami. Simplement un ami. Il ne sera jamais autre chose pour moi. Je devrais le lui dire.

Mais presque aussitôt, elle se sentit très bête. Après tout, peut-être que lui aussi ne pensait qu'à l'amitié ; en outre, elle n'avait aucune envie d'en discuter maintenant avec lui. Après ces longs mois de solitude et de détresse, être dans les bras de quelqu'un qui la caressait et la consolait lui procurait une délicieuse sensation de bien-être.

— Je t'appartiens, murmurait Phillip dans le creux de son oreille.

Son souffle tiède caressait son visage. Elle ne sut pas comment leurs lèvres se rencontrèrent. Elle-même goûtait ses propres larmes, douces et salées.

Comme c'est agréable, songeait-elle.

Les mains de Phillip qui se glissaient sous son pull-over troublèrent sa rêverie. Elle se ressaisit, le repoussa.

— Phillip...

Sa respiration s'accéléra, il enfouit son visage dans sa poitrine.

— Frances... Je t'aime, murmura-t-il dans un souffle. Je veux... sois à moi, Frances !

Frances avait une idée très précise de ce qu'il voulait. Elle avait grandi à la campagne et pu observer beaucoup de choses. Ses dernières lacunes, les romans érotiques découverts dans la bibliothèque de tante Margaret les avaient largement comblées. Elle sentit qu'elle devait mettre un frein aux ardeurs de Phillip.

— Phillip, laisse-moi! dit-elle.

Quelque chose dans le ton de Frances le ramena à la raison. Il se redressa brutalement, retira ses mains. Ses joues étaient en feu.

— Mon Dieu, Frances, pardonne-moi, je t'en prie. Je...

— Il n'y a pas de mal, dit Frances.

Elle se leva et alla prendre un mouchoir dans un tiroir de sa commode. Elle s'essuya les yeux, se moucha.

— Je suis désolée. Je n'aurais pas dû... commencer à pleurer, comme ça...

Phillip se tenait au milieu de la chambre, désemparé.

— Tu penses sûrement que j'ai voulu profiter de la situation...

— Mais pas du tout! Il n'y a pas de mal, vraiment.

— Je ne voudrais pas que tu crois que je... que je cherchais une... simplement à m'amuser...

Elle faillit sourire. L'idée que Phillip puisse chercher à s'amuser semblait absurde.

— Je ne le crois pas, Phillip, je t'assure. Ne t'inquiète surtout pas pour ça.

— Je...

Il parut un instant vouloir ajouter quelque chose, mais il n'osa pas.

— Bon, eh bien, je m'en vais, dit-il. Bonne nuit, Frances.

— Bonne nuit, Phillip.

Elle le regarda sortir de la chambre et refermer la porte derrière lui. Elle respira profondément.

Il est temps, se dit-elle, il est grand temps que je sois à nouveau sur pied.

Ils achevèrent ce qu'ils avaient commencé une petite semaine plus tard. Frances se souvint longtemps très précisément du jour car une grande agitation régnait alors dans le pays. Toute la presse était en ébullition. Le ministre anglais des Affaires étrangères avait déclaré qu'il n'existait aucun traité qui contraignît l'Angleterre à soutenir militairement la France. Sur ce, le gouvernement français, très inquiet, avait rappelé l'existence d'un accord selon lequel l'Angleterre s'engageait à venir en aide à la France en cas d'agression allemande. Le gouvernement allemand avait aussitôt réagi en réaffirmant son absolu pacifisme et en déclarant que l'Allemagne n'avait d'intentions belliqueuses à l'égard d'aucun Etat. Cet échange de communiqués officiels avait eu pour effet immédiat de remettre la guerre au premier plan des préoccupations. Les journaux ne savaient plus où donner de la tête à force de déclarations fracassantes. Partout dans les rues des gens affolés discutaient de l'éventualité d'un conflit et se demandaient jusqu'à quel point l'Angleterre serait impliquée en pareil cas.

Margaret, qu'un de ses chers bridges appelait à l'extérieur, passa l'après-midi hors de chez elle bien qu'elle eût commencé par déclarer qu'en des jours aussi sombres elle n'avait pas la tête aux mondanités...

— Tante Margaret, avait assuré Frances, la guerre ne va pas éclater aujourd'hui. Et sûrement pas demain non plus. Et de toute façon, si tu te fais autant de souci, il vaut mieux que tu rencontres des gens, ça te changera les idées.

Margaret se lamenta encore un peu pour la forme, puis son enthousiasme naturel triompha et elle se mit en route.

Frances et Phillip prirent le thé ensemble au salon. Ils ne touchèrent pas aux gâteaux tout frais sortis du four que la femme de chambre leur servit. Une tension s'était installée entre eux, qui grandissait de jour en jour et qu'ils ne pouvaient plus ignorer. Ils ne pouvaient plus se comporter comme un frère et une sœur, ou même simplement comme deux jeunes gens vivant par hasard sous le même toit ; ils étaient désormais un homme et une femme.

Sa générosité et sa gentillesse portaient certes Margaret à se faire du souci pour tout et tous, mais sa naïveté la coupait des quelques problèmes que pouvait poser la présence d'un jeune homme et d'une jeune fille sous un même toit.

Il arriva, cet après-midi-là, que Frances et Phillip recommencèrent à s'embrasser, puis montèrent dans la chambre de Frances. Quand ils se retrouvèrent face à face, tout dans l'attitude de Phillip disait combien il se consumait d'amour tandis que Frances, très terre à terre, se demandait à quoi cela allait bien pouvoir ressembler et si cela allait lui donner le sentiment d'être enfin adulte.

Elle jugea cela désagréable et inesthétique, et, passablement troublée, se demanda ce que les gens pouvaient bien trouver de si exaltant. Cette affaire faisait l'objet de tellement de mystères, on mettait les jeunes gens en garde, on en parlait à demi-mot, on chuchotait, on gloussait... C'était un passe-temps qui agitait les esprits et dont la pratique était répandue.

Frances fut très sensible aux caresses de Phillip, à ses mains, à ses lèvres, mais elle était trop nerveuse et Phillip trop inexpérimenté pour que son excitation aboutisse. Elle retomba d'un coup et tout son corps jusqu'au moindre muscle se contracta. Frances attendait, tendue comme un arc, mais fermement décidée à aller jusqu'au bout. Elle observa avec étonnement le visage méconnaissable de Phillip. Luisant de sueur, dénué d'expression, il n'avait plus rien de séduisant. Frances se demanda si tous les hommes avaient le même regard vide, la même expression hébétée et absente.

Et John, à quoi ressemblait-il dans ces moments-là ? John. Elle n'aurait pas imaginé que penser à lui pût lui faire aussi mal. L'absurdité de la situation lui parut d'un coup évidente et elle n'eut qu'une hâte : que Phillip en termine. La seule chose qui lui plut vraiment fut de reposer ensuite au creux de ses bras, de sentir son corps contre le sien, son souffle régulier dans ses cheveux. Il s'était aussitôt endormi, et Frances, qui put ainsi laisser vagabonder ses pensées, ne s'en offusqua pas.

Il se réveilla enfin et sembla prendre conscience de ce qui s'était passé. Il eut un instant d'affolement puis il serra Frances plus fort dans ses bras.

— Nous allons nous marier, bien sûr, murmura-t-il. Je t'aime, Frances. Je souhaite que tu deviennes ma femme.

Elle espéra qu'il n'interprétait pas son silence comme une approbation.

Dans les semaines qui suivirent, Frances recouvra la santé. Chaque jour elle reprenait un peu plus de forces. Elle mangeait à nouveau, dormait, faisait de longues promenades. Un peu de couleur réapparut sur ses joues et ses yeux retrouvèrent un peu de leur ancien éclat. Elle recommença à sourire, il lui arriva même parfois de rire de bon cœur. Margaret observait tout cela avec une satisfaction croissante et un matin, vers la fin du mois de mai, alors qu'elle et Frances prenaient seules leur petit-déjeuner, elle décocha un merveilleux sourire à sa nièce, suivi d'un clin d'œil de connivence.

— Je sais maintenant pourquoi tu vas mieux !

— Ah ? fit Frances sans comprendre.

Margaret baissa la voix, bien qu'il n'y eût personne susceptible de l'entendre.

— Hier, Phillip s'est confié à moi. Il m'a dit que vous alliez vous marier ! Frances, je suis si heureuse pour toi !

Frances porta prestement sa tasse à ses lèvres et but une première longue gorgée de thé pour gagner du temps, puis une autre. L'histoire prenait une fâcheuse tournure. Au cours des semaines écoulées, Frances avait repoussé les avances de Phillip et systématiquement pensé à autre chose quand il avait commencé à évoquer leur avenir commun. Il était clair maintenant qu'elle ne pouvait pas continuer à fermer les yeux et les oreilles. Elle avait couché avec lui, en d'autres termes, et, pour lui, cela avait valeur de promesse. Il était grand temps qu'elle lui dise honnêtement ce qu'il représentait en réalité pour elle. Il n'était pas anodin qu'il commençât à en parler à de tierces personnes, sans compter que se confier à Margaret revenait à faire une déclaration publique.

— Eh bien, rien n'est encore tout à fait sûr, dit-elle en reposant la tasse. J'aimerais que tu gardes tout cela pour toi, tante Margaret.

— Je serai muette comme une tombe ! promit sans hésitation Margaret. Tu peux compter sur moi.

Frances soupira. S'il y avait une chose sur laquelle elle ne pouvait pas compter, c'était bien sûr le silence de Margaret.

— Je suis fière que vous vous soyez rencontrés sous mon toit, enchaîna Margaret, pleine d'entrain. Quelque part, c'est un peu grâce à moi, n'est-ce pas ? Après tous ces terribles événements... voilà que nous avons enfin une raison de tous nous réjouir !

— Je... commença Frances, mal à l'aise.

Margaret l'interrompit d'un geste de la main.

— Chut! Ne me dis rien. Je n'ai rien besoin de savoir! Je suis simplement heureuse que grâce à lui tu aies retrouvé le sourire et la santé.

C'était effectivement grâce à Phillip que Frances allait mieux, elle-même en convenait, la mort dans l'âme parce que les choses ne s'étaient pas passées ainsi que Phillip et Margaret voulaient bien le croire. Ils imaginaient que c'était l'amour de Phillip qui lui avait redonné le goût de vivre, mais ce n'était pas aussi simple. Phillip avait pris l'habitude de se lancer dans de longs monologues sur l'enfance tragique qu'ils auraient eue en commun, malheureuses victimes d'un entourage hostile, naufragés qui s'accrochaient aujourd'hui l'un à l'autre pour survivre.

Frances, qui supportait de plus en plus mal cette image d'elle-même, était un jour sortie de ses gonds.

— Arrête de raconter des bêtises! Nous n'avons pas vécu la même chose. C'est idiot!

Il l'avait regardée, effaré.

— Mais je souhaitais simplement...

— Je ne veux plus en entendre parler!

Frances avait vu à son expression qu'il se reprochait déjà de lui avoir remis en mémoire des choses qu'à l'évidence elle préférait oublier.

Il se trompait, mais il avait obtenu quelque chose, il est vrai malgré lui : il l'avait réveillée. A force de lui répéter qu'elle était comme lui, il avait piqué son amour-propre et réussi à lui faire prendre conscience qu'elle ne voulait surtout pas lui ressembler. A aucun prix. Elle avait été dangereusement près de devenir aussi dépressive que lui. Aussi triste et angoissée, aussi terrifiée par le monde et tous les dangers qu'il recelait.

Elle ne voulait pas avoir ce regard d'enfant apeuré. Elle ne voulait pas passer ses journées à regarder par la fenêtre en ressassant ses malheurs ou à attendre quelque chose qui ne venait pas. Elle ne le voulait pas et elle ferait en sorte que cela n'arrive pas. Elle mit toute son énergie dans la bataille et chaque jour elle regagna un peu de terrain sur les forces obscures qui avaient voulu la happer.

Mais avec Phillip, elle ne jouait pas franc jeu, elle s'en rendait compte. Elle connaissait ses sentiments, la première des honnêtetés eût été de l'informer de la véritable nature de ses sentiments à elle.

A la suite de sa conversation avec Margaret, deux fois elle avait tenté de s'expliquer, mais quand elle avait vu comment ses yeux s'accrochaient aux siens, chaque fois elle avait fait marche arrière avant même d'avoir commencé parce qu'elle avait l'impression d'être un monstre. Souvent la nuit, ses pensées la tenaient éveillée et elle maudissait cette heure qu'elle avait passée dans un lit avec lui. Cela ne lui avait rien apporté, hormis la détestable obligation de devoir maintenant lui expliquer que le fait de s'être donnée à lui ne signifiait pas qu'elle souhaitât l'épouser.

Elle était assez lucide pour rougir de honte à la seule idée d'avouer un comportement aussi frivole. Une femme ne s'autorisait en principe aucune relation intime avec un homme avant d'être mariée avec lui. En tout état de cause, jamais elle ne se retrouvait dans le lit d'un homme qu'elle n'aimait pas et jamais elle n'acceptait tranquillement ses caresses, la tête froide et les idées claires. Ce qu'elle avait fait, seule une folle passion amoureuse aurait permis de l'excuser, mais même avec la meilleure volonté du monde, Frances n'aurait pu se convaincre d'avoir éprouvé la moindre étincelle de passion. Elle se demandait parfois, comme lorsqu'elle était en prison et voyait avec quelle détermination passionnée Pamela défendait ses idées, pourquoi elle-même n'était pas capable d'être pénétrée d'un sentiment, d'être portée par une grande force enivrante. Elle avait constamment le sentiment qu'une part d'elle-même restait en retrait et analysait ses faits et gestes, raisonnablement, avec une totale absence d'émotion.

Elle se disait que peut-être quelque chose lui faisait défaut. Au bout du compte – et c'était bien le plus inquiétant – jamais elle ne saurait ce qui lui manquait : comment aurait-elle pu se faire une idée de ce qu'elle était incapable de ressentir ?

Puis, par une chaude et claire nuit de juin, alors qu'elle ne trouvait pas le sommeil, soudain elle sut ce qu'elle voulait faire, ce qui résoudrait ses problèmes et lui permettrait d'être à nouveau en paix avec elle-même : elle allait rentrer chez elle. Elle retournerait à Westhill, à la maison. Elle retrouverait sa famille, sa campagne, tout ce qui lui était cher et familier.

Elle s'assit dans son lit. Son cœur battait à se rompre. La nostalgie des collines et des vallées, des ruisseaux limpides et des ciels immenses de la Wensleydale la submergea tout entière. Partir, rompre avec Londres et ses rues encombrées, le fracas des fiacres sur les pavés, le bruit des automobiles, la puanteur des bords de la Tamise et le ciel gris et bas sur les cheminées des usines de l'East End. Rompre avec Phillip, ses espérances et ses regards implorants. Rompre avec le sentiment de culpabilité qui l'assaillait quand elle pensait à ses amies militantes parce qu'elle ne se montrait quasi plus aux réunions, faute de trouver en elle assez d'énergie pour reprendre le combat.

Rentrer à la maison. Retrouver Charles. Retrouver Maureen. Retrouver Kate.

— Il y a longtemps que j'aurais dû le faire, dit-elle à voix haute. Longtemps !

Son père avait certes semblé en colère après elle. Il

avait dit que jamais il ne lui pardonnerait ce à quoi elle l'avait contraint. Mais sous le coup de la colère, les gens disent souvent des choses qu'en réalité ils ne pensent pas.

Frances refoula au fond de sa mémoire le souvenir de l'instant où elle s'était rendu compte que son père était très calme et où il lui était apparu avec une cruelle évidence que sa décision de la renier avait été mûrement réfléchie. Elle l'oublia parce qu'elle voulait l'oublier. Elle ne voulut plus se fier qu'à son bel optimisme renaissant. Son père l'avait aimée, il l'aimerait à nouveau. Et elle saurait aussi reconquérir John. De même que son père, il l'aimait depuis sa plus tendre enfance. Il avait sans doute oublié depuis longtemps l'épisode du parloir de la prison.

Elle échafauda des plans une bonne partie de la nuit et ne s'endormit qu'au petit matin.

Jamais, jusque-là, Frances n'avait fait preuve de lâcheté. Et jamais plus, par la suite, elle n'y céderait. Mais ce jour-là, elle n'eut pas le courage de parler à Phillip. Elle se lança dans la rédaction d'une lettre. La cinquième version, enfin, lui parut convenir, même si elle tremblait à la seule idée de ce qu'il ressentirait en la lisant.

Le lendemain soir, elle prépara secrètement une valise. Elle ne pouvait emporter qu'un minimum, Margaret devrait lui faire parvenir le reste de ses affaires plus tard. Elle écrivit également une lettre à l'intention de sa tante, dans laquelle elle la remerciait de toute l'aide qu'elle lui avait apportée et la priait de lui pardonner de partir ainsi en pleine nuit. Phillip s'étant ouvert à Margaret de son intention d'épouser Frances, elle put lui expliquer franchement qu'elle voulait se dépêtrer de cette affaire embarrassante et donner à Phillip l'opportunité de réorganiser sa vie sans elle.

Elle avait cependant l'intuition que le tremblement de terre serait rude.

Elle se coucha de bonne heure mais ne put trouver le sommeil et passa la nuit à attendre et à écouter les battements réguliers de son cœur, les yeux grand ouverts dans l'obscurité. A 4 heures du matin, elle se leva, s'habilla, prit sa valise et descendit sur la pointe des pieds au rez-de-chaussée. Elle n'avait pas fait plus de bruit qu'un chat, mais c'était encore trop pour l'oreille exercée de M. Wilson, qui surgit soudain devant elle, un très surprenant M. Wilson en chemise de nuit grise et grosses chaussettes de laine. Il approcha du visage de Frances la bougie qu'il tenait à la main.

— Mademoiselle Gray! s'exclama-t-il. Que faites-vous en bas à cette heure?

Il s'aperçut qu'elle était tout habillée, puis qu'elle avait une valise à la main.

— Dieu tout-puissant...

Frances résista à l'envie de lui mettre la main sur la bouche.

— Monsieur Wilson, ne parlez pas si fort! supplia-t-elle à mi-voix. Vous voulez réveillez toute la maison?

— Mais où allez-vous donc?

— Je rentre chez moi. Dans le Yorkshire. J'ai tout expliqué là-dedans à lady Gray et M. Middleton.

Elle plaqua les deux lettres dans la main du major-dome. Elle avait pensé les déposer sur la table de la salle à manger, mais elle pouvait aussi bien charger Wilson de les transmettre pour elle.

— Donnez-leur, je vous prie, ces lettres quand ils descendront.

— Mais...

— Monsieur Wilson, soyez gentil, ne compliquez pas les choses. Il ne faut pas que je manque le premier train pour York.

238

— Mais vous ne pouvez tout de même pas... Je ne sais pas si...

Le pauvre M. Wilson était complètement désemparé. Frances posa la main sur son bras.

— Personne ne vous fera de reproches. Et ce n'est pas comme si je m'enfuyais je ne sais où. Je rentre à la maison, et toutes les raisons pour lesquelles je le fais sont détaillées ici, dans ces lettres.

— Comment comptez-vous vous rendre à la gare ?

Elle soupira discrètement. Ce M. Wilson était vieux jeu, rien ne pouvait être simple, avec lui.

— Je trouverai un fiacre avant même Grosvenor Street. Ne vous inquiétez pas !

Il suffisait de le regarder pour deviner que c'était une recommandation superflue ; il était déjà très inquiet. Elle espérait seulement qu'il ne réveillerait pas la maison à peine aurait-elle passé la porte. Sinon Margaret aurait tôt fait de comprendre et elle se précipiterait à la gare pour l'empêcher de partir.

Elle sortit. La nuit était sombre et le ciel chargé de nuages, mais le vent était tiède et Frances s'imagina percevoir des effluves de jasmin en fleurs. Cela faisait presque un an qu'elle était à Londres. Le formidable appétit de découverte qui l'avait poussée hors de chez elle était aujourd'hui assouvi. Elle avait quelques expériences nouvelles à son actif, elle avait traversé des moments extrêmement durs, mais elle s'en était sortie et elle rentrait la tête haute.

A un moment quelconque de l'année, elle n'aurait su dire ni quand ni dans quelles circonstances, elle s'était débarrassée de la petite jeune fille protégée qu'il y avait en elle.

Elle avait obtenu ce qu'elle voulait.

La cathédrale d'York dressait haut dans le ciel clair ses deux tours en dentelle de pierre. Le soleil de ce matin d'été les inondait de lumière tandis qu'à leurs pieds les maisons et les ruelles baignaient encore dans l'ombre. Pour Frances, qui profitait d'une correspondance entre deux trains pour visiter la cathédrale, c'était un merveilleux accueil. Majestueux et paisible, l'édifice sacré avait quelque chose d'une mère saluant le retour de son enfant. Jamais encore elle n'avait admiré la plénitude de la cathédrale avec cette émotion.

Un homme qui à quelques pas admirait également l'édifice se tourna vers elle.

— Elle est extraordinaire, n'est-ce pas ? dit-il. C'est la première fois que vous la voyez ?

Frances secoua la tête.

— Non. J'ai grandi dans le Yorkshire. Mais je viens de passer un an à Londres et...

Elle n'acheva pas sa phrase mais son interlocuteur parut comprendre ce qu'elle voulait dire. Il secoua la tête en signe d'approbation.

— Ah, le Sud ! bougonna-t-il avec mépris.

Pour un vrai et authentique habitant du Yorkshire, le mot « Sud » était presque une insulte. Au fond, l'Angleterre n'avait pas de Sud, du moins était-ce un endroit improbable dont on ne parlait jamais, ou alors en termes méprisants. A la vérité, seul le Yorkshire existait. Le reste de l'Angleterre s'était en quelque sorte agrégé autour.

— Eh bien, il est grand temps que vos pieds foulent notre bonne vieille terre, n'est-ce pas ? ajouta l'homme. Un an à Londres ! Ça ne devrait pas exister !

Elle effectua la dernière partie du voyage dans une sorte de transe impatiente. Elle piaffait comme un jeune cheval qui reconnaît l'odeur de son écurie. Quand l'image de Phillip, qui devait maintenant avoir lu la lettre depuis longtemps, venait la hanter, elle s'efforçait de penser à autre chose.

Il était midi quand elle arriva à la gare de Wensley. La petite ville familière était écrasée de soleil. L'air ne sentait pas la même chose qu'à Londres. Il était plus léger, plus parfumé. Le vent transportait des senteurs mêlées d'herbes sauvages et de fleurs, de lumineuses forêts de frênes et de sources fraîches.

Frances se mit en quête d'un moyen de locomotion pour franchir les derniers kilomètres. Sans succès. Seuls quelques paysans étaient descendus en même temps qu'elle, et ni fiacre ni voiture automobile n'attendaient l'un d'entre eux. Elle souleva sa valise et entreprit de faire le chemin à pied. Elle marchait déjà depuis un bon bout de temps lorsqu'une voiture, dans laquelle un couple d'un certain âge avait pris place, s'arrêta à sa hauteur.

— Peut-être pourrions-nous vous déposer quelque part ? proposa la femme. Votre valise semble bien lourde.

— Je vais à Leigh's Dale. C'est à environ...

— Nous connaissons Leigh's Dale. C'est sur notre chemin. Souhaitez-vous monter ?

Frances, soulagée, les remercia et monta. L'automobile était une élégante limousine et le couple était en grande tenue.

Quelle chance qu'il y ait justement une fête aujourd'hui dans les environs de Leigh's Dale ! songea Frances. Sinon, je n'aurais trouvé personne qui aille dans cette direction !

Les deux étrangers ne parlaient pas beaucoup. Frances, qui se tenait derrière eux sur le petit siège d'appoint, laissait vagabonder ses pensées. Elle regardait le paysage, le ciel bleu et transparent semé de nuages blancs légers comme des voiles, les vallées et les croupes dénudées des collines, la solitude presque

241

insupportable de cette partie de la campagne, puis les prairies d'un beau vert lumineux sous le soleil, l'herbe drue et grasse qui frissonnait sous le vent.

Frances songea qu'elle avait presque oublié à quel point elle aimait cet endroit.

Finalement, le couple se révéla d'une complaisance relative. Ils déposèrent Frances au bas du chemin de terre qui menait à Westhill sans lui proposer de la conduire jusqu'à sa porte, ce qui ne leur aurait guère pris plus de trois minutes. Elle empoigna donc sa valise et se mit en marche sous le soleil. Le chemin n'était pas vraiment raide, néanmoins il ne cessait de monter et Frances fut bientôt hors d'haleine. Ce n'était, à perte de vue, que pâturages à moutons. La plupart des animaux s'étaient réfugiés à l'ombre des arbres. Ils se tenaient dans l'herbe, immobiles, les yeux clos. Pratiquement aucun ne bougeait la tête quand Frances s'arrêtait pour s'essuyer le front avec son mouchoir. La valise qui lui avait paru si légère la veille au soir était devenue étonnamment lourde, et elle était trop chaudement vêtue. Il faisait beaucoup plus frais quand elle avait quitté Berkeley Square, au petit matin. Ce chemin avait-il toujours été aussi long ?

Elle s'arrêtait de plus en plus souvent pour se reposer ; quand enfin ce furent les derniers mètres, elle accéléra le pas, courut presque quand la maison fut en vue. Une fois dans la cour, elle lâcha sa valise et se précipita vers la porte.

— Maman ! Papa ! C'est moi, Frances ! Je suis rentrée !

La porte n'était pas verrouillée. Personne dans la région ne verrouillait les portes. Frances entra. Le vestibule était sombre et frais. Et la maison silencieuse.

Elle parcourut les pièces du rez-de-chaussée mais

ne trouva personne. Il n'y avait que Molly, la chienne, qui dormait sur sa couverture dans la salle à manger. Quand elle entendit des pas, elle dressa les oreilles, pleine d'espoir, mais quand elle vit que ce n'était que Frances et non pas George, qu'elle attendait jour et nuit, la petite lumière s'éteignit dans ses yeux. Elle ne se leva pas, elle était déçue, mais elle agita poliment la queue. Frances s'accroupit et la caressa.

— Dis-moi, ma belle Molly, où sont-ils donc tous passés ? On dirait qu'il n'y a personne à la maison !

Molly fouetta le sol avec sa queue et posa le museau entre ses pattes avant. Frances se releva et monta au premier. Personne non plus dans les chambres.

— Ils se sont tous envolés, murmura-t-elle pour elle-même. Même grand-mère et Adeline. C'est curieux.

Faisant contre mauvaise fortune bon cœur, elle redescendit chercher sa valise qui était restée dehors et la monta à l'étage.

Dans sa chambre, rien n'avait changé. Il y avait toujours le même couvre-lit bleu clair avec des roses et toujours les reproductions de tableaux de Sisley au mur. Elle découvrit de vieux bouquets de fleurs séchées sur sa table, et à côté son journal intime, relié en toile verte, auquel elle avait confié des choses aussi importantes que : « Aujourd'hui, il y avait du mouton, Mlle Parker aime tellement ça. Mais moi, ça m'a soulevé le cœur, comme d'habitude. » Ou bien : « Mon équipe a gagné à Lacrosse. Après, chacune a reçu un ruban qu'elle avait le droit de s'accrocher, mais je trouve que ça fait vraiment ridicule. »

Tout était bien à elle, familier, intime, et pourtant la chambre, le couvre-lit à fleurs, le journal intime n'étaient plus en accord avec elle. Ils appartenaient à une autre époque. Frances comprit que revenir et retrouver son passé étaient deux choses différentes. Elle ne pouvait pas remonter le temps. Dormir sous son couvre-lit clair à fleurs ne lui procurerait plus le même sentiment de bien-être et de sécurité.

Elle ouvrit sa fenêtre, qui donnait sur le jardin. En tendant le bras, elle pouvait presque toucher les branches du grand cerisier. Elle suivit rêveusement des yeux le petit chemin qui partait du muret de pierre autour du jardin puis disparaissait derrière les collines. Il menait à Daleview, on l'empruntait quand on ne voulait pas prendre la route.

Et soudain elle eut une idée. Puisqu'il n'y avait personne à la maison, pourquoi n'irait-elle pas tout de suite voir John ? S'il était à Daleview. Elle décida de ne pas s'arrêter à l'éventualité qu'il puisse justement se trouver à Londres.

Elle sortit une robe d'été de sa valise, en mousseline bleu saphir. Phillip lui avait dit un jour que cette robe rendait ses yeux plus foncés et plus chauds. Elle était un peu froissée, mais il faudrait s'en accommoder. Frances se changea, se coiffa. L'œil critique, elle s'examina dans la glace. Elle était toujours trop maigre, ses pommettes saillaient et sa robe flottait autour de sa taille. Mais la dernière fois que John l'avait vue, à la prison, elle était dans un tel état... Il allait malgré tout être étonné qu'elle se soit si bien rétablie.

Elle posa sur sa tête un grand chapeau de paille orné de longs rubans bleus pour se protéger du soleil et se mit en route.

Des automobiles, des fiacres et des calèches étaient garés en bas le long de la route, de part et d'autre de l'allée qui menait à la propriété et sur le grand terre-plein devant la maison. Il devait y avoir une cinquantaine de voitures. Des chauffeurs, en uniforme des grands jours, lisaient le journal adossés aux capots des voitures. D'autres riaient et bavardaient en petits groupes sous les arbres. Des cochers charriaient de l'eau et des balles de foin pour les chevaux. Ils suaient à grosses gouttes et pestaient contre les livrées empesées qui les engonçaient. Quelques regards curieux suivirent Frances qui remontait l'allée d'un pas hésitant.

— Plus la journée avance, plus les invitées sont jolies ! remarqua un chauffeur aux cheveux noirs qui portait un uniforme rouge vif dont les boutons dorés brillaient au soleil.

Ses compagnons saluèrent sa remarque par une salve de rires. Frances ignora regards et allusions, et se dirigea vers la maison qui se détachait, toujours aussi sombre et lugubre, sur le ciel clair. Elle perçut des bribes de musique. Le brouhaha de conversations. Elle pressa le pas, franchit les derniers mètres en courant.

La porte d'entrée, grande ouverte, était ornée de part et d'autre d'une profusion de fleurs. Un tapis rouge menait du bas du perron au vestibule, lui aussi décoré d'une multitude de fleurs. Un laquais en livrée montait la garde à l'entrée. Tassé sur lui-même, il paraissait fatigué mais dès qu'il vit Frances il se redressa et prit l'air important.

— Oui ? fit-il.

— Je... commença Frances avant de s'interrompre, faute de savoir quoi dire.

Qu'aurait-elle pu ajouter ? Elle ne savait même pas ce qui se passait. Elle remarqua le regard désapprobateur du laquais qui l'examinait des pieds à la tête. Sa jolie robe de mousseline bleue n'était sans doute pas assez chic pour une réception de cette ampleur et de cette importance.

— Avez-vous une invitation ? interrogea-t-il.

Comme il ne savait pas qui elle était, il se montrait parfaitement poli, au cas où, mais il tenait en même temps à ce qu'elle sache qu'il ne la laisserait pas entrer sans autorisation.

Frances redressa la tête.

— Je m'appelle Frances Gray, déclara-t-elle le plus dignement qu'elle put. Je n'ai pas d'invitation car on me croit à Londres. Je n'ai prévenu personne de mon arrivée.

La musique, qui s'était tue un instant, reprit. Des tintements de vaisselle et de verres entrechoqués, des éclats de voix, des rires parvenaient de l'intérieur.

— Oui...

Le laquais, très perplexe, ne savait pas s'il devait la laisser entrer ou pas.

— Etes-vous apparentée à Mlle Victoria Gray?

— Je suis sa sœur.

Que venait faire Victoria, le bébé de la famille, là-dedans?

— Eh bien... hésita-t-il encore.

Frances décréta qu'il l'avait assez retenue. Elle passa outre son « Arrêtez! Vous ne pouvez pas entrer comme ça... », s'engouffra dans le hall, traversa d'un pas décidé un immense parterre de fleurs – ils avaient dévalisé tous les fleuristes du Yorkshire! – et ouvrit la double porte qui donnait sur la grande salle de réception. Elle se figea sur le seuil et tenta de donner un sens à ce qu'elle voyait.

La salle croulait sous la même profusion de fleurs qui accueillait les invités dès l'entrée. Les trois grandes portes-fenêtres peintes en blanc qui donnaient côté jardin étaient ouvertes sur la terrasse qui prolongeait le rez-de-chaussée de ce côté de la maison, et, au-delà des grandes marches, sur le parc qui s'étendait en contrebas. L'air chaud et chargé des mille odeurs de la campagne pénétrait à flots dans la grande pièce.

Une centaine de convives avaient pris place autour

de longues tables, les hommes en costume noir ou en grand uniforme, les femmes en robe de soie aux couleurs chatoyantes et brillant de tous leurs bijoux. Les tables étaient recouvertes de nappes de damas immaculées et dressées avec une délicate vaisselle en porcelaine fine. Frances se souvenait que la mère de John l'avait apportée en dot et qu'elle en avait toujours été très fière. Des bougies étaient disposées dans de hauts candélabres d'argent. Dans un angle de la pièce, un petit groupe de musiciens jouait une mélodie légère et charmante. Et au milieu de tout cela, le ballet incessant de serviteurs discrets et stylés glissant en silence d'un endroit à l'autre, faisant disparaître les assiettes vides, apportant de nouveaux plats, remplissant les verres.

L'image était d'une intensité presque douloureuse. Frances la perçut comme un tableau, une représentation théâtrale à la fois fantastique et artificielle. Comme si les personnages étaient des automates mus par des fils invisibles.

Les deux premiers rôles étaient tenus par John Leigh et Victoria Gray.

La plus grande des tables s'étirait sur toute la largeur de la salle. Ils trônaient au milieu, devant une spectaculaire composition florale. John arborait l'uniforme sombre à haut col raide datant de sa brève formation militaire et les quelques insignes de son régiment et des différentes associations dont il était membre. Victoria portait une robe de mariée ivoire et un voile de dentelle qu'un diadème de fleurs fixait à ses cheveux. Elle était ravissante. Au cours de l'année, elle s'était mystérieusement transformée en adulte. Quand Frances était partie, elle n'avait que quatorze ans ; elle était aujourd'hui à la veille de son seizième anniversaire. Elle semblait avoir employé l'année de ses quinze ans à se débarrasser de ses petites robes de style marin, de la frange qui retombait sur son front et de ses gloussements perpétuels. A la vue de sa sœur, Frances eut une nausée et ne put retenir un mouvement de recul, la main sur la bouche.

Maureen, puis Charles étaient assis à côté de John, la mère de John et grand-mère Kate à côté de Victoria. Tous étaient en grande conversation. Ce fut Maureen qui la première découvrit la présence de sa fille en levant les yeux par hasard. Elle se figea et Frances vit ses lèvres former son prénom.

— Frances!

Charles et John levèrent les yeux à leur tour. John pâlit. Victoria tressaillit. Kate, qui bavardait avec un homme à sa droite, s'interrompit. Et par un extraordinaire effet d'enchaînement, la stupéfaction irritée qui était apparue au centre de la table d'honneur se répandit de place en place pour gagner l'ensemble de la salle. Tous les convives les uns après les autres se turent, puis les musiciens, déconcertés, cessèrent à leur tour de jouer. Un dernier accord de violon, puis un silence impressionnant descendit sur l'assemblée. Tous les yeux étaient fixés sur Frances.

Elle était là, sur le seuil de la salle d'apparat, dans sa robe froissée, les joues rouges d'avoir marché trop vite sous le soleil et lentement, très lentement, comme si elle s'armait en même temps contre la brutalité du choc, elle perçut le sens de ce qu'elle voyait.

Elle avait fait irruption au milieu de la réception donnée en l'honneur du mariage de sa sœur. Sa sœur et John Leigh s'étaient mariés. Avec ses fleurs dans les cheveux, Victoria resplendissait comme une princesse, et avait l'air subjuguée par son bel époux.

Personne ne l'avait mise au courant. Personne n'avait jugé bon de l'informer. Une seconde nausée lui souleva le cœur.

Rentrer sous terre, songea-t-elle, paniquée, courir

à la maison, retourner à Londres, fuir n'importe où, disparaître...

La violence de la scène n'avait pourtant pas anesthésié sa raison et au fond d'elle-même une petite voix lui dit qu'elle le regretterait jusqu'à son dernier souffle si elle tournait maintenant les talons et s'enfuyait. Plus personne n'ignorerait ce qu'elle ressentait. Parmi les invités – dont elle percevait les visages comme derrière un voile de brume – il se trouvait à coup sûr nombre de voisins qui savaient que John Leigh et Frances Gray étaient pour ainsi dire promis l'un à l'autre. Ils devaient tous guetter la réaction de Frances. Elle n'allait pas leur accorder la suprême satisfaction de la voir s'enfuir.

Ses genoux tremblaient, ses oreilles bourdonnaient, mais elle s'avança lentement vers John et Victoria. Elle traversa toute la pièce, sentit avec une acuité exacerbée comment chacun, sur son passage, retenait sa respiration. Elle avait atteint la table d'honneur. Victoria était tétanisée d'effroi et ne savait plus où regarder. Frances se pencha vers elle et l'embrassa sur la joue. Elle sentait le muguet, sa peau était douce et sucrée comme celle d'un bébé.

— Je tenais absolument à féliciter ma petite sœur pour son mariage, déclara Frances d'une voix un peu rauque. Je te souhaite beaucoup de bonheur, Victoria.

— Merci, marmonna Victoria, qui ne parvenait toujours pas à regarder sa sœur dans les yeux.

Suis-je, moi aussi, passée avec cette rapidité de l'état d'enfant à celui de jeune fille ? se demanda Frances, effarée. Cette gracieuse créature n'était plus la Victoria qu'elle avait connue. Tout ce qui chez elle avait été joli avait gagné en intensité. Ses cheveux étaient plus dorés, son regard plus chaud. L'échancrure de son décolleté laissait deviner la naissance de petits seins ronds et fermes. Frances se sentit d'un coup maigre et laide comme un vieux chat efflanqué. Elle n'avait jamais été aussi gracieuse que sa sœur, mais aujourd'hui la différence devait être criante.

John s'était levé. Ses lèvres pâles et glacées effleurèrent le front de Frances. Un baiser chaste et fraternel.

— Frances, articula-t-il au prix d'un réel effort sur lui-même. Quelle surprise !

— N'est-ce pas ? J'ai pris le premier train du matin. J'étais encore à Londres hier soir.

Frances espéra qu'au moins les autres invités ne se rendraient pas compte que la sœur de la mariée avait tout ignoré du mariage. A cette pensée, elle sentit la colère l'envahir.

Ils auraient dû me le dire. C'eût été la moindre des choses, songea-t-elle, en rage.

Charles tendit la main à sa fille aînée en serrant les dents. Maureen la pressa contre elle mais évita son regard. Kate fut la seule à la regarder. Il y avait dans ses yeux quelque chose qu'elle ne parvint pas à déchiffrer. De la pitié ? La pitié était un sentiment que Kate n'éprouvait pour personne, tout au plus éprouvait-elle du mépris, et il n'y avait aucun mépris dans son regard.

Ce que Kate exprimait, c'était de la compréhension pour ce que Frances devait vivre et – Frances le comprit à cet instant – du respect pour le courage et la façon dont elle avait traversé la salle et félicité sa sœur sous les yeux de tous. Kate sourit presque imperceptiblement à sa petite-fille et celle-ci lui rendit son sourire.

La mère de John, la vieille Mme Leigh, qui n'avait jamais aimé Frances, ne put s'empêcher de faire une remarque déplacée. Victoria n'était certes pas une belle-fille à son goût, mais tant qu'à devoir s'accommoder de la progéniture d'une catholique irlandaise, autant que ce soit Victoria.

— La vie joue de ces tours ! dit-elle en tendant la main à Frances. J'ai toujours cru que c'est vous qui un jour emménageriez à Daleview. Mais les choses changent, n'est-ce pas ?

— Mère ! protesta John.

— Qu'y a-t-il ? N'est-ce pas la vérité ? Vous étiez inséparables, autrefois, je me trompe ? Et puis Londres est passé par là. De toute façon, vous avez aujourd'hui d'autres priorités, ai-je compris.

Frances se détourna sans répondre. Elle se demandait combien de temps elle allait encore tenir.

— Où allons-nous vous asseoir ? réfléchissait Mme Leigh à voix haute en regardant autour d'elle.

— Surtout ne changez rien pour moi, intervint Frances en posant une main sur son bras. Je suis déjà très confuse d'arriver comme ça sans prévenir. Je désirais simplement féliciter le jeune couple.

— Mais vous n'allez tout de même pas vous sauver déjà. Vous qui avez failli être ma belle-fille, vous devez honorer cette réception de votre présence !

Cette sorcière avec laquelle elle va devoir vivre est bien la seule chose que je laisse volontiers à Victoria ! songea-t-elle.

Elle ne se sentait pas en état de participer à la fête. Toute la maîtrise dont elle était capable, elle l'avait employée à féliciter Victoria et à supporter ce baiser abominablement froid et distant de John. Elle n'aspirait qu'à une chose : être seule, ne plus voir personne, si possible pour le restant de sa vie.

— Je suis très fatiguée, dit-elle. Je n'ai presque pas dormi de la nuit.

Elle se mit en devoir de traverser la salle dans l'autre sens. Enfin les visages commencèrent à se préciser. La moitié du comté était là. Elle découvrit même le couple qui l'avait déposée au pied de Westhill.

— Si vous nous aviez dit que vous veniez ici, nous vous aurions volontiers emmenée, déclara la femme lorsque Frances passa à sa hauteur.

C'était dit sur un ton de reproche, comme si Frances l'avait personnellement offensée.

Sur le seuil, Frances se retourna une dernière fois. Les conversations avaient repris. Elle vit John dans son uniforme et, à côté de lui, Victoria, petite clochette de muguet, si ravissante, si gracieuse, si merveilleuse.

Une épouse parfaite, songea-t-elle, une épouse parfaite pour le jeune député John Leigh !

Alors une troisième nausée la submergea et elle eut juste le temps de se précipiter dehors et de s'asseoir sur une pierre, tremblante et baignée d'une sueur glacée, puis elle attendit que son cœur cesse de battre la chamade.

La plénitude du soir fit écho à la perfection de la matinée. La nuit ne voulait pas tomber. Le soleil avait depuis longtemps disparu à l'horizon mais il éclairait encore le ciel et festonnait de rouge les derniers petits nuages. C'était le 21 juin, le jour le plus long de l'année, et la nuit la plus courte. Ici, au nord du pays, le soleil se lèverait sans qu'il ait fait sombre de la nuit.

Frances était assise sur le muret de pierre du fond du jardin, à l'endroit où la vue portait loin sur la vallée. Elle serrait ses jambes repliées dans ses bras. Le fond de l'air était frais et l'humidité qui montait de la terre et de l'herbe refroidissait encore l'atmosphère. Quelques grenouilles coassaient quelque part dans la campagne et des brebis en chaleur bêlaient dans la nuit claire. Le jasmin du jardin exhalait une odeur suave beaucoup plus marquée qu'au cours de la journée.

Frances perçut un léger parfum de lavande et, quand elle entendit un pas discret derrière elle, elle n'eut pas besoin de se retourner pour savoir qui approchait.

— Il est très tard, dit Kate, et tu dois être fatiguée. Tu ne veux pas te coucher ?

— Je ne pourrais pas dormir. Je... Je ne...

Elle se tut. Certains mots faisaient trop mal.

Kate comprit.

— Tu penses à John et à Victoria.

Kate s'accouda au muret et regarda la vallée dont la pénombre creusait les reliefs avant de les effacer tandis qu'un souffle de vent agitait mystérieusement les arbres.

— Quelle belle nuit ! dit-elle. Quand les nuits sont si belles, je rêve toujours d'être jeune encore une fois.

— Grand-mère, demanda doucement Frances, pourquoi même toi ne m'as-tu rien dit ?

Kate se tut.

— Je n'en ai pas eu le courage, avoua-t-elle enfin. J'ai eu peur de la peine que cela te ferait. Je me suis dit : une fois qu'ils seront mariés, j'irai à Londres et je parlerai à Frances. Je savais qu'il fallait que quelqu'un te l'apprenne avant que tu revoies l'un ou l'autre.

— Tu serais vraiment venue ?

— Oui, je crois. Bien sûr, maintenant je m'en veux d'avoir repoussé l'échéance. Tu n'aurais pas dû vivre ce que tu as vécu aujourd'hui. Mais ça ne sert à rien de se lamenter. J'ai attendu trop longtemps, et voilà le résultat.

Frances pensa à la lettre qu'elle avait écrite à Phillip parce qu'elle n'avait pas eu le courage de lui dire la vérité en face. Elle ne pouvait pas en vouloir à sa grand-mère. Elle ne s'était pas mieux comportée qu'elle.

— Je ne comprends pas comment John a pu faire ça, dit-elle, effrayée par le pur désespoir que trahissait sa voix. Il m'aime. Il m'a toujours aimée. Il y a encore six mois...

— Tu l'as repoussé plusieurs fois. Un homme comme John ne quémande pas éternellement. J'imagine que son mariage avec la pauvre Vicky est une façon d'essayer de ne plus penser à toi. Tu te doutais bien qu'il n'allait pas se consumer d'amour pour toi sa vie entière, non ? Peut-être y a-t-il aussi un peu de bravade de sa part. Frances ne voulait pas de moi, du moins pas dans l'immédiat, eh bien maintenant elle sait que je n'attendais pas après elle.

— Victoria n'est pas un simple pis-aller. Je l'ai bien compris aujourd'hui. Elle est devenue tellement adulte... Elle très jolie, grand-mère. Bien plus jolie que je ne le serai jamais.

— C'est une poupée. Ravissante et docile. Mais à la longue, peut-être aussi un peu ennuyeuse.

— Je me suis sentie tellement laide, aujourd'hui... Tellement vieille... Et, dans un sens, déjà tellement usée aussi...

Kate rit doucement.

— A dix-huit ans, une jeune fille n'est pas encore usée. Mais c'est vrai que les événements ont laissé quelques traces. Tu n'es plus une petite chose inexpérimentée.

— Pas étonnant, répliqua Frances sur un ton à la fois triste et plein d'amertume. J'ai passé je ne sais combien de temps en prison et, après, des semaines à l'hôpital. Et pendant ce temps-là, Vicky s'occupait d'elle, se poudrait, se pomponnait. Elle est la femme qu'un jeune homme politique ambitieux rêve d'avoir à ses côtés. C'est évident.

— Oh, oh... Ne serais-tu pas en train de t'apitoyer sur ton sort ? Ne fais pas fausse route. Chacun choisit sa vie. Tu savais que tu aurais quelque chose à payer. Nous en avons parlé il y a un an, t'en souviens-tu ? Tu n'ignorais rien des risques que tu prenais.

— Mais je ne pensais pas que...

— Tu ne pensais pas que ce serait aussi dur ? La vie est ainsi faite. Parfois, on a de la chance et on s'en sort bien. Parfois le destin est particulièrement cruel. La meilleure chose que tu puisses faire est de t'adapter, parce qu'il en ira toujours ainsi.

— Ce n'est pas seulement John. Il y a aussi père et mère. Je m'en suis bien rendu compte. Père ne me pardonne pas. Et mère... elle ne me repousse pas, c'est vrai, mais elle me fait bien sentir de quel côté elle est.

— Maureen et Charles forment une seule et même unité. Ils sont inséparables depuis toujours. Cela tient peut-être au fait qu'on leur a mis beaucoup de bâtons dans les roues. Maureen, quoi qu'il arrive, soutiendra toujours Charles. Mais je peux te dire qu'elle souffre terriblement de l'éclatement de la famille. D'abord George, maintenant toi... Ne crois pas que ce soit facile pour elle.

— Tout est arrivé si vite... C'est comme si, soudain, le sol se dérobait sous nos pieds. Avant tout était... parfait. La vie était si facile. Même quand j'enrageais contre mon école... ce n'était vraiment pas bien méchant. Rien ne semblait pouvoir ébranler notre famille. Sans doute avions-nous trop de chance. On dirait aujourd'hui que quelqu'un veut nous montrer que ça peut être différent.

Elle frissonna et serra ses jambes un peu plus fort dans ses bras. La vallée était maintenant plongée dans l'obscurité. Le bruissement des feuilles s'accentuait. Mais, à l'ouest, une grande bande de ciel clair dessinait toujours les contours de l'horizon.

— C'est toujours mon pays, murmura Frances. Il est encore à moi. Ce que j'éprouve pour cet endroit, personne ne peut me le prendre.

La main sèche de Kate se posa sur son bras.

— Tu as raison. Personne ne pourra jamais te le prendre.

Frances tourna son visage vers sa grand-mère et soudain elle donna libre cours à l'émotion qui bouillonnait en elle.

— Grand-mère, je déteste Victoria. Je la déteste et je n'en ai même pas honte !

Frances vit briller le sourire de sa grand-mère dans l'obscurité.

— Tu ne devrais pas la détester, Frances. Elle est à plaindre. Il y a une chose que j'ai perçue, aujourd'hui : John t'aime toujours. Et il n'aime que toi. Ça ne va pas être facile pour Victoria.

Le lendemain matin, un « accueil au champagne » suivi d'un petit-déjeuner avait lieu à Daleview. Maureen prévint Frances qu'elle devait y participer.

— Mais je ne suis pas invitée ! objecta aussitôt la jeune fille.

Maureen insista, précisant que lorsqu'ils avaient pris congé, la veille, Mme Leigh l'avait expressément chargée d'amener Frances le lendemain matin.

— Maintenant que tu as fait une apparition publique, chacun sait que tu es ici, ajouta-t-elle. On ne peut donc que t'inviter. Il paraîtrait anormal que tu ne viennes pas.

— N'empêche que personne n'a trouvé anormal que je ne sois pas invitée au mariage de ma sœur. Ou plutôt : personne n'a trouvé anormal qu'on juge bon de ne pas me tenir au courant.

Maureen la fusilla du regard.

— Tu t'es éloignée de la famille. Et non l'inverse !

— J'ai fait ce que...

— Tu as brisé le cœur de ton père, dit Maureen sans élever la voix mais avec une colère qui fit peur à Frances. Tu savais ce que tu faisais, et tu l'as quand même fait. Ne viens pas maintenant te plaindre de ce dont tu es seule responsable.

Elle quitta la chambre en claquant la porte.

La réception se tenait en petit comité dans la salle à manger, pièce chaleureuse avec ses murs lambrissés et ses nombreux portraits d'ancêtres. Une vingtaine de personnes étaient venues trinquer au bonheur du jeune couple. Quand les Gray arrivèrent, John et Victoria n'étaient pas encore descendus. C'était Mme Leigh qui accueillait les invités. Elle portait une robe gris foncé, éclairée par un col en dentelle blanc, et des bijoux anciens en grenat.

— Où sont donc nos enfants ? s'enquit ingénument Maureen.

Un homme âgé, qui avait déjà fait honneur au champagne, s'exclama :

— Voyons, chère madame, ils ont certainement trouvé une meilleure occupation que de nous tenir compagnie !

Il fit un clin d'œil entendu et Maureen sourit d'un air gêné.

C'est un cauchemar, songea Frances. Un véritable cauchemar !

Enfin John et Victoria apparurent, Victoria charmante et très fraîche dans une robe de mousseline jaune pâle, un double rang de perles – cadeau de mariage de sa belle-mère – au cou. John portait un simple costume sombre et une cravate où alternaient des rayures grises et jaune pâle ; exactement le même jaune que celui de la robe de Victoria. Il n'avait pas l'air aussi heureux que sa femme, mais

Frances, qui l'observait plus attentivement que quiconque, fut sans doute la seule à le remarquer.

Maureen posa son verre, s'avança vers sa fille, la prit dans ses bras et lui murmura quelques mots à l'oreille. Victoria sourit et un rose délicat monta à ses joues.

Frances se détourna. Pour en avoir elle-même fait l'expérience, elle n'avait une idée que trop précise du degré d'intimité qui avait réuni John et Victoria cette nuit-là, et elle était restée éveillée de longues heures à essayer de repousser les images qui envahissaient ses pensées. Elle avait espéré de toutes ses forces qu'au moins ce soit horrible et épouvantablement long pour Victoria, mais ce n'est pas du tout l'impression qu'elle donnait. John était probablement meilleur amant que Phillip. Probablement...

Arrête donc de penser à ça, Frances, arrête tout de suite !

Elle avait déjà bu une coupe de champagne quand un serviteur passa entre les invités avec un plateau chargé de coupes pleines et elle en prit une seconde. Elle savait que ce n'était pas raisonnable, d'autant qu'elle n'avait rien mangé depuis l'avant-veille, mais pour le moment l'alcool apaisait son désarroi et l'aidait à surmonter sa nervosité. Lorsque John s'approcha pour la saluer, elle avait déjà presque vidé sa seconde coupe et se sentait capable de le regarder dans les yeux.

Ce matin-là, il ne l'embrassa pas chastement sur le front mais lui fit un baisemain. Il paraissait plus à l'aise que la veille ; il avait eu le temps de se composer une attitude.

— J'ai appris que tu avais été très malade, dit-il. Je suis heureux de voir que tu vas mieux. Tu as l'air très en forme.

C'était plus poli que sincère. Frances savait

qu'après la nuit qu'elle venait de passer, elle n'avait pas « l'air très en forme ». Au réveil, son miroir lui avait renvoyé l'image d'une jeune fille effroyablement pâle, aux traits tirés et aux yeux cernés de mauve.

— J'ai appris que tu avais gagné les élections, répliqua-t-elle. Je te félicite. Ça n'a certainement pas été facile.

— A la vérité, je ne pensais pas moi-même avoir une chance de l'emporter dès cette session, d'ailleurs je n'ai gagné que d'une courte tête. Je n'en suis pas moins très heureux d'avoir franchi l'obstacle.

— Tu devras être souvent à Londres ?

— Nous partons dès aujourd'hui. Les cérémonies du couronnement commencent après-demain. En tant que député, je dois y participer. Elles dureront une semaine. Ce sera sans doute assez fatigant.

— Ah oui, le couronnement...

Elle avait complètement oublié qu'il y avait des semaines que Londres se préparait à couronner le roi Georges V en grande pompe. C'était le genre d'actualité qui depuis plusieurs mois ne l'intéressait plus guère. Mais soudain elle se souvint du jour, voilà plus d'un an maintenant, où le roi Edouard VII était mort. Demain, son fils serait couronné. Entre-temps, toute sa vie avait basculé. Elle avait perdu des gens qu'elle aimait, et elle avait perdu quelque chose d'elle-même. Et soudain, la violence de ses sentiments blessés disparut, comme si une vague l'avait balayée et elle ne sentit plus en elle qu'une tristesse silencieuse et indéfinie.

Elle ouvrit la bouche pour lui demander pourquoi il avait fait cela, pourquoi il avait épousé Victoria, mais il lui lança un tel regard qu'elle comprit qu'il avait deviné ce qu'elle s'apprêtait à dire et la conjurait de n'en rien faire.

— Eh bien, peut-être nous rencontrerons-nous à

Londres un jour, dit-elle. Encore que je ne sache pas très bien où je vais habiter.

— Je te souhaite d'être heureuse, dit encore John à mi-voix avant que Victoria arrive et le prenne par le bras.

Victoria eut un sourire incertain à l'adresse de sa sœur.

— Nous devrions passer à table, dit-elle, les invités doivent avoir faim maintenant. Ta mère pense que je devrais...

Elle s'interrompit, apparemment sans raison.

— ... qu'en tant que maîtresse de maison, tu devrais inviter nos hôtes à prendre place. Et tu feras cela de façon tout à fait charmante.

Il y avait une réelle tendresse dans sa voix.

Ce n'est pas vrai, ce que dit grand-mère, songea Frances. Il l'aime. Et comment pourrait-il en être autrement ? Elle est fraîche, ravissante, et elle le porte aux nues. Elle a tout ce que je n'ai pas.

— Tu nous excuses ? fit poliment John.

— Je vous en prie, répondit-elle tout aussi poliment.

Enfin le petit-déjeuner s'acheva. Le temps, chaud et ensoleillé comme la veille, incita les invités à faire quelques pas dans le parc en petits groupes où à s'asseoir à l'ombre des frondaisons pour échanger quelques banalités. John et Victoria montèrent se préparer. La voiture qui devait les conduire à la gare de Northallerton les attendait déjà devant le perron. Dans une demi-heure, ils seraient partis.

Frances se réfugia dans la bibliothèque. Avec ses vitrages en cul-de-bouteille cernés de plomb qui ne laissaient filtrer qu'une lumière parcimonieuse, l'endroit était sombre et frais. Outre les rayonnages qui occupaient tous les murs jusqu'au plafond, la pièce ne contenait que deux fauteuils et une table. Une sorte d'odeur surannée flottait dans l'air.

Je vais rester quelque temps ici puis m'en aller, se dit Frances. Elle avait bu quantité de café noir pour masquer le fait qu'elle ne mangeait rien, mais l'effet du champagne ne s'en était pas trouvé amélioré. Elle avait la tête qui tournait et son estomac menaçait de se rebeller. Toutefois, peu à peu, le calme, la pénombre, la fraîcheur, l'odeur de poussière et de cuir eurent un effet apaisant et elle retrouva un peu de sa sérénité.

Elle se souvint qu'un jour, voilà très longtemps, elle était encore une petite fille, elle avait joué à cache-cache avec John et s'était glissée dans une niche ménagée entre les rayonnages. La niche existait toujours, mais il semblait inconcevable qu'elle ait pu un jour y entrer tout entière.

John avait fini par la trouver. Il l'avait aidée à sortir de sa cachette puis ils s'étaient tenus l'un en face de l'autre. John l'avait regardée :

— Tiens, il y a une toile d'araignée dans tes cheveux !

Il avait paru essoufflé. Il s'était penché, avait déposé un baiser à la naissance de ses cheveux puis il avait ri.

— Et voilà ! Elle est partie !

Frances avait trouvé cela très romantique et longtemps elle avait souhaité avoir à nouveau une toile d'araignée dans les cheveux, mais cela ne s'était jamais reproduit.

C'est étrange que rien n'ait changé dans cette pièce, songeait Frances. Comme si le temps s'était arrêté. La porte pourrait s'ouvrir et John...

La porte s'ouvrit. Ce fut Victoria qui entra.

Elle avait changé sa robe jaune du petit-déjeuner contre un costume de voyage gris qui la vieillissait de

261

quelques années. Une rose de couleur rose était piquée au revers de sa jaquette ; les mêmes roses fleurissaient le canotier laqué gris qu'elle tenait à la main. Elle était aussi parfaite que deux heures auparavant. Impeccable et parfaite. Elle avait été l'épouse du jeune député qui reçoit au petit-déjeuner, elle était maintenant l'épouse du jeune député en voyage. Personne n'aurait fait mieux.

— Une des petites bonnes a dit qu'elle t'avait vue entrer dans la bibliothèque. Que fais-tu toute seule ici ?

— J'ai eu envie d'être un peu au calme. Je sais, je n'aurais pas dû...

— Mais non, bien sûr que non, répliqua promptement Victoria.

Elle observa sa sœur, l'air soucieuse.

— Tu es très pâle, Frances.

— C'est la lumière qui donne cette impression.

— Oui, peut-être...

Victoria paraissait indécise et mal assurée.

— Tu as eu beaucoup de soucis, finit-elle par dire. Mère nous a raconté que... qu'en prison, on t'avait nourrie de force. Il paraît que c'est très pénible.

— Ce n'est pas particulièrement agréable. Mais tu n'as aucune raison d'avoir pitié de moi. J'ai toujours su ce que je faisais.

— Oui... naturellement...

— Tu es sans doute pressée. Ton mari doit déjà être en train de t'attendre.

— Il cherche sa mère pour lui dire au revoir. Frances...

Victoria semblait avoir du mal à trouver les mots adéquats.

— Frances... Je suis désolée de ce qui est arrivé.

— Tu es désolée d'avoir épousé John ? Déjà ?

— Non, ce n'est pas ce que je veux dire. Je veux

262

dire... tu sais bien ce que je veux dire. Je... t'ai fait du mal. Je ne voulais pas te faire de mal. Ça s'est fait... John et moi... C'est arrivé comme ça.

— Il n'y a rien dont tu doives t'excuser, Victoria.

— Vraiment ? dit-elle d'un ton plein d'espoir. Tu en es sûre ?

— Tout à fait sûre.

Frances pria pour que Victoria ne perçoive pas l'aversion que lui inspiraient son délicieux visage et ses merveilleux cheveux dorés. Sa sœur ne devait jamais connaître l'immensité de sa souffrance et de son désespoir. Jamais.

— Ne t'inquiète surtout pas. Je suis seulement un peu vexée de ne pas avoir été invitée. C'est tout.

Victoria parut soulagée.

— Cela me fait vraiment plaisir. Tu sais, je croyais que... toi et John.

— Mon Dieu ! Mais c'est si vieux, cette histoire ! Nous étions des enfants !

— Dieu soit loué ! Alors il n'y a aucun problème entre nous ? Tu sais, je voulais t'inviter à mon mariage, naturellement, et George aussi, mais père... enfin, tu sais bien... il ne voulait pas !

Et, bien sûr, tu vas, ta vie entière, te conformer à ce que les autres veulent ou ne veulent pas, songea Frances avec mépris.

Elle sourit et déclara :

— Je sais. Allez, Victoria, mets ton joli chapeau et va vite retrouver ton mari. Vous ne voulez tout de même pas manquer votre train !

Vive comme l'éclair, Victoria piqua un rapide baiser sur la joue de sa sœur et quitta la pièce dans un tourbillon. La porte de la bibliothèque se referma bruyamment derrière elle.

Frances se retrouva seule. Elle avait les joues en feu. Ce fut seulement à cet instant qu'elle perçut le parfum de muguet qui emplissait la pièce. Petites clochettes de mai. Ravissantes et innocentes. Blanches, gracieuses, adorables et séduisantes petites clochettes parfumées.

Frances eut l'impression que ce parfum représentait tout ce qu'elle n'avait pas. Et n'aurait jamais.

En rentrant à Westhill, ils croisèrent l'employé du télégraphe. Il était chargé d'un message pour Frances, en provenance de Londres. Un message de Margaret.

En quelques mots brefs, elle informait sa nièce qu'à la lecture de la lettre qu'elle lui avait adressée, Phillip Middleton s'était effondré. Il avait le soir même tenté de mettre fin à ses jours. Cette fois, il avait réussi.

Il avait avalé une forte dose de barbituriques. Il était mort avant d'arriver à l'hôpital.

Jeudi 26 décembre 1996-vendredi 27 décembre 1996

— Oh, non ! s'exclama Barbara à mi-voix.

Elle repoussa la pile de feuillets, comme pour prendre ses distances par rapport au manuscrit. Ses yeux étaient secs et irrités à force de lire. Ce fut seulement à cet instant qu'elle se rendit compte que la cuisinière s'était éteinte et qu'une fraîcheur humide s'était installée dans la cuisine. Il restait un peu de tisane dans sa tasse. Elle y trempa ses lèvres et ne put réprimer une grimace. Le breuvage était froid et amer.

— Tu as décidé de passer toutes tes journées et toutes tes nuits à lire ce manuscrit ? lança Ralph depuis la porte.

Il revenait de l'appentis, une pile de bûches dans les bras, environné d'air froid. Il traversa la cuisine en maculant le sol de neige mouillée et empila les bûches dans la corbeille qui se trouvait à côté de la cuisinière.

— Au fait, je ne t'ai pas entendue m'appeler ?

— Moi ? Non. J'ai seulement dit « Oh, non » parce que je venais de lire quelque chose de terrible.

Barbara se leva et fit quelques mouvements pour se détendre.

— Un ami de Frances Gray s'est suicidé. Parce qu'elle ne l'aimait pas. Il avait à peine plus de vingt ans, tu imagines ?

— Tu ne devrais pas te laisser impressionner comme ça... C'est vieux, toutes ces histoires. Et dans ce genre de vieilles maisons, les histoires qui finissent tragiquement, ce n'est pas ce qui manque.

— Cela ne me semble pas si loin. Cette Frances... est extrêmement vivante. Sais-tu ce qui me touche le plus, chez elle ? La façon dont elle décrit le Yorkshire, sa maison, la campagne... Elle se désole parce qu'elle se croit incapable de passion, et pourtant, ce qu'elle éprouve pour Westhill, c'est de la passion. Elle aimait tellement cet endroit ! Et tu vois, à force de lire ce qu'elle en écrit, je crois que moi aussi je commence à l'aimer.

— Eh bien, je ne suis pas encore en train de prétendre la même chose !

Ralph se redressa. La barbe naissante qui ombrait ses joues s'était transformée en un duvet sombre et dense. Il avait l'air épuisé.

— Je ne rêve que de pouvoir m'en aller. Pouvoir à nouveau écouter de la musique, regarder la télévision, prendre une douche chaude le matin. Je voudrais manger ce dont j'ai envie et autant que j'en ai envie. Tu sais de quoi je rêve en permanence ? De dinde rôtie. Avec des marrons et du chou rouge. Et de petits biscuits au gingembre, et de punch et de...

— Et de tisane pour digérer, ajouta Barbara.

Elle souleva son pull-over et joua avec la ceinture de son jean, qui flottait autour de sa taille.

— J'ai une de ces faims, moi aussi, mais regarde un peu comme c'est efficace !

C'était en effet un excellent moyen de perdre du poids et sentir ses vêtements devenir trop grands avait toujours quelque chose d'euphorisant pour Barbara.

— Je veux bien essayer de voir les choses comme ça, concéda Ralph en s'épongeant le front. En tout cas, pour demain, nous avons assez de bois.

Barbara se rendit compte qu'il avait dû passer toute la journée à fendre du bois.

— Mais il est quelle heure, au juste ? demanda-t-elle.

Ralph regarda sa montre.

— Presque minuit. Plus précisément, minuit moins le quart.

— Et tu travailles encore ?

Il haussa les épaules.

— Ce que je fais maintenant, je n'aurai pas à le faire demain matin. De toute façon, sans bois, nous n'aurions même pas pu nous faire un café.

Elle regarda ses mains. Les ampoules s'étaient rouvertes, elles saignaient.

— Demain, c'est moi qui essaye. Il faut absolument que tes ampoules cicatrisent.

— Il n'en est pas question. Je commence tout juste à me débrouiller, ce n'est pas le moment d'arrêter. D'ici que la neige fonde, je serai au point pour changer de boulot. Il faut seulement que je déniche une autre paire de gants quelque part. Les miens sont complètement fichus.

Elle sourit.

— Si tu voyais ta tête ! Un vrai trappeur !

Il lui rendit son sourire.

— Et toi, à quoi crois-tu que tu ressembles ?

Il s'approcha et effleura délicatement son menton tuméfié.

— Question couleurs, il n'y a rien à dire. C'est très réussi. Et original.

Barbara eut un léger mouvement de recul.

— Excuse-moi, c'est toujours assez douloureux. Tout bien considéré, ajouta-t-elle, ce n'est peut-être pas une mauvaise chose que personne ne me voie dans cet état.

— C'est vrai que moi, je ne compte pas, dit Ralph, déjà en train de rire, mais son rire avait quelque chose de forcé.

Ils étaient très près l'un de l'autre. Il y eut soudain entre eux une tension qui fit perdre sa belle assurance à Barbara ; pourtant, depuis longtemps, peu de choses la déstabilisaient.

On finit par perdre un peu la boule, à rester comme ça enfermé avec quelqu'un dans une maison, songeat-elle en reculant d'un pas.

— Neige-t-il encore ? demanda-t-elle pour en revenir à des considérations plus concrètes.

Ralph secoua la tête.

— Non, plus depuis plusieurs heures. Je n'en jurerais pas, mais j'ai l'impression que le pire est derrière nous.

— S'il a arrêté de neiger, crois-tu qu'on va bientôt pouvoir réparer ? L'électricité et tout le reste ?

— En tout cas, ils vont certainement commencer. Sauf que... ce n'est pas pour autant que nous pourrons partir d'ici. Il va falloir que tu me supportes encore un bout de temps.

— Pourquoi dis-tu ça ? Ce n'est pas d'être avec toi qui me pèse. Je... je n'ai aucun mal à te supporter. Il n'y a aucun problème.

— Je croyais avoir compris que nous n'avions que des problèmes. Et que c'est pour cette raison que nous étions ici.

— Oui, c'est vrai, mais franchement, ça ne paraît plus aussi urgent. Ça tient sans doute à cette fichue neige. Ce serait un peu bizarre de discuter de nos difficultés relationnelles quand le chauffage et la nourriture occupent l'essentiel de nos pensées, tu ne crois pas ?

— Ce sont des problèmes plus urgents, tu as raison.

Barbara recula encore imperceptiblement de quelques centimètres.

— Tout finira par s'arranger, dit-elle sur un ton évasif.

— En tout cas, rien ne s'arrangera tout seul. Nous n'allons pas rester éternellement dans cette maison. Nous allons rentrer chez nous, retrouver notre vie. Il faudra bien que nous prenions une décision. J'ai presque quarante ans.

Il eut un sourire triste

— Dans même pas dix minutes, j'aurai quarante ans. Et à quarante ans, on cesse de croire que les choses vont s'arranger toutes seules. Quand il n'y a aucune amélioration à l'horizon, on s'en rend compte, et on comprend que, tandis qu'on attend comme un idiot qu'un miracle se produise, le temps vous file entre les doigts.

— Notre vie n'est tout de même pas abominable.

— Elle te convient peut-être. Moi, pas. Vivre avec une femme que je ne vois au maximum que deux fois par jour, et entre deux portes, ne me rend pas heureux. Je rêve d'une véritable vie de famille. D'enfants. Et je ne veux pas être père à l'âge d'être grand-père. J'ai l'impression que... que si je ne pense pas à moi aujourd'hui, après il sera trop tard.

Barbara eut la sensation que quelque chose de froid et de noir s'insinuait entre eux. Elle frissonna.

— Tu te séparerais de moi ? demanda-t-elle doucement.

Il leva les mains dans un geste d'impuissance et les laissa retomber.

— Je ne suis pas heureux, Barbara, c'est tout.

— Mais...

— Il n'y a pas de mais. N'essaye pas d'embellir l'histoire. Regarde les choses en face. Tu évites mon contact. Tu maintiens une distance physique entre nous qui me glace. Il y a plus d'un an que tu n'as pas couché avec moi. Ça ne te vient pas à l'esprit que je puisse me sentir frustré, malheureux, et tout simplement vexé ?

Bien sûr que cela lui était venu à l'esprit. Qu'est-ce qu'il se figurait ? Qu'elle n'avait pas de sentiments ? Elle se doutait de ce qu'il éprouvait, mais elle n'était pas certaine de pouvoir y changer quelque chose.

Ils se turent un long moment, chacun évitant de regarder l'autre. Ils savaient tous deux qu'ils ne pourraient pas continuer encore longtemps à refuser de prendre une décision ; aucun mot n'aurait pu atténuer la cruauté de cette évidence. Le carillon de l'horloge du salon les fit sursauter.

— Minuit, dit Barbara.

Elle attendit la fin du douzième coup. Elle ne pouvait pas rester plantée au milieu de la cuisine. C'était maintenant le 27 décembre, l'anniversaire de Ralph.

Elle s'approcha de lui et glissa les bras autour de son cou.

— Bon anniversaire, Ralph, dit-elle doucement, tout près de son oreille. Très sincèrement : bon anniversaire.

Les mains de Ralph, d'abord hésitantes, puis de plus en plus assurées, se posèrent sur ses hanches. Il l'attira plus près, ses lèvres cherchèrent les siennes. Aussitôt Barbara enfouit son visage dans le creux de son épaule pour éviter sa bouche.

— Reste près de moi, cette nuit, murmura-t-il dans ses cheveux. Barbara... je t'en prie.

Le contact du corps de Ralph lui était familier, et en même temps c'était comme s'il appartenait à un autre temps. C'était si loin... Elle sentit son propre corps réagir sans qu'elle le veuille. Aussitôt sa raison se mit en marche pour reprendre le dessus. Elle éprouverait peut-être du plaisir à coucher avec lui, mais cela impliquait une foule de choses dont il valait mieux discuter avant.

— Ce n'est pas possible, murmura-t-elle. Je ne peux pas.

En guise de réponse, il la serra plus fort. Ses mains glissèrent le long de son corps. Sa respiration s'accéléra. Quand elle sentit à quel point il la désirait et l'insistance avec laquelle soudain il l'étreignait, elle se libéra d'un mouvement brusque et recula d'un pas.

— Laisse-moi ! s'écria-t-elle, soudain prise de panique à l'idée qu'il puisse perdre le contrôle de la situation.

Dans ses yeux, sur son visage, elle lut combien il la désirait, puis la stupéfaction et la colère balayèrent d'un coup toute autre émotion.

— Bon Dieu, mais qu'est-ce que tu as ? s'exclamat-il, furieux. On croirait que j'essayais de te violer !

— Nous devrions d'abord...

Ralph ne la laissa pas en dire plus.

— Ne recommence pas avec ça, tu veux ! Si tu penses que nous devrions d'abord discuter de notre couple et si tu as l'intention de m'imposer d'abord je ne sais quel débat de fond ou de me lancer d'abord quelques-unes de tes bonnes idées féministes à la figure, sache que je n'ai pas la moindre intention de t'écouter ! J'avais envie de faire l'amour avec toi, un point c'est tout. Pour le reste, je suis trop fatigué et trop énervé !

— Mais c'est toi qui as commencé à parler de notre couple et de notre avenir !

— Exact. Mais ça ne veut pas dire que je voulais en discuter toute la nuit. Il y a d'autres façons de montrer à quelqu'un si on tient à lui ou pas. Cela dit, je dois reconnaître que, pour le coup, tu as été remarquablement explicite. Je sais maintenant à quoi m'en tenir.

— Sais-tu ce qui est agaçant ? C'est le fait que l'on constate chaque jour un peu plus que les clichés les plus éculés ont un sacré fond de vérité. J'ai toujours refusé de croire que la plupart des hommes pensaient effectivement que la meilleure façon de résoudre un problème avec une femme était de coucher avec elle. Je dois dire que, grâce à toi, j'ai du mal à conserver cette opinion relativement bonne des hommes !

— Je ne pense pas que coucher avec quelqu'un soit une façon de résoudre un problème ! répliqua Ralph, furieux qu'elle ait réussi à le pousser dans ses retranchements. Je pensais simplement que ça ne peut que faire du bien à un couple d'avoir un contact physique au moins une fois par an. Et il faut tout de suite que tu transformes ça en sexisme, en oppression de la femme, en expression de l'obscène domination masculine !

— C'est surprenant, le nombre de bêtises qu'un homme intelligent est capable de dire quand une femme refuse ses avances, constata sobrement Barbara. Vous vous conduisez exactement comme des mômes qui trépignent quand on ne cède pas à leurs caprices.

Elle vit Ralph changer de couleur.

— Je crois qu'il vaut mieux que je m'en aille avant de dire ou de faire quelque chose que je risquerais de regretter. Bonne nuit !

Il franchit en trois enjambées les quelques mètres qui le séparaient du couloir et claqua la porte derrière lui.

— Je suis en train de te parler ! Tu es quand même gonflé de t'en aller ! lui cria Barbara, mais déja elle entendait ses pas dans l'escalier ; puis ce fut la porte de sa chambre qu'elle entendit claquer, comme celle de la cuisine.

— Nous pourrions aller à Londres pour faire un peu de lèche-vitrine ? proposa Laura après avoir un bon moment observé le ciel par la fenêtre de la cuisine. Le beau temps a l'air de tenir.

— Le beau temps ! grommela Marjorie. Moi, je trouve qu'il a l'air de faire drôlement froid.

— Mais il fait sec.

La pluie qui tombait sans discontinuer depuis des jours avait cessé au cours de la nuit. Quelques nuages blancs couraient dans le ciel clair, balayés par des rafales de vent froid. Des milliers de flaques brillaient sur les trottoirs.

— En se couvrant bien... suggéra Laura, tout en étant déjà prête à renoncer.

Rien qu'à voir la mine renfrognée de sa sœur qui prenait son petit-déjeuner en face d'elle, elle avait compris qu'elle ne réussirait pas à la convaincre.

— Qu'est-ce qu'on irait faire à Londres, je te demande un peu ? dit Marjorie. Du lèche-vitrine ! Je n'ai pas d'argent à gaspiller, et toi non plus. Alors, pas la peine de se fatiguer.

Laura soupira. Elle mit de l'eau à chauffer dans la bouilloire et versa deux cuillerées de thé dans la boule à infuser. Si elles ne bougeaient pas, elle pouvait continuer à boire autant de thé qu'elle en avait envie ; qu'elle ait constamment envie d'aller aux toilettes ne poserait aucun problème pratique.

— J'ai du mal à te comprendre, Marjorie, dit-elle. Tu n'arrêtes pas de dire que je dois m'encroûter, là-haut, dans le Yorkshire, mais quand je suis ici et que je te propose d'aller à Londres, tu refuses. Tu ne fais rien et tu n'as jamais envie de rien. Je trouve que tu t'encroûtes bien plus que moi. Même s'ils habitent tous plutôt loin, j'ai au moins de temps en temps des contacts avec mes voisins, et aussi avec les gens de Leigh's Dale. Tandis que toi...

— Je n'ai jamais dit que tu ne fréquentais pas assez tes voisins. Pour ce que les gens sont intéressants, on les voit toujours trop.

Laura se dit qu'il fallait être joliment solide pour résister au pessimisme de sa sœur.

— Je ne pourrais pas vivre dans cette horrible maison, poursuivit Marjorie. Je n'oublierai jamais à quel point c'était abominable. Je m'y sentirais oppressée.

Eh bien, on ne peut pas dire que tu aies l'air de te sentir particulièrement bien ici non plus, constata Laura par-devers elle.

— C'est toute la différence entre toi et moi, répondit elle à haute voix. Je n'ai jamais pensé que la vie était abominable à Westhill. J'avais le sentiment d'avoir trouvé un foyer. Je n'ai jamais compris pourquoi tu n'aimais pas cette maison.

— Mais parce que la vie y était abominable ! s'entêta Marjorie. Toutes ces bonnes femmes ! Ces deux sœurs pleines de haine...

— Elles n'étaient pas pleines de haine. Elles ne s'entendaient pas très bien, mais ça, c'était la faute de Victoria. Frances...

— Oh, je sais ce que tu vas dire ! Frances, la sainte. N'empêche que, quoi que tu en dises, elle détestait sa sœur. Et tout ça parce qu'elle lui avait pris l'homme qu'elle voulait. La belle affaire ! La meilleure avait gagné, c'est le jeu.

— Frances a beaucoup fait pour sa sœur. Elle ne l'a jamais laissée tomber. C'est Frances qui s'est occupée de la maison et des terres dont elles avaient hérité. Victoria aurait tout laissé aller à vau-l'eau.

Marjorie eut un sourire méchant.

— Dieu sait si Frances ne t'a pas toujours bien traitée, mais tu n'as pas l'air de t'en souvenir, et dans le doute tu prends toujours son parti. Surtout quand il s'agit de taper sur Victoria. Tu sais ce que je crois ? Tu la détestes, Victoria. Aujourd'hui encore. Si je me souviens bien, vous aviez des vues sur le même homme, à la fin de la guerre, et...

Laura pâlit.

— C'est du passé, tout ça !

La bouilloire siffla. Elle l'empoigna d'un geste brusque et versa l'eau sur la passoire un peu trop précipitamment. Quelques gouttes d'eau bouillante éclaboussèrent sa main mais elle s'interdit la moindre réaction. Il ne fallait pas que Marjorie remarque combien elle était émue.

— Je ne t'ai pas raconté tout ça afin que tu t'en serves pour me le reprocher ! se plaignit-elle.

Marjorie bâilla.

— Eh bien, en tout cas, le jour où je suis partie, j'étais drôlement contente. J'avais tellement envie d'être à la maison ! Je n'en pouvais plus de cet endroit.

— C'était pourtant mieux que d'être ici sous les bombes.

— Parle pour toi. Moi, les bombes, je m'en serais toujours mieux arrangée que la vie là-haut.

Laura agita la boule à thé dans la théière.

— Ecoute, Marjorie, j'aimerais bien essayer encore une fois d'appeler Westhill. Les lignes sont peut-être réparées, maintenant.

— C'est indispensable ? Tu sais combien coûtent ces appels longue distance ! bougonna Marjorie.

— Mais je te les paye, non ? De toute façon, il y a peu de chances pour que ça marche.

Laura était déjà dans le couloir où l'appareil était posé sur une console de faux style ancien. Elle décrocha et composa le numéro en serrant le combiné comme si elle voulait l'écraser. Elle essaya de se détendre et attendit.

Un déclic puis le signal occupé retentit, comme depuis deux jours. Si les journaux et la radio n'avaient répété à l'envi que le Nord était partiellement privé de téléphone, elle aurait paniqué. La persistance du signal occupé l'aurait convaincue qu'une catastrophe était survenue. Là, elle avait des raisons objectives de ne pas s'inquiéter. Elle se résigna à raccrocher. Elle n'était qu'à moitié rassurée.

— Je ne comprendrai jamais comment une vieille maison peut à ce point faire perdre le sens commun, déclara Marjorie quand Laura réapparut. De quoi as-tu peur ? Que tes locataires partent avec ta maison sur leur dos, ou quoi ?

— Je pourrais la perdre, répliqua Laura doucement.

Elle goûta son thé et eut un mouvement de recul, elle ne s'attendait pas à ce qu'il soit si chaud.

— Et c'est tout ce que je possède, ajouta-t-elle.

— Encore ces problèmes d'argent ? Franchement, je ne comprends pas comment tu te débrouilles pour ne pas y arriver. Je ne peux pas continuer à te...

— Je sais, l'interrompit Laura.

Elle se rassit à sa place, posa ses coudes sur la table et se prit la tête entre les mains.

Barbara avait émergé d'un sommeil lourd et dénué de rêves aux premières heures du matin. Elle s'était levée et avait gagné la fenêtre. Dehors, le paysage baignait encore dans l'obscurité mais la tempête avait cessé. La nuit était claire, silencieuse et immobile, le ciel plein d'étoiles. Il semblait geler à pierre fendre. Quand le soleil se lèverait sur la neige, les collines et les vallons immaculés étincelleraient.

Dans la chambre glaciale, Barbara grelottait, mais elle resta de longues minutes à observer l'obscurité.

L'incident de la veille au soir, dans la cuisine, lorsque Ralph l'avait enlacée, était encore douloureusement présent à son esprit. Sur le moment, elle n'avait pas compris pourquoi elle avait éprouvé un tel sentiment de panique, mais là, dans la transparence immobile de ce matin d'hiver, elle songea que c'était l'intensité des sentiments de Ralph qui l'avait effrayée, le fait de se rendre compte qu'il ne l'aimait pas moins qu'au premier jour et que d'elle seule dépendait leur avenir.

— Si seulement je savais ce que je veux vraiment... murmura-t-elle.

Le froid devint insupportable. Il fallait soit qu'elle se recouche, soit qu'elle s'habille. Elle pensa au manuscrit de Frances Gray, resté sur la table de la cuisine, et décida de descendre.

Le même froid glacial régnait dans la cuisine. En dépit d'un gros pull-over à col roulé, d'un collant de laine sous son jean et de deux paires de chaussettes, Barbara n'arrivait pas à se réchauffer. Les doigts gourds, elle enfourna des bûches dans la cuisinière, glissa ce qui restait de papier, froissé en boules, entre les bûches et gratta une allumette. Les parois d'acier de l'antique cuisinière seraient bientôt agréablement chaudes et elle pourrait s'y adosser pour se réchauffer.

Elle parcourut quelques feuillets en attendant que l'eau du café frémisse dans la bouilloire. Comment Frances avait-elle ressenti le suicide de Phillip ? Barbara ne trouva nul passage où Frances s'épanchait, mais à travers les quelques phrases succinctes qu'elle put découvrir, elle devina qu'elle en avait été profondément affectée.

« Frances ne parvint jamais à s'en remettre », écrivait-elle à un endroit, puis elle changeait de sujet. A quoi bon s'étendre, en effet ? Tout n'était-il pas dit, tout n'était-il pas expliqué dans ces quelques mots ? Jamais elle ne décrirait les longues nuits blanches passées à tourner et retourner sa culpabilité dans sa tête.

Frances était retournée vivre à Londres. A Westhill,

elle était trop malheureuse. Tout lui rappelait John. A cela s'ajoutait l'attitude glaçante de son père, qui s'en tenait à sa promesse de ne jamais lui pardonner. Il ne lui avait pas fermé sa porte, elle était sa fille et le resterait, et sa maison resterait aussi la sienne, mais il était froid, distant, et affectait une réserve polie qui la blessait. Elle en vint un jour à faire ses bagages et à reprendre le train pour Londres.

Barbara feuilleta les pages suivantes. Il faisait toujours trop froid dans la cuisine pour qu'elle puisse s'asseoir et lire tranquillement. Alors elle lut en diagonale tout en marchant de long en large pour ne pas se transformer en glaçon.

Après s'être enfuie comme une voleuse de chez Margaret, Frances ne pouvait plus habiter chez elle. Elle emménagea dans le petit appartement d'Alice à Stepney, dans l'East End. Le quartier était pauvre et dénué de charme ; le logement d'Alice se révélait trop petit pour les deux amies puisque ni l'une ni l'autre ne pouvait y jouir d'une réelle intimité. Il se composait d'une minuscule cuisine orientée plein nord qui donnait sur de misérables arrière-cours et était toujours froide et humide, puis d'une salle de séjour et d'une chambre, toutes deux également petites et séparées par un simple rideau. Alice dormait dans la chambre, Frances sur un canapé dans la salle de séjour. Elles devaient se laver à l'évier de la cuisine. L'unique robinet rouillé ne dispensait qu'un mince filet d'eau, froide bien évidemment. La maison disposait d'un water-closet, un seul pour tous les locataires et situé à l'étage, mais c'était mieux que rien. Il était presque toujours occupé.

Et puis il y avait le gardien. C'était un homme effacé et d'une timidité telle qu'on en finissait par se sentir aussi gêné et embarrassé que lui. D'après ce qu'il avait un jour raconté à Alice, par bribes difficilement compréhensibles et en reculant devant chaque mot, il avait eu une enfance très triste. Sa mère, du moins le prétendait-il, était morte dans un asile d'aliénés, où elle aurait été internée après avoir plusieurs fois tenté de tuer son petit garçon de façons diverses. Il avait un grain, c'était indiscutable, mais il était aimable, serviable, et s'acquittait d'un travail – pour lequel il était au demeurant surqualifié – avec rigueur et ponctualité. Il s'était amouraché d'Alice. Il n'y avait pas un matin ou un soir où il ne la guettait dans l'escalier, pour ensuite passer par toutes les couleurs de l'arc-en-ciel quand il l'apercevait, incapable de proférer le moindre son.

Quand George était là, les choses se compliquaient. Lorsqu'il avait quartier libre et pouvait passer la nuit à Stepney, il lui arrivait de surgir, parfois tard le soir. Son frère était le seul lien familial qui lui restât et Frances se réjouissait toujours de le voir, mais, dans le minuscule appartement, elle avait surtout le sentiment de déranger le jeune couple et se sentait mal à l'aise. Elle se bouchait les oreilles, mettait la tête sous son oreiller, mais elle avait beaucoup de mal à s'endormir et à ne pas entendre George et Alice de l'autre côté du rideau. Elle se rendait compte qu'ils essayaient de faire le moins de bruit possible et se disait que, dans ces conditions, leur plaisir ne devait pas être bien extraordinaire.

Elle fut témoin malgré elle d'innombrables disputes, très vives mais menées à mi-voix, qui avaient toujours le mariage pour thème et ne se terminaient jamais sur un accord. George, qui en réalité était conservateur, détestait cette « liaison d'escalier de service » – c'étaient les termes qu'il avait employés un jour où il était en colère – et il n'avait pas de souhait plus cher que de légaliser son union avec Alice. Mais celle-ci restait inflexible.

— Je ne suis pas faite pour ça, répétait-elle.

George avait beau lui expliquer qu'il n'avait pas l'intention de la transformer en épouse soumise, elle n'en démordait pas.

— Tu réagis comme si la vie à mes côtés allait être horrible ou comme si je te réservais je ne sais quel sort abominable ! s'emporta-t-il une nuit où il avait dû oublier la présence de Frances. Tu me connais tout de même assez pour savoir que jamais je...

— Cela n'a rien à voir avec toi, l'interrompit Alice. Je suis simplement contre le mariage en tant qu'institution. Et ne parle pas si fort, Frances dort !

George était parfois si énervé qu'il partait au milieu de la nuit et jurait de ne plus remettre les pieds dans l'appartement. Mais il revenait toujours, il ne pouvait pas se passer d'Alice. Frances était blessée de voir son frère toujours supplier Alice et souffrir d'être sans cesse éconduit. Elle s'en tint à sa résolution de ne jamais intervenir, mais son amitié pour Alice s'en trouva singulièrement mise à mal. Leurs relations étaient parfois tendues.

Si Frances avait demandé de l'argent à son père, il lui en aurait fait parvenir, mais elle ne lui demanda rien. Elle avait cherché du travail et trouvé deux emplois. Elle s'acquittait de travaux d'écriture pour un professeur de zoologie qui réalisait un ouvrage scientifique et elle se chargeait de la correspondance d'une petite école pour aveugles dont la directrice se réjouissait d'employer quelqu'un à si peu de frais.

Frances gagnait peu. Elle payait sa nourriture et participait aux frais de location de l'appartement d'Alice, mais elle n'aurait jamais eu de quoi louer elle-même quelque chose. Elle dépendait donc d'Alice et en était gênée. Alice avait hérité d'une petite somme d'argent qu'elle avait très habilement placée, mais elle ne cessait de répéter qu'elle n'irait pas bien loin. Les deux jeunes femmes vivaient chichement.

Les militantes féministes reprirent la lutte de plus belle. Alice était en première ligne. Elle fut plusieurs fois emprisonnée et elle fit plusieurs grèves de la faim. Frances mit un certain temps à réaliser qu'Alice perdait un peu de son âme à chacun de ses séjours en prison, un peu de sa résistance et de son ressort. Sa vivacité et son implacable détermination s'émoussèrent, puis disparurent. Alice parut bientôt beaucoup plus que son âge et commença à se mouvoir au ralenti, comme une vieille femme.

La lutte des femmes pour le droit de vote se confondit avec les luttes ouvrières. Partout dans le pays les travailleurs se révoltaient : dans les mines, les chemins de fer, les usines. Grèves et affrontements violents avec les autorités rythmaient le quotidien. L'Angleterre si longtemps paisible, si satisfaite d'elle-même, si fière de sa puissance et de sa politique, de sa société bien structurée, si solidement hiérarchisée, vacillait sur ses fondations. Toute une époque, avec ses règles, ses lois et ses traditions d'un autre âge, s'effondrait avec fracas. Le mouvement était irréversible. Trop de choses qui allaient mal depuis longtemps explosaient au même moment. Dans les milieux politiques certains étaient persuadés que l'Angleterre était au bord de la guerre civile.

De la guerre civile, et de la guerre avec l'étranger. En août 1911, une agence de presse londonienne annonça que l'Allemagne et la France étaient entrées en guerre. La nouvelle déclencha des réactions de panique et d'hystérie, et bien que Berlin et Paris eussent démenti l'information le jour même, le spectre de la guerre hanta les esprits.

En février 1912, lord Richard Haldane, le ministre anglais de la Guerre, se rendit en séjour à Berlin à l'invitation du chancelier allemand Bethmann-Hollweg. Il s'avéra rapidement que le chancelier du Reich avait une requête très précise : il souhaitait, au cas où l'Allemagne et la France entreraient en guerre, s'assurer de la neutralité de l'Angleterre afin de ne pas prendre le risque d'avoir un second ennemi à combattre. Haldane se déclara disposé à signer un pacte de non-agression, à condition qu'il y soit fait expressément état d'une Allemagne *agressée* et non pas simplement *impliquée*, terme revenant à dire que c'était elle l'agresseur. Bethmann-Hollweg refusa. Haldane rentra en Angleterre comme il était venu.

Le 15 avril de la même année, un tragique événement frappa l'Angleterre. Au cours de son voyage inaugural entre Southampton et New York, peu avant minuit, le *Titanic*, un luxueux transatlantique battant pavillon anglais et réputé insubmersible, heurta un iceberg dans l'Atlantique Nord et sombra en quelques minutes. Jamais le commandant Smith n'aurait dû choisir la route nord, plus courte mais dangereuse, et surtout, il n'y avait pas assez de canots de sauvetage à bord pour tous les passagers. Plus de 1 500 personnes périrent au cours du naufrage, le plus meurtrier de l'histoire de la navigation anglaise.

En ces temps d'incertitudes politiques, la tentation était grande de comparer le fier *Titanic* à l'Empire lui-même. On les avait, l'un comme l'autre, crus indestructibles : le géant des mers gisait désormais par 4 000 mètres de fond et le pays semblait s'enfoncer dans l'abîme. Sans doute le symbole même du bateau en train de sombrer ne fut-il pas étranger à la vague d'émotion qui submergea l'Angleterre. Le *Titanic* n'avait pas qu'entraîné des centaines de vies au fond des mers, c'était aussi un pan du sentiment national anglais qui avait été englouti.

La catastrophe suscita une cascade de polémiques.

La majorité des rescapés étaient des passagers de première classe ; les autres passagers, notamment les émigrés de l'entrepont, avaient vainement tenté d'embarquer à bord des canots. Les mouvements ouvriers, les syndicats et leurs journaux crièrent au scandale, tandis que le très digne *Times* ne pouvait s'empêcher de lancer une remarque acide à l'adresse des féministes. A l'heure du naufrage, quand était venu le moment d'embarquer sur les canots, la priorité avait été accordée aux femmes et aux enfants. Sur le *Titanic*, le cri unanime avait été « Les femmes et les enfants d'abord » : l'égalité hommes-femmes n'avait plus paru avoir aucun caractère d'urgence.

En juin 1913, les suffragettes eurent leur première martyre. Le jour du grand Derby national, Emily Davidson, une féministe, s'était jetée sous les sabots du cheval du roi pour attirer l'attention sur la cause des femmes. Grièvement blessée, elle mourut quelques jours plus tard. La publication d'une nécrologie dans le *Daily Mail* fut envisagée puis abandonnée. On ne se savait trop comment les lecteurs réagiraient. Les méthodes de plus en plus radicales des militantes suscitaient l'animosité grandissante de la population.

En février 1914, de nouveaux affrontements opposèrent les suffragettes à la police. Frances, qui était de celles qui marchèrent sur la résidence du ministre de l'Intérieur et en cassèrent les vitres, fut une seconde fois arrêtée. Elle resta huit semaines en prison. Elle fit la grève de la faim et fut alimentée de force à plusieurs reprises, mais cette fois elle fut loin d'en être aussi traumatisée que lors de sa première incarcération. Elle subit l'affaire avec un certain détachement et quitta la prison, compte tenu des circonstances, relativement fraîche et dispose.

Barbara, qui avançait dans sa lecture, fut étonnée

de constater combien la jeune femme avait changé. Comme elle était loin de l'adolescente qui vomissait dans les fougères après avoir fumé son premier cigare, de la Frances que les premiers mauvais traitements avaient brisée moralement et physiquement.

Frances était brouillée avec sa famille, elle avait perdu l'homme qu'elle aimait et, par sa faute, un jeune homme avait mis fin à ses jours. Elle avait été maltraitée, torturée presque ; elle avait souffert d'une maladie dont elle avait failli mourir. Elle vivait désormais au jour le jour, et depuis plusieurs mois déjà, dans un quartier sans joie de l'est de Londres, loin de ses chères collines du Yorkshire. Que pouvait-il lui arriver de pire ?

La Frances que Barbara découvrait en parcourant à grands pas la cuisine en ce matin glacial de décembre ne passait guère de temps à s'appesantir sur ses malheurs, elle ne se plaignait pas et elle ne pleurait pas les beaux jours disparus. Cette nouvelle Frances tentait de tirer le meilleur parti de ce qu'elle avait. Elle fumait trop, et s'était découvert une passion pour le whisky dont – Barbara se souvenait des premières pages – elle ne devait jamais se départir. Et, physiquement, elle était devenue peu attrayante. Elle l'avouait sans détour.

« Frances n'avait jamais été particulièrement jolie. Mais la hardiesse de ses traits aigus et le contraste trop marqué entre la blancheur de sa peau, ses cheveux de jais et ses yeux d'un bleu glacial avaient été adoucis et transformés en avantage par la grâce et le charme d'un sourire encore empreint d'innocence et de candeur. Frances n'était plus ni innocente ni candide. Son sourire avait perdu sa chaleur, ses yeux leur éclat. Ses idées, en revanche, avaient gagné en clarté, sa façon de s'exprimer en précision et en rigueur. Elle vivait avec le sentiment de ne plus rien avoir à perdre et d'être, d'une certaine façon, invincible ; elle se trompait, ainsi qu'elle devait plus tard en faire l'expérience, mais pour le moment, cette certitude lui donnait de l'assurance et de la force. »

Autour d'elle, c'était la fuite en avant vers la guerre et son cortège de malheurs. En mars 1914, le jour de ses vingt et un ans, Winston Churchill, qui entre-temps avait été nommé Premier Lord de l'Amirauté, tint un discours enflammé devant la Chambre basse pour défendre sa politique de réarmement de la flotte britannique. L'efficacité de l'armée reposait sur la puissance maritime de l'Angleterre, déclara-t-il, non sans une certaine prescience, mais il n'en fut pas moins pris à partie par les travaillistes, qui l'accusèrent de mettre la paix mondiale en danger.

La paix mondiale ne pouvait être plus menacée qu'elle ne l'était déjà. Le monde était à la veille de s'enflammer.

Le 28 juin, au cours d'une visite officielle à Sarajevo, l'archiduc François-Ferdinand d'Autriche et sa femme furent victimes d'un attentat commandité par la Serbie.

Quatre semaines plus tard, l'Autriche déclara la guerre à la Serbie.

Le 1er août, l'Allemagne mobilisa. Elle demanda au gouvernement belge d'autoriser le passage des troupes allemandes vers la France, au prétexte que la France avait déclaré qu'elle ne resterait pas neutre en cas de conflit européen. La Belgique refusa. Le gouvernement britannique adressa alors un ultimatum à l'Allemagne lui enjoignant de respecter la neutralité de la Belgique.

Le 3 août, les troupes allemandes violèrent la frontière belge.

Le 4 août 1914, l'Angleterre déclara la guerre à l'Allemagne.

« Le début des hostilités souda le pays, écrivait Frances. Du moins pour un temps. Si la veille encore plusieurs milliers de pacifistes manifestaient, notamment à Londres, contre un gouvernement trop enclin à la guerre, l'annonce de l'entrée des troupes allemandes en Belgique fit basculer l'opinion. Même le Parti travailliste assura le gouvernement Asquith de son soutien. L'agitation sociale, les revendications politiques, les querelles internes, du jour au lendemain tout se tut. Confrontés à un ennemi extérieur, les Anglais cessèrent de batailler entre eux. Ils étaient à nouveau animés d'un fort sentiment patriotique et prêts à tout donner pour la victoire de leur pays. »

Pour Frances, toutefois, ce jour de l'entrée en guerre de l'Angleterre resta marqué à jamais dans sa mémoire pour une autre raison. Ce 4 août 1914 fut aussi le jour où sa grand-mère Kate ferma les yeux pour toujours. Elle avait succombé à une appendicite trop tardivement diagnostiquée. Quelques jours plus tard, la famille se trouva réunie pour la première fois depuis plusieurs années : George, qui venait de recevoir sa feuille de route et quitterait le cimetière pour rejoindre son régiment, Maureen figée dans la douleur, Charles le visage impassible.

Victoria, en grande toilette et merveilleusement coiffée, parut au bras de John, mais Frances était trop affligée par la mort de Kate pour s'en offusquer. Elle remarqua simplement que John paraissait nerveux. En ces jours cruciaux pour l'avenir du pays, il aurait dû se trouver à Londres ; il avait hâte de pouvoir partir. Toujours aussi ravissante, Victoria n'en semblait pas moins inhabituellement mélancolique. Ce n'était pas à proprement parler extraordinaire qu'elle ne soit pas gaie le jour de l'enterrement de sa grand-mère, mais Frances apprit plus tard de la bouche de Maureen que Victoria était désespérée de ne toujours pas être enceinte après trois ans de mariage, bien qu'elle eût consulté de nombreux médecins et suivît toute une kyrielle de traitements.

En d'autres circonstances, Frances en aurait peut-être conçu un éclair de joie mauvaise, mais en ce triste jour, rien de ce qu'elle voyait ou entendait ne la touchait. Toutes ses pensées se concentraient sur sa grand-mère. Frances avait le sentiment de porter en terre le seul être qui l'eût vraiment comprise et acceptée sans réserve. Kate l'avait encouragée à aller à Londres. Kate avait été là le jour où John avait épousé Victoria et où elle ne savait plus que faire de sa peine et de son désespoir. Kate avait toujours été là pour elle. Toujours Frances avait pu trouver refuge auprès d'elle. Quand les mains sèches de la vieille dame lui caressaient les cheveux, quand elle percevait la délicate odeur de lavande, elle se sentait apaisée et en sécurité.

Désormais, elle était seule.

Barbara repoussa le paquet de feuillets manuscrits et se servit un café. Elle ajouta une goutte de lait, une seule, mais, en revanche, le sucra abondamment. Le breuvage chaud et sucré la réveilla. Elle se sentit aussitôt beaucoup mieux, bien qu'il fît toujours froid dans la cuisine et que la cuisinière s'obstinât à ne dispenser qu'une chaleur parcimonieuse. Elle tint sa tasse à deux mains pour profiter de la chaleur que dégageait le café brûlant, puis la porta à ses lèvres. Le café était si chaud qu'elle se brûla presque, mais elle but presque aussitôt une seconde longue gorgée tant la chaleur lui faisait du bien.

Elle sursauta quand Ralph parut sur le seuil de la cuisine. Elle ne l'avait pas entendu arriver et croyait qu'il dormait encore.

— Bonjour, lança-t-il.

Il était pâle, les traits tirés. La barbe naissante qui la veille lui donnait un petit air à la mode, semblait aujourd'hui le vieillir.

— Quelle heure est-il ? demanda Barbara, qui avait laissé sa montre au premier.

— Bientôt 9 heures. Je ne suis pas en avance.

— Comment ça, pas en avance ? Nous sommes en vacances, non ? Même si elles sont, je te l'accorde, un peu particulières. Cela dit, poursuivit-elle en l'examinant d'un œil soucieux, tu n'as pas l'air de quelqu'un qui n'a pas entendu son réveil, mais plutôt de quelqu'un qui n'a pas dormi du tout.

Il se passa la main sur le visage.

— Tu n'as pas tort. Mais j'ai tout de même fini par m'endormir vers 7 heures du matin. C'est pour ça que je te dis que je ne suis pas en avance.

— Viens, assieds-toi et bois un café. Je n'ai malheureusement pas de gâteau d'anniversaire en réserve, mais tu ne perds rien pour attendre. Je remets ça à notre retour. Promis.

Elle se leva, alla chercher une seconde tasse, une cuillère et posa la boîte de sucre sur la table.

— Tu veux tout de suite ta dernière tranche de pain ?

— Non. Merci. Je préfère la garder pour plus tard. Le matin, ça va encore. L'après-midi, en revanche, j'ai une de ces faims...

— Oui, moi aussi.

Barbara prit la cafetière et servit Ralph. Elle s'appuya à l'évier, le regarda boire et vit ses joues reprendre lentement un peu de couleur.

Il reposa sa tasse et leva les yeux.

— Encore merci pour ton cadeau, dit-il. J'ai effectivement toujours eu envie de venir par ici.

Barbara eut un geste de protestation.

— Non, vraiment, ne me remercie pas. Ce n'est pas du tout ce que j'avais imaginé.

— Certes, mais tu n'es pas responsable de la neige.

Il regarda le paquet de feuillets disséminés sur la table.

— Tu dois avoir bientôt fini de lire.

— J'en ai encore pour un bout de temps. La guerre de 14-18 vient juste d'éclater.

— Et tu connais un peu mieux Frances Gray, maintenant ?

— Je crois, oui... C'était vraiment une sacrée bonne femme. Elle n'a pas toujours eu une vie facile. J'en suis notamment à un passage où elle doit drôlement se bagarrer. Sa famille a quasi coupé les ponts avec elle parce qu'elle sympathise avec les suffragettes et elle vit dans le plus grand dénuement quelque part dans un quartier sordide de l'East End. Sa grand-mère qu'elle adorait vient de mourir et l'homme qu'elle aimait a épousé sa sœur.

— Je trouve qu'elle a l'air dur, sur la photo qui est dans la salle à manger. J'avoue qu'elle ne m'est pas très sympathique.

— C'est sa sœur que tu aurais aimée. Victoria. Ravissante et toujours gracieuse. Délicieux petit objet sans la moindre ambition personnelle. Bref, une femme-enfant totalement dévouée à son mari, pas une de ces féministes contestataires ou superwomen obsédées par le boulot.

La voix de Barbara avait pris une dureté que Ralph ne connaissait que trop bien. C'était le ton qu'elle adoptait dès qu'ils parlaient de carrière, de travail ou de la manière de concilier vie professionnelle et vie familiale. Ils en avaient discuté jusqu'à plus faim. Le nœud de l'histoire, c'était que Barbara ne voulait pas de famille, tout simplement. Elle n'avait pas envie d'en avoir et Ralph peu à peu réalisa qu'il était inutile qu'il use sa salive à essayer de la convaincre qu'il n'avait nulle intention de freiner ses ambitions professionnelles et que ce n'étaient pas non plus un enfant et une vie familiale un peu plus étoffée qui l'empêcheraient de faire carrière.

Ce n'était pas une question de logique ou de raisonnement. Elle avait décidé que c'était non : c'était non. Ralph avait peu de chances qu'elle revienne sur sa décision, du moins avant qu'il soit trop tard. Barbara avait trente-sept ans. Le compte à rebours avait déjà commencé.

Il avait passé de longues heures à retourner le problème dans sa tête et à se demander s'il n'était pas lui-même la raison profonde du refus de Barbara. Avait-elle peur de s'engager de façon irréversible avec lui ? Il est probable qu'elle considérerait comme un devoir de rester avec lui s'ils avaient des enfants.

Barbara avait la réussite chevillée au corps. Elle vivrait très mal l'échec d'un mariage, mais l'éclatement d'une famille entière serait pour elle une défaite personnelle bien pire encore.

Et avec un autre homme, aurait-elle tenté l'aventure ?

Il refoula dans un coin de sa tête ces questions qui le rendaient trop malheureux.

Elle avait parlé de la malléabilité de Victoria Gray et attendait qu'il réagisse.

— Je t'ai déjà expliqué cent fois que les femmes soumises, béni-oui-oui ou sans plus de caractère que ta Victoria ne m'intéressaient pas. J'en ai assez d'être obligé de le répéter. Maintenant, crois-le ou non, ça m'est égal. Pense ce que tu veux.

Barbara eut un froncement de sourcils. Cette attitude nouvelle de Ralph la troublait. Mais elle était encore dans l'histoire de Frances Gray et n'avait pas envie de penser à Ralph.

— Apparemment, elle ne pouvait pas avoir d'enfants, dit-elle. En tout cas, après trois ans de mariage, elle n'était toujours pas enceinte alors qu'elle faisait tout pour cela. Je me demande si c'est pour cette raison qu'ils ont divorcé.

— Qui n'était pas enceinte ? demanda Ralph, agacé.

— Victoria Gray. Ou plutôt : Victoria Leigh, comme elle s'appelait à l'époque. Laura a bien dit qu'elle était divorcée de John Leigh, non ?

Barbara réfléchit.

— C'est drôle, d'ailleurs, la façon dont Laura en a parlé... Elle a dit que Victoria était mariée avec le père de Fernand Leigh, pas qu'elle était la mère de Fernand.

— Sa mère était française, rappela Ralph. C'est Cynthia Moore qui nous l'a dit, tu t'en souviens ?

— Effectivement. Il y a donc eu une autre femme.

— Tu vas découvrir tout ça.

Ralph but une dernière gorgée de café, repoussa sa tasse et se leva.

— Je vais remonter les skis de la cave et voir comment je m'en sors. Si rien ne bouge d'ici demain, il faudra que je trouve le moyen d'aller à Leigh's Dale.

Barbara regarda par la fenêtre. Le ciel était clair et bleu.

— Le beau temps a l'air de tenir. Ils vont peut-être essayer d'arriver jusqu'ici avec un chasse-neige.

— Oui, je l'espère. C'est bien ce que j'entendais par « si rien ne bouge d'ici demain ». Mais il n'est pas certain qu'il se passe quelque chose. Et il faut qu'on fasse des courses. Ça commence à devenir urgent.

— Oui. Mais ne pars pas sans prévenir, d'accord ?

— Evidemment. De toute façon, il faut d'abord que je teste mes talents de skieur de fond.

Il s'arrêta dans l'encadrement de la porte.

— Au fait, je voudrais m'excuser pour hier soir, j'ai sans doute été trop pressant. Ça ne se reproduira plus.

Barbara tressaillit. Il y avait dans sa voix une dureté, quelque chose de définitif qui l'effraya.

— Je dois, moi aussi, m'excuser, dit-elle doucement. J'ai réagi d'une façon ridicule. Je suis désolée.

Il hocha la tête et sortit de la cuisine.

Barbara se sentit soudain très mal à l'aise.

— C'est cette situation idiote, aussi, murmura-t-elle pour elle-même. Ça va faire quatre jours que nous sommes coincés dans cette fichue maison. On gèle. On a faim. On est coupés du reste du monde. Il y a de quoi devenir fous !

Elle se servit un autre café et se rassit d'un geste brusque. Elle allait reprendre sa lecture. Elle se sentait incapable de faire autre chose. Et de réfléchir à ses problèmes personnels.

De mai à septembre 1916

Frances revit John en mai 1916. Elle le rencontra par hasard un soir dans la rue alors qu'elle rentrait du travail et était très fatiguée. Elle avait trouvé un emploi dans une des nombreuses usines de guerre dont les ministères du Travail et de la Guerre avaient encouragé la construction pour pallier le manque d'équipement des soldats britanniques qui se battaient en France. Elle travaillait à la fabrication de couverts, activité monotone et sans intérêt, mais elle avait besoin de gagner de l'argent, et tant qu'à travailler, elle préférait soutenir l'effort national.

Depuis un an, le front français était figé dans une éprouvante guerre de tranchées. Rien ne bougeait de part et d'autre de fossés boueux et surmontés de barbelés qui s'étiraient sur des centaines de kilomètres. George, lieutenant d'infanterie sur le front, écrivait régulièrement à Alice, qui transmettait volontiers ses lettres à Frances. Il s'efforçait de ne pas se plaindre, mais on devinait qu'il passait de la colère au désespoir et du désespoir à la résignation. Sa compagnie avait subi de lourdes pertes et il semblait très affecté par la disparition, dans des conditions épouvantables, de tant de ses camarades. Il n'en parlait pas explicitement, mais quiconque le connaissait, le devinait derrière chaque mot.

— Si ça dure encore longtemps, avait un jour déclaré Alice, il ne s'en remettra pas. Même s'il survit aux combats, il sera mort dans son cœur.

C'est ce qui avait incité Frances à postuler dans une usine de guerre.

— Là, au moins, j'ai l'impression de faire un peu quelque chose pour lui, expliqua-t-elle.

Ce choix avait mis Alice en rage.

— C'est pour la guerre que tu fais quelque chose ! La guerre qui brise George ! Je croyais que tu étais du côté de ceux qui sont contre !

— C'est le cas. Mais qu'on le veuille ou non, la guerre, nous l'avons. Alors maintenant, c'est la moindre des choses que nous aidions nos soldats.

Ce fut un violent sujet de dispute, parmi d'autres. Alice était déçue que les femmes n'aient toujours obtenu aucun droit civique et déplorait que la guerre ait en quelque sorte mis les féministes hors jeu. Le mouvement s'était enlisé.

Alice avait été emprisonnée à plusieurs reprises. L'inhumanité des conditions de détention l'avait marquée à jamais. Elle était devenue une femme physiquement fragile et psychologiquement instable. Elle n'arrivait pas à tourner la page et à aller de l'avant. Que la guerre ait pu apporter des changements, que les gens ne soient plus dans le même état d'esprit était une chose qu'elle ne parvenait pas à admettre. Et que Frances paraisse si facilement s'adapter à l'évolution de la situation l'irritait et la désespérait. Elle ne se rendait pas compte des efforts de Frances pour acquérir le pragmatisme avec lequel elle menait désormais sa vie. Frances s'en tenait à trois règles fondamentales : ne pas regarder derrière soi, ne pas regarder trop loin devant, se préoccuper exclusivement des exigences de l'instant présent.

Se battre, en temps de guerre, pour le droit de vote des femmes n'avait guère de sens ; aussi Frances jugeait-elle qu'il était inutile de perdre son temps en vaines querelles. Alice n'avait de cesse de lui reprocher de ne s'être jamais vraiment intéressée à la « cause », sans toutefois pouvoir étayer ses accusations puisque Frances avait été emprisonnée comme les autres, avait fait la grève de la faim et s'était battue dans la rue avec la police. Mais elle devait sentir que jamais Frances ne s'était, comme elle, investie corps et âme. Seulement aujourd'hui, Alice était quasi exsangue tandis que Frances prenait un nouveau départ. Un fossé les séparait. Leur amitié ne devait jamais s'en remettre.

Le soir où elle rencontra John, Frances, en dépit de sa fatigue, n'avait pas envie de rentrer à la maison. Dès le petit-déjeuner, Alice était de mauvaise humeur. L'expérience lui ayant enseigné que la soirée ne serait qu'une succession de disputes, Frances avait décidé de profiter du beau temps et de se promener un peu. Elle avait pris le tramway jusqu'à Victoria Embankment et était descendue marcher sur les bords de la Tamise. Il faisait doux, l'air était léger, le soleil couchant donnait des teintes orangées au fleuve.

Le visage de la ville avait beaucoup changé depuis le jour où Frances avait découvert Londres. Où que l'on aille, partout il y avait des soldats. Rares étaient ceux qui avaient l'air en bonne santé ou pleins d'enthousiasme. La plupart revenaient de France, silhouettes fragiles, tassées sur elles-mêmes, jeunes hommes aux visages de vieillards dont les yeux disaient l'horreur de ce qu'ils avaient vécu. Ils étaient nombreux à avoir perdu une jambe et à se déplacer à l'aide de béquilles de bois ; d'autres avaient perdu un bras ou un œil. Une infirmière soutenait un jeune homme d'à peine vingt ans, aux traits encore enfantins. Un bandage masquait ses yeux. Il marchait en secouant continuellement la tête et en murmurant des phrases décousues.

— Le service militaire obligatoire pour tous !

s'époumonait un vendeur de journaux qui arpentait la berge en agitant un exemplaire du *Daily Mail*. La Chambre basse se prononce pour le service militaire obligatoire! Asquith en minorité!

Ils vont envoyer encore plus de jeunes sur le continent, songea Frances avec tristesse.

Elle prit quelques pièces dans sa bourse et acheta un journal. En se retournant pour reprendre sa promenade, elle heurta un homme.

— Excusez-moi, dit-elle distraitement, puis elle le regarda à nouveau, n'en croyant pas ses yeux.

— John! s'exclama-t-elle, stupéfaite.

Il paraissait au moins aussi étonné qu'elle.

— Frances! Mais qu'est-ce que tu fais ici?

— Eh bien... je me promène. Et toi?

— J'avais à faire au tribunal.

Ils se trouvaient en contrebas du Temple.

— ... J'ai eu envie de profiter un peu du soleil avant de rentrer.

Ils se regardèrent, sans savoir que dire.

— Marchons un peu ensemble, proposa finalement John.

Ce fut à cet instant que Frances remarqua qu'il portait un uniforme.

Frances n'était toujours pas parvenue à calmer sa peur quand ils atteignirent Northumberland Avenue.

— Tu pars en France? Mais pourquoi? Tu es député. Tu n'as pas à le faire!

— Je sais. Mais je veux partir. J'aurais le sentiment d'être un lâche si je restais. Les autres se sacrifient et je continuerais à mener ma petite vie bien tranquille? Depuis que la guerre a éclaté, je n'arrête pas d'y penser.

— Tu n'as pas peur? D'après ce que George écrit, il semble que c'est vraiment très dur, là-bas.

John eut un sourire mal assuré.

— J'ai une peur bleue. Mais je crois que ce serait pire si je restais. Je ne pourrais plus me regarder dans le miroir. Depuis que je porte cet uniforme, je me sens déjà mieux.

— Je comprends, mentit Frances.

En réalité, ce n'était qu'un demi-mensonge, mais une sourde angoisse l'envahissait, froide et hideuse, pire que celle qu'elle avait éprouvée lors du départ de George pour le front. Savoir qu'il serait bientôt en France et risquerait sa vie à chaque instant la bouleversait. L'apprendrait-elle s'il lui arrivait quelque chose ? On préviendrait Victoria, pas elle. Elle n'avait aucun droit sur cet homme, elle n'avait pas le droit de lui demander de rester, pas le droit de recevoir des condoléances s'il arrivait un malheur, au fond à peine le droit d'avoir peur pour lui. En tout cas, officiellement. Tout ce qu'elle éprouvait pour John, il fallait qu'elle le vive seule.

— Et que dit... ?

Prononcer le nom de sa sœur lui coûtait.

— Qu'en dit Victoria ?

Il eut un haussement d'épaules résigné.

— Elle n'a pas envie que je parte. Nous avons eu quelques discussions plutôt vives. Elle ne comprend pas du tout que je...

Il s'interrompit, comme s'il en avait trop dit et s'en voulait.

— Ce n'est pas facile pour elle, reprit-il. Je pense qu'elle ne restera pas à Londres pendant mon absence. Elle s'installera à Daleview, elle y sera au moins près de sa famille.

Pauvre petite chérie, songea méchamment Frances. Quand son époux n'est pas là, vite elle retourne chez sa maman. J'aurais bien voulu qu'elle passe par là où je suis passée, elle saurait ce que vivre veut dire.

Elle fut effrayée de ressentir tant de haine et pria pour que cela ne se voie pas. Elle tenta de se ressaisir.

Sans grand succès. John était encore plus séduisant que lors de leur dernière rencontre, plus mûr, plus grave. Son visage paraissait plus mince. Elle observa ses mains. Que ressentait-on quand ces mains se posaient sur vous, quand ces bras vous étreignaient ? Victoria, elle, le savait. Victoria avait droit à ses étreintes. Victoria s'endormait le soir dans ses bras et se réveillait le matin à ses côtés... Rien que d'y penser, Frances en eut presque la nausée.

John dut se rendre compte de quelque chose.

— Tu ne te sens pas bien ? Tu es toute pâle.

— Non, non. Tout va bien. Je suis seulement un peu fatiguée.

Il l'observa plus attentivement et elle prit soudain conscience de sa piètre apparence. Sa modeste robe grise, froissée et informe, était bien assez belle pour l'atelier, mais il était peu probable qu'elle séduise quiconque... Elle devait être encore plus pâle que d'habitude et ses cheveux, sévèrement tirés en arrière, s'étaient défaits au cours de la journée ; des mèches pendaient autour de son visage. Elle se sentait sale, collante de transpiration, fatiguée et sans charme. Elle pensa à Victoria, toujours tirée à quatre épingles. Elle attendait sans doute son mari à la maison, dans une jolie robe délicieusement propre et fraîche. Et c'était sûrement le muguet qu'elle sentait : pas la sueur.

— Tu n'es jamais venue nous voir, depuis tout ce temps, dit John. Je n'ai aucune nouvelle de toi. Que deviens-tu ? Je ne sais même pas où tu habites ni comment tu vis.

— Je suis une bonne patriote. Je travaille dans une usine de guerre.

Elle s'arracha un sourire puis reprit :

298

— D'où cette tenue... J'ai travaillé toute la journée, à la pièce. Je suis éreintée.

Elle espéra qu'il la prendrait pour une bonne petite patriote. Il ne fallait pas qu'il sache qu'elle avait besoin d'argent. Soutenir l'effort de guerre était fort bien considéré, même dans les milieux les plus huppés. Mais la plupart des jeunes femmes élégantes accomplissaient leur devoir en travaillant comme infirmières; celles prêtes à s'enthousiasmer pour le bénévolat à l'usine étaient peu nombreuses.

Il hocha la tête. Qu'elle ait choisi un travail aussi pénible ne parut pas l'étonner outre mesure. Il semblait perdu dans ses pensées et, alors que Frances se demandait encore ce qu'il avait deviné ou pas, il questionna soudain :

— Il y a une chose que j'aimerais savoir, avant de partir pour la France. Si je te pose une question, me répondras-tu franchement ?

— Ça dépend de la question.

— Ce jeune homme, il y a cinq ans, qui... a choisi de mourir à cause de toi... C'était sérieux ? Je veux dire : de ton côté ?

Elle le regarda, stupéfaite. Jamais elle n'avait imaginé qu'il ait eu vent de ce drame.

— Tu es au courant ?

Il sourit.

— Tu ne pensais tout de même pas que ça resterait un secret ? Ta tante Margaret n'est pas un modèle de discrétion. Je crains que du Premier Lord de l'Amirauté à la plus insignifiante des aides-cuisinières de Berkeley Square, plus personne, parmi ceux qui ont croisé son chemin, n'ignore l'affaire. Tu as été, le temps d'une saison, le sujet de conversation préféré du Tout-Londres.

Elle réalisa à quel point elle vivait repliée sur elle-même. Pas une seconde elle n'avait imaginé que

Londres pût parler d'elle et elle comprit qu'elle était d'une naïveté incommensurable. Comment avait-elle pu imaginer que Margaret, mieux informée que quiconque grâce à la lettre qu'elle lui avait écrite, tiendrait sa langue ? Elle avait dû lire la lettre qu'elle avait adressée à Phillip. Et elle n'était pas du genre à garder un potin aussi intéressant pour elle.

— Ce n'était pas, loin s'en faut, aussi important pour moi que pour lui, répondit-elle à la question de John. Et c'est aussi quelque chose que je...

Elle se tut.

John s'arrêta et se tourna vers elle.

— Oui ?

— Cette histoire... dit-elle alors, cette histoire est quelque chose que je ne me pardonnerai jamais.

Elle se racla la gorge.

— Est-ce que par hasard tu aurais une cigarette ?

Il fronça les sourcils. Une dame, quand elle fumait, ne le faisait en aucun cas dans la rue. Puis il parut se souvenir qu'il y avait déjà quelque temps que Frances avait tourné le dos à un certain nombre de conventions. Elle ne devait plus en être à un faux pas en public.

Il grimaça un sourire, sortit un étui en argent et le lui tendit, ouvert.

— Tiens, sers-toi. Je constate que les années n'ont pas émoussé ton caractère.

Il lui donna du feu. Elle tira une longue bouffée.

— On passe à côté de trop de choses quand on ne pense qu'à respecter toutes les règles, dit-elle.

Son sourire disparut.

— Parfois, répliqua-t-il, on passe aussi à côté de choses décisives pour l'avenir quand on en prend trop à son aise avec les règles.

Quelque chose dans sa voix retint l'attention de Frances. Ce n'était pas une critique, ni de l'agressivité.

C'était de la tristesse, une tristesse qu'elle n'aurait pas soupçonnée chez lui. Elle était jusque-là convaincue d'avoir été la seule à ne pas être sortie indemne de ce qu'ils avaient vécu. Elle découvrait que John avait lui aussi été blessé.

Il lui sembla d'un coup tellement vain, tellement dénué de sens qu'ils se retrouvent ainsi et soient l'un comme l'autre malheureux d'avoir gâché la profonde et indestructible affinité qu'il y avait entre eux depuis toujours... Ils étaient destinés l'un à l'autre. Ce qu'ils faisaient aujourd'hui était du gaspillage, le pire gaspillage qui soit. Ils gaspillaient leur vie, ils s'enferraient dans une situation qui ne résultait que d'erreurs, de malentendus et d'entêtement.

Entêtement de sa part à lui, songea Frances, bien plus que de la mienne.

Prendre conscience du nombre d'années qu'ils avaient déjà perdues lui fit oublier sa fierté, sa prudence, et sa réserve. Elle jeta toutes ses bonnes résolutions par-dessus bord, ne se souvint plus qu'elle s'était juré de ne jamais lui montrer qu'elle était blessée, de ne jamais lui demander pourquoi il avait agi ainsi.

— Pourquoi as-tu fait ça ? demanda-t-elle. Pourquoi l'as-tu épousée ?

L'espace d'une seconde, il perdit contenance mais se ressaisit presque aussitôt.

— Ce n'est pas un sujet dont nous pouvons discuter, déclara-t-il sèchement et il prit à son tour une cigarette dans l'étui.

Un petit groupe de recrues passa à côté d'eux en chantant. Un vent frais agitait les eaux de la Tamise. Le soleil avait disparu derrière les immeubles.

— Parce que tu penses être le seul à décider de ce dont nous avons à discuter ou pas ? rétorqua Frances.

Elle ne voulait pas être envoyée dans les cordes.

301

Elle brûlait d'avoir une réponse à sa question, elle l'aurait.

— Pourquoi, John? Pourquoi si soudainement? Qu'est-ce qui t'a pris? Pourquoi fallait-il que tu te maries aussi vite?

— Pourquoi cela t'intéresse-t-il?

— Pourquoi cela t'intéressait-t-il de savoir ce qu'il y a eu entre Phillip et moi?

— Un à zéro.

— Je t'ai répondu franchement. J'attends la même chose de toi.

— Ce n'était pas si soudain. Nous nous sommes rencontrés à des fêtes. Nous sommes montés à cheval ensemble. Elle s'est intéressée à ma campagne. Elle...

Il eut un léger haussement d'épaules.

— Elle n'était plus une petite fille. Elle était une jeune femme.

— Ce n'était pas une raison pour l'épouser tout de suite!

Il devint soudain hostile.

— Tu ne voulais pas de moi. En conséquence, je ne pense pas que tu aies le droit de me...

— Tu voulais m'humilier! l'interrompit Frances d'une voix aiguë. Reconnais que j'ai raison! Tu n'as pas supporté que je ne me prosterne pas devant toi quand tu m'as demandé de devenir ta femme. Tu es tellement séduisant! Tellement riche! Tellement ambitieux! Et si brillant! Tu n'arrivais pas à imaginer qu'une femme puisse ne pas te tomber instantanément dans les bras!

Il était manifestement furieux mais s'efforçait de rester le plus calme possible, sans doute pour ne pas l'inciter à parler encore plus fort. Plusieurs passants s'étaient déjà retournés sur eux.

— Frances, je ne vois pas au nom de quoi nous devrions analyser les raisons de ce qu'à l'époque nous avons fait ou non. Les choses sont ce qu'elles sont. Ni toi ni moi n'y pouvons rien changer maintenant. J'ai épousé Victoria, c'est une réalité que tu dois accepter.

— Très convaincante, ta merveilleuse impassibilité ! Tout ça parce que tu ne veux pas reconnaître à quel point tes motivations étaient puériles, et par-dessus le marché intéressées et égoïstes ! Tu voulais me donner une leçon, et là-dessus tu as réalisé que Victoria serait une épouse beaucoup plus en conformité avec tes ambitions politiques. Aie au moins le courage de l'avouer ! Je t'aurais coûté des voix, avec mon passé. Pas faciles, les mondanités, avec une femme comme moi, n'est-ce pas ? Avec la jolie et bien proprette Vicky, en revanche... Elle, au moins, on peut la montrer, c'est bien cela ? Une jeune fille pure et d'excellente famille... si l'on veut bien fermer les yeux sur la tare infamante que représente le fait d'être, tout autant que moi d'ailleurs, la fille d'une catholique irlandaise ! Comment se fait-il que cela ne t'ait pas gêné ? Toi qui vantes toujours les mérites de la vérité et de la transparence ?

— Frances, ça suffit ! Et ne parle pas si fort. Je ne pense pas qu'il soit indispensable que la ville entière sache de quoi nous parlons.

— Et moi, ça m'est complètement égal !

Il jeta sa cigarette à demi consumée par terre et l'écrasa.

— Fais ce que tu veux. Moi, je m'en vais. Je n'ai pas envie que tu m'embarques dans une discussion stupide.

— Eh bien, pars !

Le dernier mot claqua comme un coup de pistolet. Tous les regards convergèrent vers eux.

— Frances, je te conseille d'arrêter. Tu te ridiculises !

— C'est le cadet de mes soucis ! riposta-t-elle en parlant un peu moins fort mais avec la même virulence.

Il la prit d'autorité par le bras et l'entraîna avec lui.

— Maintenant, tu te ressaisis !

Elle se dégagea d'un geste brusque et recula d'un pas. Elle sentit elle-même qu'elle avait dû devenir blanche comme un linge.

— Cesse une bonne fois pour toutes de jouer la comédie, à moi, à toi et à tout le monde !

Autour d'eux, les passants s'étaient arrêtés pour mieux goûter la scène.

— Tu n'aimes pas Victoria ! Tu ne peux pas aimer cette petite gourde sans cervelle ! Elle est incapable d'avoir le moindre avis personnel. Tout ce qu'elle sait faire, c'est se pomponner, battre des cils et dire « oui, John » et « non, John ». Ça ne t'arrive jamais d'avoir peur de devenir débile à force de vivre avec une femme qui ne sait même pas compter jusqu'à trois ?

Il était maintenant au moins aussi en colère qu'elle. Elle se rendit compte qu'il faisait de très gros efforts pour ne pas devenir violent. Il était livide, les lèvres exsangues.

— Je t'interdis de parler de Victoria de cette façon. Une fois pour toutes. Elle est ma femme. Elle est ta sœur. C'est d'abord à toi que tu portes tort avec ce genre de discours. Tu n'as pas le moindre droit de la juger de cette façon. Je te préviens une dernière fois : ne recommence jamais !

Frances n'avait jamais vu John aussi en colère. Une petite voix intérieure lui dit qu'elle ferait bien de se taire, mais elle ne voulait pas lui donner l'impression qu'il pouvait l'intimider.

— C'est une de ces femmes qui laissent les autres tirer les marrons du feu, poursuivit-elle sur un ton plein de mépris. Pendant qu'elle se pavanait devant la glace avec ses jolies robes neuves, testait ses battements de cils et mettait le grappin sur l'un des plus beaux partis des comtés du Nord, moi j'étais en prison et je me battais pour que les femmes obtiennent le droit de vote, et ça, en tant que femme, c'était aussi pour elle !

— Peut-être qu'obtenir le droit de vote ne l'intéresse pas tant que ça, alors ce n'est vraiment pas la peine que tu joues les grandes bienfaitrices. Le combat que tu as mené était ton affaire et exclusivement la tienne. Personne ne t'a rien demandé et personne ne t'a poussée. Ne viens pas maintenant t'apitoyer sur ton sort parce que les fruits que tu as récoltés sont plus amers que ce que tu avais imaginé. Ne compte surtout pas recevoir un quelconque dédommagement et n'espère pas que le destin va te récompenser pour ton sacrifice. Ce n'est pas comme ça que la vie fonctionne.

En suggérant qu'elle s'apitoyait sur son sort, il l'avait ramenée brutalement sur terre, loin de sa bulle de colère, et plus sûrement touchée qu'avec toutes ses mises en garde. Elle avait toujours méprisé l'apitoiement sur soi-même ; était-il possible qu'elle en fût atteinte ?

Frances perdit soudain tout courage. Elle laissa retomber ses bras. Elle ne se sentait plus en colère, mais malheureuse et complètement vidée.

— John... dit-elle doucement.

— Je dois y aller, répliqua-t-il. Je suis déjà très en retard. Comment rentres-tu chez toi ? Veux-tu que j'appelle une voiture ?

— Je prendrai le tramway. Mais pars, je reste encore un peu.

Il hésitait.

— Tu es certaine que...

— Absolument. J'ai envie de marcher quelques minutes.

— Eh bien, dans ce cas... adieu, Frances. Nous n'allons pas nous revoir avant longtemps.

— Adieu. Prends soin de toi.

John hocha la tête en signe d'assentiment. Il s'empara de la main de Frances, la porta un moment à ses lèvres puis il s'en alla. Plus il s'éloignait de Frances, plus son pas semblait léger.

« Tu sais que ton père et moi sommes très tristes de la brouille qui divise notre famille », écrivait Maureen. Son écriture fluide et familière sur le papier blanc fit mal à Frances. Il y avait longtemps qu'elle n'avait pas de nouvelles de sa mère.

« Je pense néanmoins que tu as le droit de tout savoir de ce qui nous arrive ici. C'est pourquoi je souhaite te faire part d'une heureuse nouvelle : tu auras une petite sœur ou un petit frère en décembre. »

Frances laissa retomber la lettre.

— Ce n'est pas possible ! dit-elle à voix haute.

— Mauvaises nouvelles ? s'enquit Alice, qui tentait de mener à bien une recette improbable sur le petit fourneau de la cuisine.

— Pas à proprement parler, non. Ma mère attend à nouveau un enfant.

— Oh ! fit Alice. Voilà qui ressemble à une dernière tentative d'avoir, outre la charmante Victoria, un deuxième héritier digne de ce nom, parce que, avec toi et George, ce n'est pas franchement réussi !

Frances ne trouva la remarque ni drôle ni du meilleur goût. Elle ne répondit rien.

— Je ne le disais pas méchamment, ajouta Alice en manière d'excuse.

— C'est bon. Mais vraiment... Maman a plus de

quarante ans. Je me demande pourquoi elle prend un tel risque, à son âge.

— Elle n'a sans doute pas fait exprès. Et maintenant, elle n'a pas le choix.

— Je trouve ça dangereux.

— Elle est en bonne santé, non ? Tout ira bien, tu verras.

Frances poursuivit la lecture de la lettre.

« Je n'ai encore rien dit à Vicky, bien que je la voie presque tous les jours. Tu sais qu'elle vit à Daleview depuis que John est en France. Elle se sent très seule et a peur pour son mari, mais elle est surtout très malheureuse de ne toujours pas être enceinte. Elle a vu énormément de médecins. Aucun n'a été capable de lui dire d'où cela venait. Et voilà que moi, sa mère, j'attends à nouveau un enfant ! J'en suis très heureuse, mais la tristesse de Vicky ne me rend pas la tâche très facile. »

J'aimerais bien savoir pourquoi il faut que du soir au matin la terre entière plaigne Victoria, s'énerva Frances.

« J'espère que tu vas bien, concluait Maureen. Je me fais du souci pour toi. Je me demande souvent comment et de quoi tu vis. Tu sais, je l'espère, que ce n'est pas une question d'argent. Si tu as besoin de quelque chose, dis-le. A partir du mois prochain, tu pourras nous téléphoner. Charles tient enfin sa promesse ! Nous allons avoir le téléphone. Je serais heureuse d'avoir bientôt de tes nouvelles. »

Frances répondit à sa mère, lui souhaita que tout se passe bien au cours des mois suivants et lui dit qu'elle se réjouissait de la prochaine naissance.

Elle en était effectivement heureuse, mais elle devait aussi reconnaître que sa joie était mêlée d'une bonne dose de fiel. La grossesse de Maureen serait un sacré coup pour Victoria, et Frances s'en réjouissait à l'avance, même s'il lui arrivait, par instants, d'en avoir un peu honte.

La grande offensive franco-britannique sur la Somme débuta le 1er juillet 1916 après que les lignes ennemis eurent été pilonnées une semaine durant par des tirs d'artillerie. Dès les premières heures de l'offensive, les Anglais perdirent 21 000 hommes. La bataille de la Somme fut l'une des plus effroyables, des plus meurtrières et des plus inutiles de la guerre. Quand elle s'interrompit, en novembre de la même année, les Anglais et les Français dénombrèrent ensemble 600 000 morts, les Allemands 450 000. Côté français, le front avait progressé d'environ dix kilomètres sur une cinquantaine de kilomètres de longueur.

Plus les nouvelles en provenance de France étaient mauvaises, plus les blessés et les invalides emplissaient les rues de Londres, et plus l'inquiétude de Frances pour John grandissait. Elle finit par appeler presque tous les jours soit à Westhill, soit à Daleview. Elle avait la possibilité de téléphoner de l'usine où elle travaillait, mais elle devait payer les communications et ces conversations quotidiennes grevaient lourdement son budget. Mais que faire d'autre ? S'il arrivait quelque chose à John, sa mère, Victoria, Charles et Maureen en seraient les premiers informés.

La première fois qu'elle avait téléphoné à Daleview, elle avait attendu des heures que le majordome trouve Victoria et, quand enfin elle avait pris le combiné, elle s'était exclamée, la voix pleine de larmes :

— Tu es au courant ? Maman attend un enfant !

— Dieu tout-puissant ! s'était énervée Frances.

Quand elle avait perçu les sanglots de Victoria, elle avait cru qu'il était arrivé quelque chose à John et son cœur avait cessé de battre. Elle n'arrivait pas à le croire. Son mari risquait à chaque instant de se faire tuer dans l'une des batailles les plus effroyables de l'histoire, de l'autre côté de la Manche, et elle pleurnichait parce qu'elle n'était pas enceinte !

— Elle me l'a dit ce matin, poursuivit Victoria, avant de s'interrompre le temps de se moucher. Oh, Frances, tu n'imagines pas à quel point je suis malheureuse !

— As-tu des nouvelles de John ?

Téléphoner lui coûtait beaucoup trop cher pour qu'elle soit disposée à entendre sa sœur se lamenter.

Victoria était tellement absorbée par son chagrin qu'il lui fallut un certain temps pour comprendre la question de sa sœur.

— Non, je n'ai pas de nouvelles, répondit-elle. Je me demande si je dois lui écrire que mère attend un enfant, ajouta-t-elle. Qu'en penses-tu ?

— Compte tenu du bourbier effroyable dans lequel il est, je ne pense pas qu'il y ait grand-chose qui l'intéresse vraiment, répondit Frances, avant d'ajouter, non sans méchanceté : Evidemment, si c'était *ta* grossesse que tu devais lui annoncer, ce ne serait pas la même chose.

La pique avait suffi pour que Victoria fonde à nouveau en larmes.

— Je ne sais plus ce que je dois faire ! C'est affreux ! Je n'arrive pas à penser à autre chose. Je ne sais vraiment plus ce que je dois faire.

— Pour le moment, rien du tout. John est en France, non ? Profites-en pour te détendre et arrête de te mettre martel en tête avec cette histoire de bébé. Tu vas finir par devenir folle, et nous aussi !

— Tu sais, John est tellement gentil ! Jamais il ne dit qu'il aimerait avoir un enfant. Mais je sais bien qu'il espère un héritier. Toutes ces terres, tous ces biens... Que ferons-nous si je n'ai pas de fils ?

— Il faut toujours que tu t'imagines que tout dépend de toi. Ça vient peut-être de John, que vous ne puissiez pas avoir d'enfant. Alors, arrête de te sentir coupable, tu veux bien !

— Mais je...

— Ecoute, Victoria, cette conversation va me coûter très cher. Il faut que je raccroche. Je rappellerai, d'accord ?

Pour avoir des nouvelles de John, songea-t-elle, parce que être obligée d'écouter Victoria, c'était une véritable punition.

Elle en arriva à appeler si souvent Daleview pour demander des nouvelles de John que même Victoria, qui ne songeait qu'à elle-même, finit par trouver cela excessif.

— Pourquoi est-ce que tu t'intéresses tant à John ? Tu te comportes comme si tu étais sa femme.

C'est ce que je serais si les choses s'étaient passées comme elles l'auraient dû, répliqua silencieusement Frances.

— Nous étions très amis, autrefois, dit-elle à voix haute. Il est normal que je m'inquiète pour lui.

Mais Victoria avait désormais la puce à l'oreille. Elle ne fut pas dupe longtemps.

— John est mon mari ! s'emporta-t-elle quelques jours plus tard contre sa sœur. J'espère que tu ne l'oublies pas !

Victoria n'avait encore jamais manifesté une telle agressivité à l'égard de quelqu'un. Elle n'était plus comme avant, elle avait changé au cours de ces années de guerre. Elle était désormais convaincue de ne jamais pouvoir avoir d'enfant ; de surcroît son mari lui manquait, elle s'inquiétait pour lui. L'atmosphère sinistre de l'immense maison qu'elle devait partager avec une belle-mère austère achevait de l'accabler de solitude et de tristesse. Et elle ne pouvait plus se réfugier chez ses parents à Westhill puisqu'elle ne supportait pas de voir sa mère enceinte. Elle devint dolente, geignarde et perdit peu à peu le charme et la grâce qui autrefois la rendaient si attrayante aux yeux des autres.

Septembre passa sans qu'arrive de lettre de George. Alice était malade d'inquiétude. George avait jusque-là toujours donné régulièrement de ses nouvelles.

Mais tandis que dans ses premières lettres il parvenait encore à taire le pire et à afficher un optimisme relatif, depuis le début de l'offensive sur la Somme, c'était au-dessus de ses forces. Deux années de guerre avaient eu raison de sa capacité à réagir, il était épuisé. Ses lettres étaient une succession de phrases courtes, de mots qui ne cachaient plus la terrible réalité des tranchées.

« A côté de nous, une galerie s'est effondrée. Tous les hommes sauf un sont morts ensevelis. Saloperies de galeries qui en quelques secondes se transforment en fosse commune... Il pleut sans discontinuer. Dans notre galerie, l'eau atteint trente centimètres. Tout est mouillé : les vêtements, les chaussures, les couvertures, les provisions. Les tranchées : un marais glacé. Un de mes hommes s'est carrément embourbé en allant chercher à manger, il a fallu que deux autres l'aident à sortir de la boue...

« Nous bivouaquons pour quelques jours dans une grotte souterraine ; elle a été creusée il y a très longtemps, ce n'est pas une grotte naturelle. Les sections s'y relaient. L'air y est presque irrespirable. Personne ne tient le coup longtemps. Il fait horriblement froid. Les chandelles qui devraient permettre d'avoir un peu de lumière n'arrêtent pas de s'éteindre parce que nous n'avons pas assez d'oxygène...

« Pilonnage incessant de l'artillerie allemande.

Nous sommes à nouveau dans une galerie. Ils nous touchent et nous sommes ensevelis. Hier, un homme est devenu fou, il a commencé par délirer, puis il a eu la fièvre. On a appris que son frère venait de mourir d'une blessure au ventre...

« ... J'ai peur, Alice. Jamais je n'ai encore eu aussi peur. Je préférerais recevoir une balle dans la tête plutôt que de voir la galerie s'effondrer sur moi. Je ne savais pas que j'étais claustrophobe. Je l'ai découvert ici. J'ai encore plus de mal que les autres...

« Alice, quand donc cela finira-t-il ? Quand ? »

Sa dernière lettre s'achevait ainsi. Puis rien, plus aucune nouvelle, quatre interminables semaines durant.

— Cela ne veut pas dire qu'il lui est arrivé quelque chose de grave, répétait Frances. Imagine un peu les conditions de vie dans les tranchées. C'est un miracle que tu aies déjà reçu tant de lettres, et toujours aussi vite. Aujourd'hui, ça ne marche plus si bien, c'est tout.

— Ce n'est pas vrai. Les autres continuent à recevoir des lettres.

Alice, qui avait demandé autour d'elle, savait que la poste militaire marchait plutôt bien entre la France et l'Angleterre.

— Il écrivait pratiquement tous les jours ! Pourquoi a-t-il arrêté ?

— Je l'ignore. Je vais appeler ma mère, elle est peut-être au courant de quelque chose.

Mais Maureen n'avait rien reçu non plus. Elle ne s'en était toutefois pas inquiétée car George ne lui avait écrit que quatre fois depuis le début de la guerre, des cartes postales, pour qu'elle sache qu'il était encore en vie. Il n'avait pas réellement renoué avec ses parents. Avec son coup de téléphone, Frances n'avait réussi qu'à inquiéter Maureen. Elle trouva que sa mère n'avait pas sa voix habituelle : elle semblait moins enjouée, moins dynamique. Quand elle la questionna, Maureen reconnut que sa grossesse était assez difficile.

— Je vieillis, voilà tout. Pour vous, je n'ai jamais eu de problèmes.

Plus tard, elle ajouta :

— Peut-être est-ce dû à cette accumulation de soucis... La guerre, la brouille entre ton père et toi. Tu sais, il y a beaucoup de choses que je vois différemment. On ne devrait pas perdre de temps en fâcheries et en disputes. Tout d'un coup, c'est la fin et il est trop tard pour recoller les morceaux.

Quelque chose dans la voix de sa mère, ce qu'elle disait et la façon dont elle le disait, alarma Frances. On aurait dit que Maureen avait un pressentiment. Elle avait peur. Peur d'une fin, mais de la fin de quoi, de qui ? Et peur de ne pas pouvoir réparer...

Frances eut à son tour peur pour George.

En août, la Roumanie entra en guerre après avoir signé un traité avec la Russie. A la mi-septembre, les Britanniques essayèrent les premiers chars d'assaut sur le sol français. Ils permettaient de passer partout, sur les tranchées, les barbelés, les entonnoirs creusés par les obus, et les Anglais réussirent à franchir les lignes allemandes. Au pays, ce fut l'euphorie, beaucoup voyaient déjà la fin de la guerre se profiler sous les chenilles de ces nouveaux engins.

L'enthousiasme se révéla prématuré. Comme ils en avaient déjà tant souffert depuis le début du conflit, les Alliés, une fois de plus, eurent des difficultés d'approvisionnement. Peu de chars purent être livrés, et parmi ceux-ci, beaucoup tombèrent en panne avant d'atteindre les premières lignes. Les quelques chars rescapés ne permirent pas de mener une offensive de grande envergure. L'espoir retomba.

C'était un soir de la fin du mois de septembre, il pleuvait. Quand Frances rentra de l'usine, elle trouva Alice occupée à préparer des bagages. Deux valises ouvertes étaient posées par terre dans le séjour – ce qui signifiait qu'il était quasi impossible de circuler dans la pièce – et des vêtements étaient étalés sur le divan qui servait de lit à Frances. Alice hésitait au milieu du désordre.

— Qu'est-ce que tu fais ? demanda Frances en se frayant un passage jusqu'à la cuisine pour poser sur du papier journal ses caoutchoucs trempés qu'elle avait ôtés dans le couloir.

— J'ai reçu une lettre. Du chef de bataillon de George. George est grièvement blessé.

Frances déglutit.

— Quoi ?

— Il est dans un lazaret, quelque part, dans je ne sais quel village français. Il n'est pas transportable.

En dépit de la nouvelle, Alice paraissait moins désespérée qu'au cours des semaines passées. C'était une mauvaise nouvelle, mais c'était une nouvelle. L'incertitude avait pris fin. Elle pouvait agir, maintenant.

Frances, les genoux tremblants, se laissa tomber sur le tabouret de la cuisine.

— Mon Dieu ! murmura-t-elle.

— Il avait mon adresse sur lui, pas celle de ses parents. C'est pour cette raison que c'est à moi qu'ils ont écrit, précisa Alice sans chercher à masquer une certaine satisfaction.

Que s'est-il exactement passé ?

— Un obus est tombé sur leur abri. La galerie s'est effondrée. Tous ses compagnons sont morts ensevelis. George est le seul qu'ils ont dégagé vivant. Il a une blessure assez grave à la tête, et une autre, plus légère, à la jambe droite. Le commandant écrit qu'il est hors de danger.

Enseveli dans une galerie. Ce que George redoutait le plus. Etait-il inconscient quand ils fouillaient la terre pour le dégager ou bien avait-il tous ses esprits et attendait-il, terrifié, que les secours parviennent jusqu'à lui ?

— Quelle horreur ! fit Frances, puis remarquant le regard d'Alice, elle ajouta : Pas que George soit hors de danger, bien sûr. Mais qu'il ait dû vivre ça. Ce dont il avait le plus peur.

— Il semble très atteint psychologiquement, dit Alice. Je crains même que ce soit plus grave que ses blessures. Je pars.

— En France ? Sur le front ?

— Pas sur le front. Le lazaret est situé en arrière de la ligne de feu, bien sûr. George a besoin, près de lui, de quelqu'un qu'il connaît, qui lui est familier. Je le sens.

Le cœur de Frances retrouva peu à peu un rythme normal. Elle était totalement ignorante en matière de traumatismes de guerre, elle n'en avait rien entendu dire et elle n'avait jamais rien lu sur le sujet : elle se serait, sinon, davantage inquiétée. Elle ne pensa qu'une chose : Dieu soit loué, tout va bien, il ne va pas mourir !

— Je crois que nous avons de bonnes raisons d'être soulagées, dit-elle. Ils ne le renverront peut-être pas au front, qui sait ? Avec un peu de chance, il est tiré d'affaire.

Alice ne partageait pas son optimisme.

— Oui, mais il est aussi possible qu'il ne retrouve jamais son équilibre. J'ai entendu parler de soldats qui ont fini à l'asile.

— Mais pas George. Il est solide.

— Peut-être pas aussi solide que tu le crois.

Elle plia soigneusement un châle et le déposa dans une des valises.

— En tout cas, j'y vais. Et je ne reviendrai pas sans lui. Je le ramènerai en Angleterre et tu as raison sur un point : jamais ils ne le renverront à la guerre. Jamais. Je ne les laisserai pas faire.

Frances découvrit à cet instant, non sans étonnement, qu'Alice éprouvait de vrais et profonds sentiments pour George. Elle avait toujours cru qu'Alice était incapable d'aimer et qu'elle avait en quelque sorte condamné George à courir sa vie entière après elle, en ne lui accordant que quelques miettes d'attention en retour. Elle s'était trompée. Il y avait un aspect de leur relation, un aspect d'Alice, qu'elle n'avait jusque-là pas compris. Elle considéra la jeune femme avec un regain d'intérêt et un nouveau respect.

Puis soudain, sans avoir pris le temps de la réflexion, elle déclara :

— Je t'accompagne. Je pars aussi.

Octobre-novembre 1916

C'était une journée ensoleillée mais fraîche, et pourtant la chaleur qui régnait à l'intérieur de la grange délabrée que les Anglais avaient transformée en hôpital de campagne était étouffante. Les blessés reposaient sur des lits de camp disposés le long des murs, mais l'encombrement était tel que beaucoup d'autres étaient couchés à même le sol, enveloppés dans des couvertures. Les allées ménagées entre les carrés auraient dû rester dégagées, mais là aussi des blessés s'entassaient. Les brancardiers qui entraient dans la grange avec leurs civières chargées de nouvelles victimes trébuchaient presque à chaque passage sur les bras ou les jambes qui dépassaient ou heurtaient plus violemment l'un des malheureux, qui, s'il n'était pas inconscient ou à demi mort, poussait un cri de douleur. Des bâches tendues devant la grange avaient permis d'agrandir l'espace mais n'avaient apporté qu'un soulagement de courte durée. Il y eut bientôt autant de blessés sous les auvents que dans la grange. La vaste prairie qu'elle surplombait et qui, en des temps plus heureux, avait connu les grands bals villageois du printemps était le refuge des blessés les plus légers ou de ceux qui étaient en voie de guérison. Certains marchaient un peu, perdus dans leurs pensées, ou discutaient avec leur voisin. Quelques-uns fumaient, les yeux clos, comme pour mieux s'imprégner de la jouissance que leur procurait leur cigarette, denrée rare entre toutes. Beaucoup restaient simplement assis dans l'herbe ou contre un arbre et regardaient droit devant eux, les yeux dans le vague. Dans un fauteuil roulant, un jeune homme, amputé des deux jambes au-dessus du genou, blême, les lèvres tremblantes, psalmodiait des mots que lui seul comprenait. Du front tout proche parvenait le bruit terrifiant d'incessants tirs d'artillerie. Une fumée opaque bouchait l'horizon. Le ciel avait le bleu profond de l'automne, les arbres flamboyaient.

Les mourants criaient.

C'est un cauchemar, se dit Frances, un abominable cauchemar. Dieu tout-puissant, faites que je me réveille !

C'était un cauchemar de sang, de pus, d'excréments, de vomissures qui attiraient des nuées de mouches, de pansements noirs et raides de sang séché, de visages hâves vibrant de fièvre, de regards fous d'avoir vu tant d'horreurs, de joues creusées par des barbes naissantes, de mains implorant un peu d'eau, un peu de morphine pour apaiser une douleur intolérable. Et dans la réserve à bois transformée en salle d'opération, il y avait les cris du blessé dont le chirurgien épuisé par tant de nuits blanches fouillait le ventre pour en extraire la balle meurtrière.

Le cauchemar, c'était aussi le grondement des tirs d'artillerie et l'homme que deux brancardiers avaient amené en courant quelques minutes auparavant. Il hurlait, à demi fou de douleur, en se tenant le ventre à deux mains. Son uniforme était en lambeaux. Quelque chose s'échappait de ses doigts. En dépit de l'horreur qu'elle éprouvait, Frances ne put s'empêcher de regarder et elle vit que c'étaient ses intestins.

Pour la première fois depuis qu'elle était arrivée – elle avait vu beaucoup de choses, beaucoup trop –, elle ne put se retenir. Elle se détourna et vomit dans un seau en fer-blanc, à côté du lit d'un blessé.

— Laissez-vous aller, ma petite dame, dit-il d'un ton fatigué. C'est pas bien joli, tout ça, hein ?

Elle se redressa en poussant un gémissement et s'essuya la bouche, la main tremblante. Quand elle osa enfin se retourner, les brancardiers avaient déposé la civière avec l'homme blessé au ventre un peu plus loin. Les bras de l'homme pendaient mollement de part et d'autre de son corps, ses yeux étaient grand ouverts, ils fixaient le plafond sans le voir. Ses cris s'étaient tus.

— Merde ! lâcha l'un des brancardiers.

Déjà une femme énergique vêtue d'un uniforme d'infirmière approchait à grands pas, jaugeait d'un coup d'œil la situation et faisait signe aux brancardiers d'emmener le mort.

— Allez, allez, nous avons besoin de place, dépêchez-vous ! Et là-bas, derrière, le lit du coin, il est mort aussi. Ne lambinez pas, on donne le lit à l'opéré !

Ils tombent comme des mouches, se disait Frances, et on ne peut presque rien faire.

Depuis plusieurs semaines, le front n'avançait ni ne reculait, mais il crachait sans faiblir son lot de morts et de blessés. Les habitants de Saint-Ravill, un petit village proche de Beaumont, un bourg sur l'Ancre, un affluent de la Somme, apportaient chaque jour des vivres au lazaret ; certains se portaient volontaires pour la corvée de soupe et aidaient à la distribuer. Tous avaient peur. La vieille grange était située à l'écart de Saint-Ravill, très près du front, et les détonations étaient parfois si violentes qu'on avait l'impression que c'était devant la porte que l'obus venait d'exploser. Mais tous continuaient à s'acquitter de leurs tâches, calmement, comme si, un kilomètre plus loin, le monde n'était pas en train de sombrer dans un enfer de feu et de sang.

Frances chercha à se rendre utile. Elle n'avait

certes aucune expérience des soins à donner aux blessés, mais elle avait les nerfs solides et savait réagir avec efficacité. Elle ne faisait pas de façons, et cela plut à l'infirmière en chef, une femme d'une cinquantaine d'années au caractère bien trempé qui venait du Somerset.

— Mademoiselle Gray, pouvez-vous venir aider ici ?

— Mademoiselle Gray, pouvez-vous rapidement nettoyer là-bas ?

On la sollicitait de toutes parts. L'instant de faiblesse qu'elle n'avait pu surmonter quand le soldat blessé au ventre avait été amené ne se reproduisit jamais. Frances ne se sentait aucune vocation d'infirmière, elle n'était pas assez idéaliste pour s'enthousiasmer pour cette profession, et trop peu portée à la compassion, mais elle réussissait à faire abstraction de ses sentiments à la vue de tant de souffrances et elle ne fuyait pas devant l'horreur.

George avait eu droit à un lit de camp puis, l'état de ses blessures s'améliorant, il dut céder sa place à un compagnon plus mal en point que lui. Deux mètres carrés et une couverture à même le sol près de l'entrée de la grange lui furent attribués. Alice protesta avec véhémence et refusa de se calmer jusqu'à ce que le médecin-chef surgisse et la sermonne avec une telle sévérité qu'elle n'osa plus piper mot et se détourna, cramoisie de honte. Elle passait ses jours et ses nuits au chevet de George, ne s'accordait que quelques heures de sommeil et mangeait si peu qu'elle perdit plusieurs kilos en l'espace d'une semaine. Elle aidait George à manger, le lavait, lui racontait des histoires et surveillait son sommeil.

Frances trouvait cela excessif, bien qu'elle eût été elle-même bouleversée en revoyant son frère pour la première fois. Il n'avait plus que la peau sur les os. Ses yeux étaient profondément enfoncés dans leurs orbites. Il n'y avait plus ni vie ni lumière dans son regard. Tout en lui semblait mort, inerte. Ses cheveux étaient ternes et hirsutes, sa peau grise, ses lèvres exsangues. Il ne restait plus grand-chose du beau jeune homme au sourire éclatant et aux yeux rieurs.

Heureusement que mère ne le voit pas dans cet état, avait d'emblée songé Frances.

George les avait aussitôt reconnues.

— Alice... Frances... Mais que faites-vous ici ?

Il parlait d'une voix monocorde, sans jamais hausser ni baisser le ton. La présence des deux jeunes femmes ne semblait pas réellement l'émouvoir. Il ne demanda pas de nouvelles de ses parents, ne posa aucune question. Rien ne paraissait pénétrer jusqu'à lui.

Frances vit surtout que ses blessures étaient en voie de guérison et en fut soulagée.

— Il est encore sous le choc, dit-elle à Alice, que ce premier contact avait beaucoup inquiétée. Il est resté enseveli pendant quarante-huit heures sous la terre et les gravats. Et autour de lui, il n'y avait que des morts. Ce n'est pas étonnant qu'il ait un peu de mal à s'en remettre !

— Il n'a pas simplement du mal à s'en remettre. Tu ne t'es pas rendu compte qu'il était devenu différent ? Il a à peine conscience de ce qui se passe autour de lui, de ce qu'on lui dit !

— Ça s'arrangera.

— Qu'est-ce que tu en sais ? Les gens qui ont subi un grand choc psychologique, comme lui, ont besoin de soins très particuliers. Mais ici, bien sûr, personne n'a le temps de prendre ces malades en charge. J'ai peur qu'il s'enfonce définitivement dans son monde et que personne ne puisse plus lui venir en aide.

Frances se dit qu'elle se faisait des idées. Ce n'est

que beaucoup plus tard qu'elle reconnut qu'Alice avait mesuré toute la gravité de l'état de George à une époque où personne encore ne voulait l'admettre.

De nombreux blessés souffraient de troubles psychologiques. Ils avaient vu mourir leurs camarades, et vécu des mois dans la peur de mourir eux-mêmes. Certains soldats étaient restés jusqu'à quatre mois dans les tranchées sans être relayés.

Frances s'attacha à un jeune homme de dix-huit ans qui venait du Northumberland, un comté situé à l'extrême nord de l'Angleterre, à la frontière avec l'Ecosse. Il souffrait du mal du pays et ne parvenait pas à surmonter la mort de son meilleur ami, tué d'une balle en pleine tête alors qu'il était accroupi à côté de lui. Toutes les nuits, raconta-t-il à Frances, il rêvait des chevaux.

— J'ai vu tellement de chevaux mourir... Ils hennissaient. Et ils pleuraient. Je ne savais pas que les chevaux pleuraient. Ils étaient tombés et ne pouvaient plus se relever. Ils luttaient contre la mort, leurs flancs éventrés, ils se vidaient de leur sang par tellement de blessures... Certains avaient baissé les armes et attendaient la fin sans bouger, les yeux grands ouverts. De temps à autre, leurs naseaux frémissaient un peu plus fort. Il y avait tant de tristesse dans leur expression... Pour moi, ce sont les victimes les plus innocentes de toute cette guerre.

Frances songea aux chevaux de Westhill, à leurs oreilles soyeuses et à leurs yeux sombres, au chaud contact de leurs naseaux dans le creux de sa paume. Elle comprit le jeune homme et l'aima pour ce qu'il ressentait pour les chevaux. Elle s'efforça dès lors de toujours lui dénicher quelques sucreries et, quand elle l'entendait gémir dans son sommeil, vite elle le réveillait parce qu'elle savait qu'il rêvait encore de chevaux.

George était accaparé par Alice, si bien que Frances ne s'occupa que rarement de lui. Quand elle parlait avec les autres patients, elle essayait toujours d'apprendre quelque chose sur John. Elle ne savait pas où se trouvait son unité, mais elle interrogeait tous ceux qu'elle rencontrait.

— Le lieutenant John Leigh? Non, mam'selle. Jamais entendu parler.

Elle souhaitait en secret qu'il lui arrive quelque chose, pas quelque chose de grave, bien sûr, mais d'assez sérieux pour qu'il soit dirigé sur un lazaret, et si possible sur celui de Saint-Ravill. Assez sérieux aussi pour qu'il ne soit pas renvoyé sur le terrain, mais il ne fallait pas que ses jours soient en danger. Quand elle attendait le sommeil, la nuit, sur l'étroite couchette qui lui avait été octroyée dans la ferme où elle logeait, elle imaginait des scènes follement romantiques, et dans le même temps raillait ces niaiseries de midinette. N'avait-elle pas vécu des choses assez difficiles pour qu'elle s'abstienne de tels enfantillages?

Tu as vingt-trois ans, se répétait-elle impitoyablement, pas dix-sept. Tu n'es plus la petite jeune fille qui croyait que le monde lui appartenait. Rien, dans la vie, ne te revient de droit. Il peut t'arriver d'avoir de la chance, par hasard et sans que ce soit vraiment mérité, mais en règle générale, tu devras toujours te battre pour obtenir quelque chose, et tu devras bien souvent te contenter de la moitié de ce que tu escomptais.

Et John est le mari de ta sœur! Tu ne devrais ni rêver qu'il t'avoue soudain son amour ni te mettre en tête de te bagarrer pour qu'il te revienne. Ne t'embarque pas là-dedans!

Mais elle continua à mener son enquête et quand on lui demandait ce que John Leigh était pour elle,

elle répondait évasivement qu'ils étaient très liés. Jamais elle ne réussit à dire : « C'est mon beau-frère », si bien qu'autour d'elle on en vint à supposer qu'elle était la fiancée du lieutenant Leigh, et elle ne détrompait personne. Cette petite jeune femme qui ignorait ce qu'était devenu l'homme qu'elle aimait faisait peine à voir et chacun lui promettait de la tenir au courant.

Un jour d'octobre où il faisait beau et doux, Frances décida de marcher un peu dans la campagne, au-delà du village, dans l'espoir d'échapper, ne serait-ce qu'un court instant, aux grondements des tirs d'artillerie qui depuis l'aube avaient redoublé d'intensité. A l'est, l'horizon disparaissait sous d'épais nuages de fumée noire. Les obus pleuvaient sans discontinuer. Des soldats qui traversèrent le village annoncèrent qu'enfin le front avait bougé de quelques mètres. Les Anglais et les Français avaient contraint les Allemands à abandonner leurs tranchées des premières lignes et à se replier.

Frances ne parvint pas à partager l'allégresse générale. De quoi se réjouissait-on ? De la conquête de quelques mètres carrés de terrain boueux dévasté par les mines et les trous d'obus ?

Ils étaient bien cher payés, ces pitoyables mètres carrés : les blessés affluèrent comme jamais. Les brancardiers ne cessaient d'aller et venir avec leurs civières. Il arriva un moment où il n'y eut plus une place de libre ni dans la grange ni sous les auvents et on commença à déposer les blessés dans la prairie, les uns à côté des autres. Les rangs s'allongèrent, il y eut bientôt près de cent cinquante soldats couchés à même l'herbe, qui criaient, gémissaient, agonisaient.

— Comment allons-nous faire ce soir ? demanda une jeune infirmière désemparée. Les nuits sont déjà si froides...

Le médecin, qui n'avait pas dormi depuis quarante-huit heures et paraissait à peine en meilleure forme que ses patients, posa sur elle un regard résigné.

— Il n'y a rien à faire. Il va falloir qu'ils tiennent le coup comme ça. Mais priez pour qu'il ne commence pas à pleuvoir.

Toute la matinée, Frances avait donné le meilleur d'elle-même, puis à un moment, elle s'était dit : Je n'en peux plus. Il faut que je m'arrête. Pas longtemps, mais il le faut. Je ne veux plus voir personne souffrir ni mourir. Je ne le supporte plus.

Elle s'était esquivée, avait marché à travers champs, laissant le front et les morts derrière elle, mais sans pouvoir oublier. Le grondement des tirs, les explosions étaient toujours là. Autour d'elle, les chaumes étaient rares. La plupart des champs, faute d'avoir été travaillés depuis plusieurs saisons, étaient envahis de mauvaises herbes. La majorité des hommes étaient à la guerre et les femmes ne pouvaient venir à bout de tout le travail qui désormais leur incombait. C'était la désolation. Une charrue oubliée rouillait à l'entrée d'un champ. Qu'était devenu le cheval qui la tirait, vivait-il encore ?

Mais l'air était léger et transparent. Quand Frances rentra, elle se sentait un peu mieux. La confusion la plus totale régnait sur la prairie, devant la grange. Ce n'était qu'un immense enchevêtrement de soldats blessés, de brancardiers et d'infirmières. Une voix lançait des ordres incompréhensibles auxquels personne ne prêtait attention. Le dépôt des blessés en rangs ordonnés avait disparu, il n'y avait plus d'allées pour se rendre d'un point à un autre. Tous ceux qui s'activaient sur la prairie devaient se débrouiller pour se frayer un vague chemin parmi les blessés. Ils ne cessaient de se heurter à des zones infranchissables, revenaient sur leurs pas, tentaient leur chance dans une autre direction. Deux brancardiers inclinèrent leur civière pour faire glisser un soldat sur l'herbe piétinée. Il mourut sans un cri au milieu du chaos. Une jeune infirmière, transparente à force de pâleur et d'épuisement, perdit brutalement connaissance et s'effondra. Une forte odeur de chloroforme emplissait l'air. Un soldat avec une jambe de bois clopinait en criant qu'il avait des moules à vendre. Il n'avait naturellement rien à offrir, il tendait seulement une main vide et sale à laquelle il manquait trois doigts.

George, un peu à l'écart du tumulte, fumait une cigarette, assis sur un tronc d'arbre. Ce qui se passait autour de lui ne l'affectait pas. Il paraissait ne rien entendre, ne rien voir. Il était très loin, plongé dans ses pensées, et donnait l'impression de dialoguer silencieusement avec lui-même. Il aurait pu aussi bien être assis au bord d'un ruisseau dans une forêt paisible ou une prairie de la Wensleydale. Curieusement, il n'y avait aucune trace de l'omniprésente Alice.

Frances s'approcha de lui.

— George ?

Il leva les yeux, sans manifester d'intérêt particulier.

— Ah, c'est toi. Je croyais qu'Alice s'était déjà réveillée.

— Elle est enfin allée se reposer ?

— Elle n'en pouvait plus. Elle est retournée à son cantonnement, elle comptait dormir une heure.

— Si elle s'endort, dit Frances, elle ne se réveillera pas avant ce soir. Elle est épuisée.

Ne sachant que faire, elle attendit que George l'invite à s'asseoir à côté de lui mais il ne faisait déjà plus attention à elle. Il tirait en silence sur sa cigarette, ailleurs. Elle s'assit alors en face de lui, dans l'herbe qui conservait encore un peu de la chaleur du soleil.

Encore deux heures et le crépuscule arriverait, prélude à une longue soirée d'automne, puis ce serait la nuit, avec sa fraîcheur et l'humidité qui monterait de la terre. Les hommes qui luttaient contre la mort, à même le sol, vivraient des heures encore plus difficiles.

— Comment te sens-tu, aujourd'hui, George ? demanda Frances.

Il suivait des yeux les volutes que dessinait la fumée de sa cigarette.

— Très bien, merci, répondit-il.

C'était toujours ce qu'il répondait quand on l'interrogeait sur son état. Puis il se rendit compte que Frances était assise dans l'herbe.

— Excuse-moi.

Il se ressaisit, lentement, et entreprit de se lever ; ses membres ne lui obéissaient encore que difficilement.

— Tiens, prends donc ma...

Elle l'invita doucement à se rasseoir.

— Ne bouge pas. Pour l'instant, je suis en bien meilleure forme que toi.

Il se rassit.

— Veux-tu une cigarette ? proposa-t-il.

— Ne me dis pas que tu en as encore !

Il hocha la tête et sortit une cigarette un peu écrasée de la poche de sa veste, ainsi qu'une petite pochette d'allumettes déformée.

— C'est Alice qui me les a procurées. Je ne sais pas comment elle fait, mais elle a tous les jours quelque chose pour moi.

— Elle t'aime, c'est évident. Peut-être en a-t-elle pris conscience quand elle est restée si longtemps sans nouvelles de toi. Elle était très inquiète, tu sais.

— Elle n'a jamais voulu de moi, dit George.

Il n'y avait ni rancœur, ni tristesse, ni résignation

dans sa voix. Il n'y avait rien, aucun sentiment. C'était un simple constat. Il donna du feu à Frances et, après avoir surmonté ses premiers scrupules à l'idée de prendre à George un bien aussi précieux, elle aspira une première bouffée, longue, délicieuse. Ce n'était peut-être pas correct, mais elle était quasi en manque de nicotine. Elle n'aurait pas pu résister.

L'effet fut presque immédiat, elle se sentit mieux, tout en elle se détendit et elle réussit à prendre un peu de distance par rapport aux événements.

— Et maintenant un bon whisky et la terre recommencerait presque à tourner dans le bon sens !

George sourit.

— Voyons, Frances ! Est-ce qu'une dame boit du whisky en public ?

Elle haussa les épaules.

— Je ne serai de toute façon jamais considérée comme une dame. Et honnêtement, ce n'est pas ce qui me préoccupe.

Il approuva d'un hochement de tête.

— C'est quelque chose qui vient avec l'âge, n'est-ce pas ? On ne se soucie plus autant de ce qui auparavant semblait essentiel. On a couru derrière tellement de choses... et puis un jour, on se rend compte à quel point c'était vain... et inutile.

Frances le regarda, soucieuse. Sa résignation était excessive. Elle-même avait fait une croix sur plusieurs choses, donné une autre valeur à d'autres. Mais rien ne lui paraissait vain et inutile, rien de ce qu'elle avait vécu, rien de ce qu'elle vivait. Tandis que George... Elle observa son visage gris, ses yeux ternes. Il semblait loin de la vie, de l'espoir.

— Je crois que pour nos parents eux aussi beaucoup de choses ont changé, dit-elle. Mère y a fait allusion la dernière fois que nous nous sommes parlé au téléphone. Tu sais, George, je suis certaine qu'ils t'accueilleraient à bras ouverts. Ils seront trop heureux que tu sois en vie.

— Le médecin a dit ce matin que j'étais suffisamment rétabli pour voyager. Alice voudrait que nous rentrions le plus vite possible.

— Elle a raison. Ta place est à la maison. A Westhill. C'est là que tu retrouveras ton équilibre.

— Je ne pense pas avoir envie de rentrer à la maison. D'ailleurs, ma maison, je ne sais plus vraiment ni ce que c'est ni où c'est. Tout m'est devenu tellement égal...

— C'est ce que tu penses maintenant. Tu as été très grièvement blessé. Tu as vécu des choses atroces. C'est normal que tu ressentes ce vide en toi.

— Je n'oublierai jamais...

Son regard s'arrêta dans le lointain sur quelque chose qu'il voyait et ne pouvait partager avec personne.

— J'ai cru que je mourais. Les étais ont cédé, les poutres craquaient, se cassaient, la terre, tout s'est écroulé, tout est devenu noir. J'ai cru que je mourais. J'avais peur. Je n'ai pas arrêté d'avoir peur. Dans la tranchée, mes compagnons s'effondraient juste à côté de moi, en hurlant, ils mouraient, et puis, au-dessus de nos têtes, ces balles qui sifflaient... C'était l'enfer. J'étais terrorisé. Tout le temps. Mais le pire, c'était dans la galerie. On pataugeait dans l'eau, on grelottait, on avait froid et dehors ça explosait de partout, une tempête de feu, et je me disais qu'on aurait de la chance qu'un obus ne tombe pas sur nous. De la chance. Nous étions impuissants.

— Je sais. Ce devait être terrible...

Il ne l'entendit pas, il ne l'écoutait pas.

— Je suis revenu à moi sous les décombres. Tout était noir. J'entendais quelqu'un gémir juste à côté de moi. Mais je ne voyais rien. J'ai essayé de dire quelque chose, mais je n'y arrivais pas. Et j'avais si mal...

— Je comprends.

— A un moment, le camarade à côté de moi a cessé de gémir. C'était terrible de l'entendre souffrir, mais dans un sens, c'était mieux que le silence. Je me suis senti si... désespérément seul.

Sa main qui tenait la cigarette tremblait.

— Il y avait une montagne de terre au-dessus de moi, retenue par un enchevêtrement de poutres qui formait une poche. Je savais que je ne pouvais rien faire qu'attendre. Attendre allongé dans le noir. Jusqu'à ce que je n'aie plus d'air et que je meure.

Frances lui prit la main.

— Mais tu n'es pas mort, George. Tu vis. C'est la seule chose qui compte. Le reste, il faut que tu l'oublies.

— Je t'ai dit que je n'oublierai jamais, insista-t-il comme s'il devait convaincre un enfant buté.

— C'est ce que tu crois maintenant. Tu verras, quand tu seras à la maison...

— Je n'ai pas de maison.

— Mais tu vas bien aller quelque part !

— On verra.

Sa cigarette étant presque achevée, il prit le mégot entre deux doigts pour profiter d'une dernière bouffée.

— C'est curieux, reprit-il. Quand j'étais enseveli dans la galerie, j'avais peur de mourir. J'avais affreusement peur. Je ne pensais qu'à une chose : en sortir vivant, peu importait dans quel état, mais en sortir vivant. Tout plutôt que crever là-dessous comme les autres. Maintenant... maintenant, je voudrais être mort avec eux.

— Tu ne peux pas dire une chose pareille. Tout va s'arranger. Je t'assure !

Il posa enfin les yeux sur elle.

Que ses yeux sont beaux, songea Frances, dorés

comme ceux de mère... Dans la lumière du soleil, on dirait des topazes. Frances savait qu'en comparaison les siens paraissaient froids et presque transparents. Elle avait beaucoup envié les yeux de Victoria, ceux de George, elle les trouvait magnifiques.

— George... dit-elle doucement.

— Aurais-tu imaginé ça ? Nous deux, en France, dans un lazaret, et la guerre se déchaînant autour de nous. On ne nous a pas préparés à ça. C'est cela qui est dramatique. Je n'arrive pas à m'en sortir parce que je n'ai jamais rien vécu qui me permette de savoir comment faire.

— Ce n'est pas une chose qui s'apprend. Ça arrive, voilà tout, et chacun se débrouille pour s'en sortir avec ses moyens.

Dans quelle réflexion tortueuse est-il en train de s'enfoncer ? Tortueuse, inutile et vaine, songea Frances.

— C'était bien trop idyllique, poursuivit George comme si Frances n'avait rien dit. Notre vie à Westhill. Elle était irréelle. Nous vivions hors du monde, nous n'étions pas dans la vraie vie. La réalité, elle est ici. La vie, c'est ce qui se passe ici.

— Non. Ce n'en est qu'un aspect. Un des aspects les plus noirs, un des pires. La vie n'est pas que cela.

Sa cigarette était finie, des cendres fines et légères tombèrent dans l'herbe. George replongea en lui-même, ses yeux se détachèrent de Frances. Où était-il ? A nouveau dans la galerie ? Revivait-il l'insoutenable attente ? Entendait-il les gémissements de son camarade, puis soudain le silence ?

Ce fut à cet instant que Frances, anéantie, se dit qu'Alice, en fin de compte, avait raison. George était psychologiquement atteint. Beaucoup plus sérieusement qu'elle ne l'avait cru.

Une sensation de froid l'envahit, une sourde angoisse s'insinua en elle. Elle avait vécu toute son enfance et son adolescence aux côtés de George. Ils avaient partagé leurs plus belles années. Il avait été son grand frère, son soutien, son ancre. Ces années appartenaient désormais au passé. Elle avait perdu son frère. Elle avait perdu ce qu'il avait été pour elle. Elle ne pourrait plus jamais s'appuyer sur lui. A partir de maintenant, c'est lui qui s'appuierait sur elle, en admettant qu'il ne sombre pas.

Ils restèrent ainsi absorbés dans leurs pensées jusqu'à ce que le jour commence à décliner et qu'une Alice pâle et tendue vînt les rejoindre.

— Il y a un convoi de blessés pour l'Angleterre demain matin. Nous pouvons en faire partie. J'ai des places pour nous trois.

George n'eut aucune réaction. Frances leva la tête.

— Si tôt ?

— Le médecin a donné son autorisation.

— J'espère qu'il ne se trompe pas, dit Frances. Ils renvoient certainement les blessés dans leurs foyers un peu plus vite qu'ils ne le devraient. Ils ont un tel besoin de place...

Demain matin ! Déjà rentrer ? Alors qu'elle n'avait encore aucune nouvelle de John ! Et qu'elle n'avait toujours pas pu lui parler ! Il devait encore avoir en tête la Frances qu'il avait rencontrée sur les bords de la Tamise, si peu en beauté dans cette informe robe grise, sale et fatiguée après une journée d'usine, et qui l'avait harangué comme une poissonnière. Quand elle songeait à l'impression qu'elle avait dû lui faire, elle en rougissait encore de honte. Elle aurait donné une fortune pour effacer cette image de sa mémoire.

— Mais en ce qui concerne George, le médecin a raison. Il est en état de supporter le voyage, même moi, je suis capable de le voir. Plus vite il partira d'ici, mieux ce sera. Il a besoin de calme et de paix, et chez moi il aura les deux.

— Tu veux l'installer chez toi à Londres ? s'étonna Frances.

— Bien sûr. Tu voudrais qu'il aille où, sinon ?

— Il faut qu'il aille dans le Yorkshire. C'est là-bas, sa maison.

— Son père ne veut plus l'y voir, objecta Alice sans trop élever la voix, soucieuse de ne pas rappeler à George un passé encore douloureux.

— Mais il a échappé de justesse à la mort. Ce n'est plus comme avant. Beaucoup de choses ont changé aux yeux de mes parents. Ma mère me l'a clairement dit.

— Il sera mieux à Londres, s'obstina Alice.

— Dans ce petit appartement humide ! s'exclama Frances. Tu ne parles pas sérieusement.

Elles se dévisagèrent avec la même hostilité, aussi déterminées à ne pas céder l'une que l'autre. Finalement, Frances déclara :

— Je sais bien ce qu'il y a derrière tout ça. Le fin mot de l'histoire, c'est que tu n'es pas la bienvenue à Westhill. Il est là, le problème. Tu n'admets pas que ce soit sa mère qui le soigne et pas toi. Tu ne penses pas à lui et à ce qui serait le mieux pour lui, tu ne penses qu'à toi !

— C'est moi qui suis venue ici, en France. Il n'y en a pas un parmi vous qui aurait eu l'idée d'aller le chercher ou de rester auprès de lui. Tu n'as fait que me suivre : de toi-même, tu n'aurais pas levé le petit doigt !

— C'est mon frère !

— C'est mon... commença Alice avant de s'interrompre.

Frances eut un rire sans joie.

— Eh bien, non ! Il n'est pas ton mari ! Tu t'es donné assez de mal pour qu'il ne le soit pas. Alors ne viens pas maintenant revendiquer ce à quoi tu ne peux pas prétendre !

— George, dit Alice, tu devrais toi-même dire ce que tu préfères. J'ai du mal à croire que tu souhaites t'installer chez ton...

Une violente explosion couvrit ses derniers mots. Des cris provinrent du lazaret, tout le monde avait eu peur, jamais la terre n'avait encore tremblé aussi fort. George, lui, n'avait pas tressailli. Il regardait fixement un érable décharné, le regard vide, comme s'il ne voyait rien.

Frances, qui jusque-là était restée assise dans l'herbe, se leva d'un coup, lissa sa robe froissée avec les deux mains et déclara :

— Tu as raison sur un point, Alice : il faut que George s'en aille. Jamais il n'ira mieux s'il reste ici. Tu rentres demain matin avec lui, c'est très bien. J'espère seulement qu'une fois sur place tu agiras au mieux de ses intérêts.

Alice la dévisagea.

— Tu ne rentres pas avec nous ?

— Je reste encore un peu. J'ai encore quelque chose à faire.

Elle pivota sur ses talons et partit presque en courant pour couper court à toute explication. Elle entendit Alice s'exclamer : « Qu'as-tu encore à faire ici ? » mais ne se donna pas la peine de répondre. Elle entra dans la grange et, indifférente aux cris et à la puanteur, se mit en quête de l'infirmière en chef pour lui demander si elle pouvait rester encore quelques jours en aidant aux soins des blessés.

Un quart d'heure plus tard, elle apprenait que John n'était pas revenu d'une patrouille de reconnaissance et était porté disparu depuis une semaine.

Elle revit John fin octobre, dans un hôpital de la côte normande où il avait été transféré. Parler de John à chaque soldat, chaque infirmière et chaque médecin qu'elle avait croisés avait fini par porter ses fruits; c'est de cette façon que Frances obtint enfin l'information tant espérée. Le jour où elle avait eu cette déprimante conversation avec George, le jeune garçon du Northumberland qui n'arrivait pas à oublier les chevaux qui mouraient l'avait appelée, tout excité.

— Une nouvelle infirmière vient d'arriver. Elle connaît John Leigh, votre fiancé!

Ses yeux brillaient. Il était en adoration devant Frances parce qu'elle comprenait ce qu'il ressentait pour les chevaux, et ses démarches pour retrouver son « fiancé » l'avaient touché. Il aurait fait l'impossible pour dénicher une information susceptible de l'aider.

— Oh, Pete, vraiment? Où est-elle? Qui est-ce?

Il lui désigna la nouvelle infirmière, une petite brune très jeune qui s'occupait des blessés avec, semblait-il, une remarquable efficacité. Frances se précipita, et c'est alors qu'elle apprit que John était porté disparu. Pete, qui n'en avait rien su, se sentit indirectement responsable de la mauvaise nouvelle et en fut consterné.

La jeune femme était l'épouse de l'officier qui avait envoyé John en reconnaissance. Ils étaient partis à deux, John et un jeune soldat, un soir à la tombée de la nuit, et n'étaient jamais revenus. Ils s'étaient probablement aventurés trop loin au-delà des lignes ennemies, d'autant que le matin suivant les Allemands avaient tenté une avancée et gagné deux kilomètres de terrain.

La jeune femme s'appelait Diane Wilson. Elle s'efforça de rassurer Frances en lui expliquant que rien ne permettait d'affirmer que les deux hommes étaient morts.

— Mais s'ils sont aux mains des Allemands et que...

— Les Allemands ne tuent pas systématiquement tout le monde. Ils font des prisonniers. Et cela ne signifie pas forcément la mort.

Dans l'esprit de Frances, et la propagande britannique n'y était pas étrangère, les Allemands étaient des barbares. Elle avait beaucoup de mal à faire une distinction entre emprisonnement et exécution.

— Au reste, poursuivit Diane, il est possible qu'ils soient parvenus à se cacher et qu'ils regagnent bientôt les rangs anglais.

— Il faut que j'y aille ! s'exclama Frances.

Diane la retint par le bras.

— Je comprends votre impatience, mademoiselle Gray, mais en tant que civile, vous ne pouvez pas circuler dans la région comme bon vous semble. En outre : où comptez-vous aller, au juste ?

— Là d'où il est parti.

— Qu'est-ce qui vous dit que c'est là qu'il reviendra ? Restez donc ici. Mon mari est le supérieur de John Leigh ; il sera forcément informé de son retour. Je vais lui demander de me prévenir dès qu'il saura quelque chose. D'accord ?

Frances admit que c'était une solution raisonnable. Elle approuva d'un hochement de tête et faisait déjà mine de partir quand Diane lança :

— Mademoiselle Gray ?

— Oui ?

— Le jeune garçon qui m'a interrogé sur John Leigh a parlé de vous comme de sa fiancée. Or je sais, à travers ce que m'en a dit mon mari, qu'il est marié.

Frances ne répondit rien. Elle soutint le regard inquisiteur de Diane sans ciller.

— Ah, bon, c'est donc ça, dit finalement Diane, sur un ton réprobateur.

Voilà qu'elle croit que je suis la maîtresse de John,

songea Frances, mais elle ne vit aucune raison de se justifier et de rétablir la vérité.

La jeune femme garda néanmoins l'information pour elle et Frances continua à être considérée comme la fiancée de John. La confiance qu'elle avait acquise auprès des médecins et des infirmières au cours des semaines passées se révéla un atout précieux. En tant que civile, elle n'aurait jamais dû être autorisée à rester aussi longtemps à proximité immédiate du front. Mais l'hôpital avait grand besoin de bonnes volontés et Frances avait prouvé qu'elle était dure à la tâche.

Restez donc jusqu'à ce que vous ayez des nouvelles de votre fiancé, proposa l'infirmière en chef.

Frances fut au moins rassurée sur ce point-là.

Le temps, jusque-là ensoleillé et sec, avait basculé. Il pleuvait beaucoup, il faisait froid et le matin des nappes de brouillard opaque stagnaient sur la campagne. Le front s'était à nouveau figé. La percée des Anglais n'avait pas eu les suites escomptées et les quelques mètres gagnés sur l'ennemi s'étaient soldés par de très lourdes pertes. La pluie transforma les tranchées en bourbiers glacés. Dans les galeries, les hommes vivaient avec de l'eau jusqu'aux genoux. L'été avait été difficile, l'automne vit la situation s'aggraver de jour en jour. Le froid et la pluie achevèrent de démoraliser les soldats. La dysenterie décimait les troupes, les poux et les puces rendaient les hommes presque plus fous que les incessants tirs d'artillerie. A l'hôpital, on entassait littéralement les blessés et, dès que l'un d'entre eux montrait le moindre signe d'amélioration, il devait céder sa place à l'intérieur de la grange et bivouaquer dehors sous les auvents de fortune. Le sol y était tellement détrempé et il y faisait si froid qu'il fallait être né sous une bonne étoile pour ne pas attraper de pneumonie.

Frances travaillait beaucoup pour ne pas penser, mais, en dépit de son épuisement physique, elle était si inquiète qu'elle en avait perdu le sommeil. Le visage de John la hantait, sans cesse les mêmes images défilaient devant ses yeux, son corps déchiqueté par une mine, abattu par une rafale de balles... N'était-elle pas folle d'espérer qu'il était encore en vie ?

Son angoisse la rendait irritable, elle explosait pour un rien, tous, autour d'elle, veillaient à ne pas l'énerver. Un jour, elle entendit l'infirmière en chef dire à l'une de ses collaboratrices : « Cette Mlle Gray n'est pas quelqu'un de gentil. Tu as vu ses yeux ? Des glaçons. Je n'arrive pas à cerner sa personnalité. Mais elle est formidablement efficace, il faut le reconnaître. Je me demande souvent ce que je ferais sans elle. »

Frances ne se lia d'amitié avec aucune des infirmières, mais cela lui était égal. C'était encore avec Diane qu'elle s'entendait le mieux, même si la jeune femme désapprouvait ce qu'elle pensait être une liaison avec un homme marié. Elles avaient en commun la même façon pratique et concrète de faire abstraction de leurs sentiments et se vouaient un certain respect mutuel.

Diane avait demandé à son mari de l'informer de toute nouvelle concernant John Leigh. Le 27 octobre, un télégramme lui parvint : John venait de réussir à regagner les lignes anglaises après être resté caché plus de deux semaines en zone ennemie. Il souffrait d'un refroidissement sévère et de dénutrition mais il était vivant. Il se rétablissait dans un hôpital près du Havre.

L'hôpital des environs du Havre n'avait pas grand-chose en commun avec la grange transformée en antenne médicale. A quelques dizaines de mètres du front, le monde n'était que sang, membres arrachés, corps déchiquetés, cris, gémissements, fumée noire et tirs d'artillerie. Les blessés arrivaient tels qu'ils avaient été ramassés dans les tranchées, brisés, défigurés, agonisants. Les mesures d'hygiène les plus élémentaires n'étaient pas respectées, mais qui aurait songé à s'en offusquer quand trouver un endroit où déposer un blessé relevait de l'exploit ? Qu'importait que la couverture fût imbibée du sang du précédent occupant ?

Un jour était arrivé où sauver plus d'hommes que d'en perdre prima sur tout le reste.

Les soldats n'arrivaient au Havre qu'après un premier séjour dans un hôpital de campagne ; ils étaient propres et déjà rafistolés tant bien que mal. L'ancien sanatorium privé pour patients nantis se dressait au centre d'un vaste parc orné d'une multitude d'arbres et de bosquets ; des allées gravillonnées ratissées avec soin et semées de bancs peints en vert serpentaient entre des pièces d'eau. Rien ne venait troubler la paix des lieux. La guerre était loin. Les arbres commençaient juste à perdre leur feuillage d'automne, des tapis flamboyants s'étalaient sur les pelouses bien tondues. Les murs jaune pâle de la grande villa principale, qui l'été disparaissaient derrière les frondaisons, apparaissaient entre les branches dénudées.

Les infirmières et les aides-soignants qui s'affairaient à l'intérieur du bâtiment portaient des uniformes d'une blancheur immaculée. On aurait presque pu croire qu'il n'y avait pas, à quelques kilomètres de là, finalement pas très loin, une guerre monstrueuse qui avait déjà fait des centaines de milliers de victimes s'il n'y avait eu tous ces soldats en uniforme dans les couloirs, blessés en fauteuil roulant ou sur des béquilles, les uns un bras en écharpe, les autres la tête enturbannée de linges, les yeux bandés ou les traits déformés par les gaz. Armée de malheureux au corps plus ou moins meurtri et à l'âme définitivement blessée. Il y avait dans leurs yeux toute l'horreur qu'ils avaient vécue.

La première fois que Frances revit John, elle eut un choc. Il avait toujours été un homme grand et fort dont la belle santé révélait l'heureuse condition sociale. La maladie était une idée que Frances n'avait jamais pu associer à sa personne. Il n'était d'ailleurs pas malade à proprement parler, mais les épreuves l'avaient beaucoup plus marqué que Frances ne l'aurait imaginé. Il avait tellement maigri que son uniforme flottait sur son corps, ses yeux étaient enfoncés dans leurs orbites et ses pommettes saillaient sous sa peau parcheminée.

Comme un vieillard, songea Frances, comme s'il avait trente ou quarante ans de plus.

Il disposait d'une chambre individuelle, une petite pièce agréable sous les toits. Quand Frances entra, il était assis devant la fenêtre et regardait fixement dehors. La fenêtre donnait sur un magnifique marronnier dont les feuilles roussies tombaient mollement les unes après les autres. John suivait des yeux leur lent trajet tourbillonnant.

Il ne se retourna pas quand Frances entra, mais sans doute avait-il deviné que c'était elle car il lança, d'un ton moqueur :

— Ah, ma fiancée !

Frances en était restée à cette version, par peur de ne pas être autorisée à le voir.

— Il est encore très faible, avait expliqué la directrice du sanatorium en détaillant Frances d'un œil soupçonneux. En fait, les visites ne devraient pas être autorisées.

— Je suis venue exprès d'Angleterre. J'ai travaillé plusieurs semaines dans un hôpital du front pour pouvoir rester. Il faut vraiment que je le voie.

— Hum... Vous dites que vous êtes fiancés ? Dans ce cas... je veux bien faire une exception.

Frances se demandait maintenant si elle n'aurait pas mieux fait de dire la vérité. John paraissait en colère.

Elle dit doucement :

— Je suis désolée d'avoir menti. Mais sinon on ne m'aurait pas laissé te voir.

— Etait-ce si important ? Fallait-il absolument que tu me voies ?

Il se retourna d'un geste brusque. Frances découvrit alors qu'il était dans un fauteuil roulant.

— Tu es blessé ?

— Non. Seulement un peu faible. En réalité, je n'ai plus vraiment besoin de cet engin.

— Je voulais te voir parce qu'il faut que je t'explique certaines choses.

Il eut un geste d'impatience.

— Tu n'as rien du tout à m'expliquer. Si c'est seulement pour m'expliquer quelque chose que tu as parcouru tout ce chemin, laisse tomber tout de suite. Au fait, comment as-tu réussi à me retrouver ?

— On m'a dit où tu étais, tout simplement. Dans l'hôpital de campagne où je travaillais il y avait quelqu'un qui te connaissait.

— Vous m'en direz tant ! Frances Gray dans un hôpital de campagne ! Et par quel hasard extraordinaire as-tu atterri dans un endroit comme ça ?

Frances sentit la colère monter en elle. A quoi rimait ce cynisme ? Et de quel droit se permettait-il de se moquer d'elle ?

— Je crois que j'ai fait correctement ce que l'on attendait de moi. Et ce n'était pas un travail facile. Les blessés qui arrivaient n'étaient pas très beaux à voir.

— Je sais. J'ai fait la guerre, figure-toi. Et je ne doute pas une seconde que tu aies très bien fait ton boulot. Dure comme tu l'es, tu étais sûrement en pleine action quand les autres commençaient par tourner de l'œil.

Elle serra les lèvres.

— Je peux repartir, tu sais.

John haussa les épaules.

— Si tu en as envie, je ne te retiens pas.

Elle hésita. Elle brûlait de tourner les talons et de claquer violemment la porte derrière elle. Puis elle pensa à George, à son accablement, sa désespérance. Il avait profondément changé, et John était lui aussi devenu un autre homme. Mais quand George sombrait dans la dépression, John, lui, se réfugiait dans la colère et l'agressivité. Quand la guerre prenait quelqu'un dans ses griffes, le broyait, le brisait, elle gravait dans sa mémoire des images effroyables, détruisait sa santé, lui ôtait sa sérénité, son goût de vivre, puis le laissait choir et à lui de se débrouiller pour recommencer à vivre.

Je dois être patiente avec lui. Il vient de vivre quelque chose de terrible. Comme George. Avec George, finalement, c'était assez facile, mais John mérite les mêmes égards.

Elle refoula son désir de s'enfuir, fit un pas dans la pièce et referma la porte derrière elle.

— John, dit-elle doucement, ça a été dur?

— Dur? Oh, oui! Mais pas pour moi. Je suis encore en vie, moi. Tandis que le jeune...

L'autre soldat qui était parti avec lui. Il n'était pas revenu.

— Tu es sûr qu'il est mort?

— Mort ou prisonnier, qu'est-ce que ça change? Il a à peine dix-neuf ans.

— John...

— C'est moi qui, ce jour-là, ai pris la décision de l'emmener.

Frances vit des larmes briller dans les yeux de John, des larmes qu'il ne pouvait pas verser.

— Il ne me lâchait pas, il insistait tellement... Il voulait faire quelque chose de différent, d'exception-nel. Finalement, je lui ai proposé de m'accompagner. Il a trouvé ça formidable.

— Tu as fait ce qu'il voulait.

Les mains de John se crispèrent sur les accoudoirs de son fauteuil.

— J'aurais dû me rendre compte qu'il n'avait pas les nerfs assez solides. Il était enthousiaste, il débor-dait d'idéalisme, mais au fond c'était un enfant. Je me demande encore aujourd'hui comment on a fait pour se perdre à ce point. On était très loin derrière les lignes allemandes. C'est un vrai miracle qu'on soit passés à travers les grenades et les tirs de barrage. Il y a quelque chose qui ne collait pas dans ma boussole. Nous nous sommes trompés de direction.

— Mais ça, ce n'est pas ta faute.

— J'étais le plus âgé. J'étais responsable. Je n'au-rais jamais dû l'emmener avec moi. Et surtout... je n'aurais jamais dû...

— Quoi donc ?

John détourna les yeux.

— Je l'ai laissé tomber. Je l'ai laissé en plan pour sauver ma misérable petite vie.

Frances s'approcha de John, posa une main sur son épaule.

— Je suis sûre que ce n'est pas vrai.

Il eut un rire amer.

— Tu ne me crois pas ? Tu aimerais bien garder de moi la belle image de héros que tu trimballes dans ta tête, hein ? Eh bien, je suis désolé de te décevoir. Je ne suis pas l'homme merveilleux que tu veux voir en moi.

— Ah oui ? Qui te dit que j'ai jamais vu en toi un homme merveilleux ?

Elle sourit, mais il ne lui rendit pas son sourire.

— Que s'est-il passé ? demanda-t-elle.

— Quand on a réalisé dans quel pétrin on se trouvait, Simon – c'est son nom – a perdu les pédales. Il a été pris de panique. Il ne pouvait plus bouger, plus faire un pas. Il voyait des grenades et des tireurs embusqués partout. Il s'est recroquevillé par terre et s'est mis à pleurer comme un enfant.

— Et qu'as-tu fait, alors ?

— Je lui ai parlé. Je lui ai expliqué qu'on allait réussir à rentrer, que la situation n'était pas désespérée. Je n'étais évidemment sûr de rien. Au contraire. J'avais une sacrée trouille. Je nous voyais très très mal partis, mais je savais aussi qu'on n'avait pas le choix. Il fallait qu'on essaye de repasser les lignes allemandes.

— Mais tu n'as pas réussi à le convaincre de te suivre.

John secoua la tête.

— Il était tétanisé. Il voulait rester assis par terre. Il disait qu'il ne pouvait plus bouger. Il n'avait plus aucun courage.

Doucement, Frances dit :

— Tu es parti sans lui.

— Oui. Je ne voyais pas ce que j'aurais pu faire d'autre. Quand j'ai essayé de le traîner derrière moi, il s'est mis à hurler. Je pouvais seulement espérer que les Allemands, s'ils le découvraient, ne tireraient pas sur un gamin de dix-neuf ans.

— Bien sûr que non. Ils l'ont certainement fait prisonnier.

John nouait et dénouait nerveusement ses doigts.

— C'est possible. Mais il est aussi possible qu'il soit finalement parti en courant et qu'il ait sauté sur une mine, ou qu'il ait été abattu. Je n'en sais rien. Tout ce que je sais, c'est que je n'aurais jamais dû partir sans lui.

— Mais...

— Il n'y a pas de mais. Je n'aurais pas dû. L'idée de m'asseoir par terre à côté de lui et d'attendre que les Allemands arrivent me rendait à moitié dingue. Mais je n'aurais tout de même pas dû m'en aller. J'étais son supérieur, j'étais plus âgé. Et Simon n'en pouvait plus. Le laisser...

Il secoua la tête, désespéré, et regarda à nouveau par la fenêtre.

Frances fouilla dans son sac à main.

— Veux-tu une cigarette ?

Son visage, pour la première fois, s'éclaira.

— Si tu en as une, volontiers.

Des patients lui avaient fait cadeau de cigarettes au moment de son départ, et elle les avait précieusement mises de côté. Ils fumèrent un instant en silence, chacun suivant le cours de ses pensées, puis Frances raconta l'histoire de George et parla d'Alice qui avait remué ciel et terre pour pouvoir le ramener à Londres.

— Elle l'a fait lanterner pendant des années, elle l'a laissé mendier et supplier. Et voilà que tout d'un coup elle court après lui.

John sourit. Frances rougit et se leva promptement.

— Tu te dis que c'est comme pour nous, n'est-ce pas ? Que j'ai commencé à te courir après une fois que tu étais marié avec ma sœur ? Je ne t'ai pas fait attendre pour jouer avec toi, John. Déjà, à l'époque, je te l'ai dit : j'avais besoin de ce temps de recul à Londres. Je ne pouvais pas faire autrement.

Le sourire de John s'effaça de son visage, ses traits à nouveau se contractèrent.

— Arrête, avec ces vieilles histoires, dit-il d'un ton irrité. Qui veux-tu que ça intéresse ? C'était il y a si longtemps... c'était une autre époque, dans une autre vie. Les choses sont comme elles sont.

Les remettre sans cesse sur le tapis ne les fera pas changer.

Il est comme George, songea Frances. Plus rien ne le touche. Il s'est replié sur lui-même. Il vit avec les fantômes d'images qu'il ne peut pas oublier, le reste ne l'intéresse pas.

Avec une douceur dont elle n'était guère coutumière, elle demanda :

— Tant que tu es ici... verrais-tu un inconvénient à ce que je reste ? Je pourrais louer une chambre dans le village et...

John haussa les épaules.

— Fais comme tu veux.

Elle sentit, en dépit de tout, la colère l'envahir. Il avait eu des moments difficiles. D'accord. Mais elle aussi. Elle comprenait qu'il soit déprimé, tour à tour agressif et muré dans son silence, mais elle ne voulait pas accepter cette indifférence blessante et entrer dans ce jeu cynique.

Elle écrasa sa cigarette dans une tasse vide qui se trouvait sur la table.

— C'est bon, dit-elle sur un ton glacial. J'ai compris. Sache pour ta gouverne personnelle que je n'ai jamais particulièrement rêvé de passer le mois de novembre dans un trou perdu au fin fond de la campagne française. Je n'aurai sans doute pas trop de difficultés à trouver un bateau pour rentrer en Angleterre.

Elle avait déjà la main sur la poignée de la porte quand elle entendit la voix de John.

— Reste !

Le ton était sec et cassant comme un ordre. Il dut lui-même s'en rendre compte car, tandis qu'elle se retournait, il ajouta à voix basse :

— S'il te plaît.

Elle vit dans ses yeux le désespoir et l'horreur

qu'elle avait lus sur des centaines de visages. Il lui évoquait un animal blessé, à la fois agressif et craintif. Il était prêt à mordre la main qu'on lui tendait et en même temps attendait avidement que cette main l'atteigne.

Souvent elle se demanda comment elle aurait décrit ce mois de novembre dans un petit village des environs du Havre si elle avait tenu un journal – ce qu'elle ne faisait plus car elle estimait qu'elle avait bien assez de mémoire pour tout conserver par écrit. Elle aurait dit de ces jours à Saint-Ladune qu'ils étaient baignés de pluie, souvent traversés de tempêtes, puis à nouveau brumeux, immobiles et calmes, avec le seul cri des mouettes, quelque part dans le gris impénétrable de l'horizon, pour briser le silence pesant de la côte normande en cette fin d'automne. Quand le vent se levait, froid et humide, poussé avec force vers la côte par la marée ascendante, le brouillard refluait. Parfois un soleil pâle et mat paraissait entre les nuages. Il n'apportait pas de chaleur, mais l'espace d'un instant la grisaille ambiante prenait quelques couleurs puis se fondait à nouveau dans le gris du ciel. Quand la pluie commençait à tomber, c'était toujours de façon brutale et inopinée, et elle était tellement froide que sur la peau les gouttes piquaient comme des aiguilles.

Du village, il fallait marcher une vingtaine de minutes pour atteindre la plage. Des petits cabanons, fermés en cette saison, s'y alignaient. L'été, et en des temps meilleurs, on y vendait des sucreries et des boissons. Il y avait dans les dunes un kiosque blanc qui sans doute hébergeait un orchestre quand les curistes prenaient possession des lieux, élégantes à grands chapeaux déambulant sous leurs ombrelles de broderie anglaise pour se protéger des ardeurs du soleil, messieurs en souliers bicolores et, concession aux bains de mer, la veste jetée négligemment sur les épaules et les manches de chemise roulées aux coudes.

Les auvents des cabanons étaient baissés et barricadés, le kiosque à musique n'abritait que quelques mouettes, et la plage déserte et abandonnée était jonchée d'algues, de morceaux de bois et de détritus divers apportés par la mer.

Saint-Ladune, c'était aussi la minuscule chambrette que Frances occupait au village. C'était une location d'été, mais la propriétaire de la maison ne la loua que trop volontiers à cette cliente inespérée en cette saison. La pièce était meublée d'un grand lit double pourvu de gros oreillers en plume, d'une armoire dont l'intérieur était tapissé de papier à fleurs et sentait la lavande, ce que Frances perçut comme un signe affectueux de sa grand-mère, et d'une table de toilette équipée d'une bassine en faïence et de son broc rempli d'eau froide. Le parquet était peint en blanc. Un coquillage strié de jaune était posé sur le rebord de la fenêtre. Quand Frances le prit dans sa main, du sable blanc, très fin, s'en échappa. Enfant, elle ramassait le même type de coquillages sur la plage de Scarborough quand elle y séjournait avec sa famille. Ce fut, pour elle, comme si le passé lui souriait.

Frances n'aurait certes pas omis de parler de Mme Véronique, sa logeuse. Elle était veuve, depuis deux ans à peine, mais ainsi qu'elle le confia à Frances, elle ne pleurait guère son défunt mari. C'était une jolie femme, mince, au teint clair et délicat et aux yeux noirs comme du charbon. Elle ouvrit grand sa maison à Frances.

— Ne vous enfermez pas dans votre petite chambre, là-haut. Venez donc me tenir compagnie, ou installez-vous près du feu. Ça ne me dérange pas. Je suis bien assez seule comme ça le reste du temps !

Mais surtout, Véronique semblait disposer d'une inépuisable réserve de whisky et de cigarettes. Et il s'agissait de scotch véritable, pas d'un whisky quelconque. Il devait y avoir derrière tout cela une sombre histoire car Véronique restait muette quant à l'origine des trésors qu'elle conservait dans sa cave. Une liaison avec un Britannique ? Une affaire de contrebande ? Il y avait, à l'évidence, une part de mystère dans la vie de Véronique. Jamais elle ne leva le voile, mais ce qu'elle possédait, elle le partageait très généreusement avec Frances.

Saint-Ladune : de longues promenades sur la plage, seulement John et Frances, marchant en silence pendant des heures, bravant obstinément le froid et la pluie. Ils étaient souvent trempés jusqu'aux os et frigorifiés quand ils rentraient au village. John reprenait lentement des forces, il retrouvait peu à peu sa stature passée, mais Frances n'aurait su dire comment, au fond de lui, il se sentait.

Parfois, ils se pelotonnaient à l'abri du vent, au creux d'une dune pour se reposer avant que le froid les oblige à reprendre leur marche sur la grève. Frances demandait alors :

— A quoi penses-tu ?

La plupart du temps, John répondait :

— A rien.

Ses yeux, dans lesquels elle lisait jadis comme dans un livre ouvert, restaient muets.

Les Anglais mirent un terme à leur engagement contre les Allemands dans la Somme. La bataille avait fait des centaines de milliers de victimes, sans modifier les rapports de force. En Angleterre, le Premier Ministre Asquith se prononça contre une « paix de

compromis déshonorante », mais les ouvriers envahirent les rues pour réclamer la signature rapide d'ac-
cords de paix. Il semblait y avoir de l'agitation sociale
outre-Manche, et même Saint-Ladune finit par en
entendre parler. Parce que pour le reste... Peut-être
cela tenait-il au brouillard.

De ces semaines dans les brumes de Normandie,
Frances cependant aurait commencé par dire :
« C'était comme sur une île. Autour de nous, la mort
et l'horreur se déchaînaient. Rien n'en parvenait jusqu'à nous. Un petit morceau de temps hors de la réalité nous avait été accordé. Nous avions conscience de
la brièveté du délai concédé, mais nous étions trop
loin de notre monde pour réfléchir à ce qui arriverait
ensuite. »

Frances néanmoins s'était plusieurs fois demandé
de quel châtiment pouvait être passible l'entretien de
relations adultères avec le mari de sa sœur. Elle ne
savait pas vraiment d'où pourrait venir ce fameux
châtiment car sa foi, en Dieu ou en toute autre puissance divine, était trop hésitante ; bien qu'élevée dans
la religion anglicane, elle n'avait pas vécu auprès
d'une mère et d'une grand-mère catholiques sans que
des notions comme « purgatoire » et « absolution »
ne l'aient pas marquée. Elles avaient fait partie de sa
vie. Jamais elle n'avait osé affirmer qu'elles n'avaient
pas de sens.

Elle se disait maintenant que, s'il y avait une part de
vrai dans tout cela, elle avait peu de chances d'être un
jour pardonnée et elle se voyait souffrir mille morts
en enfer. Elle se surprenait parfois à dire en hâte un
Pater et un *Ave Maria*, comme elle avait vu Kate le
faire en égrenant son chapelet, sans toutefois entretenir trop d'illusions sur l'efficacité de l'entreprise car
elle n'éprouvait ni regret ni repentir mais avait simplement peur d'éventuelles représailles. Ce qu'elle

faisait était répréhensible, aux yeux de Dieu comme aux yeux des hommes.

S'ils avaient pu s'aimer quelque part dans les dunes qui bordaient la plage, tout aurait été plus facile. Ils auraient pu prétendre avoir succombé à une irrésistible passion et rendre un semblant d'innocence à l'affaire. Mais les conditions climatiques ne leur étaient pas favorables. Ils durent se replier sur la petite chambre de la maison de Véronique, donnant ainsi un caractère organisé et planifié à leur amour qui le rendait laid et triste. Véronique ne voyait aucune objection à leurs rencontres, bien que Frances, rendue imprudente par le whisky, eût un jour renoncé à défendre la version du « fiancé ».

— Mais qui est-il, alors ? avait voulu savoir Véronique.

— Le mari de ma sœur.

— Oh... avait fait Véronique d'un air détaché mais avec une petite étincelle dans les yeux qui disait assez combien elle adorait ce genre d'histoire.

Les jours s'écoulaient tous selon le même schéma : le matin, Frances passait prendre John au sanatorium, puis ils marchaient côte à côte, des heures durant, qu'il pleuve, qu'il fasse froid ou qu'il y ait du brouillard. Vers 4 heures de l'après-midi, quand le jour commençait à décliner, ils gagnaient la maison de Véronique, montaient dans la chambre de Frances, ôtaient leurs vêtements mouillés et faisaient l'amour.

John était un bon amant, ainsi que Frances l'avait imaginé ; avec lui, ce n'était pas du tout comme avec ce pauvre Phillip timide et inexpérimenté, c'était plus agressif, plus intense, puis à nouveau étonnamment tendre et doux. Cependant, la façon dont chaque jour ils répétaient en silence les mêmes gestes, gagnaient la maison, se déshabillaient et passaient au lit avait ritualisé l'acte et d'une façon étrange en avait également effacé toute émotion. Ils s'aimaient sans qu'intervienne aucun des sentiments dont Frances pensait qu'ils allaient de pair.

John avait connu l'horreur du front, il avait vécu un événement traumatisant ; il paraissait ne plus pouvoir ni éprouver ni exprimer de sentiments qui engageaient tout son être. Pour sa part, Frances ne savait que trop que ce n'était pas seulement le désir ou l'amour qui la motivait. Ce qu'elle cherchait dans ces rencontres gagnées sur l'adversité, c'était avant tout à soigner la plaie ouverte qui la faisait tant souffrir depuis ce jour d'été, cinq ans auparavant, où elle avait poussé la porte de Daleview et découvert que John et Victoria venaient de s'unir pour le meilleur et pour le pire.

Les étreintes de John, son souffle chaud et rapide sur son visage, ses baisers au goût de sel après les longues promenades sur la plage lui apportèrent l'apaisement auquel elle aspirait. Elle comprit que l'amour pouvait prendre beaucoup d'aspects, beaucoup de chemins. Et parfois, en de rares instants magiques, elle revit les enfants qu'ils avaient été, courant main dans la main dans une prairie et se jurant de ne jamais se quitter.

La fin arriva avec les derniers jours de novembre. Les premiers flocons de neige de l'année tourbillonnaient devant la fenêtre. John et Frances étaient serrés l'un contre l'autre dans un désordre de draps, de couvertures et d'oreillers, jouissant, après la froidure de la journée, de la chaleur de leurs corps sous l'édredon douillet. Soudain, John dit :

— J'ai reçu ce matin une lettre de Victoria.

Frances ne pouvait pas entendre ce nom sans que son cœur se mette à battre plus vite. Les mots que John venait de prononcer étaient comme une intrusion malveillante du monde extérieur dans le cocon qu'ils avaient tissé autour d'eux.

— De Victoria ? Comment a-t-elle eu ton adresse ?

— Je lui ai écrit quand je suis arrivé ici.

— Pourquoi ?

John ne put s'empêcher de rire, comme si la naïveté de ce « pourquoi » était trop drôle.

— On lui a dit que j'étais porté disparu. Il fallait bien que je l'informe que j'étais encore en vie, que je me rétablissais, et où...

— Tu crois qu'elle va venir ?

— Non. Je ne vois pas Victoria traverser seule toute l'Angleterre, s'embarquer sur la Manche entre deux tempêtes et se transporter où que ce soit en France, d'autant que pour elle, du moment que c'est en France, c'est le front.

— Je... commença Frances.

John l'interrompit aussitôt.

— Victoria n'est pas comme toi. Il y a des choses qu'elle serait incapable de faire.

Frances crut percevoir du respect et de la reconnaissance dans le ton de sa voix, et cela l'aida à surmonter son angoisse.

De façon aussi abrupte qu'un instant auparavant, John annonça alors :

— Encore une semaine et je rejoins mon régiment.

Frances se redressa.

— Ce n'est pas possible !

Tout à coup, sa bouche était sèche.

— Le médecin ne te donnera pas son accord.

— Il l'a déjà fait. Je vais très bien. Je n'ai aucune raison de rester plus longtemps ici et de faire semblant d'être malade.

Frances se leva et enfila son peignoir. Elle vit dans le miroir accroché au-dessus de la table de toilette combien elle avait pâli.

— Personne ne te demande une chose pareille. Tu as déjà largement donné. Tout le monde comprendrait que tu...

— C'est mon choix. Je ne changerai pas d'avis.

Une bouteille de whisky, inévitable, et deux verres étaient préparés sur un plateau. Frances se servit et vida son verre d'un trait. Ses mains tremblaient légèrement.

— Mon Dieu, murmura-t-elle.

— Le mieux est que tu rentres en Angleterre, dit John.

Elle le regarda. Il s'était assis, adossé aux oreillers... Ses bras qui, voilà si peu de temps, enlaçaient Frances reposaient, détendus, sur l'édredon. Rien chez John ne lui appartenait. Elle n'avait aucun droit sur lui, aucune influence. Il ferait ce qu'il avait décidé sans plus se soucier d'elle.

— Ce n'est pas en mettant une deuxième fois ta tête sur le billot que tu vas changer quelque chose à l'histoire du jeune Simon.

D'un geste plein de colère, John rejeta les couvertures, se leva et s'habilla.

— Arrête avec ça, tu veux ! Je ne veux plus en entendre parler !

— John, je pense que...

— Je t'ai dit que je ne voulais plus en entendre parler !

Il passa ses doigts dans ses cheveux encore mouillés pour les discipliner un peu.

— John, tes vêtements ne sont pas secs. Enlève-les. Nous allons les mettre à sécher en bas, devant la cheminée. Et en attendant, sers-toi un whisky et...

— ... et change d'avis ? Je te remercie, Frances, mais c'est non ! Je rentre maintenant, vêtements mouillés ou pas !

354

Tout cela parce que j'ai parlé de ce jeune homme, songea Frances.

John claqua bruyamment la porte de la chambre derrière lui. Ses pas ébranlèrent l'escalier.

Frances reposa son verre sur le plateau. Elle tremblait.

— Eh bien, va-t'en! s'exclama-t-elle à haute voix. Vas-y, sur le front, puisque tu y tiens tant! Défie-le donc, le destin! Surtout ne t'en prive pas. Et fais un peu profiter les autres de ta mauvaise humeur!

Le lendemain, elle bouclait ses valises et prenait la route du Havre en quête d'un embarquement pour l'Angleterre.

Décembre 1916

La ville qui l'accueillit était grise, froide et triste. Cette année-là, aucune décoration de Noël, ou si peu, n'égayait Londres. La guerre avait déjà fait tant de victimes que personne n'avait le cœur à la fête. Les familles qui ne pleuraient pas au moins un mort étaient rares.

Au sein de la population, le mécontentement grandissait. L'esprit patriotique des premières semaines du conflit s'était singulièrement effrité. Les gens voulaient la paix et le gouvernement était violemment critiqué. Il se défendait en exhortant le pays à un dernier effort pour abattre l'ennemi et ne pas se laisser imposer une paix prématurée. Partout dans les rues avaient surgi des affiches incitant à s'engager. « Que répondrez-vous quand vos enfants vous demanderont ce que vous avez fait pour votre pays ? » pouvait-on lire ici et là. Mais quand la grande majorité de la population craignait justement qu'il n'y ait bientôt plus d'enfants pour poser des questions si la guerre ne cessait pas au plus tôt, l'argument avait peu de chances d'inciter les partisans de la paix à reprendre leurs fusils.

Frances se rendit à Stepney. Elle pensait rencontrer Alice mais George était seul dans l'appartement. Elle eut un choc en le revoyant. Il avait continué à perdre du poids et, avec son pantalon informe beaucoup trop grand pour lui et son pull-over en laine feutrée, il ressemblait à un vieillard qui n'avait plus ni la force ni le courage de s'habiller correctement, de se laver ou de se peigner. Ses cheveux, ternes et secs, étaient trop longs et paraissaient encore sentir l'infâme produit que les soldats se mettaient sur les cheveux pour ne pas avoir de poux. Il était mal rasé ; Alice avait dû lui faire la barbe en pensant à autre chose.

Il était assis dans un fauteuil près de la fenêtre, le regard vide. Ses beaux yeux dorés n'avaient toujours pas retrouvé leur éclat. Depuis la France, son état semblait s'être aggravé. L'appartement était glacial et sentait la vieille friture.

Frances ouvrit aussitôt toutes les fenêtres. Il ne risquait pas de faire plus froid, en revanche, l'odeur de ranci s'en trouverait peut-être atténuée. Elle entra dans la cuisine. Des monceaux de vaisselle sale s'y empilaient. Comme elle ne disposait que d'eau froide, il lui fallut des heures pour venir à bout des restes de nourriture collés sur les assiettes. Elle prit un seau et descendit à la cave chercher du charbon, mais l'endroit où on le stockait d'ordinaire était vide. Elle alla trouver le gardien de l'immeuble, qui la regarda en secouant la tête.

— Je suis désolé, petite madame. Tous les jours, j'essaye de trouver quelque chose. Tous les jours. Mais le charbon est très rationné. Si j'ai plus de chance demain, je vous aiderai bien volontiers.

— Je l'espère bien ! répliqua Frances, furieuse. Nous gelons, là-haut ! Et mon frère va très mal. Il arrive de France, il est en convalescence, il a été grièvement blessé sur le front.

Les yeux gris du gardien étaient pleins de compassion.

— C'est terrible, pour lui. Sûr. Et pour vous et pour Mlle Chapman aussi. Si je trouve quelque chose, ce sera pour Mlle Chapman, vous pouvez compter sur moi. Faut seulement que les autres locataires le sachent pas. Mais vraiment, ça me fait mal de la voir si maigre et si pâle. Et sans rien pour se chauffer, en plus.

Il n'a toujours pas renoncé, songea Frances.

Il promit de tenter tout son possible, mais Frances savait que, si elle pouvait compter sur quelqu'un, c'était d'abord sur elle-même. Faire plaisir à Alice était certes son vœu le plus cher, mais il était beaucoup trop timide et trop peu persuasif pour réussir à acheter quelque chose d'aussi rare que du charbon ou du bois de chauffage. Frances savait que certains étaient prêts à se battre pour quelques malheureuses bûches.

Elle remonta à l'appartement, s'accroupit devant George, qui n'avait pas bougé depuis qu'elle l'avait quitté, et lui dit, pleine de fougue et de détermination :

— Je vais chercher de quoi allumer du feu. Du charbon, du bois, n'importe quoi pourvu que ça brûle. Je ne serai pas très longue. Tu n'auras plus froid, je te le promets. Et je vais aussi te préparer un vrai repas, même s'il faut pour ça que je vole de quoi manger.

Il ne lui restait que très peu d'argent. C'était sur ses économies qu'elle avait vécu en France, payé son loyer à Saint-Ladune, puis son passage de retour vers l'Angleterre, et son bas de laine n'était plus très conséquent. Elle réussit néanmoins à acheter un petit sac de charbon sur les quais. Elle pouvait à peine le soulever, mais elle le rapporta d'une traite à Stepney. Elle arriva en nage et épuisée.

Frances possédait encore de quoi acheter des pommes de terre et du poisson. Elle devrait désormais trouver le moyen de se débrouiller pour s'en sortir, mais quand Alice rentra, le poêle ronflait, l'appartement était propre et bien chaud, et du poisson et des pommes de terre cuisaient dans une casserole.

— Mon Dieu, mais que se passe-t-il ici ! s'exclama Alice en poussant la porte.

Puis elle découvrit Frances. Elle ne parvint pas à feindre d'être heureuse de sa présence.

— Depuis quand es-tu là ?

— Depuis midi.

Frances était furieuse et elle savait que cela se voyait sur son visage.

— C'est inadmissible, Alice. Vraiment inadmissible !

— Chut ! fit Alice avec un signe de tête vers George, toujours immobile près de la fenêtre.

— Ne va pas croire que ce qu'on dit l'intéresse ! Il n'a même pas conscience de notre présence. Et c'est comme ça que tu t'occupes d'un malade ? Quand je suis arrivée, il faisait tellement froid qu'on faisait de la buée en parlant. Et ça sentait tellement le renfermé qu'il y avait de quoi tourner de l'œil ! Quant à George, il était tout seul dans son fauteuil et regardait fixement droit devant lui. Dans des conditions pareilles, il n'y a pas besoin d'avoir fait la guerre en France pour perdre le goût de vivre ! N'importe qui deviendrait dépressif !

Alice ôta son bonnet de laine, son manteau, son écharpe, puis ses gants. Elle avait l'air frigorifiée et très fatiguée.

— Et qu'est-ce que tu as fait de toute la journée ? demanda Frances.

— J'ai travaillé.

— Travaillé ? Je croyais que tu avais...

— Mon héritage a beaucoup fondu. Et je vais deux fois par semaine chez un psychologue avec George. Ça engloutit de grosses sommes. Je dois travailler.

— Dans quoi ?

— Dans des bureaux. Une société qui importe du vin. C'est dur mais assez bien payé.

Frances se sentit un peu honteuse.

— Les blessés de guerre sont pris en charge par l'Etat !

Alice secoua la tête.

— George n'est pas considéré comme blessé de guerre. Physiquement, il va bien. Sa tête n'intéresse personne. Pour ça, il faudrait qu'il délire ou qu'il se comporte comme un fou. Et ce n'est pas le cas.

— Passons à table, proposa Frances.

Elle avait dressé le couvert près de la cheminée et décoré la table avec une bougie. Le repas sentait bon. Frances et Alice mangèrent de bon appétit; George, en revanche, ne paraissait manger que parce qu'on lui avait dit de le faire.

Il ne fait même pas attention à ce qu'il y a dans son assiette, remarqua Frances pour elle-même, cela pourrait aussi bien être de la nourriture pour chiens.

Elles lavaient ensemble la vaisselle quand Frances remit la question de George sur le tapis.

— Je sais que tu crois bien faire avec ces séances chez le psychologue, mais je ne pense pas qu'elles soient d'une grande utilité. Du moins tant que le reste de sa vie sera aussi déprimant. George est beaucoup trop seul, avec toi qui travailles toute la journée. Rien ne le distrait de ses histoires. Il reste assis près de la fenêtre sans bouger, dans le froid, dans cet appartement infect, et il regarde le mur. Je suis sûre qu'il a toujours les mêmes scènes terrifiantes devant les yeux, et il n'y a personne pour l'empêcher de ressasser. Tu ne vois pas qu'il s'enfonce de plus en plus ?

— Il ne fait pas toujours aussi froid. C'est la première semaine que nous n'avons pas de charbon.

Frances soupira.

— C'est au moins ça.

— De toute façon, nous n'avons pas le choix, décida Alice en essuyant un verre.

— Bien sûr que si, nous avons le choix : Westhill Farm.

Alice eut un petit rire dédaigneux.

— Tu recommences avec Westhill ? Crois-tu sincèrement que cela puisse faire du bien à George de revoir son père ? Son père qui l'a mis à la porte et ne cesse de le critiquer ?

— Je t'ai déjà expliqué que la situation avait changé.

— Mais pas les gens.

— Les gens aussi, dans la mesure où, après tout ce qui s'est passé, d'autres choses sont devenues plus importantes.

— Je ne suis pas d'accord, s'obstina Alice.

Le verre se brisa, des gouttes de sang tombèrent dans l'évier. Alice blêmit.

Frances sortit son mouchoir et le noua autour du doigt d'Alice.

— Ça ne va pas saigner longtemps.

Elle prit sur elle-même pour ne pas brusquer Alice, entre-temps devenue pâle comme un linge.

— Il faut que tu acceptes de le laisser aller là-bas. Telles que sont les choses, tu ne peux pas t'occuper vraiment de lui.

— Mais si, dit Alice avant de se précipiter sur la fenêtre, de l'ouvrir et d'aspirer de longues goulées d'air froid.

Des gouttes de sueur perlaient sur son front.

— Excuse-moi. J'ai cru que j'allais m'évanouir.

Elle est épuisée, se dit Frances. Et à bout de nerfs. Elle n'en peut plus.

— Laisse-moi finir de ranger. Va t'asseoir avec George et repose-toi.

Alice obéit. Quand Frances, dix minutes plus tard, referma la porte de la cuisine derrière elle, Alice était assise dans le fauteuil, le menton sur la poitrine, les yeux fermés. Elle dormait profondément. Sa main blessée reposait sur l'accoudoir, étonnamment petite et émouvante. Frances n'avait jamais remarqué que les mains d'Alice étaient aussi menues que celles d'une fillette de huit ans.

Les jours qui suivirent, elles s'observèrent en se tournant autour comme deux chattes aux aguets. Le sujet « George » fut momentanément mis de côté. Tandis qu'Alice travaillait, Frances faisait les courses, tenait l'appartement et entreprenait quelques promenades avec George, ou plutôt George lui prenait le bras et trottinait à ses côtés le long des rues, l'esprit ailleurs.

Un soir, Alice le conduisit chez le psychologue. Lorsqu'ils rentrèrent à l'appartement, George avait le teint terreux, ses mains tremblaient et il respirait à petits coups haletants. Il allait plus mal.

— Est-il chaque fois dans le même état ? demanda Frances, consternée.

— C'est normal, répondit Alice, aussitôt sur la défensive. Les entretiens avec le médecin font remonter à la surface tout ce que George a vécu. C'est la seule façon de dépasser le traumatisme.

— J'ai plutôt l'impression que ça l'aggrave.

Alice se mit à hurler :

— Je ne veux pas discuter de ça avec toi ! Pas de ça !

Et elle s'enfuit de l'appartement en claquant la porte derrière elle.

Frances savait qu'elle ne pouvait plus remettre sa décision encore longtemps. Elle n'avait presque plus d'argent : alors soit elle restait à Londres et travaillait – et laissait George livré à lui-même –, soit elle rentrait dans le Yorkshire. Il était exclu qu'elle se fasse entretenir par Alice. C'était déjà bien assez difficile de devoir habiter chez elle.

Dix jours plus tard, le 15 décembre, un brouillard glacé stagnait sur la ville depuis le matin quand, en rentrant en fin d'après-midi après avoir fait quelques courses, elle découvrit George assis sur le perron de l'immeuble, sans manteau, simplement vêtu de son pull-over habituel et de son vieux pantalon trop grand. Il grelottait de la tête aux pieds, ses lèvres étaient bleues de froid.

Frances posa son sac et se précipita vers son frère.

— George ! Mais qu'est-ce que tu fais dehors ?

Il leva la tête. Il semblait à la fois perdu et déconcerté par la question.

— Dehors ?

— Il fait un froid de loup ! Tu vas attraper la mort, sur ces marches ! Lève-toi vite. Il faut que nous remontions à l'appartement.

— Ils ont tiré...

Il se leva avec peine. Le beau jeune homme d'autrefois vacillait comme une flamme dans le vent, ses frêles épaules étaient voûtées comme celles d'un vieillard.

— J'ai peur, poursuivit-il.

Il passa une main sur son visage, les yeux remplis d'effroi.

— George, tu es à Londres ! Tu es en sécurité ! Rien ne peut plus t'arriver. Tu ne dois plus avoir peur.

Elle empoigna son sac d'une main et prit le bras de George de l'autre. Par chance, il ne la repoussa pas et monta docilement à ses côtés. Une fois dans l'appartement, Frances le mit au lit avec une bouillotte chaude sous les pieds, lui enveloppa le cou dans un foulard de laine et lui fit boire une tisane et du lait chaud au miel. Combien de temps était-il resté sur ces maudites marches ? Affaibli comme il l'était, il ne manquerait plus qu'il attrape une pneumonie.

Alice parut affectée par l'incident, mais refusa d'imaginer qu'il pût être mieux ailleurs que chez elle.

— Il n'est jamais sorti tout seul, expliqua-t-elle. C'était exceptionnel. Ça ne se reproduira pas.

— C'est déjà une chance qu'il soit resté assis sur le perron. La prochaine fois, peut-être qu'il s'en ira carrément et se perdra. On fera comment pour le retrouver ?

Alice ne répondit pas. Elle passa dans la pièce voisine, où dormait George, et Frances l'entendit répéter :

— Tout va s'arranger. Tu vas voir. Tout va s'arranger, George.

Le lundi matin, Alice était à peine partie à son travail que Frances réveilla George. Elle l'aida à s'habiller ; il ne présentait aucun signe de refroidissement. Les soins qu'elle lui avait prodigués n'avaient peut-être pas été inutiles.

— Nous rentrons à Westhill, lui expliqua-t-elle. Aujourd'hui même. Qu'en dis-tu ?

George, comme la plupart du temps, ne répondit rien.

— Dans une semaine, c'est Noël, poursuivit Frances. La maison doit déjà être décorée. Nous allons manger de la dinde et le fameux pudding d'Adeline, puis mère se mettra au piano. Peut-être aurons-nous de la neige. Ce sera merveilleux.

— Oui, dit George sur un ton d'écolier docile.

Frances l'encouragea d'un sourire, puis, vive comme l'éclair, fit ses bagages, enfila son manteau et mit son chapeau sur sa tête. Maintenant qu'elle savait ce qu'elle devait faire, elle ne supportait pas l'idée de rester une minute de plus. Le petit appartement sombre, le quartier sale et malfamé lui faisaient horreur.

Plus jamais ça, se promit-elle quand ils furent en bas dans la rue, plus jamais!

Soudain, George s'arrêta et se tourna vers elle. Ses yeux, d'ordinaire perdus dans le brouillard, retrouvèrent l'espace d'un instant leur clarté.

— Et Alice?

Frances lui serra le bras plus fort.

— En ce moment, elle ne peut pas vraiment s'occuper de toi. Elle en est consciente et est d'accord pour que tu viennes avec moi à Leigh's Dale.

Elle aurait inventé n'importe quoi pour qu'il la suive.

George reprit sa marche. A son visage fermé, personne n'aurait su dire si l'explication de Frances l'avait rassuré ou si Alice avait déjà quitté ses pensées.

Jamais Frances n'était rentrée chez elle avec plus de joie qu'en ce jour d'hiver froid et gris où la nuit tomba dès les premières heures de l'après-midi. Jamais elle n'avait eu autant hâte d'arriver à Westhill, même pendant ses horribles années d'école. La neige apparut à la hauteur de Nottingham. Le train traversait des champs et des prairies poudrés de blanc. A l'horizon, le ciel et la terre se fondaient en un gris impénétrable et la campagne semblait s'obscurcir de minute en minute.

Le train n'était pas très plein. La plupart des voyageurs lisaient ou dormaient. C'étaient essentiellement des femmes ou des hommes vieillissants. Tous les hommes en âge de se battre étaient en France. George s'attira de nombreux regards apitoyés. Frances lui avait mis sa veste d'uniforme. A son effroyable maigreur, tous devinaient qu'il avait vécu quelque chose de dramatique.

— Si seulement ils signaient la paix! dit une femme à sa voisine. Je ne supporte plus de voir tous ces jeunes gens blessés.

— Mais celui-là, c'est plutôt là que ça se passe, fit la femme en désignant sa tête. Il a l'air drôlement atteint.

Frances les regarda et, gênée, baissa les yeux.

Ils changèrent à York mais descendirent à Northallerton, avant Wensley. Ils avaient plus de chances d'y trouver une voiture susceptible de les conduire à Leigh's Dale. Quand ils sortirent de la gare, il était 16 h 30 et la nuit était déjà tombée. Il n'y avait qu'un seul fiacre et un couple chargé de paniers pleins d'œufs et de légumes était déjà en train de se l'approprier. Frances traîna George derrière elle et repoussa énergiquement la femme qui avait la main sur la poignée de la portière.

— J'ai avec moi un blessé de guerre. Nous sommes prioritaires.

— Non, mais en voilà, des façons! protesta la femme.

Son mari regarda George.

— Cet homme ne va effectivement pas bien, reconnut-il, mal à l'aise.

— Il a fait la bataille de la Somme, expliqua Frances. Il est resté deux jours enseveli dans une galerie. Il est très traumatisé.

— Je ne vois pas en quoi cela nous... commença la femme.

Son mari l'interrompit.

— Prenez la voiture. Nous trouverons autre chose.

— Ken, je trouve que tu...

— Il s'est battu à notre place. Le moins que nous puissions faire aujourd'hui est de lui laisser ce fiacre.

Il sourit à Frances. Elle lui rendit son sourire, poussa George à l'intérieur de la voiture et monta à son tour. Elle entendit encore la femme se fâcher mais elle n'y prêta pas attention. Elle se laissa tomber sur la banquette avec un soupir de soulagement.

— Leigh's Dale! lança-t-elle au cocher.

Des lambeaux de nuages déchirés par le vent couraient dans le ciel sombre. De temps à autre, la lune jetait de grandes flaques mouvantes de lumière blanche sur la campagne enneigée. Frances, le visage collé contre la vitre, dévorait des yeux le paysage. Elle en connaissait chaque prairie, chaque colline, chaque arbre. Chaque courbe de la route et chaque ferme isolée. Son cher pays l'accueillait à bras ouverts.

En entamant la montée de Westhill, les roues du fiacre patinèrent.

— Je n'arriverai pas à monter, déclara le cocher. Je regrette, mais vous allez devoir continuer à pied.

— C'est très bien comme ça, répondit Frances en lui tendant son dernier billet d'une livre.

Il ne lui restait plus un penny, seuls quelques sous français de peu d'utilité.

Elle aida George à descendre.

— George, nous sommes à la maison! Nous avons réussi!

Il fit oui de la tête.

Il faisait un froid saisissant. Frances se remémora la chaude journée de juin, cinq ans auparavant, où elle avait remonté ce même chemin, haletant sous le soleil.

Puis elle était revenue en août 1914, pour enterrer grand-mère Kate. Ce jour terrible où la guerre avait éclaté... Depuis, tout allait mal, rien n'était plus comme avant.

Mais les jours heureux reviendraient.

La guerre ne durerait pas éternellement. La vie était ainsi faite que toujours les choses finissaient par s'arranger. La tempête qui avait secoué la famille s'éloignait déjà. Ils allaient retrouver la paix et le bonheur. Très bientôt. Noël était presque là. Un bébé était attendu. Tout irait bien à nouveau.

Des lumières apparurent dans la nuit. Leur éclat doré réchauffait l'obscurité. Westhill House. Frances distingua le lierre qui courait sur la façade. Les fenêtres éclairées découpaient des rectangles clairs sur la neige de la cour.

Un cabriolet couvert attendait devant l'entrée. Le cheval, la tête baissée et les yeux fermés, patientait, immobile sous la neige qui commençait à tomber dru.

Frances plissa le front. Des visiteurs ? Par ce temps ? Il était étrange que le cheval n'ait pas été conduit à l'écurie. A l'égard du traitement réservé aux animaux, son père avait pourtant des principes auxquels il ne dérogeait jamais. Le cheval d'un visiteur était toujours mené à l'écurie devant un seau d'eau et une botte de foin, parfois avant même que son maître se soit vu offrir un rafraîchissement.

Peut-être est-ce quelqu'un qui doit immédiatement repartir, se dit Frances.

Personne ne répondit quand elle frappa, mais la porte, comme de coutume, n'était pas fermée. Dans l'entrée, toutes les lumières étaient allumées. Des bruits de voix étouffées parvenaient du salon.

George s'arrêta au pied de l'escalier. Frances lui ôta son manteau.

— Enlève tes chaussures tout de suite. Elles sont mouillées après cette marche dans la neige et il ne faut pas que tu attrapes du mal.

George s'assit docilement sur la dernière marche et commença, les doigts gourds de froid, à dénouer ses lacets. Frances enlevait ses gants quand elle entendit des pas dans l'escalier. Elle leva la tête. C'était Adeline, la gouvernante, qui tenait quelque chose dans les bras... un gros paquet de serviettes et de draps.

Elle se figea en haut des marches en découvrant George et Frances.

— Monsieur George ! Mademoiselle Frances ! Mais que faites-vous là ?

George ne se tourna même pas vers elle.

— Nous arrivons tout juste de Londres, Adeline. J'ai ramené George à la maison. Il a passé des moments très difficiles en France.

— C'est bien que vous soyez là, dit Adeline, mais quelque chose dans sa voix ne sonnait pas comme une phrase d'accueil.

Adeline n'avait pas l'air dans son assiette, elle qui avait toujours aimé George. Elle aurait dû se précipiter vers lui en poussant de grandes exclamations de joie. Puis elle aurait dû aussitôt déclarer qu'il était beaucoup trop maigre et qu'il fallait absolument qu'il la suive dans la cuisine où elle allait lui préparer un vrai repas, pas un de ces jolis plats pour appétits d'oiseau, et...

Adeline ne dit rien de tout cela. Elle resta figée en haut des marches, son paquet de linge dans les bras, l'air plus contrarié que réjouie.

— Adeline !

La voix de Frances était rauque. La peur soudain lui serra le cœur, pesait sur ses épaules comme une chape de plomb qui lui coupa la respiration.

— Adeline, que se passe-t-il ?

Les yeux de Frances fouillaient l'entrée, le vestibule. Aucune guirlande de sapin ne décorait le miroir, il n'y avait aucune branche de gui dans le vase devant la fenêtre.

— Pourquoi la maison n'est-elle pas décorée ?

— Ah... commença Adeline.

Puis un bruit rapide résonna sur les carreaux de

terre cuite. Molly avait compris qui venait d'arriver. Il y avait des années qu'elle attendait. Elle ne pouvait plus sauter, courir et japper comme lorsqu'elle était jeune ; alors elle lécha les mains de George, doucement, à grands coups de langue. Son beau regard intelligent brillait.

Quelque chose, en George, s'éveilla. Il releva la tête. Ses yeux s'animèrent.

— Molly !

Ils se regardèrent. George posa sa main décharnée sur la tête de Molly et la caressa

— Molly ! murmura-t-il à nouveau.

Frances laissa George et sa chienne à leurs retrouvailles.

— Adeline ! appela-t-elle.

Adeline descendit lentement l'escalier, tenant son paquet de linge devant elle comme un bouclier. C'est à cet instant, alors qu'elle arrivait à la hauteur de George et de Molly, que Frances vit que le linge était maculé de sang, de taches de sang frais, rouges, immenses.

Elle reprit sa respiration en hoquetant.

— Mon Dieu, Adeline ! Mais qu'est-ce que c'est ? Où est mon père ? Et ma mère ?

— M. Gray est au salon, avec le docteur. Et... Mme Gray...

Elle s'interrompit.

Frances la saisit par le poignet, faillit secouer la vieille femme.

— Adeline, où est ma mère ? Parle ! Le bébé est né ?

Il n'y avait que cela qui pût expliquer tout ce sang. Mais une femme saignait-elle à ce point quand elle mettait un enfant au monde ? Etait-ce normal ?

— Je n'entends pas crier de bébé, dit-elle. Que se passe-t-il ?

— Le bébé... le bébé est... mort, expliqua Adeline en fondant en larmes.

— Oh, non! dit Frances doucement. Oh, non. Pauvre maman! Je vais tout de suite la voir!

— Mademoiselle Frances! Attendez...

La voix d'Adeline tremblait.

— Mademoiselle Frances... Il faut que vous sachiez que Mme Gray...

Elle n'acheva pas sa phrase, mais son silence était plus éloquent que n'importe quel mot. La terrible vérité submergea tout, emplit tout l'espace.

— Ce... ce n'est pas vrai, murmura Frances d'une voix à peine audible.

Adeline sanglota de plus belle.

— Le docteur n'a rien pu faire. Mme Gray et sa petite fille nous ont quittés pour toujours.

Frances monta les marches à pas lourds, comme une vieille femme. Elle portait toujours son manteau et son chapeau, il n'y avait que ses gants qu'elle eût ôtés. Elle les posa sur la rambarde de l'escalier, d'où ils glissèrent et tombèrent au rez-de-chaussée. Elle n'arrivait pas à penser à autre chose qu'à ce qu'elle venait de comprendre.

Maman est morte. Elle est morte et je n'ai même pas pu lui parler. Elle est morte.

Le mot « morte » dansait dans sa tête, rebondissait, se cognait. Impitoyablement, et sans fin. « Morte ». Il n'y avait pas d'échappatoire, pas de retour en arrière possible. Il était inutile de chercher une solution qui n'existait pas pour que le malheur rebrousse chemin, pour que le pire leur soit à tous épargné. C'était fini.

Quand elle ouvrit la porte de la chambre de ses parents, la même odeur de mort et de sang qu'elle ne connaissait que trop bien depuis son séjour en France lui sauta au visage. Il faisait si chaud, l'air était si lourd dans la pièce qu'on y avait du mal à respirer. Doucement, comme pour ne pas réveiller une malade assoupie, Frances entra. La pièce baignait dans une semi-obscurité. Seules étaient allumées une petite lampe de chevet et, sur la commode face au lit, les bougies d'un chandelier à trois branches que Maureen avait particulièrement aimé. Une mince silhouette se tenait au pied du lit. C'était Victoria. Elle regardait sa mère, les mains jointes.

— Ah, Frances, fit-elle seulement.

Elle ne parut pas étonnée que sa sœur apparaisse.

Lentement Frances avança dans la pièce, les yeux rivés sur le lit. Adeline avait remplacé les draps sanglants par des draps propres et changé les taies d'oreillers. Maureen reposait dans un lit immaculé. Les couvertures étaient remontées sur sa poitrine, ses bras étaient posés sur le revers du drap, ses mains croisées. Le seul bijou qu'elle portait était son alliance. Ses beaux cheveux avaient été rassemblés en une longue tresse ramenée vers l'avant sur une épaule.

Une impression de calme émanait de la lourde tresse juvénile, des mains croisées, de la blancheur du lit, mais quand le regard rencontrait le visage de la morte, l'impression s'évanouissait. Le combat avait dû être terrible, l'agonie longue, douloureuse. La mort n'avait pas encore effacé l'empreinte que la peur et la souffrance avaient laissée sur les traits de Maureen. Deux profonds sillons qui n'avaient jamais marqué son visage partaient des ailes du nez pour rejoindre les commissures des lèvres et on aurait dit qu'elle fronçait légèrement les sourcils car un pli qui lui donnait une impression inhabituellement sévère et douloureuse s'était imprimé à la racine du nez. Jamais Frances n'avait vu cette expression à sa mère. A ses yeux, Maureen avait toujours été la gaieté même, la joie de vivre, elle ne lui avait connu qu'un visage lumineux, des yeux rieurs, comme si elle ne cessait de chantonner dans sa tête. Même quand elle grondait ses enfants, ce qui n'arrivait pas souvent, elle n'avait jamais l'air fâchée.

Comme elle a dû souffrir, songea Frances. Qu'a fait la mort de son beau visage ?

— Maman... murmura-t-elle.

Victoria tremblait de tout son corps.

— A la fin, nous souhaitions tous que ça ne dure pas trop longtemps, dit-elle, un sanglot silencieux dans la voix, comme si elle n'avait plus la force de pleurer. C'était terrible. Il est arrivé un moment où elle ne pouvait même plus crier. Elle gémissait. On aurait dit un petit animal à l'agonie.

Frances fit le tour du lit. Elle s'agenouilla à côté de Maureen et prit ses mains dans les siennes. Elles étaient glacées.

— Maman...

C'était une prière, une supplication, comme s'il y avait un espoir que Maureen tourne la tête, ouvre les yeux et regarde sa fille.

— Les douleurs ont commencé avant-hier, expliqua Victoria, tôt samedi matin. Père m'a téléphoné. Il m'a dit que mère se sentait bien, qu'elle était tout à fait détendue. Ce n'était pas nécessaire que je vienne. La sage-femme était là, elle avait dit que tout se passait bien, qu'il n'y aurait pas de complications.

Pas de complications ! Et soixante heures plus tard Maureen était morte. Et son bébé également.

— J'étais contente de ne pas être obligée de venir, poursuivit Victoria d'une voix hésitante. Je n'étais pas revenue depuis... depuis que je savais qu'elle était enceinte.

Ça, c'était bien Victoria. Prête à ne pas voir sa mère

pendant six mois plutôt que d'accepter cette grossesse.

La peau de Maureen avait pris un aspect cireux. Elle avait l'air beaucoup plus vieille qu'elle ne l'était. Frances ne pouvait en détacher les yeux. Lentement, un sentiment de froid glacial l'envahissait, partait de son cœur et gagnait le moindre recoin de son corps, alors qu'il régnait une chaleur étouffante dans la pièce et qu'elle portait toujours son manteau. Son cou était pris dans un collier d'acier qui la serrait, la serrait...

— Hier matin, père m'a appelée pour me dire qu'il fallait que je vienne...

Victoria avait la voix rauque d'avoir trop pleuré.

— ... Mère n'allait pas bien du tout. Le bébé ne voulait pas venir. Vers le soir, nous avons appelé le docteur. Il a dit que l'enfant n'était pas placé comme il le fallait, mais que mère y arriverait.

Frances lâcha les mains froides et raides de sa mère et se releva lentement. Ses yeux errèrent dans la pièce puis s'arrêtèrent sur le berceau de bois dans lequel ils avaient tous passé la première année de leur vie. Il était longtemps resté au grenier, puis on l'avait descendu, nettoyé et installé, avec joie et impatience, dans la chambre des parents.

Elle s'approcha. Sa petite sœur reposait sur un oreiller orné de dentelles, une couverture de laine vert pâle sur son petit corps. Sa tête était tournée vers le côté. Elle n'avait pas le visage d'un nouveau-né, mais celui, de façon incongrue et effrayante, d'une vieille femme qui avait déjà beaucoup vécu. Elle avait le même teint cireux que sa mère. Ses cheveux noirs avaient été soigneusement brossés. Quelqu'un, sans doute Adeline, devait avoir lavé et habillé l'enfant. La même expression de souffrance se lisait sur le petit visage. Comme Maureen, le bébé avait lutté pendant des heures pour vivre.

Petit ange de la mort, songea Frances. Elle chercha en elle un sentiment pour l'être minuscule qu'était sa petite sœur mais ne trouva rien dans le froid glacial et le vide de son cœur.

— Comment s'appelle-t-elle ?

Victoria la regarda sans comprendre.

— Comment ?

— Le bébé. Ils ont dû penser à un prénom.

— Oui. Un garçon devait s'appeler Charles, comme père. Une fille, Catherine. Elle s'appelle Catherine.

Catherine, répéta Frances.

Puis elle eut soudain l'impression qu'elle allait s'évanouir. Elle se précipita vers la fenêtre, l'ouvrit, se pencha vers l'extérieur et respira l'air de la nuit, froid et noir.

— Mon Dieu, murmura-t-elle en se redressant, on étouffe, ici !

Son vertige passa. Elle se retourna.

— Ça ne t'est pas venu à l'idée d'ouvrir une fenêtre ? s'en prit-elle à sa sœur.

Victoria sursauta et parut si troublée que Frances regretta sa dureté.

— Excuse-moi. Je...

Elle effleura son front soudain couvert de sueur du bout des doigts, et reprit :

— C'est un tel choc...

Sa voix se brisa. Elle toussota, fit un gros effort sur elle-même pour refouler les larmes qu'elle sentait monter, monter, irrésistiblement. Si elle commençait à pleurer maintenant, elle ne pourrait plus s'arrêter.

— Il faut que j'aille voir George, dit-elle.

— George ?

— Nous sommes arrivés ensemble. Alice et moi sommes allées en France pour le ramener.

— George est ici !

Un soulagement évident se peignit sur le visage de Victoria. Enfin quelqu'un était là qui allait la consoler et la soutenir, parce que ce n'était pas sur sa sœur, avec son ton agressif et son regard glaçant, qu'elle pouvait compter.

— George est très malade. Il est exclu que tu lui fasses supporter quoi que ce soit, tu m'entends ? Ne compte sur lui pour rien, ne lui demande rien ! C'est lui qui a besoin d'être aidé.

— Mais pourquoi ? demanda Victoria les yeux agrandis par l'incompréhension.

— Il a subi un très grand choc, commença Frances en préambule à la description de toute l'horreur que représentaient deux années passées sur le front, mais elle s'interrompit au bout de quelques phrases.

Le joli minois de Victoria reflétait un effroi certain, mais plus encore une totale incompréhension. Dans son petit monde douillet, on se promenait dans le parc de Daleview, on passait de longues soirées à lire au coin du feu, on se recevait entre femmes dont les époux étaient en France, et il n'y avait aucune place pour la guerre.

La guerre, elle en avait été au plus près à Londres, lorsqu'elle fréquentait les cercles patriotiques où ces dames tricotaient des chaussettes pour les vaillants combattants ou faisaient de la charpie pour les hôpitaux du front tandis que quelqu'un jouait discrètement du piano. On buvait du thé, on mangeait des gâteaux et, délice suprême, on échangeait les derniers potins.

Comment aurait-elle pu comprendre ? songea Frances avec mépris. Elle n'a rien vécu. Rien du tout.

Un air froid et humide emplissait maintenant la chambre. Victoria serra ses bras autour d'elle en frissonnant.

— C'est affreux, gémit-elle. Qu'arrive-t-il donc à notre famille ? Est-ce que George... n'a-t-il plus toute sa tête ?

— Il est complètement absent. Il a besoin de beaucoup d'amour, de calme et de compréhension.

Comprendrait-il seulement que sa mère était morte ?

Frances se secoua. Elle ne pouvait pas rester éternellement ici à regarder Maureen. Il fallait qu'elle aille vérifier ce que faisait George. Et qu'elle aille voir son père.

— Tu restes ici cette nuit ? demanda-t-elle à Victoria.

Sa sœur hocha la tête.

— Je veux veiller mère.

Frances ne put retenir un geste agacé.

— Ça ne servira à rien. Tu ferais mieux de te coucher. Tu as une tête épouvantable !

— J'ai envie de rester près de mère ! riposta Victoria avec une agressivité dont elle n'était pas coutumière.

Frances ne la connaissait pas sous ce jour.

— Eh bien, à ta guise, dit-elle, surprise, puis elle sortit de la chambre.

George n'était plus assis dans l'escalier. Frances le chercha des yeux, et ce fut alors qu'Adeline passa la tête par la porte de la cuisine.

— M. George est avec moi. Je lui prépare une bonne soupe bien chaude. Le malheureux n'a plus que la peau sur les os.

— Merci, Adeline.

Frances trouvait une certaine consolation dans la présence discrète et constante d'Adeline.

— Mon père est-il toujours au salon ?

— Oui. Avec le docteur.

Frances frappa à la porte du salon et entra.

Les deux hommes se tenaient au milieu de la pièce. Le médecin se tourna vers Frances. C'était un homme âgé, au visage ridé et au bon regard bienveillant.

— Oh, mademoiselle Gray ! Je suis tellement désolé de ce qui est arrivé à Maureen et au bébé.

Elle l'entendit à peine. Toute son attention se portait sur son père. Elle le regarda. Costume gris, chaîne de montre, cravate de soie : sa tenue était irréprochable, comme toujours. Ses épaules étaient imperceptiblement voûtées. Ses mains, posées sur le dossier d'un fauteuil, tremblaient légèrement. Son visage était comme mort. La douleur muette que reflétaient ses yeux avait quelque chose de terrifiant.

— Père ! s'écria Frances, au désespoir.

Ils portèrent Maureen en terre trois jours avant Noël. Elle fut inhumée dans le merveilleux petit cimetière de Leigh's Dale où les morts reposaient à l'ombre de vieux arbres aux grandes branches tombantes. L'été, fougères et herbes folles y prospéraient, des fleurs mauves jaillissaient de la mousse qui poussait dans les failles du vieux mur branlant tandis que serpentait le petit ruisseau chantant d'une source secondaire de la Ure. C'était un délicieux jardin sauvage qui n'avait pas le caractère oppressant et mélancolique des cimetières.

Mais en ce jour de décembre, un vent froid agitait les branches dénudées des arbres, le ciel gris était si bas que les nuages masquaient le sommet des collines et, en fondant, la fine couche de neige avait laissé place à de maigres touffes d'herbes spongieuses. Les pierres tombales se dressaient, sombres et sévères, à la tête des tombes sans fleurs. Quand le cortège funèbre entra dans le cimetière, des corbeaux s'enfuirent des arbres. Il tombait une bruine fine et pénétrante qui bientôt glaça l'assemblée.

Maureen et son enfant furent ensevelis à côté de Kate, dans la partie du cimetière réservée aux fidèles de confession catholique et où jusque-là on ne comptait, en dehors de celle de Kate, qu'une seule autre tombe. Un pasteur anglican de la paroisse avait baptisé *post mortem* Catherine, qui fut inhumée aux côtés de sa mère. Frances réussit à dénicher un prêtre catholique qui dut venir de Richmond. Il arriva très agacé parce que son automobile s'était embourbée sur la route et qu'il n'était passé personne pour lui venir en aide.

Frances avait l'impression de vivre un cauchemar. Se trouver là, dans cet endroit qu'elle connaissait depuis sa plus tendre enfance, dont le charme l'avait toujours fait rêver, et voir le cercueil de sa mère descendre dans la terre... Elle aurait aimé s'appuyer sur quelqu'un, mais son père avait pris le bras de Victoria pour mener le cortège funèbre. Pour Frances, il ne restait que George, qui ce jour-là avait l'air d'un vieil homme hagard et désemparé. Il se tenait le dos voûté et s'appuyait sur elle. Elle ne pouvait s'empêcher de l'observer à la dérobée. Avait-il conscience de ce qui se passait ? Son regard était ailleurs, perdu dans le lointain, comme toujours.

Victoria sanglota et trembla comme une feuille pendant tout le temps que dura la cérémonie. Aussi élégante qu'à l'accoutumée, elle portait un manteau de fourrure qui lui arrivait aux chevilles, et sur la tête une petite toque de fourrure noire, des gants de cuir fin aux mains et un rang de perles. Son joli visage restait gracieux, même gonflé par les larmes. Rien ne semblait pouvoir entamer sa grâce. Frances n'avait aucun mal à imaginer comment elle faisait fondre les hommes ou réveillait leurs instincts protecteurs. Elle eut honte des sentiments de colère et de jalousie qu'elle éprouvait à l'égard de sa sœur en un pareil instant. Elles avaient perdu Maureen, aucune mauvaise pensée n'aurait dû venir la hanter.

Presque tout le village était venu accompagner Maureen à sa dernière demeure. Il y avait très peu d'hommes jeunes, amer rappel de la triste actualité.

Beaucoup de femmes pleuraient.

— Elle était si aimable, si charmante, dit l'une d'elles à Frances. Toujours un mot gentil pour chacun. Ce sont toujours les meilleurs qui partent les premiers !

Et si inutilement, ajouta Frances dans sa tête. Maureen était en bonne santé, robuste. Elle aurait pu vivre au moins aussi longtemps que Kate. S'il n'y avait eu ce nouveau bébé...

Frances observa son père de loin, son visage gris, fermé. L'idée qu'il s'adressait des reproches lui vint pour la première fois à l'esprit. Le bébé – absence de précautions de sa part, autant que de celle de Maureen – n'avait pas été prévu. Aujourd'hui, il se rendait responsable de sa mort.

Enfin, l'après-midi s'acheva, les derniers invités partirent et le calme revint sur Westhill. Victoria s'était réfugiée dans la cuisine avec Adeline et pleurait sans discontinuer. George était dans sa chambre et caressait Molly. Frances avait salué les derniers invités avec son père puis était retournée au salon avec lui. Par égard pour lui, elle s'était jusque-là dominée, mais elle avait maintenant besoin de quelque chose pour anesthésier ses pensées. Elle se servit un grand verre de whisky et alluma une cigarette.

— Le jour de l'enterrement de ta mère, remarqua Charles d'un ton de reproche.

— Cela fait du bien. Prends quelque chose, toi aussi.

Charles secoua la tête.

— Non. Je ne veux pas.

Il se laissa tomber dans son fauteuil. Tous les soirs, il s'asseyait là, et Maureen dans le fauteuil en face. Frances se souvint de leurs bavardages, de leurs rires, des regards pleins d'amour qu'ils échangeaient.

Elle porta son verre à ses lèvres et but d'un trait. Sinon, elle aurait fondu en larmes, et rien n'aurait pu arrêter le cataclysme. Elle se resservit aussitôt. Une chaleur bienfaisante envahit ses membres, se répandit en picotant dans tout son corps. Son estomac réagit en se contractant violemment. Elle n'avait presque rien mangé de la journée, ses entrailles se rebellaient contre cet afflux d'alcool fort. Mais la crampe se dissipa et seule subsista l'impression de détente et de chaleur. La réalité perdit un peu de sa cruauté, sa dureté s'estompa.

— Si tu ne veux rien boire, père, peut-être devrais-tu t'allonger un peu. La journée a été fatigante, et tu n'as pas dormi ces dernières nuits.

Elle l'avait entendu marcher de long en large dans sa chambre.

— Tu as l'air très épuisé.

— Je ne trouverais pas de repos, répliqua Charles.

Il se passa la main sur les yeux. Frances vint plus près de lui. Elle resta debout, n'osant s'asseoir dans le fauteuil de sa mère, mais tendit la main et lui effleura l'épaule. Elle sentit combien ses muscles étaient noués.

— Ce n'est pas bon que tu continues à dormir dans... dans la chambre où elle est... morte, dit-elle d'une voix douce. Tu pourrais prendre ma chambre. Je m'installerai avec Victoria, qui va d'ailleurs peut-être retourner dès ce soir à Daleview.

— Je ne quitterai pas la chambre que j'ai partagée avec Maureen pendant près de trente ans, répondit Charles avec détermination.

— Comme tu voudras. C'était simplement une idée en l'air... Père, nous devrions parler de Noël.

— De Noël ? Tu veux parler de Noël ?

— A cause de George.

Elle approcha un repose-pied du fauteuil de son père et s'y assit, le visage tendu vers lui.

— Il ne va pas bien. Il a vécu quelque chose d'atroce en France. Il faut maintenant que nous nous reprenions tous, pour lui. Tu comprends ?

Elle vit dans ses yeux que ce qu'elle disait ne l'intéressait pas.

George est son fils, enragea Frances, il ne peut pas s'en désintéresser comme ça.

— Il n'est pas nécessaire que ce soit une fête joyeuse. D'ailleurs, elle ne pourra pas l'être. Mais nous devrions préparer une dinde rôtie, décorer la maison. Mère... l'aurait certainement voulu.

— Fais à ton idée.

Frances étouffa un soupir. Entre une Victoria qui n'arrêtait pas de pleurer et un père immobile dans son fauteuil qui ne manifestait qu'indifférence, comment George pourrait-il guérir ?

Ils s'enfoncèrent chacun dans ses pensées. La maison était silencieuse, on n'entendait aucun bruit. Seul le crépitement des bûches qui brûlaient dans la cheminée troublait le silence. Frances ne se souvenait pas d'avoir jamais connu Westhill aussi calme. Il y avait toujours eu un chien pour aboyer quelque part, Maureen chantonnait doucement, Charles refaisait le monde, Victoria courait dans les escaliers, George jaillissait dans la cuisine pour voir ce qu'il pouvait chiper de bon à Adeline. Adeline tempêtait et grand-mère Kate, qui, de façon mystérieuse, était au courant de tout ce qui se passait autour d'elle, ajoutait sa voix à la sienne. Des portes claquaient, quelqu'un se prenait les pieds dans un objet qui traînait par terre. La maison était pleine de bruits, de voix, de rires, et parfois aussi de solides disputes.

Le silence de mort qui pesait sur cette demeure n'était pas naturel. Il était lourd, oppressant. A nouveau Frances éprouva une violente envie de se précipiter vers la fenêtre et de l'ouvrir en grand. Elle se retint pour ne pas risquer de contrarier son père.

— Elle était ma vie, dit subitement Charles.

C'était si inattendu que Frances sursauta.

— Elle était ma vie, répéta-t-il à mi-voix. Maintenant, tout est terminé.

Une nouvelle crampe contracta l'estomac de Frances, mais cette fois l'alcool n'y était pour rien.

— Rien n'est terminé, père. Tu n'es pas seul. Tu nous as, Victoria, George et moi. Nous faisons nous aussi partie de toi, de ta vie.

La douleur l'avait rendu sans pitié.

— Vous n'êtes pas une partie de ma vie. Vous avez chacun votre vie à vous.

— Bien sûr. Mais nous formons un tout.

Il ne répondit rien à cela, mais son silence en dit plus que n'importe quelle explication.

Frances se pencha vers lui.

— Père, que tu ne puisses pas me pardonner d'avoir été en prison et que tu aies dû m'en faire sortir, je ne peux rien y changer. Et je ne mendierai pas ton pardon non plus. Mais pour ton bien, tu ne devrais pas aujourd'hui repousser tes enfants. Et il faut que tu pardonnes à George... pour autant que tu penses encore qu'il a fait quelque chose de mal en choisissant d'aimer Alice Chapman. Il s'est battu pour notre pays. Il s'est battu pour toi. Il mérite qu'on l'accueille aujourd'hui à bras ouverts.

— Je ne sais rien de lui.

— Veux-tu que je te raconte ?

— Non.

Frances se releva d'un coup.

— Je sais beaucoup de choses et je vais tout de même te les raconter ! déclara-t-elle d'un ton qui n'admettait pas la repartie. J'étais en France. Dans l'hôpital où se trouvait George. Juste derrière les lignes. J'ai vu la guerre de très près et je me suis souvent demandé comment on pouvait vivre après avoir connu un pareil enfer. Les hommes tombaient comme des mouches. Ils expiraient sous les mains des chirurgiens. Ils baignaient dans leur sang, hurlaient, gémissaient. Il y en a qui suppliaient qu'on les achève d'une balle. Il y en a qui devenaient fous. Je l'ai vu de mes yeux. Je sais de quoi je parle.

Elle se tut un instant. Le visage de Charles était impassible.

— George a besoin de ton aide, insista-t-elle. Il est malade. Si tu lui donnes aujourd'hui l'impression de l'abandonner, il ne se rétablira peut-être jamais.

Charles qui n'avait cessé de regarder droit devant lui, posa enfin les yeux sur sa fille.

— Il ne s'agit pas de pardonner ou de ne pas pardonner, dit-il. Le fait est que je n'ai pas la force de m'occuper de qui que ce soit. J'ai moi-même besoin de quelqu'un sur qui m'appuyer.

Il se leva de son fauteuil, marcha jusqu'à la fenêtre et regarda dehors la nuit qui était tombée.

— Heureusement que j'ai Victoria, murmura-t-il. C'est un soutien.

Frances resta bouche bée. Etait-il sérieux ? Cette gamine qui ne cessait de se plaindre et qui maintenant, en plus, n'arrêtait pas de pleurer ? Quel soutien pouvait-elle lui apporter ?

— Victoria ? interrogea-t-elle, incrédule.

Mais Charles n'était pas disposé à fournir une explication. Il ne dit rien et s'absorba un peu plus dans la contemplation de la nuit.

Pardi, elle a toujours fait ce qu'on attendait d'elle, ce qu'il attendait d'elle, songea Frances. Au moins, elle n'est pas imprévisible, elle. Il a toutes les raisons de se sentir en confiance avec elle.

Elle s'efforça de refouler sa colère. Il ne lui paraissait pas correct d'éprouver de tels sentiments de haine à l'égard de sa sœur le jour de l'enterrement de Maureen. Mais ces sentiments, elle les éprouvait indiscutablement, depuis longtemps déjà, et la culpabilité attachée à sa liaison avec John ne les avait nullement atténués.

Elle finit son whisky et résista au besoin de s'en servir un troisième. Si jamais elle avait titubé en sortant de la pièce, cela n'aurait fait que renforcer son père dans la mauvaise opinion qu'il avait d'elle.

La jolie petite Vicky ne s'était jamais enivrée, songea Frances avec amertume.

— En tout cas, dit-elle, il faut que George reste ici. Il n'y a aucun autre endroit où il puisse aller. Et pour le moment, il n'est pas en état de se prendre en charge. Es-tu d'accord ?

— D'accord pour quoi ?

— Pour qu'il reste ici, répéta-t-elle d'une voix qui commençait à trembler.

Charles haussa les épaules.

— Tant que c'est possible, il peut rester. Toi aussi. Ça ne me dérange pas.

— Comment ça, « tant que c'est possible » ?

— Tant que nous avons encore Westhill. Je ne sais pas combien de temps ça durera.

— Quoi ?

— Ça va plutôt mal. Beaucoup de nos métayers sont à la guerre. Les moutons ont été malades. Nous avons perdu beaucoup de bêtes. Toute une série de métayers ont abandonné et sont partis ailleurs.

— A quel point la situation est-elle désastreuse ? insista Frances, alarmée.

Elle pouvait à peine le croire. Son père racontait cela comme s'il s'agissait d'une péripétie, alors que rien n'avait plus d'importance. Rien !

— Je ne sais pas exactement. Mais nous n'avons plus beaucoup d'argent.

— Que comptes-tu faire ?

Il la regarda comme si elle était une étrangère qui, à sa grande stupéfaction, n'avait rien compris.

— Rien, répondit-il. Je ne vais rien faire. Je n'en ai pas envie.

Il s'éloigna de la fenêtre et sortit d'un pas lourd. Frances, consternée, le suivit des yeux puis se laissa tomber dans un fauteuil. Il venait de lui annoncer, quasi par hasard, que de sérieuses menaces pesaient sur Westhill, sur le même ton égal qu'il aurait annoncé qu'il allait pleuvoir à Noël. Ce qu'il allait advenir d'eux semblait lui être indifférent. Frances eut le sombre pressentiment que c'était définitif.

Charles ne manifestait pas une absence de volonté passagère qui se dissiperait au fur et à mesure que sa peine s'adoucirait. Jamais il ne se consolerait. Et jamais il ne reprendrait courage. En cette minute, seule devant la cheminée dans le salon silencieux, Frances venait d'en prendre douloureusement conscience. Son père ne possédait aucune force en lui qui un jour l'aiderait à repartir de l'avant. Jamais il n'avait eu de force. Charles était un faible. Les miettes de force que la nature lui avait données, il les avait utilisées à rompre avec sa famille pour se marier avec Maureen. Et encore n'y était-il arrivé que parce que la jeune Irlandaise le soutenait plus que sa famille n'avait jamais su le faire.

Charles avait besoin qu'on le prenne par la main et qu'on lui montre le chemin. Que quelqu'un vienne à rompre l'équilibre auquel il était péniblement parvenu, et il se fermait comme une huître. Quand il disait que Maureen avait été sa vie, c'était la vérité. Il n'avait vécu qu'à travers elle.

Maintenant qu'elle était morte, il n'était plus rien.

Juillet 1919

Des pois de senteur se faufilaient entre les roses jaunes et roses qui grimpaient sur les murs de pierre du petit cottage. Des pieds-d'alouette bleu saphir s'épanouissaient au soleil. Quelques coquelicots égarés dans le jardin mettaient une touche rouge clair dans l'herbe haute. Les fruits minuscules d'un vieux pommier noueux que le vent du large et les fréquentes tempêtes avaient déséquilibré commençaient à rougir. Un chat noir et blanc allait et venait sur le mur de clôture. Une mer turquoise ponctuée de franges d'écume blanche brillait au pied des rochers qui jouxtaient le jardin. En cette belle journée d'été, la baie de Staintondale resplendissait sous le soleil. Les vastes landes désolées qui s'étendaient entre Scarborough et les North York Moors, d'ordinaire rudes et tristes, s'offraient, douces et fleuries, sous un ciel sans nuages.

Il était difficile de dire quel âge pouvait avoir l'homme qui sortait du cottage et plissait les yeux sous le soleil. Ses cheveux étaient gris, un peu trop longs et en broussaille. Une barbe, grise également, masquait le bas de son visage. Mais sa peau brunie par le grand air, à l'exception de quelques petites rides aux coins des yeux, était lisse. L'homme devait se courber pour passer la porte. Il était grand, mais non pas voûté comme souvent les vieillards.

Il regarda les deux femmes qui remontaient lentement la courte allée bordée de myosotis. Elles portaient un panier dont chacune tenait une anse. Il ne souriait pas mais n'avait pas l'air revêche non plus. L'arrivée de visiteurs ne semblait ni le réjouir ni le contrarier.

Un chien apparut derrière l'homme, assurément un très vieux chien. Son museau était tout blanc et, au voile gris-bleu qui décolorait ses pupilles, on devinait qu'il ne voyait plus grand-chose. Mais il savait qui arrivait car il agita dignement et poliment la queue.

— Bonjour, George ! dit Frances.

Elle portait une robe d'été et un chapeau de paille. Les fleurs bleues imprimées sur sa robe rendaient ses yeux plus bleus et leur donnaient un peu de chaleur.

— Désolées d'arriver aussi tard. Nous avons eu un problème de pneu juste après Scarborough. Finalement, deux jeunes gens ont pu nous aider. Heureusement.

— J'avais de toute façon oublié l'heure, dit George.

Il prit le panier et le posa par terre à côté de lui.

— Il est de plus en plus lourd, constata-t-il.

Alice repoussa la frange humide qui lui tombait sur le front.

— Mon Dieu, qu'il fait chaud aujourd'hui ! Il n'y a pas un souffle d'air, même ici chez toi. As-tu quelque chose à nous offrir à boire ?

— Un instant.

George disparut dans la maison. Alice s'assit au pied du pommier et s'adossa au tronc. Elle était pâle, fatiguée. Son visage était moite de sueur.

— J'ai cru qu'on n'arriverait jamais, murmura-t-elle.

Frances regarda Alice avec un mélange d'agacement et de pitié. Alice se plaignait beaucoup. Elle avait toujours trop chaud, trop froid, il faisait trop lourd, le ciel était trop sombre, trop lumineux. Et elle souffrait en permanence de vagues maladies que ni elle ni personne n'était capable de définir. Elle se plaignait de douleurs à l'estomac, de palpitations, ou alors de migraines. Quand Frances se remémorait la jeune femme énergique qu'elle avait connue neuf ans auparavant, elle avait peine à imaginer qu'il pût s'agir de la même personne. Ses multiples séjours en prison avaient fait d'Alice une femme fragile, mais ce qui l'avait anéantie, c'était l'effondrement du mouvement féministe, la disparition de la belle et généreuse idée sous le rouleau compresseur de l'histoire.

Quand, au lendemain de la guerre, les femmes obtinrent enfin le droit de vote, Alice était déjà trop amère pour s'en réjouir. Que ce droit soit restreint aux seules femmes de plus de trente ans aurait dû la jeter sur les barricades, mais elle enregistra simplement l'information avec une résignation fatiguée.

Elle ne se sent bien qu'à Londres, songea Frances, c'est une Londonienne dans l'âme. Vivre ici, cela la rend malade et la déprime.

Depuis un an et demi, les dimanches se déroulaient suivant le même programme : Frances prenait sa voiture, traversait tout le comté jusqu'à Scarborough, sur la côte Est, et embarquait Alice, qui vivait dans un petit hôtel miteux et l'attendait devant la porte, dans ses vêtements démodés qui lui arrivaient aux chevilles, le visage blanc et la critique aux lèvres. Rien n'allait, à commencer par sa santé, mais il y avait aussi les gens de l'hôtel, curieux et méchants, et l'argent, qui manquait toujours... Ensuite venait le problème du lit, trop dur, et puis personne, dans cette ville, n'était capable de cuire un pain correct, et le dialecte, non mais avait-on idée de parler comme ça...

Frances avait parfois du mal à garder son calme et à ne pas lui demander de se taire pour une fois, ou alors de trouver quelque chose d'agréable à dire. Puis elle songeait qu'avec la vie qu'elle menait il n'était pas étonnant qu'elle fût aussi aigrie. Elle vivait cloîtrée dans un hôtel sinistre d'une petite ville balnéaire qu'elle n'aimait pas, dans un coin de l'Angleterre où elle n'avait aucune attache et dont elle détestait le climat. Elle n'avait rien à faire de la journée, vivait chichement – elle ne s'autorisait qu'un seul repas par jour – sur les derniers restes de son héritage et n'avait noué de relations avec personne. Rigoriste et intransigeante, elle méprisait toutes les femmes qui n'avaient pas participé à la « lutte ». Elle empruntait des montagnes de livres dans une bibliothèque. Comme l'hôtel était souvent victime de pannes de courant, elle passait les longues soirées d'hiver à se tuer les yeux à lire à la lumière d'une bougie. L'été, la vie était plus facile, mais à peine plus distrayante.

La jeune femme qui avait tant aimé discuter, la militante passionnée des premières heures du féminisme passait des journées entières sans échanger un mot avec quiconque et s'enlisait dans une vie qui était à l'opposé de ses idées.

Et cela depuis le mois de janvier 1918. Depuis que George avait décidé de se retirer dans la solitude des landes de Staintondale, au pied des North York Moores.

George réapparut sur le seuil de la maison, un gobelet d'eau dans chaque main. Il en tendit un à Frances, l'autre à Alice.

— Tenez. Vous pouvez, bien sûr, en avoir plus.

Les jeunes femmes burent avidement.

— C'est beau, ici, quand il fait ce temps, dit Frances.

Elle regardait la mer. Depuis le cottage, l'eau semblait calme et paisible, mais Frances savait que les vagues se fracassaient avec violence sur la côte escarpée.

— Quand je suis ici, je ne peux pas m'empêcher de penser à nos vacances, l'été, à Scarborough. Tu t'en souviens ?

— Oui, répondit George sans joie ni nostalgie.

Depuis 1916, son état s'était amélioré. Il était à nouveau en mesure de tenir une discussion. Une discussion modeste, certes, et jamais à son initiative, mais quand on lui posait des questions il répondait. Il n'était plus muré dans ce silence qui avait longtemps rendu vaine toute tentative pour communiquer avec lui.

Il manifestait cependant la même impassibilité. La cuirasse qui le protégeait du monde présentait quelques failles, mais elle était toujours là. Le seul être qui éveillait en lui une réelle émotion était Molly, sa chienne. Quiconque le voyait la caresser et lui parler doucement retrouvait un peu de la force et de la tendresse qui à une époque avaient été indissociables de cet homme si jeune. Car il était encore jeune. Il n'avait pas trente ans.

— A propos, père semble enfin aller mieux, poursuivit Frances. Il a un peu recouvré sa paix intérieure. Le beau temps lui fait du bien.

— J'en suis heureux, dit George poliment. Veux-tu encore un peu d'eau ?

— Non, merci. C'est parfait comme ça.

Elle vit que son regard s'attardait sur ses mains, calleuses et brunies par le soleil, et elle rougit légèrement.

— Je sais, mes mains ne sont pas très belles en ce moment. Mais il y a tant de travail... Si je ne mets pas la main à la pâte, on ne pourra pas garder la ferme.

— Oh... je ne regardais pas tes mains, dit George distraitement. Et que disais-tu, à l'instant ?

— Rien. Rien du tout.

— Que devient ta peinture, George ? intervint Alice.

Il haussa les épaules.

— En ce moment, la lumière est trop crue. Ce n'est pas bon.

— Mais tu peins toujours ?

— Oui.

— As-tu vendu des toiles, ces derniers temps ? demanda Frances.

George secoua négativement la tête :

— Rien depuis longtemps.

Cela semblait lui être égal. Frances savait qu'il ne faisait rien ni pour vendre ses toiles ni pour faire connaître sa peinture.

Il arrivait néanmoins qu'un amateur ou un autre trouve le chemin du cottage isolé sur la lande qui surplombait la mer. Le bruit s'était répandu, dans les villages de la côte, qu'un ermite vivait là et peignait des tableaux.

— Il n'a pas toute sa tête, disaient les gens avec un air entendu quand ils parlaient de lui, mais il n'est pas méchant. C'est la guerre qui l'a rendu comme ça, le pauvre. Depuis, il ne parle qu'à son chien et il peint de drôles de choses.

Frances avait déjà saisi au vol une ou deux phrases de ce genre et, chaque fois, elle avait eu l'impression qu'on lui enfonçait une épine dans le cœur. C'était de son frère que les gens parlaient ainsi, de George qui les consolait elle et Victoria quand elles pleuraient, qui réparait leurs poupées, qui les accompagnait aux garden-parties et aux bals. George qui avait si brillamment réussi Eton.

Puis aujourd'hui... George était un homme jeune dont les yeux semblaient avoir mille ans. Frances ne pouvait croiser son regard sans penser que la vie n'avait rien tenu de ses promesses. Mais au fond peut-être n'avait-elle rien promis. Sa famille avait si longtemps vécu dans l'insouciance que Frances en avait conclu qu'il devait toujours en être ainsi. Aujourd'hui, elle savait que ce qu'elle avait considéré comme un fait acquis n'en avait jamais été un. Rien n'était jamais acquis, c'était aussi simple que cela. Tout pouvait un jour s'effondrer, même ce que l'on croyait immuable. Après ? Eh bien, il fallait se battre, se battre pour soi et pour ceux qui ne pouvaient plus le faire seuls.

— Il y a beaucoup de choses dans le panier qu'il ne faudrait pas laisser au soleil, George, dit-elle. Mets-les donc dans ta resserre à provisions.

Il empoigna docilement le panier, Alice se releva.

— Je vais t'aider à ranger !

Le regard qu'elle lança à Frances signifiait qu'elle voulait être seule un moment avec George.

Ils disparurent dans la maison. Frances flâna dans le jardin, qui lui rappelait celui de Westhill du vivant de Maureen. Depuis, qu'elle n'était plus là, il devenait chaque printemps un peu plus sauvage car personne n'avait le temps de s'en occuper. Tandis que ce jardin-là... Il était entretenu avec amour. George avait planté une profusion de fleurs qui envahissaient tout. Des abeilles bourdonnaient dans les branches des arbres fruitiers. Le chat qui tout à l'heure marchait sur le mur s'était roulé en boule sur un banc de bois. Quand Frances passa près de lui, il ouvrit paresseusement un œil puis le referma. Elle se souvint qu'il apparte-nait à quelqu'un du village. Il venait tous les jours. Les animaux aimaient George, ils appréciaient sa compagnie. Et George lui-même préférait manifeste-ment les animaux aux hommes. Il semblait, en leur présence, oublier pour un temps ce qui ne cessait de le tourmenter.

Qu'il ait fait de cet endroit un tel paradis est bon signe, songea Frances.

Chaque fois qu'elle découvrait avec effroi l'une des nouvelles œuvres de son frère, penser aux fleurs et aux arbres de son jardin était une consolation.

Il avait commencé à peindre peu après son retour dans le Yorkshire. Frances l'avait encouragé et soutenu, elle lui avait acheté un chevalet, de la peinture, des toiles. Si cela pouvait lui apporter un quelconque apaisement, elle n'en était que trop heureuse. Tous ses tableaux se ressemblaient : couleurs sombres, visages déformés, grimaçants, monstres crachant du feu et semblant sortir tout droit de l'enfer. Des images qui exprimaient la haine, la violence et l'horreur d'une mort omniprésente.

Frances avait mal à la seule idée des images qui devaient hanter George quand il était capable de peindre des scènes pareilles. Elle souhaitait par-dessus tout qu'un jour il peigne une fleur, un oiseau ou le visage d'un enfant que le monde n'aurait pas encore fait souffrir.

Elle s'occupait également de faire des courses, pour lui et pour Molly, et apportait ses achats chaque dimanche dans un panier. Et elle payait en cachette les deux tiers du loyer. Elle était convenue d'un arrangement avec le propriétaire pour que George n'en sache rien. Coupé de la réalité comme il l'était, il ne se rendait même pas compte qu'il était impossible que le cottage coûte l'humble loyer que sa pension de guerre lui permettait de verser.

Frances aurait de beaucoup préféré qu'il reste à Westhill, près d'elle, sous sa surveillance, mais rien au monde n'aurait pu l'y contraindre et elle avait fini par céder. Elle en avait souffert comme si un enfant bien-aimé s'était enfui loin d'elle.

Elle entendit des voix et se tourna vers la maison. Le soleil avait poursuivi sa course vers l'ouest. Frances, éblouie, dut mettre sa main en visière pour ne pas fermer les yeux. Alice parut sur le seuil de la maison, puis George. Frances avait cru qu'elle parlait avec lui, mais Alice était en train de l'appeler.

— Frances ! Frances, tu viens ?

Elle les rejoignit. Un pli barrait le front d'Alice, qui avait l'air d'avoir mal à la tête.

— Nous devrions y aller. Tu as encore une longue route à faire.

Frances opina. Doucement, elle caressa le bras de George.

— Pouvons-nous partir ? Ou bien y a-t-il quelque chose dont tu souhaites que nous parlions ?

Elle connaissait d'avance la réponse.

— Non, non, je te remercie, dit poliment George. Vous pouvez partir.

Parfois, Frances se demandait s'il s'apercevrait de son absence si un jour elle ne venait pas. Il n'aurait alors presque rien à manger, et plus de peinture. Peut-être s'assiérait-il dans un coin et rétrécirait-il lente-ment, jusqu'à disparaître...

— A dimanche prochain, dit-elle.

Il répondit :

— Oui. A dimanche prochain.

Les deux jeunes femmes traversèrent le jardin. Au portail, Frances se retourna une dernière fois mais George était déjà rentré dans la maison. Le soleil déclinant dessinait des ombres légères dans le mer-veilleux jardin déserté.

Elles roulaient depuis un moment en silence quand Alice, soudain, déclara :

— Je retourne à Londres.

A son ton, on devinait qu'elle ne reviendrait pas sur sa décision.

Frances, surprise, la regarda de côté.

— Vraiment ?

— Je viens encore d'en parler avec George. Ça n'a pas de sens. Je suis une étrangère pour lui. Il ne se souvient de rien de ce qu'il y avait avant. Ou il ne veut pas s'en souvenir. Je ne crois plus que ça puisse changer.

Frances ne le croyait pas non plus.

— Il vit dans son monde. Ça l'aide à échapper à ses souvenirs.

— Parfois, je me demande, si tu n'étais pas partie avec lui, si je n'aurais pas eu une chance. Une chance de communiquer avec lui.

— Alice...

Il était vain de remettre ce sujet sur le tapis. Alice avait tempêté, pleuré, crié. Qu'elle ait fini par baisser les bras était imputable à l'état dépressif qui depuis plusieurs années avait entamé son énergie. Frances savait que l'Alice d'autrefois lui aurait arraché les yeux et remué ciel et terre pour ramener George à Londres. Celle d'aujourd'hui avait quitté Londres pour se rapprocher de lui et avait conclu un arrangement avec son ennemie pour tenter de grappiller encore quelques miettes de ce qu'elle avait perdu depuis longtemps : la présence et l'affection de George.

Elle s'en tint à cette simple remarque et s'abstint de se laisser aller à toute une litanie de plaintes et de reproches.

— Je pars dès que possible, dit-elle.

— Il va falloir que tu cherches un appartement.

— Je trouverai bien quelque chose. De toute façon, Hugh Selley acceptera certainement de m'héberger le temps que je me retourne.

Hugh Selley, le gardien de l'immeuble de Stepney.

— A ta place, je chercherais une autre solution. Il n'a pas renoncé, tu sais, et tu n'arriveras plus à t'en débarrasser.

Elles avaient atteint le petit hôtel du bout de la jetée de Scarborough. Vitres sales, rideaux aux couleurs passées, crépis lépreux. Deux femmes qui bavardaient sur le pas de la porte s'interrompirent et entreprirent d'examiner l'automobile et ses occupantes avec un sans-gêne confondant.

— Bon, eh bien... dit Alice en ouvrant la portière.

Frances la retint par le bras.

— Essaie de reprendre confiance en toi. Ne baisse pas les bras. Tu étais tellement forte... Tu n'avais besoin de personne. Même pas de George. Pendant des années.

Alice sourit.

— Je sais ce que tu penses, Frances. Tu te dis que c'est un juste retour des choses, n'est-ce pas ? Quand George insistait pour m'épouser, j'avais mille choses en tête qui me semblaient plus importantes. Et maintenant que je suis déprimée, que je me sens seule et que j'aurais besoin de lui, il ne veut plus de moi. Si c'était parce qu'il m'en veut ou parce que sa fierté a été blessée, je pourrais le reconquérir. Je pourrais tout lui expliquer. Mais ce n'est pas le cas. Quoi que je fasse, je ne pourrais jamais plus communiquer avec lui. Le destin a quelque chose de machiavélique, tu ne trouves pas ? Il joue parfois de drôles tours.

— Oui, dit Frances d'une voix basse. C'est absurde.

Elles se turent. Sur le seuil de l'hôtel, les deux femmes continuaient à les regarder.

— Quand tu verras George, dimanche prochain, dis-lui bien des choses de ma part, d'accord ? dit Alice en sortant de la voiture.

— Promis. Encore une chose, Alice : ne te sous-estime pas. Tu ne vas pas toujours te sentir aussi faible et seule qu'en ce moment, tu vas aller mieux. De toi-même. Ne te repose pas sur les mauvaises personnes.

Alice hocha la tête. Frances la regarda se diriger vers l'entrée de l'hôtel. Elle paraissait malheureuse et résignée.

Frances démarra, démangée par l'envie de tirer la langue aux deux commères qui la dévisageaient.

Elle avait à peine poussé la porte qu'elle perçut la voix de sa sœur, qui parlait sur le même ton plaintif et geignard que d'habitude, mais avec cette note sur-aiguë qui depuis quelque temps perçait parfois derrière les mots et révélait sa nervosité exacerbée.

— Il me traite pire qu'un chien. Jamais un mot gentil. Jamais un geste tendre. Il s'emporte très vite. Il y a des fois où il me fait vraiment peur.

— Il n'est tout de même pas violent ? questionna Charles.

— Non, violent, non, répondit Victoria, avant d'ajouter, après un instant de silence, sur un ton lourd de sous-entendus : Pas encore !

Dans le vestibule, Frances eut un rictus de mépris. Il fallait toujours que sa sœur joue les hystériques ! Elle s'était en quelques mois transformée en quelqu'un qui cherchait constamment à éveiller la pitié des gens. Ses problèmes conjugaux étaient un merveilleux prétexte pour se faire plaindre partout où elle allait et, de l'avis de Frances, elle avait eu vite fait de s'en rendre compte et en rajoutait beaucoup.

Comme si John risquait jamais de s'oublier jusqu'à lever la main sur elle ! Elle l'agaçait, voilà tout, et il avait pris l'habitude de lui parler un peu rudement pour la tenir à distance. Ce qui au demeurant ne servait à rien. Plus il se montrait distant, plus elle lui collait aux basques, et elle pleurnichait sans arrêt.

— Oui, mon enfant, mais que puis-je faire pour t'aider ? dit Charles.

L'inquiétude et le chagrin qu'elle perçut dans le ton de son père mirent Frances en colère.

Deux ans et demi après la mort de Maureen, Charles avait certes retrouvé un relatif équilibre intérieur, mais il n'était pas redevenu lui-même et à l'évidence n'allait pas bien. Et comme si ce n'était pas assez difficile comme cela, il fallait que Victoria lui complique l'existence. Elle était incapable de se débrouiller seule avec ses problèmes, et son père, anéanti par son veuvage, se révélait l'exutoire idéal. Elle pouvait geindre pendant des heures sans qu'il manifeste le moindre signe d'impatience. Sa Vicky, son cher petit cœur !

Frances, qui ne comptait que sur elle-même, travaillait dur pour sauver la ferme et faisait l'impossible pour tenir Charles éloigné des problèmes ; elle aurait pu gifler sa sœur. Ses soucis étaient autrement plus graves. Victoria était loin d'imaginer combien de fois ils avaient été près de sombrer aux cours des mois écoulés.

Si cette petite dinde avait seulement le tiers de mes problèmes, il y a beau temps qu'elle se serait effondrée ! enragea Frances.

— Justement, père ! Personne ne peut m'aider, c'est bien le problème. John a terriblement changé depuis qu'il est revenu de la guerre. Je le reconnais à peine.

— C'est le cas de nombreux hommes. Regarde George.

— Mais George, au moins, n'est pas agressif, lui. Il s'est coupé du monde mais il ne dit rien de méchant.

— Ah ? Et tu trouves que c'est mieux ? railla Frances. Je voudrais bien t'y voir si John se retirait dans une cabane, peignait du soir au matin et se souciait de toi comme d'une guigne ! Pas besoin d'être devin pour imaginer les scènes que tu ferais.

— Il a peut-être besoin de temps, hasarda Charles.

— De combien de temps encore ? riposta vivement Victoria. Ça va bientôt faire un an que la guerre est finie. Il est rentré en vainqueur. Qu'est-ce qui l'empêche de reprendre son ancienne vie ? Il pourrait refaire de la politique. Mais non, même ça ne l'intéresse plus... C'est absurde, mais, d'une certaine façon, la guerre manque à John. C'est comme s'il fallait qu'il y retourne pour y faire, une fois de plus, ses preuves. Il est tellement nerveux... Partout c'est la paix depuis longtemps, sauf dans sa tête.

Dans le couloir, Frances, qui s'était rapprochée sur la pointe des pieds pour mieux entendre, considéra que c'était une description étonnamment juste de l'état d'esprit de John, étonnamment juste parce que c'était de Victoria qu'elle émanait et que, d'ordinaire, celle-ci ne comprenait rien aux gens.

— Si la guerre lui avait pris un bras ou une jambe, je pourrais comprendre qu'il ait cette hargne au cœur. Mais là... Nous pourrions avoir une vie agréable, heureuse.

— C'était autrefois un gentil garçon, dit Charles.

La voix de Victoria prit un ton encore plus aigu.

— Etait ! Etait ! J'ai l'impression que la vie n'est plus faite que de « était » et de « autrefois » ! Oui, autrefois. Autrefois, tout allait bien. Avant la guerre. Quand mère vivait encore. Quand nous étions encore tous là. Nous étions heureux. Nous étions insouciants !

Va-t-elle enfin se taire ! se dit Frances, consternée. Ne se rend-elle pas compte que ce sont ses blessures à lui qu'elle est en train de rouvrir ?

— Je sais, dit Charles tristement.

— John était le plus doux, le plus prévenant des époux que l'on puisse souhaiter. La vie était merveilleuse avec lui. Jamais je n'oublierai notre mariage. C'était le plus beau jour de ma vie. J'avais tellement d'espoirs...

Sa voix trembla dangereusement. Frances imaginait sans peine l'air désemparé de son père. Comment réagissait-on quand votre fille ne cessait de pleurer ? Cela lui brisait certainement le cœur. Sa petite Victoria, sa fille bien-aimée...

— Je voulais des enfants... Une vraie famille. C'est ainsi que j'imaginais ma vie.

Elle se mit à pleurer pour de bon.

— Je donnerais tout pour avoir un enfant, père !

— Tu es encore jeune, dit Charles, mal à l'aise.

Selon ses principes, ce n'était pas un sujet qu'un père et sa fille pouvaient aborder.

— Tu as le temps, poursuivit-il. Tu auras un enfant un jour.

— Et comment ?

Les mots avaient jailli comme un cri, Victoria semblait au bord de l'hystérie.

— Comment ? Par quel miracle pourrais-je avoir un enfant quand John... depuis qu'il est revenu de France, ne m'a... ne m'a pas une seule fois... Il ne me touche même plus !

Frances entendit Charles se lever et marcher de long en large dans la pièce.

— Enfin, Vicky, voyons ! Ce n'est pas une chose que... Tu ne devrais pas me parler de ces choses. C'est avec ton mari que tu dois le faire.

— Mais j'ai essayé ! Presque tous les jours. Chaque fois, il s'est dérobé. Et maintenant, il devient agressif quand je tente d'aborder le problème. Il veut que je le laisse tranquille.

— Si ta mère était encore là... elle saurait te conseiller, elle.

— Je ne sais pas quoi faire. Il ne m'aime plus. Je m'en rends bien compte. Tout ce qu'il éprouvait pour moi a disparu.

— Peut-être devrais-tu en parler avec Frances,

suggéra Charles, soucieux de passer au plus vite à un autre sujet. En tant que femme, elle saura certainement te...

Victoria l'interrompit d'un rire sarcastique.

— En tant que femme ! Voyons, père ! S'il y a quelqu'un qui ne connaît rien à ce genre de problème, c'est bien Frances. Qu'est-ce qu'elle est, sinon une vieille fille sans aucune expérience ?

— Tu ne devrais pas parler de ta sœur d'une façon si méprisante !

— Et comment parler d'elle, alors ? Ne me demande pas d'avoir des mots aimables à son égard. Parfois, j'ai l'impression que de nous tous elle est la seule qui ne trouve pas que ce qui nous est arrivé est si terrible que ça.

— Victoria, si tu continues à parler de Frances en ces termes, je vais me fâcher.

Il paraissait effectivement très irrité.

— Mais tu vois bien comment elle s'est tout appropriée ici, se défendit Victoria. Elle fait comme si c'était elle la maîtresse de maison. Si mère n'était pas morte, si George n'était pas... devenu un peu bizarre, jamais elle n'aurait pu faire ça. Elle régimente tout, décide tout. Elle a baissé les montants des affermages sans rien demander à personne pour que les paysans ne s'en aillent pas. De près de la moitié ! J'ai du mal à comprendre comment tu as pu laisser passer ça !

— Pour la raison que tu as toi-même évoquée : pour que les paysans et les ouvriers agricoles restent. Nous n'avons pas d'autres moyens de faire tourner la ferme.

— Elle achète des moutons. Des vaches. Des chevaux. Elle fait les foires aux bestiaux, marchande avec les maquignons comme une paysanne. C'est pitoyable. Elle s'est mis en tête d'apprendre à conduire et voilà qu'elle est sans cesse par monts et par vaux. Elle pourrait tout de même se souvenir de quelle famille elle vient! Elle nous fait passer pour quoi, avec ce comportement?

Le vieux fauteuil de cuir gémit. Charles avait dû se rasseoir.

— Il y a longtemps que j'aurais dû vendre Westhill si elle ne travaillait pas aussi dur. Je ne pourrais pas y arriver seul. Elle m'assure une vieillesse tranquille dans la maison où j'ai été heureux avec Maureen. Je lui en suis reconnaissant.

Je lui en suis reconnaissant... De l'autre côté de la porte, Frances serra les poings. Comme sa froideur faisait encore mal! Il ne lui avait toujours pas pardonné. Le mur qu'il avait érigé entre eux était toujours là. Il lui accordait une reconnaissance polie. Il ne lui donnerait pas plus.

— En tout cas, elle n'est pas devenue très jolie, ne put s'empêcher d'ajouter fielleusement Victoria. As-tu regardé ses mains? Toutes rêches, calleuses comme celles d'un fermier. Ses cheveux sont affreux, ternes, coiffés n'importe comment, et sa peau, tannée. En plus, elle a beaucoup maigri du visage. Ça la vieillit.

— Laisse-la tranquille. Elle vit sa vie et toi la tienne. Si tu l'aimes aussi peu, ne la fréquente pas.

— C'est bien mon intention. Père, il faut que je rentre, maintenant. C'est bientôt l'heure du thé. Je serai sans doute une fois de plus seule avec ma belle-mère, mais...

Victoria laissa sa phrase en suspens.

Des pas s'approchèrent de la porte. En un éclair, Frances était dans l'escalier, montait les marches à pas de loup. Le vieil escalier, naturellement, craqua.

— Il y a quelqu'un? demanda Victoria. Adeline?

Frances se pencha sur la rambarde.

— Non, c'est moi.

Elle savoura l'effroi stupéfait qui se peignit sur le

visage de sa sœur, mais décida de ne pas laisser paraître qu'elle avait entendu des choses qu'elle n'aurait pas dû entendre.

— J'arrive tout juste de chez George.

C'était dit sur un ton si anodin que Victoria se détendit.

— Ah? Vraiment? Et comment va-t-il?

— Compte tenu des circonstances, plutôt bien. Bonjour, père!

— Bonjour.

Charles était apparu derrière Victoria. Le père et la fille, tout près l'un de l'autre, tendaient le visage vers Frances, en haut des marches. Elle eut un pincement au cœur en constatant combien Victoria, une fois de plus, était ravissante. Sa nouvelle coiffure la rajeunissait. Conformément aux exigences de la dernière mode, elle portait les cheveux coupés court à la garçonne. Sa robe de mousseline vert pâle, profondément échancrée, lui arrivait au-dessus du genou et une écharpe à rayures vertes et blanches était nouée en biais autour de ses hanches. Ses pieds étaient chaussés d'élégants escarpins blancs à petit talon. Elle avait l'air frêle et délicate. Avec Charles, ses cheveux argentés et son costume à la coupe parfaite, elle formait un tableau très élégant.

A côté d'eux, je dois avoir l'air d'un chien galeux, songea Frances.

— Je partais, dit Victoria. A l'occasion, viens donc nous rendre visite à Daleview, Frances.

C'était une invitation de pure politesse, formelle. Victoria la lançait sans même feindre de s'y intéresser.

— Je le ferai, répondit Frances sans plus s'engager.

Elle se tourna vers Charles.

— Père, ne m'attends pas pour dîner. Je dois encore sortir.

— Ah? Où vas-tu? interrogea Victoria.

— Nous avons un nouveau fermier. Je dois voir plusieurs choses avec lui.

Victoria ne trouva rien à répliquer. Elle sortit de la maison, suivie de son père. Frances monta en courant dans sa chambre pour se changer. Elle avait déjà perdu beaucoup de temps, il fallait qu'elle se dépêche.

Une demi-heure plus tard, Frances arrêtait sa voiture devant une petite maison de pierre, située sur une colline à la lisière de la forêt qui jouxtait le manoir de Daleview et faisait également partie du domaine. C'était une vieille maison. De près, on remarquait que le mortier qui scellait les pierres s'effritait et que de la mousse et du lichen poussaient dans les endroits où il faisait défaut. Quelques tuiles manquaient au toit. La maison, qui devait bien avoir cent cinquante ans, bravait depuis trop longtemps les vents âpres qui au printemps et à l'automne balayaient les collines... Ici, la vie était dure, la nature hostile. On comprenait que personne n'occupe plus les lieux depuis longtemps.

Frances descendit. Même ici la chaleur avait sévi tout le jour. Pas un brin d'herbe ne bougeait. Il faisait lourd, l'atmosphère était oppressante. Frances eut l'impression que le temps s'était dégradé alors que, le soir venant, un peu de fraîcheur aurait dû apparaître. Il faisait si chaud qu'il suffisait de lever le bras pour avoir le sentiment de se liquéfier.

La porte de la maison s'ouvrit.

— Je crois que nous allons avoir un orage, dit John en venant à sa rencontre.

Elle lui sourit. Elle avait mis une jolie robe, s'était longuement brossée les cheveux, en se demandant pour la centième fois si elle devait les faire couper.

J'aurais peut-être l'air plus jeune, s'était-elle dit en s'examinant soucieusement dans la glace.

« ... elle a beaucoup maigri du visage. Ça la vieillit », avait déclaré Victoria.

Elle avait peut-être raison, mais... Oh, et puis, zut! Elle avait trop de soucis en tête pour réfléchir à la façon de faire paraître ses joues plus pleines ou son nez moins pointu.

Elle savait qu'à cet instant elle était jolie. Elle savait que John aimait sa peau brunie par le grand air, un miracle avec son type de carnation. Qu'il aimait ses mains rêches et ses longs cheveux qui ruisselaient sur ses épaules.

Non, elle ne les couperait pas. Elle le décida quand John l'attira à lui et plongea les mains dans sa chevelure. Ses lèvres se posèrent sur les siennes.

Baisers volés. Rencontres volées. Pourtant, autour d'eux, le monde avait désormais un autre visage.

Les jours heureux. Un peu de leur éclat était revenu.

Vendredi 27 décembre 1996

Barbara avait les yeux douloureux. Depuis combien de temps lisait-elle ainsi, assise à la table de la cuisine ? Elle releva la tête et faillit laisser échapper un petit cri de douleur. Son corps était si engourdi que toute sa colonne vertébrale lui faisait mal. Elle avait dû rester plusieurs heures dans la même position.

L'horloge murale indiquait 17 heures. Au-delà de la fenêtre, c'était l'obscurité. Dans la vieille cuisinière, le feu commençait à s'éteindre et la température de la pièce avait beaucoup baissé. Barbara se sentait toute faible tant elle avait faim.

Le moment était d'autant mieux choisi d'interrompre sa lecture que Frances Gray avait elle-même introduit une coupure à cet endroit de son manuscrit. Un feuillet vierge indiquait qu'une seconde partie commençait. La première partie s'achevait donc sans autres commentaires sur cette scène devant la petite maison de la colline, quelque part derrière Daleview, par un soir étouffant de juillet 1919.

Un des rendez-vous avec l'amour, secrets et passionnés, qui réunissaient Frances et le mari de sa sœur, régulièrement, semblait-t-il. A Saint-Ladune, ils avaient sauté le pas, le tabou était brisé. Le John Leigh qui était revenu de la guerre n'était plus le même homme. Il était convaincu de s'être conduit comme un lâche et n'arrivait pas à l'accepter. Il s'était aigri. Contrairement à George, qui s'était réfugié dans la solitude et hurlait son mal de vivre dans des pein-

408

tures effrayantes, John Leigh avait lui choisi l'indifférence, ce qui était encore le meilleur moyen de s'assurer que plus rien ne le blesserait. Sa carrière politique ne l'intéressait plus, il n'éprouvait que mépris pour ce à quoi il avait aspiré, pour ce qu'il avait brigué et ce pour quoi il s'était battu Quel intérêt cet homme pouvait-il encore trouver à une petite Victoria, ravissante et frivole ? Il n'était plus capable de ressentir aucun des scrupules moraux qui jadis l'auraient empêché de tromper sa femme, ou même seulement de la blesser par une attitude glaçante. La vie lui avait montré son visage le plus noir ; peut-être ressentait-il une certaine satisfaction à prouver qu'il pouvait lui aussi être cruel.

Frances, pour sa part, avait depuis longtemps appris à prendre ce qu'elle voulait obtenir. Entre les deux sœurs, c'était désormais la franche hostilité et Frances ne semblait pas disposée à laisser la culpabilité gâcher son existence.

S'il n'y avait pas cette neige, se dit Barbara, j'irais tout de suite voir si la vieille maison existe toujours.

Elle se leva, glissa trois bûches dans la cuisinière et fit redémarrer le feu. Elle s'assit quelques minutes devant la cuisinière et tendit les mains vers la chaleur. Quand elle se leva, des papillons noirs dansaient devant ses yeux et toute la pièce se mit à tourner. Elle s'accrocha au dossier d'une chaise pour ne pas tomber. Une douleur fulgurante lui tordit l'estomac. Elle ignorait que la faim pouvait faire mal à ce point. Et sa tension commençait à lui jouer des tours.

— Ça ne peut plus durer, murmura-t-elle pour elle-même. Demain, il faut que l'un de nous deux parte et tente de trouver quelque chose à manger.

Elle se demandait où était Ralph – elle ne l'avait pas vu de la journée – quand, soudain, le téléphone sonna.

Elle sursauta comme si on avait tiré un coup de

fusil à côté d'elle et, désemparée, s'agrippa plus fort au dossier de la chaise. Ils n'étaient coupés du monde que depuis quelques jours, et pourtant elle avait l'impression que cela faisait une éternité qu'ils n'étaient plus en contact avec la civilisation. Le froid, la faim, les heures qui n'en finissaient plus de s'écouler faussaient la notion de temps. Dans une autre vie, il y avait eu le téléphone, le chauffage par le sol, les livreurs de pizzas et le bain moussant.

De nouveau la sonnerie retentit, et cette fois Barbara réagit. Le monde existait toujours, songea-t-elle, comme électrisée, et il ne nous a pas oubliés !

Lorsqu'elle entra au salon, elle vit que Ralph avait été plus rapide qu'elle. Il se tenait près de la petite table devant la fenêtre, l'écouteur à l'oreille. Il avait posé à côté de lui un chandelier dont les quatre bougies éclairaient assez la pièce pour que l'on en distingue les meubles. Des ombres grotesques dansaient sur les murs.

— Vous vous êtes certainement fait beaucoup de souci, mademoiselle Selley, disait-il en anglais. Mais rassurez-vous. Finalement, tout va bien. Nous sommes isolés et nous n'avons plus ni électricité ni chauffage, et jusqu'à maintenant le téléphone ne marchait pas non plus.

Il écouta sans rien dire puis ajouta en s'efforçant de prendre un ton apaisant :

— Non, je vous assure. Ne vous inquiétez pas. La maison n'a rien...

Il fut à nouveau interrompu. Barbara le rejoignit. Elle ne comprenait pas ce que Laura disait, mais elle entendait qu'elle parlait vite, sur un ton surexcité.

Ralph prit conscience de la présence de Barbara. Il se retourna et désigna l'écouteur de sa main libre en levant les yeux au ciel et en grimaçant un « Laura » silencieux. Barbara hocha la tête.

— Bien sûr que non. Vous n'avez aucune raison de vous inquiéter, insista Ralph. Je suis certain que la maison n'a subi aucun dommage. Non, le toit non plus. Ce n'était tout de même pas une avalanche. Non... non... Surtout ne vous donnez pas cette peine. D'ailleurs, vous ne pourriez pas passer, c'est complètement enneigé. Non... oui, bien sûr... Bien sûr, surtout n'hésitez pas à appeler. Ma femme vous salue, Laura. Oui. Au revoir !

Il raccrocha.

— Mon Dieu, elle est dans un état, au bord de la crise de nerfs. Mais ce n'est pas notre sort qui la préoccupe, c'est sa maison. Qu'on meure de faim et qu'on gèle ne l'émeut absolument pas.

— J'imagine que l'entretien de la maison doit être très onéreux. C'est une femme modeste. Elle n'a sans doute pas de gros revenus. Chaque réparation doit lui poser de gros problèmes.

— Tu dois avoir raison.

Il releva les épaules en frissonnant et prit le chandelier.

— Viens, allons dans une pièce où il fait chaud. Je supporte de moins en moins ce froid permanent.

Comparée au salon, qui n'était plus chauffé depuis presque une semaine, la cuisine paraissait douillette et chaude. Ralph désigna les feuillets éparpillés sur la table.

— Tu n'arrives plus à t'arrêter de lire ? On ne t'a pas vue ni entendue de la journée.

— Oui, excuse-moi, dit Barbara, qui se sentait un peu coupable.

Il avait dû fendre du bois toute la journée, et elle n'avait fait que lire pour assouvir sa curiosité. Elle rassembla les feuillets et les mit de côté afin de débarrasser la table pour le dîner. Le dîner. Un bien grand mot pour la tranche de pain, le demi-œuf dur et le petit morceau de fromage que chacun aurait dans son assiette.

— J'ai essayé les skis, dit Ralph. Je m'en sors très bien. Je vais aller à Leigh' Dale demain matin.

— Mais le téléphone remarche...

— Oui, mais ça ne nous avance pas vraiment. Nous ne sommes peut-être plus coupés du monde, mais malheureusement, ce n'est pas par le fil du téléphone que va passer le ravitaillement.

— Il ne neige plus. La route va bientôt être dégagée.

— C'est vrai. Mais nous ne savons pas quand. Peut-être pas avant trois jours. Pour demain matin, nous avons encore un œuf, le reste de fromage, un peu de confiture, puis plus rien. Et ça commence à bien faire, ce régime forcé.

— Tu aurais dû t'entendre, maugréa Marjorie. Tu étais parfaitement ridicule. Je suis sûre que tu les as bien énervés.

— J'ai à peine parlé avec lui, se défendit Laura.

Des taches rouges marbraient ses joues.

— J'étais déroutée, c'est normal. Je pensais, une fois de plus, que ça n'allait pas marcher... et voilà que quelqu'un décroche !

— On croirait que c'est la première fois que tu téléphones. Vraiment, Laura, il y a quelque chose qui cloche. Tu prends tout beaucoup trop au sérieux.

Laura, qui jusque-là semblait clouée au sol devant le téléphone, recommença à se mouvoir. Elle regagna la cuisine où Marjorie, assise à la table, tournait une petite cuillère dans sa tasse de café.

— Je peux me servir un xérès ? demanda Laura.

Le xérès était la seule boisson alcoolisée que Marjorie avait dans ses placards.

Marjorie haussa les sourcils.

— Je pensais que tu allais te faire un thé ! Eh bien,

si tu en es à boire de l'alcool, tu ne dois pas être dans ton assiette !

Le liquide jaune pâle emplit le verre. Le xérès était si sec qu'à la première gorgée Laura ne put retenir une grimace de surprise.

— Il me parlait tout à fait normalement, dit-elle. Tout a l'air d'aller bien, mis à part le fait qu'ils sont bloqués par la neige.

— Tu as trop d'imagination, Laura. Que veux-tu qui n'aille pas ?

Laura ignora la question. Sa sœur, dans un sens, lui inspirait pitié. Marjorie avait si peu conscience des choses... Cela lui simplifiait beaucoup l'existence, rien ne la troublait, ni hauts ni bas, mais en même temps il ne lui arrivait jamais rien.

Laura était soulagée. Ils n'avaient rien trouvé. Sinon, ce Ralph Machin Chose ne lui aurait jamais parlé de façon aussi naturelle. Il avait eu l'air un peu agacé. Il devait la prendre pour une vieille un peu toquée qui se faisait une montagne d'un rien. Il pouvait bien penser ce qu'il voulait. Du moment qu'il ne savait rien...

L'alcool était très âpre mais il avait un effet apaisant et elle ne résista pas à l'envie de s'en resservir un peu.

Marjorie l'observait d'un air mauvais.

— Quand je te vois comme ça, j'ai l'impression que de nous deux c'est moi la plus vieille. Tu te conduis comme une petite fille. Qu'as-tu besoin de te mettre dans un état pareil parce qu'il est tombé des tonnes de neige et que ta maison a peut-être subi je ne sais quels dommages ? De toute façon, cette maison, il faut que tu la vendes, tu le sais bien. Tu as encore besoin d'argent et, cette fois, ce n'est pas moi qui vais te dépanner. Je ne peux pas. Essaye enfin de te faire à l'idée de te débarrasser de ces vieilles pierres au lieu de fermer les yeux !

— Qui vivra verra, s'obstina Laura.

La brève euphorie qui l'avait envahie à l'issue de sa conversation avec Ralph s'était déjà évanouie ; elle se sentait dégrisée.

Pourquoi fallait-il que Marjorie soit toujours ainsi ? songea-t-elle. Pourquoi éprouvait-elle ce plaisir à compliquer la vie des autres ?

— Tu vas devoir t'endetter de plus en plus. Et la banque ne va pas te faire crédit éternellement. A la limite, tu peux hypothéquer la ferme. Mais tôt ou tard, ils te la prendront. A ta place, je vendrais avant que ce ne soit plus toi qui fixes le prix.

— Je peux peut-être y arriver quand même. J'ai encore un peu de terres. Je pourrais relancer le domaine. Frances a bien réussi à le faire, après la Première Guerre. Elle me l'a assez raconté. A l'époque, elle...

Marjorie eut un rictus méprisant.

— Ne le prends pas mal, Laura, mais tu n'es pas Frances Gray. Tu n'es pas de la même trempe qu'elle. Elle n'hésitait pas à mettre les mains dans le cambouis. Ce n'est pas ton genre !

— Je constate que tu as une haute opinion de moi.

— Excuse-moi, mais tu es la première à savoir que tu n'es pas une grande entrepreneuse. Pour ça, il faut avoir du courage et des idées. Et il faut aussi savoir prendre des décisions. Tu sais bien que tu n'as rien de tout ça. Tu es gentille, tu as été une bonne dame de compagnie pour la vieille Frances, une gouvernante et une cuisinière passables. Mais ne va pas te figurer qu'il suffit que tu en aies envie pour que tu remettes l'exploitation sur des rails... tu n'en es pas capable. Et tu le sais.

Laura but une dernière gorgée de xérès. Il lui parut encore plus mauvais qu'avant. Elle était maintenant démoralisée. Surtout parce qu'elle savait que Marjorie avait raison.

— Sans compter qu'il te faudrait un capital de départ, poursuivit Marjorie. Où as-tu l'intention de le trouver ?

— Je ne sais pas, souffla Laura.

Marjorie n'allait-elle pas enfin se taire ?

Non, elle était lancée.

— Crois-moi, il est grand temps que tu vendes cette bicoque. D'ailleurs, Fernand Leigh n'attend que ça depuis des lustres. Il aura enfin ce qu'il veut et toi tu seras débarrassée de tonnes de soucis. A quoi ça rime, une femme seule dans une maison aussi grande ? En plus, pleine de courants d'air et mal pratique au possible. Quant à l'environnement, il est sinistre. Il n'y a que dans les romans des sœurs Brontë que ça a du charme, mais dans la réalité il n'y a rien dans ce coin qui donne envie d'y vivre.

— Marjorie...

— Pourquoi ne fais-tu pas comme moi ? Loue donc un petit appartement confortable dans un immeuble. Quand quelque chose est détraqué, c'est le gérant qui s'en occupe. Toi, tu n'as rien à faire.

Pour qui se prend-elle donc, pour donner des leçons comme ça ? songea Laura. Elle regarda sa sœur. Ses traits durs, son regard malveillant. Ses cheveux, sans couleur bien définie, noués en un petit chignon sans grâce sur la nuque. Sa robe de lainage informe...

Marjorie ne trouvait d'intérêt à rien. Il n'était pourtant pas indispensable d'être richissime pour aménager agréablement un petit appartement ou acheter des vêtements un peu seyants. Etait-ce si difficile de mettre un peu de rouge à lèvres ou d'aller de temps en temps chez le coiffeur ? Il ne fallait pas, bien sûr, tout miser sur les apparences ou leur accorder plus

415

d'importance qu'elles n'en avaient, mais de là à ériger la mesquinerie en art de vivre...

Comment peut-elle croire que son existence soit enviable ? se demanda Laura tout en sentant monter en elle une rage, une colère dont la violence la surprit. Impressionnable et réservée, elle s'était toujours efforcée de ne déplaire à personne et ne s'autorisait aucune pensée mauvaise. Mais, plus elle se sentait poussée dans ses retranchements, plus elle avait de mal à conserver sa gentillesse naturelle.

— J'ai tout ce dont j'ai besoin, expliquait Marjorie. Et rien ne m'empêche jamais de dormir sur mes deux oreilles.

— Tu as tout ce dont tu as besoin ? En es-tu sûre ?

Le ton était si agressif que Marjorie tressaillit.

— Eh bien, je...

Laura ne la laissa pas continuer.

— Rien ! Tu n'as rien du tout ! explosa-t-elle. Tu vis dans un appartement tellement triste qu'on y perd le goût de vivre. Et regarde-toi : on dirait que tu n'as pas ri depuis au moins vingt ans. Trouves-tu particulièrement réjouissante la vue que tu découvres depuis tes fenêtres chaque matin quand tu te lèves ? Ces immeubles lugubres ? Et pas un brin d'herbe, pas un arbre, pas une fleur ? Ne vois-tu pas à quel point tout est laid, ici ?

— Laura ! fit Marjorie, ébranlée.

— Tu as raison, j'ai des soucis, beaucoup de soucis, même. Il y a effectivement beaucoup de choses que j'aurais préféré ne pas vivre, mais quand je me réveille, le matin, de ma fenêtre, ce sont des prairies, des collines et des arbres à perte de vue que je découvre. En été, les fleurs de mon jardin embaument. Je me réveille avec le chant des oiseaux, et l'hiver les écureuils viennent sur le rebord de la fenêtre de la cuisine pour grignoter les noisettes que je leur donne.

Elle se tut. Marjorie la dévisageait.

— C'est à toutes ces choses que je tiens, Marjorie, poursuivit Laura d'un ton plus calme, que ça te plaise ou non. J'aime cette maison et j'aime cette campagne depuis plus de cinquante ans. Je n'y renoncerai pas sans me battre.

— Tu n'y arriveras jamais, dit Marjorie avec une compassion surprenante.

Laura s'assit à côté d'elle, posa les coudes sur la table et se prit la tête entre les mains.

Au cours de la soirée, sa mère puis les parents de Barbara appelèrent Ralph pour lui souhaiter bon anniversaire et s'enquérir de cette tempête de neige sur le nord de l'Angleterre, dont parlait toute la presse. Barbara et Ralph, qui avaient prévu l'affaire, s'étaient mis d'accord pour minimiser la situation.

— Il paraît que des villages entiers sont complètement isolés depuis plusieurs jours, dit la mère de Ralph.

Une nuance de reproche perçait derrière l'inquiétude. Elle avait été blessée que son fils décide de fêter Noël – et un anniversaire aussi symbolique que ses quarante ans – sans elle, surtout pour aller s'enterrer avec sa femme dans un coin perdu du fin fond de l'Angleterre. Qu'avaient-ils besoin de faire cela ? Ils étaient bien avancés, maintenant.

— Je n'ai pas arrêté d'essayer de te joindre. Je me suis fait beaucoup de mauvais sang.

— Les lignes téléphoniques étaient coupées, expliqua Ralph.

Il se demanda pourquoi la voix de sa mère avait toujours sur lui cet effet soporifique. Peut-être était-ce lié au fait qu'elle trouvait à redire sur tout. Il n'avait jamais compris le rapport de cause à effet, mais il réalisa tout d'un coup que cela l'épuisait de l'entendre continuellement distiller ses reproches.

— Les communications ne sont rétablies que depuis quelques heures, précisa-t-il.

— Et tu ne pouvais pas tout de suite m'appeler pour me rassurer ? se plaignit sa mère.

Ralph faillit répliquer que ça ne se faisait pas d'appeler les gens le jour de son propre anniversaire, mais il ravala son idée. Sa mère n'avait pas tort : compte tenu des circonstances, il aurait dû se manifester. Sauf que ça ne lui était pas venu à l'esprit. Il s'abstint d'en souffler mot, sinon sa mère se serait lamentée pendant des heures.

— J'ai appris par l'office de tourisme d'York que le téléphone était coupé dans de nombreux endroits, reprit-elle. Mais ils m'ont dit qu'il ne fallait pas que je m'inquiète. La situation allait bientôt s'arranger.

Ralph ne put s'empêcher d'être touché par la détermination de sa mère. Il savait qu'elle parlait très peu anglais et devait faire de gros efforts pour dire bonjour à un Anglais, en rougissant comme une pivoine. Il imaginait ce qu'il avait dû lui en coûter de se débattre au téléphone avec de parfaits inconnus pour tenter d'en savoir plus sur les conditions météorologiques qui sévissaient dans le nord du Yorkshire et, bien évidemment, leurs conséquences. Mais quand il s'agissait de Ralph, son seul et unique enfant, s'il l'avait fallu, elle aurait parlé chinois.

— Oui, et d'ailleurs, ce n'est pas si catastrophique que ça, prétendit Ralph sur un ton léger. Nous sommes dans une belle maison bien chaude et nous avons largement de quoi manger !

Il estimait que les mensonges destinés à rassurer les mères n'étaient pas de vrais mensonges.

— Et maintenant, nous avons à nouveau le téléphone, alors... Le seul problème, c'est que nous

sommes bloqués par la neige. Mais ça ne va certainement pas durer, un jour ou deux tout au plus. Il y a
longtemps qu'il ne neige plus.

Les parents de Barbara téléphonèrent une demi-
heure plus tard. Ils paraissaient eux aussi très
inquiets, mais il ne leur vint pas à l'esprit de reprocher quoi que ce soit à leurs enfants. Ils félicitèrent
Ralph pour ses quarante ans puis Barbara vint à son
tour à l'appareil.

— J'espère que vous vous supportez, dit d'emblée
sa mère. Si par malheur je me trouvais coincée par la
neige dans une maison avec ton père, je crois qu'on ne
tiendrait pas trois jours sans se voler dans les plumes.

— Nous n'en sommes pas là! Nous sommes bien
trop raisonnables pour ça, mentit Barbara, que la
perspicacité de sa mère ne laissait pas d'étonner.

Elle ne lui avait jamais parlé de la pitoyable dégra-
dation de ses relations avec Ralph. De toute évidence,
sa mère avait compris que quelque chose n'allait pas
entre eux, mais elle possédait la remarquable qualité
de ne donner son avis que lorsqu'on le lui demandait.

— Au fait, ton M. Kornblum s'est donné la mort,
dit-elle. Le premier jour des vacances. C'était ce
matin dans le journal.

— Oh, non! s'exclama Barbara.

La nouvelle la touchait. Peter Kornblum... sa vie
privée n'était pas irréprochable, mais il était au fond
bien inoffensif et elle était contente de l'avoir tiré du
pétrin dans lequel il s'était fourré.

— Mais pourquoi? Son innocence avait été reconnue. Les choses auraient fini par se tasser!

— Sa carrière était fichue. Cela dit, il ne semble
pas que ce soit pour cette raison qu'il s'est suicidé.
D'après l'article, il aurait plusieurs fois tenté de se
réconcilier avec sa femme. Mais elle n'aurait rien
voulu savoir. Elle ne lui pardonne pas.

— Evidemment... murmura Barbara.

Elle se demanda fugitivement si elle pardonnerait à Ralph si elle découvrait soudain qu'il fréquentait une prostituée depuis plusieurs années. Sans doute que non ; elle doutait même de parvenir à comprendre.

— Il s'est tiré une balle dans la tête, précisa sa mère, c'est l'un de ses enfants qui l'a trouvé.

Quand elle raccrocha, Barbara se sentait lasse et découragée. Il ne fallait pas qu'elle prenne cette histoire trop à cœur, elle le savait. Kornblum était un client parmi d'autres. C'était une affaire terminée. Elle s'était beaucoup investie dans sa défense et elle avait gagné le procès. Elle n'avait rien à se reprocher. Elle n'était pas tenue d'assurer le suivi psychologique de ses clients, et d'ailleurs elle n'aurait pas su le faire. Son travail consistait à tirer pour eux les marrons du feu sur le plan juridique ; quant à recoller les morceaux de leurs vies privées, c'était à eux de s'en charger. Mais à vrai dire, ce n'était pas un sentiment de culpabilité qui la tourmentait. C'était la découverte très déstabilisante d'avoir cru gagner alors qu'en fin de compte elle avait perdu. La vie avait ses propres lois, implacables et immuables, et un verdict d'acquittement avait parfois peu de valeur. D'une façon ou d'une autre, il fallait tôt ou tard payer ses dettes. Kornblum n'avait pu échapper à la règle.

Adossé à l'évier, Ralph buvait du cognac pour faire passer l'agacement provoqué par sa conversation avec sa mère. A l'expression de Barbara, il comprit que quelque chose n'allait pas.

— Qu'est-ce qu'il y a ? demanda-t-il.

— Kornblum s'est tiré une balle dans la tête. Ma mère vient de me l'apprendre. C'était dans le journal.

Ralph dut faire un effort de mémoire.

— Kornblum? Ah, j'y suis, le maire à qui on voulait coller le meurtre d'une prostituée sur le dos.

— Oui, et qui a été acquitté. Mais sa femme, on la comprend, n'a pas franchement apprécié la double vie de son mari. D'après le journal, il s'est suicidé parce qu'elle refusait de lui pardonner.

Elle se tut un instant, puis ajouta, presque dans un murmure :

— Ce n'est tout de même pas une raison pour se tuer.

— Tu te sens très concernée?

— Tu sais, les relations entre un avocat et son client sont toujours assez particulières. Quand ça se passe bien, il peut y avoir une grande confiance.

Elle réfléchit.

— Au début, avec Kornblum, ça n'a pas été très facile. Il n'arrivait pas à s'ouvrir. Il était angoissé et méfiant. Et puis un jour, la glace s'est rompue. Je ne sais plus très bien comment ça s'est fait. Il avait peut-être compris que j'étais sa seule alliée et que je ne pourrais l'aider que s'il était complètement franc avec moi. Toujours est-il qu'il a commencé à parler, à parler... Il y avait des années qu'il vivait dans le mensonge, ça a dû être pour lui une véritable libération de pouvoir vider son sac. Il m'est devenu très proche. Je comprenais ce qu'il avait dans la tête.

— Alors qu'en fait il représente tout ce que tu détestes chez quelqu'un. Un père de famille respectable, du moins en apparence, bien propre sur lui, et par-derrière un type pas très clair qui fréquente les bordels. D'ordinaire, c'est le genre que tu méprises.

— C'est vrai. Mais quand quelqu'un se livre à toi, il arrive que tu comprennes des choses que jusque-là tu combattais peut-être. C'était son histoire qui permettait d'expliquer pourquoi il était comme cela.

— En tout cas, tu n'as rien à te reprocher. Ce que

tu pouvais faire pour lui, tu l'as fait. Il a été acquitté, il ne pouvait pas espérer plus. Son mariage en miettes, c'était son problème.

— Je ne me reproche rien. Je suis seulement... C'est quand même un choc. Mais je pense que c'en est toujours un quand on apprend le suicide de quelqu'un qu'on connaît. Bien plus que lorsqu'il s'agit d'une mort naturelle. On se dit que son désespoir devait être immense. Tu ne penses pas ?

Il la regardait, songeur, avec comme toujours une tendresse dans les yeux qui culpabilisait Barbara.

— Si, certainement, dit-il.

Ils restèrent un instant silencieux, puis Barbara, soudain, demanda :

— As-tu toujours été certain de vouloir exercer ton métier tout le temps ?

— Qu'est-ce que tu veux dire, exactement ?

— Eh bien, es-tu sûr de vouloir être avocat toute ta vie, jusqu'à la retraite ?

— Je ne sais rien faire d'autre.

— On peut faire des choses que l'on n'a pas apprises.

— Je ne comprends pas où tu veux en venir.

Il paraissait inquiet.

— Que ce soit toi qui poses ce genre de question... Quand ton métier est ta vie. Il n'y a jamais rien eu de plus important pour toi. Je n'aurais jamais imaginé que tu puisses avoir des idées pareilles dans la tête.

— Il y a des moments où je ne supporte plus mon métier, dit Barbara, et à sa propre consternation, elle n'avait pas fini sa phrase qu'elle fondit en larmes.

Dans le confort douillet de son lit, Barbara, lentement se rasséréna, mais le sentiment d'oppression était toujours là. Elle avait versé des torrents de larmes, elle avait sangloté, hoqueté, tremblé. Ralph, décontenancé, n'avait pas su quoi faire.

— Qu'est-ce qui t'arrive ? Calme-toi, avait-il répété plusieurs fois.

Enfin, il l'avait prise dans ses bras, timidement, parce qu'il n'était pas très sûr de ses réactions. Mais elle était tellement bouleversée qu'elle ne parut même pas se rendre compte de son geste. Comme elle était incapable de parler, il la laissa pleurer et lui caressa doucement les cheveux. Lorsque enfin les sanglots s'apaisèrent, il demanda :

— C'est à cause du suicide de Kornblum ?

— Je... ne sais pas, articula-t-elle. C'était un mensonge.

Elle n'aurait pas su dire pourquoi elle pleurait, mais elle savait que le malheureux Kornblum n'y était pour rien. Son suicide lui avait fait peur et cette peur avait déclenché son effondrement.

Mais par quel cheminement ? Pourquoi ? se demanda-t-elle, pelotonnée en chien de fusil sous ses couvertures. Leur réclusion dans cette maison la travaillait-elle plus qu'elle n'en avait conscience ? Eprouvait-elle, à son insu, un sentiment latent de claustrophobie qui se serait manifesté de cette façon ? Ses sentiments confus pour Ralph, leur quasi-incapacité à se parler, alors que cela faisait presque une semaine qu'ils étaient ensemble, commençaient-ils à lui faire perdre les pédales ? Mais que venait faire son métier là-dedans, ce désir brutal et dévastateur de tout laisser tomber ?

C'est sûrement la faim, décida-t-elle après réflexion, toujours soucieuse de donner une explication rationnelle aux choses. Cette éternelle sensation de vide dans l'estomac, ça rendrait dingue n'importe qui.

Elle chercha à se souvenir quand elle avait pleuré

pour la dernière fois. Ce n'était pas facile car elle pleurait rarement. Un procès dans lequel elle était intervenue deux ans auparavant lui revint en mémoire, une affaire assez trouble d'enfant maltraité qui à l'époque avait suscité beaucoup d'émotion au sein de la population. Une partie de la colère que s'était attirée le suspect s'était reportée sur Barbara, son avocate. Elle avait finalement perdu – son client avait été jugé coupable – et, plusieurs jours d'affilée, la presse s'était déchaînée contre elle. Un matin, en lisant des sarcasmes dans un journal à sensation, elle avait fondu en larmes et sangloté vingt minutes durant, de rage, de colère mais aussi parce qu'elle n'était pas habituée à perdre.

C'était une nouvelle éventualité : pleurait-elle parce qu'elle avait le sentiment d'un échec ? Etait-ce une blessure d'amour-propre que son client se soit suicidé ? Lui avait-il volé sa victoire ? Et n'avait-elle toujours pas appris à accepter que des choses puissent échapper à son contrôle ? Qu'y avait-il encore en elle de la petite fille qu'elle avait été et dont elle refusait de se souvenir, quand une histoire comme celle-là pouvait à ce point la déstabiliser ?

Tout à l'heure, dans la cuisine, elle s'était à un moment détachée des bras de Ralph et assise sur une chaise, devant la table, le visage ravagé par les larmes, les cheveux en désordre. Elle reniflait un petit peu. Ralph lui avait fait une infusion de mauve dont sa mère prétendait qu'elle était excellente pour les nerfs. Puis il avait cherché dans l'annuaire le numéro de téléphone de Cynthia Moore, la propriétaire de la supérette de Leigh's Dale, et disparu dans le salon pour l'appeler afin de s'enquérir de l'état des routes du village et de leurs chances d'être bientôt secourus. Barbara buvait son infusion à petites gorgées. Elle entendait que Ralph parlait, mais elle ne comprenait pas ce qu'il disait. Au bout de quelques minutes, il avait réapparu dans la cuisine.

— Cynthia Moore pense qu'il faut absolument que je me débrouille pour arriver à skis au village, avait-il annoncé. Ils ne déblaieront pas jusqu'ici. Les chasse-neige dégagent les routes principales mais pas les petites routes secondaires, et encore moins les chemins privés qui mènent à des maisons isolées. Nous n'avons pas d'autre solution.

Barbara avait hoché la tête.

— Entendu, avait-elle dit d'une toute petite voix. Ralph l'avait regardée, l'air inquiet.

— Ça va ?

— Oui, oui, avait-elle répondu avant de fondre à nouveau en larmes.

Ralph, d'un geste décidé, l'avait obligée à se lever de sa chaise et lui avait pris le bras.

— Viens, maintenant tu te couches. Et tu laisses ce fichu manuscrit où il est. Ces heures à lire dans le noir, ça finit par te taper sur le système.

Elle l'avait laissé l'aider à se déshabiller, oubliant que cela faisait des années qu'elle évitait de se dénuder devant lui, puis elle avait enfilé un tee-shirt et un gros pull-over, et s'était mise au lit. Ralph avait remonté les couvertures et l'avait bordée comme une enfant. Cela lui avait fait du bien, alors qu'autrefois elle refusait farouchement les mêmes gestes de la part de sa mère.

— Merci, avait-elle dit à mi-voix.

Il s'était dirigé vers la porte.

— Si tu as besoin de quelque chose, je suis en bas, avait-il dit en quittant la chambre.

Au bout d'une heure, elle n'avait toujours pas trouvé le sommeil. Dans un premier temps, les larmes l'avaient épuisée, mais maintenant elle sentait une agitation croissante la gagner.

Ralph a dû se tromper, songeait-elle en se tournant et retournant dans son lit. La mauve doit être un excitant, pas un calmant.

Elle appuya sur l'interrupteur mais il n'y avait toujours pas d'électricité ; elle tâtonna sur la table de nuit, à la recherche d'allumettes, et alluma les bougies du chandelier. Elle regarda l'heure : à peine plus de 22 heures. Encore très tôt pour quelqu'un qui d'habitude se couchait tard.

Elle songea aux feuillets restés sur la table de la cuisine. Ralph pouvait penser que c'était cette lecture qui la mettait dans un état pareil, elle était sûre d'une chose : se retourner dans son lit pendant des heures sans parvenir à s'endormir ne lui ferait pas de bien non plus. D'ailleurs, Ralph avait d'emblée eu une dent contre ce qu'il s'obstinait à appeler le « journal intime » de Frances Gray. Il était opposé à ce qu'elle le lise. Mais ce n'était pas un journal intime.

Elle brûlait d'envie d'aller chercher la seconde partie. Finalement, elle n'y tint plus. Si elle ne faisait pas de bruit, Ralph ne remarquerait peut-être pas qu'elle était descendue. Il n'avait certes pas d'ordres à lui donner, mais pour l'instant elle avait tout sauf envie de se disputer avec lui. Il avait été gentil avec elle, tout à l'heure. C'était étrange, ce petit pincement au cœur quand elle y pensait.

Par précaution, elle ne prit pas de bougie, Ralph n'aurait pas manqué, sinon, de voir la lumière. Pieds nus sur le palier glacé, il lui fallut un bon bout de temps pour que ses yeux s'habituent à l'obscurité et qu'elle puisse descendre à pas de loup au rez-de-chaussée. Deux fois, des marches grincèrent, mais elle ne fit aucun bruit. La maison était silencieuse, au point qu'elle se demanda si Ralph ne s'était pas couché depuis longtemps.

Dans la cuisine, elle s'orienta sans difficulté. La

pleine lune déversait des flots de lumière blanche par la fenêtre et éclairait la table, les verres dans lesquels ils avaient bu le cognac, les assiettes, avec leurs quelques miettes de pain, la théière. Un feu mourant rougeoyait dans la cuisinière. Barbara rassembla les feuillets et quitta la cuisine aussi silencieusement qu'elle était venue.

En traversant le couloir, elle jeta involontairement un coup d'œil dans la salle à manger, dont la porte était ouverte, et se figea.

Ralph était là.

Sa silhouette se détachait sur le rectangle de lumière pâle de la fenêtre. Il lui tournait le dos. Elle aurait été incapable de dire s'il ne l'avait pas remarquée. Il regardait dehors, immobile. Quelque chose dans son attitude – ses épaules légèrement voûtées, sa crispation ? – trahissait sa solitude. Jamais, même alors qu'ils étaient encore très proches l'un de l'autre, elle n'avait lu aussi clairement en lui. Barbara sentit combien il était seul et combien il souffrait de cette solitude. Elle étouffa un léger cri de surprise. Ralph se retourna. Il ne paraissait pas surpris. Sans doute l'avait-il déjà entendue quand elle était passée la première fois.

— Tu n'arrives pas à dormir ? demanda-t-il.

Elle leva le manuscrit qu'elle tenait à la main et fit une petite grimace d'excuse.

— Non. Il faut que je lise quelque chose.

Il approuva d'un hochement de tête.

— C'est parfois efficace. Je veux dire : pour trouver le sommeil.

— Tu ne te couches pas ?

— Si. Mais pas tout de suite... Il y a dehors une clarté extraordinaire, ajouta-t-il en montrant la fenêtre.

— Je sais. J'ai vu ça dans la cuisine.

— Tu n'as rien aux pieds ! Ne reste donc pas sur ce carrelage glacé, tu vas attraper du mal.

Elle baissa la tête et regarda ses pieds. Sans s'en rendre compte, elle se tenait les orteils recroquevillés pour être le moins possible en contact avec le dallage.

— Oui, euh... c'est aussi bien que je remonte tout de suite, dit-elle, mal à l'aise. Bonne nuit.

Ils échangèrent un regard et tout à coup Barbara sut pourquoi elle avait pleuré.

La raison pour laquelle elle avait pleuré était celle pour laquelle Ralph était là, seul dans cette salle à manger, à regarder la neige briller sous la lune. La nuit passée, ou à un moment quelconque au cours des jours précédents, ils avaient tous deux compris que c'était fini. Ils ne trouvaient plus le chemin qui menait de l'un à l'autre. Sans doute n'existait-il plus depuis longtemps, mais c'était devenu une évidence qui les bouleversait l'un et l'autre. Ils ne pouvaient plus faire semblant. Dans cette maison où la neige les retenait prisonniers, ils étaient confrontés à des réalités auxquelles ils ne pouvaient même pas symboliquement échapper en s'enfuyant.

Elle se dirigea vers l'escalier et monta en hâte au premier. Ses pieds frigorifiés lui faisaient mal. D'un geste volontaire, elle ferma sa porte à double tour et se glissa sous les couvertures en claquant des dents. La chaleur l'enveloppa comme un cocon.

Ne pas y penser maintenant. Ne penser à rien. Lire, seulement lire.

Le papier crissa sous ses doigts. Les feuillets sentaient la même odeur de poussière et de bois pourri que l'appentis. Barbara se sentit apaisée. Elle chercha la page où elle s'était arrêtée.

« Les jours heureux. Un peu de leur éclat était revenu. »

Elle tourna les pages suivantes. La feuille qui venait

après portait simplement les mots : « Deuxième Partie ». Elle était suivie d'un long passage manuscrit de plusieurs pages. Il était de la main de Frances Gray. L'encre bleue avait pâli, l'écriture était petite et irrégulière. Barbara eut du mal à déchiffrer le texte.

« J'ai finalement réussi à redresser la barre. En quelques années, la ferme a retrouvé sa prospérité d'avant-guerre, elle a même traversé quasi sans dommages les années 30 alors qu'une crise économique mondiale sévissait... »

Deuxième partie

J'ai finalement réussi à redresser la barre. En quelques années, la ferme a retrouvé sa prospérité d'avant-guerre, elle a même traversé presque sans dommages les années trente alors qu'une crise économique mondiale sévissait. Les anciens métayers sont revenus ou de nouveaux sont arrivés après que j'ai fortement baissé les affermages, ce qui m'a valu les pires critiques de Victoria. Mais sinon, comment trouver du personnel, et qu'aurions-nous fait de nos pâtures et de nos prairies s'il n'y avait eu personne pour les entretenir? Quand la situation s'est améliorée, j'ai pu relever les loyers et personne n'en a souffert. Nous élevions des moutons et des vaches, ainsi que des chevaux – mais plus modestement.

Les chevaux sont ma passion, depuis mon enfance, quand John m'a appris à monter et que nous galopions à travers champs. J'aimais me lever aux premières heures du matin et aller aux écuries. Elles étaient neuves, j'avais dû prendre un crédit auprès de la banque pour les faire construire, mais père me laissait carte blanche. Quand j'arrivais, aucun des soigneurs n'était encore là. Les chevaux hennissaient doucement pour me saluer et s'approchaient de la porte de leur stalle parce qu'ils savaient que j'apportais des pommes et des carottes. Je sentais leur souffle chaud sur mon cou, leurs naseaux sur la paume de mes mains.

Je ne me sentais jamais aussi apaisée qu'appuyée

au flanc puissant d'un cheval, écoutant les battements de son cœur. J'ai toujours pensé que les animaux et les hommes avaient une origine commune et qu'ils étaient une part importante de nous-mêmes. Je trouve triste que des gens ne les comprennent pas ; quant à ceux qui les maltraitent, je n'ai pour eux que mépris.

J'aimais aussi nos moutons et nos vaches. Nous en avions d'importants troupeaux. La laine et le fameux Wensleydale Cheese nous rapportaient beaucoup d'argent. J'achetais les moutons au marché aux bestiaux de Skipton, qui se tenait toutes les semaines. Je choisissais souvent des bêtes peu robustes et laides dont personne ne voulait et que j'emportais pour une bouchée de pain. Je savais ce que je faisais. J'avais un personnel très compétent. Chacune de ces vilaines brebis pouilleuses deviendrait une superbe bête.

Que je sois continuellement en bottes et en pantalon et passe désormais le plus clair de mon temps sur le dos d'un cheval agaçait prodigieusement Victoria. Un jour, et ce n'était pas un compliment, elle m'a dit que j'étais « devenue une vraie fille de la campagne ».

Devenue ? Non. Je l'ai toujours été. J'ai grandi avec cette terre, avec ses forêts, ses collines, ses landes, avec ces vents glacés et ces animaux. C'est une partie de moi. Jamais je ne me suis habituée à Londres, et ce n'est pas faute d'avoir eu envie d'y aller quand j'avais dix-sept ans. Mais quand on est jeune, souvent on ne sait pas encore pour quoi son cœur bat. On vit dans la peur de passer à côté de quelque chose et, bien qu'on ait toute la vie devant soi, on a l'impression que le temps nous file comme du sable entre les doigts. On croit qu'on ne fera jamais ce qu'on ne fait pas immédiatement.

En ce qui me concerne, je peux dire que j'ai eu une jeunesse bien remplie, même si je n'ai pas fait que des choses raisonnables. En tout cas, je ne me suis pas dérobée, j'étais là où les choses se passaient. J'ai manifesté avec les suffragettes et j'ai été en prison avec elles. J'ai passé une nuit avec un homme qui ensuite s'est donné la mort. La bonne société m'a rejetée et j'ai connu des années de véritable pauvreté. J'étais en France, dans la Somme, et j'ai aidé à rafistoler des soldats qui n'avaient plus figure humaine. J'ai eu pendant des années une liaison avec le mari de ma sœur, avec tous les scrupules, sentiments de culpabilité et craintes d'un châtiment divin qui vont de pair.

Pauvre Victoria ! Elle s'est beaucoup moquée de moi, à l'époque, quand je me démenais pour Westhill et menais si bien mon affaire. Si elle avait su... Parfois, cela me vexait un peu qu'elle n'ait pas le moindre soupçon, parce que cela voulait dire qu'elle ne me considérait pas comme un danger potentiel. Elle se figurait sans doute que John n'accorderait pas la moindre attention à une femme qui sentait l'écurie et la terre, dirigeait une ferme comme un homme, traitait avec les banques et marchandait avec les maquignons. En 1916, quand John était au front et que je me faisais tant de souci, elle s'est bien doutée de quelque chose... mais cela n'a pas duré longtemps.

Mon Dieu, Victoria ! Crois-tu vraiment que je ne portais que des bottes sales, marchais dans les écuries comme un grenadier et ne m'exprimais qu'en parlant haut et fort pour être prise au sérieux ?

C'était seulement l'une de mes facettes. En réalité, je me faisais en même temps discrètement envoyer des catalogues et des patrons de robes ; dès que nous avons été plus à l'aise, j'ai acheté des tissus à Leyburn et à Northallerton et je suis allée avec le tout chez une couturière. Tu serais étonnée du nombre d'après-midi que j'ai consacrés aux essayages. Et peut-être plus encore si tu savais tout ce que j'ai dépensé en parfums et en bijoux. J'aimais passer de longues heures à me préparer pour rencontrer ton mari ! Le bleu foncé et le vert étaient les couleurs que je préférais porter car elles mettaient mon teint clair subtilement en valeur.

Je devais batailler ferme pour tirer le meilleur parti de mes atouts, en tout cas plus que toi, très chère sœur, que la nature a si généreusement dotée. Il fallait toujours que je trouve quelque chose pour faire oublier mes yeux trop clairs et mes traits trop aigus. Tout le monde n'a pas de charmantes joues rondes et des fossettes. J'ai beaucoup misé sur les décolletés profonds, et je montrais volontiers mes jambes. J'avais des jambes vraiment belles, c'était même sans doute ce que j'avais de mieux. J'aimais les bas doux et fins que l'on portait dans les années vingt, les chaussures pastel, les étoffes fluides qui bougeaient sur le corps.

John n'était plus l'homme qu'il avait été, et il ne le serait plus jamais. Il buvait trop, il pouvait être dur, blessant. Mais il me donnait le sentiment d'être désirable et, derrière sa rudesse, je retrouvais quelque chose de l'amour immuable qu'il me portait depuis notre enfance.

Depuis la mort de sa belle-mère, en 1921, Victoria était la maîtresse de Daleview. Elle était fréquemment seule, s'ennuyait beaucoup et venait de plus en plus souvent voir son père pour se lamenter. Elle était toujours très jolie, mais elle avait désormais un pli amer au coin des lèvres. Elle avait renoncé à être mère, et cela avait fait d'elle une femme aigrie.

A ce propos, qu'elle et John n'aient pas eu d'enfants n'était pas imputable à John, je l'ai su très longtemps avant la naissance de son fils Fernand. J'ai été enceinte de lui à deux reprises, en 1923 et en 1925. Je me suis chaque fois rendue à Londres pour y remédier, principalement par égard pour mon père. Mon fameux séjour en prison, avant la guerre, avait épuisé, voire largement dépassé, mon crédit auprès de lui. « Fille mère », comme on disait à l'époque, je lui aurais donné le coup de grâce. Cela ne me fut pas aussi facile que j'ai l'air de le dire, mais je n'avais pas le choix et j'avais pris l'habitude de ne pas me plaindre longtemps de ce que je ne pouvais pas changer.

J'ai fêté mes quarante ans en mars 1933, l'année de la grande dépression. Nous en ressentîmes les effets jusqu'ici dans le Yorkshire. Le monde avait beaucoup changé. La Russie était devenue une république, elle était dirigée par Staline. La révolution d'Octobre et son cortège de souffrances avaient fait des millions de victimes, mais les populations n'en continuaient pas moins de vivre dans la misère et la peur. Chez nous, en Angleterre, Edouard VIII avait succédé à son père sur le trône. C'était un homme indécis et sans grande envergure qui devait abdiquer en 1936 au profit de son frère, le duc d'York, par amour pour Wallis Simpson, une Américaine divorcée. Depuis janvier, l'Allemagne avait un nouveau chancelier : Adolf Hitler, que le vieil Hindenburg avait appelé. Presque personne ne se doutait encore des conséquences que ce choix allait avoir sur le monde, et naturellement sur l'Angleterre.

Cela m'était égal d'avoir quarante ans. Victoria, en revanche, pleura le jour de mon anniversaire parce que cela lui rappelait que ce serait bientôt son tour. A cette époque, elle était dans un état épouvantable. Je crois que John la traitait comme un chien.

Au cours de toutes ces années, jamais je n'ai cessé, dimanche après dimanche, de rendre visite à George dans son petit cottage près de Scarborough. Je lui apportais à manger et à boire, de la peinture, des toiles. Il acceptait, parfois, que je range un peu et fasse la poussière. Mais en règle générale, il tenait lui-même et tout à fait correctement, sa maison. Quant au jardin, il l'avait transformé en un véritable paradis. Les nombreux petits buissons et les arbres qu'il avait plantés étaient devenus grands. L'été, c'était une unique et merveilleuse jungle odorante. De la porte du jardin, on ne voyait plus la maison tant la végétation avait pris de l'ampleur. Mais en hiver, le brouillard s'insinuait partout entre les branches dénudées, les vagues de la mer du Nord se fracassaient sur les rochers en contrebas dans un grondement sourd et omniprésent ; j'étais alors toujours très inquiète. Le suicide de Phillip, en 1911, ne quittait pas mes pensées, et je craignais qu'à force de solitude et d'idées noires George n'en vînt un jour lui aussi à ce geste désespéré.

Que jamais ses peintures ne deviennent plus gaies était une source permanente d'inquiétude. Vingt ans après la guerre, il peignait toujours les mêmes figures hideuses sur fond de ciel noir. Ne trouverait-il donc jamais la paix ? Je dus accepter l'idée qu'il était atteint de quelque chose dont il ne guérirait jamais.

Molly, sa chienne bien-aimée, mourut en 1925 à l'âge remarquable de dix-sept ans. George n'en parla pas et ne manifesta pas non plus d'émotion particulière, ce qui me parut inquiétant. Quelques semaines après la mort de Molly, je lui ai apporté un jeune chiot tout ébouriffé dans un panier mais il n'en a pas voulu. Je suis donc repartie avec et l'ai gardé pour moi. C'est devenu un beau grand chien, le chien le plus intelligent que j'aie jamais connu et un compagnon d'une fidélité exceptionnelle. Il aurait été parfait pour George. J'ai toujours regretté qu'il n'en ait pas voulu.

De notre père, on peut essentiellement dire que sa vie s'écoulait, triste et mélancolique. Il se rendait souvent sur la tombe de notre mère, où il restait de longues heures. Je ne sais s'il entretenait de longs dialogues avec elle ou bien s'il songeait à ce qui n'était plus, s'il cherchait à retrouver près d'elle les images de ces années où ils étaient jeunes, heureux et unis contre le reste du monde.

Un jour où il faisait particulièrement froid, en février 1929, je me suis tellement inquiétée de ne pas le voir rentrer que je suis partie à sa rencontre. Je l'ai trouvé au cimetière, ainsi que je m'y attendais. C'était le soir mais les jours commençaient à allonger et le bleu pâle d'un ciel d'hiver apparaissait encore entre de grosses masses de nuages gris. Père était assis sur un tronc d'arbre, face à la tombe de notre mère. Il ne semblait pas se rendre compte du froid qu'il faisait. Il regardait le ciel tourmenté, où les dernières lueurs du jour dessinaient des figures fantastiques. Il ne m'avait pas entendue venir. Il sursauta quand je posai la main sur son épaule.

— Père, dis-je à mi-voix, il est tard. Tu devrais rentrer à la maison.

Il eut un mouvement de recul.

— Rentre, Frances, je reste encore un peu.

— Il fait très froid. Tu vas attraper...

Il m'interrompit avec une brutalité et une colère qu'il n'avait pas manifestées depuis des années.

— Laisse-moi tranquille ! Tu n'as pas à me dire ce que j'ai à faire ! Je rentrerai à la maison quand j'en aurai envie.

— Père...

— Va-t'en, me dit-il sur un ton presque suppliant.

Je compris que je perdais mon temps et je pris seule le chemin du retour.

Je me souviens de ce jour parce que, à la maison, une lettre d'Alice m'attendait. Elle avait dû arriver à midi, mais j'avais eu une journée très chargée et sans doute n'y avais-je pas prêté attention. Alice m'écrivait que sa seconde fille était née à la fin du mois de janvier et que tout s'était bien passé.

J'étais très surprise. Je ne savais même pas qu'elle était à nouveau enceinte. Sa première fille allait bientôt avoir trois ans. Alice avait épousé Hugh Selley, qui était certes gentil mais auquel elle n'était pas bien assortie, peu après avoir quitté Scarborough.

Sans doute fallait-il la croire quand elle disait qu'elle avait peur de la solitude et qu'elle aurait tout fait pour ne plus rester seule, mais ces explications ressemblaient peu à Alice, du moins à l'Alice qu'elle avait été. La jeune femme qui, voilà des années-lumière de cela, s'était assise à côté de moi sur le muret du fond du jardin, derrière la maison, la jeune femme qui avait défié mon père en défendant la cause des suffragettes, cette jeune femme avait finalement épousé par désespoir un homme falot qui aurait tout fait pour elle mais qui n'était pas à sa hauteur.

De quoi pouvaient-ils parler ensemble ? Que savait-il de ce qui l'intéressait ? Mais après tout, peut-être n'était-ce pas si important pour elle de trouver quelqu'un avec qui discuter. Peut-être était-ce aujourd'hui de l'affection de Selley qu'elle avait besoin. L'adoration qu'il lui portait lui mettait sans doute du baume au cœur.

Nous n'étions plus amies depuis quelque temps, à cause de George, mais ce changement me faisait mal. La prison avait eu raison d'elle, elle l'avait brisée au sens premier du terme. La femme la plus forte que j'aie jamais connue était devenue l'ombre d'elle-même, un être faible, dépendant et soumis. Quand j'appris la naissance de son second enfant, j'enterrai l'espoir de la voir rompre ses chaînes, tourner le dos au pitoyable Hugh Selley et faire enfin ce à quoi elle était destinée, écrire des livres ou monter un journal.

Je l'avais toujours imaginée dans une petite chambre sous les toits quelque part à Londres, les cheveux en désordre, la cigarette au bec et un whisky à portée de la main, tapant avec une concentration farouche sur une machine à écrire, oubliant le reste du monde. Au lieu de cela, elle mouchait le nez de ses enfants et tenait le misérable appartement de Hugh Selley. Je ne pourrais rien y changer.

L'un dans l'autre, ce furent des années heureuses au cours desquelles mon amour pour ma terre s'est encore renforcé et où la tâche à accomplir exigeait autant d'investissement de ma part qu'elle m'apportait de satisfactions. Je souffrais moins de ne pouvoir épouser l'homme que j'aimais. Le John d'alors était bien plus supportable en tant qu'amant que mari. D'une certaine façon, c'est moi qui avais la meilleure part, mais d'une certaine façon seulement. Que nous soyons obligés de cacher notre liaison me blessait, et pourtant je ne cessais d'essayer de me convaincre que cela ne changeait rien. Au fond, qu'est-ce que cela apportait à Victoria d'être « Mme Leigh » ? Les gens me prenaient pour une vieille fille, et ceux qui connaissaient mon passé de suffragette devaient se dire avec une secrète satisfaction que ce n'était pas étonnant qu'aucun homme n'ait voulu d'une femme « comme ça ».

Ils pensaient ce qu'ils voulaient. Leur respect, même si ce n'était pas toujours sans quelques réticences, m'était acquis. Ils savaient que la prospérité de Westhill Farm était à verser à mon compte. Nous avons mieux résisté à la crise économique que beaucoup et je sais que cela me valut une certaine admiration.

« Elle fume comme un pompier et boit comme un homme ! » disait-on de moi. Mais que savaient-ils de la tendresse et de la douceur dont j'étais capable ?

Depuis la France et depuis la mort de mère, tout ce qu'il y avait en moi de doux, de tendre, de fragile et de sensible semblait m'avoir quittée. J'étais la seule à savoir que la jeune Frances Gray vivait encore au fond de moi et que parfois elle renaissait comme si rien de grave n'était arrivé.

Mais de sombres nuages s'amoncelaient sur nos têtes et, bien que préoccupée par mes moutons, mes vaches et mes chevaux, je n'aurais pas pu, même au fond de mon petit village, ne pas avoir vent de ce qui se profilait à l'horizon.

En mars 1938, l'Allemagne envahit l'Autriche. En septembre, une conférence réunissait à Munich les représentants de l'Allemagne, l'Angleterre, la France et l'Italie, et laissait Hitler annexer les Sudètes. En octobre, il envahissait le territoire. En mars de l'année suivante, les Allemands entraient à Prague. En Angleterre, la tension montait ; en avril 1939, la mobilisation générale fut décrétée. C'était comme en 1914 : tout le monde ne parlait que de la guerre et la même inquiétude gagna tout le pays. Ceux qui avaient tiré la sonnette d'alarme voyaient se confirmer leurs prédictions les plus sombres, ceux qui jusque-là ne s'étaient pas posé de questions comprenaient qu'ils ne pourraient plus fermer les yeux longtemps.

Pendant tout ce temps, je ne pensais qu'à une chose : à ma chance que John, à cette époque, ne soit plus en âge d'être incorporé. A cinquante-deux ans, lui, au moins, ne serait pas envoyé sur le front.

Et pour la première fois, je fus heureuse de ne pas avoir d'enfants, car, si j'en avais eu, peut-être y aurait-il eu un garçon parmi eux, et j'aurais été folle d'angoisse à l'idée de le voir partir.

La vie est ainsi faite que les joies et les peines ne se répartissent pas régulièrement au fil des années : souvent, tout arrive en même temps. Depuis 1918, notre vie s'écoulait plutôt tranquillement, sans grands hauts, mais sans grands bas non plus. Et puis, au bout de vingt ans, les forces du mal à nouveau se liguèrent.

Le 1ᵉʳ septembre 1939, les Allemands envahirent la Pologne. Le 3, l'Angleterre et la France déclaraient la guerre à l'Allemagne.

Ce même jour, Victoria assena à notre père un coup dont je suis convaincue que ce fut, en définitive, ce qui le tua.

Septembre 1939

En ce 3 septembre 1939, il n'y avait pratiquement pas un sujet de Sa Gracieuse Majesté qui n'eût l'oreille collée au poste de radio depuis les premières heures du matin et ne suivît, le cœur battant, l'évolution des événements.

Deux jours auparavant, l'Allemagne avait envahi la Pologne. Le monde ne pouvait plus assister les bras croisés au spectacle d'Hitler satisfaisant ses appétits expansionnistes au mépris de tous les traités. La guerre approchait à grands pas.

Chamberlain, le Premier ministre, tenta une dernière intervention pour empêcher la guerre. Le matin du 3 septembre, par l'intermédiaire de son ambassadeur à Berlin, il adressa au gouvernement allemand un ultimatum dont l'échéance avait été fixée à 11 heures et par lequel la Grande-Bretagne exigeait l'arrêt immédiat des hostilités en Pologne. Le compte à rebours avait commencé, le pays tout entier retenait son souffle.

Jusque-là, Frances n'avait guère trouvé le temps de s'intéresser à ce qui se passait dans le monde, mais, ce dimanche-là, elle s'assit à côté du poste et exclut de s'absenter de la maison. Elle était inquiète au point d'en être presque malade. Elle devinait que la guerre était inévitable. Sans savoir pourquoi, elle sentait qu'Hitler ne céderait pas.

Victoria fit une entrée remarquée à 10 heures, dans tous ses états et beaucoup moins soignée que d'habitude. Elle avait la tête de quelqu'un qui n'avait pas fermé l'œil de la nuit et, à quarante-quatre ans, le manque de sommeil ne lui faisait pas de cadeau. Pour la première fois, elle n'avait plus l'air jeune. Ses yeux étaient gonflés comme si elle avait pleuré ; les plis amers au coin de ses lèvres étaient plus accusés. Frances s'étonna qu'un événement comme l'imminence de la guerre puisse à ce point déstabiliser son « écervelée » de sœur qu'elle en oublie de se peigner et de se maquiller pour estomper les traces de sa nuit blanche. Mais ainsi qu'il apparut, l'émotion de Victoria n'avait rien à voir avec l'actualité internationale.

— Où est père ? s'enquit-elle, très agitée, en surgissant dans la cuisine où Frances et Adeline écoutaient la radio.

Frances fumait une cigarette après l'autre et Adeline buvait un lait au miel pour se détendre. A près de quatre-vingts ans, avait-elle expliqué, des événements comme ceux-là étaient trop pour elle.

— Père est allé au cimetière, dit Frances, mais il sera de retour avant 11 heures.

— Vraiment ?

— Bien sûr, répondit Frances, agacée parce qu'elle comprenait que ce n'était pas l'ultimatum de Chamberlain qui hantait les pensées de Victoria. A 11 heures, nous serons probablement en guerre avec l'Allemagne. Père en est très contrarié.

Il avait même hésité à quitter la maison, mais, tous les dimanches matin depuis vingt-trois ans, il se rendait sur la tombe de Maureen. Il n'avait pu se résoudre à ce que ce soit justement Hitler qui pour la première fois l'en empêche.

— Je vais l'attendre ici, dit Victoria.

Elle s'assit sur une chaise et commença à pleurer. Adeline se leva en se tenant les reins, prit un mug de faïence dans le placard et se saisit du pot de

442

lait qu'elle conservait au chaud sur un coin de la cuisinière.

— Ma petite Victoria, vous allez maintenant boire un bon lait chaud au miel, décida-t-elle. Ça va vous faire beaucoup de bien. Nous sommes tous un peu chamboulés aujourd'hui.

— Rien ne peut me faire du bien, Adeline, rien du tout, sanglota Victoria.

Frances éteignit la radio.

— Qu'est-ce qui t'arrive ? demanda-t-elle.

— John... gémit Victoria.

Frances bondit sur sa sœur.

— Qu'est-ce qu'il a ? s'exclama-t-elle en lui secouant le bras. Il est malade ?

Victoria eut tellement peur qu'elle cessa de pleurer et ouvrit de grands yeux. Elle fit une timide tentative pour échapper à la poigne de fer de sa sœur, sans succès.

— Non, il n'est pas malade. Il... Je le quitte. Je voulais demander à père si je peux à nouveau habiter ici. Je veux divorcer.

Frances lâcha le bras de Victoria et dit à mi-voix :

— Mon Dieu !

— Bonté divine ! murmura Adeline, oubliant de plonger la cuillère de miel dans le lait chaud ; lentement, de grosses gouttes sirupeuses s'écrasèrent sur le sol.

— Mais pourquoi si soudainement ? demanda Frances, atterrée.

— Ce n'est pas du tout si soudain, répliqua Victoria en s'essuyant les yeux avec son mouchoir. Ça fait des années que j'y pense. Mais il me semblait que je ne pouvais pas le faire. Vous savez ce que mère, en tant que catholique, pensait du divorce.

Victoria se moucha vigoureusement. Le soleil matinal qui inondait la cuisine plaçait son visage bouffi et rouge en pleine lumière. Elle n'avait, en cet instant, plus rien de sa joliesse.

— Que s'est-il passé ? voulut savoir Frances.

— Il a affreusement bu la nuit dernière. Il était complètement ivre. J'ai eu très peur.

— Vous a-t-il fait quelque chose ? demanda Adeline, les yeux écarquillés.

Victoria secoua la tête.

— Non. Mais il s'en est fallu de peu.

Frances eut un soupir de mépris.

— Franchement, Victoria, je crois que tu te fais des idées. Il a trop bu. D'accord. Mais ce sont des choses qui arrivent. On a une mauvaise journée, des soucis, et un soir on se laisse un peu aller... Il n'y a pas de quoi en faire une montagne.

— C'est sans arrêt qu'il boit trop. Il n'est pas saoul tous les jours, mais il ne se passe pas non plus un jour sans qu'il boive. Et dès le matin.

— Il a eu des moments difficiles, dit doucement Adeline.

Enfin elle remarqua qu'elle tenait le gobelet de lait dans une main, la cuillère de miel dans l'autre et qu'une grosse tache ambrée s'étalait sur le carrelage.

— Mais qu'est-ce que j'ai fait là... soupira-t-elle.

Victoria se souciait peu du miel ; ses yeux lancèrent des éclairs.

— Il a eu des moments difficiles ? répéta-t-elle avec une violence soudaine. Ah oui ? Et lesquels ? Il a fait la guerre comme des milliers d'autres hommes. Il a laissé en plan ce garçon, comme il dit. Mais qu'est-ce qu'il aurait dû faire ? Attendre d'être tué ou capturé ? Il y a des hommes qui ont perdu une jambe, ou la vue. Ils n'en ont pas pour autant transformé en enfer la vie de leur famille à leur retour !

Sa voix vacilla à nouveau, mais elle ravala ses larmes.

— J'ai tout essayé, dit-elle sur un ton calme.

Elle n'avait plus l'air d'une femme-enfant, mais d'une adulte.

— Je n'en peux plus.

— Ma pauvre Vicky! compatit Adeline en posant le gobelet de lait chaud devant elle. Tenez, buvez tant que c'est chaud!

Victoria but à petites gorgées prudentes. Puis elle reprit :

— C'était vraiment l'enfer, vous savez. J'ai tenu le coup plus de vingt ans. Après la guerre, je n'existais pratiquement plus pour lui. Il y a eu des périodes où il ne m'a pas adressé la parole pendant des semaines entières. C'était comme si je n'étais plus là. Quand j'essayais de lui parler, il s'énervait, il devenait agressif. Je l'ai supplié de me dire comment je pouvais l'aider, il me répondait seulement de le laisser tranquille, que je ne pouvais pas le comprendre. Mais quelle chance m'a-t-il donnée de le comprendre? Jamais il ne me parlait!

Elle but à nouveau quelques gorgées de lait au miel. Le mélange parut la calmer.

— Et puis il était si souvent absent... J'étais tout le temps seule dans cette immense maison. Si au moins j'avais eu des enfants...

— Lui as-tu déjà dit que tu voulais divorcer? intervint Frances.

— Oui. Ce matin. Il n'était pas bien du tout – il faut dire qu'il avait tellement bu – mais je le lui ai dit tout de même.

— Et comment a-t-il réagi?

— Il m'a dit qu'il ne s'y opposerait pas. Il était très calme.

Les yeux de Victoria révélaient combien elle se sentait blessée. Son mari lui avait clairement signifié que cela lui était égal qu'elle le quitte.

445

Frances essaya de mettre de l'ordre dans les sentiments contradictoires qui l'agitaient. Pourquoi cette nouvelle l'effrayait-elle à ce point? Sa conscience se réveillait-elle à la vue de Victoria dans cet état, résignée, triste et bouleversée? Elle savait que, si l'amour que John portait à Victoria s'était éteint, ce n'était pas à cause d'elle. Mais elle savait aussi que, sans elle, ils auraient peut-être eu une chance de retrouver ce qui les avait unis des années auparavant. Elle n'était pas complètement étrangère à la souffrance qu'elle lisait ce matin-là dans les yeux de sa sœur.

Après avoir des années durant voué une haine féroce à Victoria, elle était troublée de constater que cette haine avait disparu en ne lui laissant qu'un goût amer dans la bouche. Qu'avait-elle à reprocher à Victoria? De lui avoir pris l'homme qu'elle aimait? D'être coquette, stupide et superficielle? De dire du mal des femmes qui étaient moins jolies qu'elle? De ne s'intéresser qu'aux beaux vêtements, aux bijoux et aux mondanités? D'adorer les thés entre dames bien nées, les courses de chevaux, les bals? D'avoir des fossettes et des cheveux dorés?

Tout cela, soudain, semblait insignifiant. La femme qui était assise sur le tabouret et buvait du lait au miel n'avait plus de fossettes et assurément bien autre chose en tête que des histoires de vêtements, de bijoux et de potins mondains. Elle était rongée de chagrin. Il était impossible à Frances de lui en vouloir encore.

— Tu devrais y réfléchir à tête reposée, suggérat-elle, peu sûre d'elle-même et avec une douceur à laquelle elle n'avait pas habitué sa sœur.

Mais Victoria, l'indécise et soumise petite Victoria qui tournait comme une girouette dès qu'il s'agissait de décider quelque chose, semblait cette fois savoir ce qu'elle voulait.

— Non, dit-elle. Je me suis bagarrée et j'ai souffert plus de vingt ans. S'il y avait eu une autre solution, je l'aurais trouvée. Il n'y en a pas. Et si je reste avec lui, je finirai un jour par en mourir.

— Votre mère vous comprendrait, dit Adeline. Elle était une catholique fervente, mais sa famille passait toujours avant l'Eglise. Elle aurait dit qu'il ne fallait pas vous rendre malheureuse plus longtemps.

Un pâle sourire de gratitude étira les lèvres pâles de Victoria.

— Merci, Adeline. C'est très important pour moi que tu dises cela.

Frances marcha nerveusement jusqu'à la fenêtre puis revint.

— Peut-être que si je parlais à John les choses pourraient s'arranger, proposa-t-elle.

Victoria sourit à nouveau, mais cette fois son sourire était plein d'amertume.

— Tu penses peut-être bien faire, Frances, mais c'est trop tard. Que je sois malheureuse en ménage, ça fait des années que tu le sais. Jusqu'à présent, ça ne t'a pas beaucoup émue. Et voilà que tout d'un coup tu découvres que tu pourrais peut-être m'aider ? Je ne me fais aucune illusion, va. Je sais que ce n'est pas parce que je serais devenue importante à tes yeux. Tu as peur que mon divorce porte tort à la réputation de notre famille. C'est pour ça que tu veux jouer les entremetteuses, pour ça et pas pour autre chose !

— Comment peux-tu dire une chose pareille ?

Aussitôt Adeline s'interposa.

— Chut ! On ne se dispute plus ! Ça ne mène à rien. Victoria, Frances ne pensait pas à mal. Nous ne voulons toutes les deux que ton bien.

— Toi, oui, Adeline, marmonna Victoria, mais elle n'insista pas.

Adeline jouissait toujours d'une réelle autorité. Elle

avait élevé les fillettes, elle s'était toujours interposée quand elles se disputaient pour une poupée. Les différends qui les opposaient aujourd'hui avaient changé, mais elle s'interposait de la même façon et avec la même efficacité.

— C'est grave, mais ce n'est pas la fin du monde, conclut-elle.

— Si, ça l'est, dit la voix de Charles. C'est exactement ça : la fin du monde.

Toutes trois sursautèrent. Elles ne l'avaient pas entendu arriver. Il se tenait dans l'encadrement de la porte, vêtu du costume sombre qu'il portait le dimanche et qui depuis quelque temps était devenu trop grand pour lui. Même le col empesé de sa chemise blanche flottait autour de son cou décharné.

— Père ! s'exclama Victoria.

Elle se leva d'un bond. Frances et Adeline crurent un instant qu'elle allait se jeter dans ses bras mais quelque chose la retint et elle resta debout, indécise, au milieu de la pièce.

— Vous n'avez peut-être pas tout entendu, monsieur, intervint Adeline. Il faudrait que vous soyez au courant des circonstances exactes avant de porter un jugement.

Charles la regarda sans comprendre.

— Que voulez-vous dire, Adeline ?

— Je vais tout t'expliquer, père, dit Victoria d'une voix blanche.

Frances fut la première à comprendre qu'ils ne parlaient pas de la même chose.

— Père, que s'est-il passé ? demanda-t-elle, les sens en éveil.

— Le Premier ministre vient de l'annoncer, dit-il, tandis que la pâleur de son visage s'accentuait. Nous sommes en guerre avec l'Allemagne.

Elles avaient oublié de rallumer la radio. Charles

était rentré et s'était installé devant le récepteur du salon. L'ultimatum avait expiré. L'Allemagne l'avait superbement ignoré.

Victoria comprit que la « fin du monde » dont son père parlait n'avait rien à voir avec son divorce ; le soulagement qui se peignit sur ses traits le révéla. Adeline semblait avoir été frappée par la foudre.

Frances murmura :

— Oh, non !

— Dieu protège l'Angleterre, dit Charles.

Victoria déclara qu'elle ne remettrait plus les pieds dans la maison de John et, le soir même, emménagea de nouveau à Westhill dans sa chambre de jeune fille. John ne se manifesta pas de la journée. Il ne téléphona pas et se montra encore moins.

— Tout de même, j'aurais pu me jeter à l'eau, se plaignit Victoria. Mais il se moque éperdument de ce que je deviens. Il ne cherche même pas à savoir où je suis !

— Parce qu'il sait très bien où tu es, répliqua Frances. Au moindre problème, c'est toujours ici que tu viens. Pourquoi cette fois irais-tu te jeter à l'eau ?

Victoria, à la fois blessée et lasse, regarda sa sœur.

— Parfois je me demande pourquoi tu me détestes à ce point.

Frances secoua vigoureusement la tête.

— Je ne te déteste pas. Pourquoi faut-il que tu dramatises tout ? Nous sommes très différentes, nous ne nous comprenons pas, c'est tout.

— Tu m'en as voulu d'épouser John. Tu n'en voulais pas, mais personne d'autre ne devait l'avoir.

— Tu dis n'importe quoi !

— Tu peux savourer ta victoire. J'ai perdu John. Et depuis longtemps. On peut dire que c'est un bel échec.

— Arrête un peu de t'apitoyer sur ton sort, tu

veux ? répliqua Frances. Va dans ta chambre et couche-toi. Tu as l'air fatiguée.

Elle tourna les talons et laissa Victoria en plan.

D'une certaine façon, Victoria avait bien choisi son jour. L'entrée en guerre de l'Angleterre suscita une telle émotion que, dans un premier temps, ses déboires conjugaux parurent très secondaires.

Charles, l'esprit ailleurs, avait lâché un « Ah, ma pauvre enfant » puis était retourné écouter la radio dans le salon. Mais l'affaire le touchait plus qu'il ne l'avait laissé paraître. Quand Frances, cette nuit-là redescendit pour boire un verre d'eau, son père était au salon, assis dans son fauteuil près de la cheminée, et semblait ne rien faire qu'écouter le tic-tac de la grande horloge.

Frances s'approcha doucement.

— Tu devrais te coucher, père. Ce n'est pas bon de broyer du noir.

Il leva les yeux.

— A mon âge, on n'a plus besoin d'autant de sommeil.

— Ce n'est pas comme en 1914, père. Aucun membre de la famille ne risque d'être envoyé au front. C'est beaucoup moins dur.

— Hitler et les nazis sont un grand danger. Ils ont de folles ambitions. C'est le monde entier qu'ils veulent soumettre. Et les Allemands sont forts, Frances. Quand il s'agit de gagner, ils sont extrêmement déterminés. S'ils gagnent cette guerre, ça ne vaudra plus la peine de vivre sur cette terre.

— Que tu rumines ces idées noires toute la nuit au lieu de dormir, cela n'y changera rien. Essaie, pendant quelques heures, d'oublier Hitler.

— Pour être honnête, ce sont plutôt les soucis de ta sœur qui m'empêchent de dormir.

— Mais elle, elle dort à poings fermés.

— Pourquoi faut-il qu'elle me fasse une chose pareille? Qu'elle nous fasse une chose pareille? Un divorce! C'est la première fois, depuis que votre mère n'est plus de ce monde, que je me dis que c'est peut-être une chance qu'elle soit morte. Elle en aurait eu le cœur brisé.

Frances se demanda comment il était possible que son père se trompe à ce point sur la femme avec laquelle il avait si longtemps vécu, à qui il avait voué une véritable adoration et qu'il vénérait encore au-delà de la mort. Maureen n'était pas le genre de femme à avoir le cœur brisé par quoi que ce soit. Au lieu de se complaire dans le désespoir, elle aurait tenté de tirer le meilleur parti de la situation.

Bien qu'elle n'eût guère envie de défendre sa sœur, Frances estima de son devoir d'expliquer à son père que Victoria avait beaucoup souffert et qu'on devait reconnaître qu'elle avait tenté d'épargner ce drame à sa famille.

— John s'est vraiment mal conduit avec elle, dit-elle. Ça fait vingt ans qu'elle est malheureuse et qu'elle résiste.

Charles, sans même s'en rendre compte, serra les poings.

— Je sais. Bien sûr que je le sais. Il ne passait pas de semaines sans qu'elle vienne s'épancher. Ne crois pas que cela ne m'ait pas affecté. Je la voyais parfois si malheureuse que j'avais mal pour elle. Mais...

Il se pencha en avant, et sa voix changea.

— ... mais on tient le coup! martela-t-il en insistant sur chaque mot. Comprends-tu? Quand on a commencé une chose, on continue! On résiste. On ne se défile pas. Une fois qu'on a pris une décision, on s'y tient!

— Une situation peut évoluer. Personne n'a le devoir de souffrir sa vie entière.

Charles se laissa aller contre le dossier. Il desserra les poings.

— C'est une chose que tu ne peux pas comprendre. Que peut-être ta génération ne peut pas comprendre. Nous vivons une époque de perte des valeurs. C'est extrêmement triste de voir ça. Même la famille royale ! Ce jeune irresponsable d'Edouard qui renonce au trône pour épouser une Américaine à la réputation douteuse... Son devoir, la charge la plus importante de sa vie, était d'être roi d'Angleterre. On ne fuit pas devant ses responsabilités.

— Tu as renoncé à beaucoup de privilèges pour pouvoir épouser mère. C'est une attitude que tu devrais comprendre.

— Je n'ai pas laissé tomber un pays tout entier. Je n'ai abandonné personne.

— C'est de Victoria qu'il est question, et Victoria ne laisse tomber personne. Et certes pas John, qui se soucie d'elle comme d'une guigne. Père...

Elle posa une main sur celle de Charles.

— ... Je n'ai aucune raison de prendre la défense de Victoria, tu le sais. Nous ne nous sommes jamais appréciées. Mais elle a droit au bonheur, comme tout le monde, et avec John...

Il l'interrompit brutalement.

— Un droit ? C'est précisément ce que je vous reproche ! A toi et ta génération. Le droit : vous n'avez que ce mot-là à la bouche. Le droit de ceci, le droit de cela, et si on ne vous l'accorde pas, ce fameux droit, vous le prenez. Par la force s'il le faut. D'où les tiens-tu, tous ces droits ?

Il retira sa main d'un geste brusque, très en colère, et se leva avec peine.

— Crois-moi, fondamentalement, tu n'as aucun droit. Aucun ! Pas même celui de vivre. Et encore moins un droit au bonheur. Non, mais où es-tu allée chercher que nous avions un droit au bonheur ?

— Et toi, quel droit as-tu d'en juger ? répliqua sèchement Frances.

Il lui lança un long regard plein de colère et de mépris, puis il quitta la pièce sans ajouter un mot.

Victoria s'obstina dans sa décision de ne plus mettre les pieds à Daleview, mais au bout de deux jours elle se lamenta parce que toutes ses affaires – ses robes, sa lingerie, ses chaussures... – étaient là-bas. Elle n'avait même pas de veste chaude à se mettre en ce début d'automne.

— Tu peux emprunter dans mes affaires tout ce dont tu as besoin, dit Frances. Et il y a encore des vêtements qui appartenaient à mère.

Les yeux de Victoria s'emplirent de larmes.

— Ne comprends-tu pas que ce sont mes vêtements que je veux ? Je... j'en ai besoin. Il me les faut. Sans mes affaires, j'ai l'impression que ma vie n'est plus rien.

Frances commençait déjà à s'énerver, mais Adeline fit preuve de compréhension.

— Elle a besoin de quelque chose qui lui appartienne. Elle a perdu tout ce qui faisait sa vie. Tout s'est écroulé. Et elle doit se réfugier chez ses parents parce que son mariage est un naufrage. Il faut, en quelque sorte, qu'elle puisse conserver un lien avec ce qu'elle était.

Frances répliqua qu'il lui était difficile de comprendre comment une femme pouvait se plaindre de ne rien avoir à se mettre quand le pays venait d'entrer en guerre et qu'il y avait une multitude de problèmes autrement plus importants à résoudre, mais elle proposa d'aller à Daleview avec Adeline pour emballer

aussi bien des objets personnels que quelques vêtements indispensables.

— Je ne l'oublierai jamais, Frances, dit Victoria,
sincèrement reconnaissante et soulagée.

— C'est bon. Je le fais uniquement pour ne plus
t'entendre te lamenter, répliqua Frances.

Victoria n'osa plus rien dire.

C'était une belle journée d'arrière-saison, claire,
lumineuse et sans nuages. L'air était léger et transparent, mais frais comme une source d'eau vive.

Quand elles arrivèrent à Daleview, John n'était pas
là et le domestique qui leur ouvrit la porte parut
dépassé par les événements. Il connaissait Frances,
et également Adeline, mais il ne savait pas s'il pouvait s'autoriser à les conduire à la garde-robe de
Mme Leigh et les laisser emporter ne serait-ce qu'une
paire de chaussures.

— Eh bien... je ne sais pas si... je ne voudrais pas
risquer... hésita-t-il.

Sarah, la femme de chambre de Victoria, fut appelée à la rescousse. Après explications, elle accepta
d'accompagner les deux femmes au premier étage. Il
se révéla qu'elle était dévorée de curiosité.

— Mme Leigh ne va pas revenir ? demanda-t-elle
en baissant la voix et en s'adressant plutôt à Adeline,
dont sans doute elle se sentait plus proche.

Adeline ne vit aucune raison d'éluder la question.

— Non, Mme Leigh ne va pas revenir, répondit-
elle.

— La nuit avant qu'elle parte, il était horriblement
saoul, précisa Sarah sur un ton où perçait encore la
peur qu'elle avait éprouvée. Il a lancé une chaise
contre le mur, dans la bibliothèque. Si fort que deux
pieds se sont cassés. Et il hurlait qu'il ne la supportait
plus. La pauvre Mme Leigh était toute pâle. Elle a
essayé de dire quelque chose mais il lui a hurlé de ne

pas ouvrir la bouche, sinon il ne répondait plus de rien. N'est-ce pas affreux ?

Merveilleux spectacle pour le personnel, songea Frances.

Elles entrèrent dans la vaste pièce pourvue de nombreux placards et tapissée d'un papier peint au motif de roses et de bleuets où Victoria conservait ses vêtements. Une coiffeuse dont le miroir était orné d'un cadre ouvragé occupait le centre de la pièce. Une garniture en argent, brosses, peignes et miroir à main, était posée sur la table, ainsi qu'un coffret à bijoux en ébène incrusté d'ivoire.

— Le mieux est de tout prendre, décida Frances. Sans bijoux ni maquillage, Victoria est perdue.

Elle ouvrit l'un des petits compartiments et découvrit une parure étincelante. A l'évidence, il y avait eu une époque où John pensait que rien n'était trop beau pour sa femme. Mais c'était trop longtemps auparavant pour que Frances en éprouve de l'amertume. Elle se dit seulement – et c'était une simple constatation, elle ne compatissait nullement – que Victoria était tombée de très haut et sans comprendre pourquoi.

— Au reste, M. Leigh ne peut rien avoir contre, approuva Sarah sans toutefois paraître tout à fait convaincue de ce qu'elle avançait. Toutes ces choses appartiennent à Mme Leigh.

— Je le prends sur moi, la rassura Frances. Ne vous inquiétez pas, Sarah.

Son regard erra sur les portes des placards. La garde-robe de Victoria devait être assez fournie pour habiller une ville entière.

— Sarah, pouvez-vous nous aider à choisir quelques vêtements ? reprit-elle. Il est impossible que nous vidions tous ces placards, d'ailleurs nous n'aurions jamais assez de place à la maison pour tout ranger. Nous avons besoin de lingerie, de bas, de chaussures, de quelques vêtements de jour, des légers et des plus chauds, d'un manteau, d'une veste et de quelques pull-overs. Egalement un pantalon, si Victoria a ce genre de chose.

Victoria ne possédait pas de pantalon, mais Sarah répondit qu'elle allait préparer le nécessaire. Frances laissa Sarah et Adeline préparer les bagages, s'assit sur le rebord de la fenêtre et alluma une cigarette. Elle vit Sarah arrondir la bouche pour protester, puis la refermer sans oser rien dire.

Elle pliait des pull-overs et rangeait des bas de soie dans un sac quand, finalement, n'y tenant plus, elle demanda en s'efforçant de prendre un ton anodin :

— Vont-ils divorcer... M. et Mme Leigh ?

Adeline regarda Frances, qui haussa les épaules.

— On dirait bien que c'est effectivement ce que nous allons faire, dit John en entrant dans la pièce.

Il vit les valises, les placards ouverts.

— On peut savoir ce qui se passe ?

Sarah rougit jusqu'à la racine des cheveux.

— Mlle Gray disait... Je pensais... nous... bafouilla-t-elle.

Frances glissa du rebord de la fenêtre.

— J'ai demandé à Sarah de nous aider. Victoria a besoin de quelques affaires.

— Bien sûr, dit John. Cela va de soi.

Il portait une culotte de cheval, des bottes et un pull-over. Le soleil de l'été l'avait fortement hâlé. Des fils d'argent se mêlaient à ses cheveux sombres. Il avait l'air détendu, ce matin-là, et paraissait ne pas avoir bu. En tout état de cause, il ne ressemblait pas à l'idée qu'on se faisait d'un mari que sa femme quitte parce qu'elle ne supporte plus de vivre avec lui.

— Frances, si nous descendions parler un peu ensemble, le temps que les bagages soient prêts ? proposa-t-il.

Adeline lui lança un regard perçant.

— D'accord, dit Frances sur un ton uni et elle partit avec lui.

— C'est mieux comme ça, dit John. Mieux pour Victoria. Elle va retrouver son équilibre.

Ils s'étaient installés sur la terrasse qui donnait sur le parc. Il y avait longtemps que Frances ne s'était pas trouvée là ; elle et John se rencontraient dans d'autres endroits et elle avait toujours plus ou moins répugné à venir dans la maison où vivait sa sœur. Le parc semblait moins bien entretenu qu'à l'époque où la mère de John dirigeait la maison.

Au début de son mariage, Victoria avait en tout domaine mis un point d'honneur à marcher dans les pas de sa belle-mère aujourd'hui disparue, mais, les années passant, son enthousiasme initial s'était émoussé et elle finit par avoir trop de problèmes personnels pour songer encore à l'entretien de la maison ou du parc.

Livré à lui-même, le personnel ne faisait que le strict nécessaire. Bosquets et haies non taillés envahissaient les chemins. Les branchages arrachés aux arbres par les tempêtes d'été jonchaient le sol sans que personne songeât à les ramasser. L'herbe était trop haute et les quelques fleurs qui poussaient encore dans les plates-bandes devaient lutter pied à pied avec le chiendent. Frances se demanda si John s'en rendait compte et ne s'en souciait pas, ou bien s'il ne remarquait rien.

Ils étaient assis dans des fauteuils d'osier et chacun avait un whisky à la main. Frances soupçonna que John se montrait d'autant plus heureux de sa visite impromptue qu'elle l'autorisait à commencer à boire dès le matin.

Quand ils s'étaient trouvés dans le salon, John avait voulu l'embrasser mais elle s'était dérobée.

— Pas maintenant...

— Pourquoi ?

— Ça me semble déplacé, c'est tout.

John avait compris ce qu'elle ressentait.

— Il semblerait que tu te sois pas mal laissé aller, l'autre nuit, dit-elle. Tout le monde en parle avec des mines horrifiées. Victoria a eu peur de toi et même Sarah a eu l'impression que tu allais faire du mal à ta femme.

— Ridicule ! dit John en tambourinant rageusement sur les accoudoirs. J'avais trop bu, c'est tout. Je n'ai jamais levé la main sur Victoria. Pas une seule fois en vingt-huit ans. Il faut toujours qu'elle dramatise.

— On raconte que tu as cassé une chaise dans la bibliothèque.

— C'est possible. J'en ai peut-être même cassé deux. Mais enfin, ça arrive qu'on fasse des choses quand on est ivre et qu'on les regrette le lendemain, non ? En tout cas, je ne m'en suis jamais pris à qui que ce soit.

— Tu ne lui as pas rendu la vie facile, ces dernières années.

— Je sais.

Il vida son verre d'un trait puis en fixa le fond comme s'il espérait y trouver quelque chose. Frances savait qu'il se demandait s'il serait déraisonnable de se resservir.

— Je me suis mal comporté avec elle. Et c'est vrai qu'elle n'a rien fait pour mériter ça. Quand je suis revenu, après la guerre, j'ai commencé à ne plus la supporter. J'avais changé, elle non. Elle était là, avec ses grands yeux, fidèle à elle-même, charmante et convaincue qu'on pouvait reprendre notre vie là où on l'avait laissée. A cent lieues de ce qui s'était passé dans le monde.

— Comment veux-tu qu'elle ait pu comprendre quelque chose ? Elle n'est pas allée plus loin que Daleview et elle a passé le plus clair de son temps à se demander pourquoi elle n'avait pas d'enfants. La dure réalité de la guerre n'est jamais arrivée jusqu'ici.

— Ce n'est pas là qu'est le problème avec Victoria. Si elle n'est au courant de rien, c'est parce qu'elle ne s'intéresse à rien. Excepté à la mode et aux potins mondains. Et ce sont bien les deux seuls domaines auxquels elle comprenne quelque chose.

Frances eut un sourire sarcastique.

— Ça, tu le savais quand tu l'as épousée.

Il lui lança un long regard tout en faisant tourner son verre vide entre ses mains. Encore quelques minutes et il n'y tiendrait plus. Il se lèverait et se resservirait.

— Que tu le croies ou non, dit-il, à l'époque je ne l'ai pas épousée pour te donner une leçon. J'étais vraiment décidé, pendant un temps, à construire quelque chose de solide avec elle. Je savais qu'elle était superficielle et pas très intelligente, mais en même temps elle était adorable, et d'une certaine façon... je savais où j'en étais avec elle. Ce qui n'était pas le cas avec toi, et c'était une chose que je ne supportais plus. S'il n'y avait pas eu la guerre, si je ne m'étais pas conduit aussi lâchement... j'aurais poursuivi ma carrière politique, et elle m'aurait constamment soutenu sans ménager sa peine. Sa loyauté aurait été sans faille, je le sais. Cette guerre, dans un sens, m'a fichu par terre. Je ne vis pas reclus dans une bicoque comme ton frère et je ne passe pas mes journées à peindre des tableaux cauchemardesques, mais ce n'est guère mieux. Moi, c'est avec ça que je m'abrutis !

Il leva son verre dans lequel quelques glaçons achevaient de fondre.

— J'ai tellement éclusé au cours de ces vingt dernières années que je m'étonne chaque jour d'être encore en vie. Et je m'étonne que tout marche encore relativement bien ici. Mais ce n'est pas grâce à moi. J'ai des gens efficaces. Je n'ai aucun mérite dans l'histoire.

Frances ne répondit rien. Elle contempla le parc. Autrefois, en cette saison, les couleurs flamboyantes des fleurs d'automne illuminaient les sous-bois et les abords de la maison. Le déclin était plus visible que John ne semblait le réaliser. De gros bourrelets de mousse poussaient entre les pierres de la terrasse et une sorte de lichen verdâtre et glissant recouvrait l'appui de la balustrade. Frances frissonna. En dépit du soleil, la journée était plutôt fraîche et, à l'ombre de l'austère et immense manoir de pierre, il faisait carrément froid. Frances se souvint qu'elle ne pouvait jamais s'empêcher de frissonner quand elle venait à Daleview.

— Un jour, j'en ai eu assez, poursuivit John. Assez de son joli minois, de ses grands yeux, de son incapacité à comprendre ce que je ressentais... Mais peut-être que j'en avais assez de tout en général. Je ne me reconnaissais plus moi-même. Je crois que l'alcool détruit tout, même ce qui fait de toi ce que tu es. Il te transforme. Tu n'es plus la même personne.

Il se leva.

— Et puis au diable tout ça ! Je n'ai pas besoin de faire semblant devant toi, n'est-ce pas ? Je vais me chercher un autre whisky. Tu en veux aussi ?

Elle secoua la tête. Elle n'avait qu'à peine touché à son verre. Elle regarda John disparaître dans la maison. Au cours de toutes ces années où ils n'avaient cessé de se rencontrer, parfois chaque semaine, parfois moins souvent, elle n'avait pu ignorer qu'il buvait trop. Mais elle n'avait pas senti qu'il était sérieusement malade, ou elle avait si bien refusé de le voir que sa conscience l'avait occulté. Toujours est-il que ce fut seulement ce matin-là qu'elle mesura l'ampleur de la dépendance de John à l'alcool. Elle se sentit mal à l'aise et éprouva le besoin d'être seule.

John réapparut. Il avait rempli son verre à ras bord. Dans la lumière des quelques rayons de soleil qui atteignaient maintenant la véranda, le whisky prenait une lumineuse couleur ambrée.

Frances se leva.

— Viens, marchons un peu au soleil, proposa-t-elle. J'ai trop froid, assise à l'ombre. Adeline en a encore sans doute pour quelque temps.

John, le visage pâle, gardait les yeux rivés sur son verre d'alcool.

— Je ne lui mettrai aucun bâton dans les roues. Nous divorcerons aussi vite que possible. Ne pas lui accorder ce qu'elle veut ne serait pas correct.

Il se rassit. Un peu de whisky s'échappa du verre et laissa une trace humide et brillante sur sa main.

— Je viens de te proposer de faire un tour dans le parc, insista Frances, une pointe d'impatience dans la voix.

Il porta son verre à ses lèvres, concentré sur le fait de boire. Frances attendit encore un instant mais il devint manifeste qu'elle avait disparu de ses pensées. Elle comprit ce que Victoria voulait dire quand elle leur avait expliqué, à Adeline et à elle que parfois, « c'était comme si elle n'était plus là ».

Frances descendit les quelques marches qui donnaient sur le parc. Après avoir eu froid à l'ombre de la maison, elle éprouva une délicieuse impression de chaleur. Le soleil réchauffait ses bras nus. Elle entrait dans la lumière. Elle accéléra le pas, comme si le fait de marcher plus vite allait l'aider à se libérer du sentiment d'oppression qui lui serrait le cœur. Elle s'éloigna de la haute maison sombre aux nombreuses fenêtres. Et elle s'éloigna de l'homme qui buvait un whisky sur la terrasse. Elle s'éloigna aussi de l'effroi de ce qu'elle venait de découvrir, et des regrets de ce qui aurait pu être.

De juin à octobre 1940

« Nous défendrons notre île coûte que coûte, dit Winston Churchill, le nouveau Premier ministre, nous combattrons sur les plages, où que se trouve l'ennemi, nous lui opposerons la plus vive résistance, nous combattrons dans les champs, dans les rues et sur les collines ; nous ne nous rendrons jamais ! »

Toute l'Angleterre avait l'oreille collée aux postes de radio pour écouter ce qui allait devenir le célèbre « Discours de la Résistance » qui émut si profondément le pays. En ces jours sombres du mois de mai 1940, quand les Allemands se battaient en Norvège, se répandaient partout en Belgique, au Luxembourg, aux Pays-Bas et envahissaient la France, Churchill trouva les mots qui tirèrent ses compatriotes de leur léthargie et leur redonnèrent le goût de se battre. Critiqué de toutes parts, Chamberlain avait été contraint de démissionner ; c'est à ses hésitations et à la politique d'« apaisement » qu'il avait suivie jusqu'en 1939 que l'on devait maintenant d'assister au déferlement des troupes allemandes partout en Europe. Son successeur tint d'emblée un discours différent, utilisant des mots clairs, précis et sans fioritures. Il déclara que le nazisme allemand était une « monstrueuse tyrannie insurpassée dans le long et pitoyable catalogue des crimes de l'humanité ».

« Vous demandez quel est notre but ? » lança-t-il à l'adresse des députés des Communes. « Je peux vous le dire en un mot : la victoire ! La victoire quel qu'en soit le prix ! La victoire malgré la terreur. La victoire, aussi long et difficile que puisse être le chemin pour l'atteindre ! »

Pendant que les avancées triomphales des Allemands les paralysaient de peur, Churchill redonna confiance aux Anglais. Ils reprirent courage, retrouvèrent leur détermination. Quand, à quelques jours de là, ce fut la réussite de la périlleuse opération d'évacuation de Dunkerque, où 360 000 soldats britanniques et français étaient encerclés par les troupes allemandes, le pays tout entier explosa de joie : 860 bateaux et embarcations de toutes sortes firent huit jours durant la navette entre le continent et l'île salvatrice pour transporter les soldats. Ils rentraient en vaincus, ils avaient tout perdu, mais ils furent accueillis comme des héros. Ils avaient été évacués au nez et à la barbe des Allemands. Désormais, l'Allemagne savait qu'elle devait compter avec la Grande-Bretagne.

La guerre fit sentir ses effets jusqu'à Leigh's Dale, qui semblait pourtant très loin du reste du monde et où la vie s'écoulait dans une sorte de torpeur tranquille. Tous les hommes jeunes furent mobilisés, à l'exception des rares affectés spéciaux, astreints à rester dans leurs fermes. Il fallait bien que quelqu'un subvienne aux besoins du pays.

Le village pleura un premier mort. Le fils du pasteur perdit la vie à Dunkerque, lors d'un bombardement de l'armée allemande, juste avant que son unité soit évacuée. Un corps sans vie fut rapatrié, mais pour la famille ce fut tout de même une consolation de pouvoir inhumer au pays ce garçon de dix-neuf ans. Le village au grand complet et tout le voisinage assistèrent aux funérailles. On pleurait une première victime, et tous savaient que d'autres suivraient.

Paris tomba le 14 juin 1940. Au vu de l'effondrement catastrophique de l'armée française, le nouveau gouvernement réuni autour du maréchal Pétain demanda l'armistice. Le général de Gaulle, qui avait réussi à gagner l'Angleterre, déclara le 18 juin que jamais il n'accepterait cette capitulation. Au cours des années qui suivirent il ne cessa, depuis son exil londonien, de soutenir la Résistance et d'encourager ses compatriotes à poursuivre le combat contre l'occupant allemand.

Les premiers bombardements allemands touchèrent différentes cibles dans l'Essex ; les Britanniques répliquèrent en bombardant Hambourg et Brême. A la fin du moins de juin, les Allemands occupaient les îles anglo-normandes. En juillet, de nouveaux bombardements touchèrent le sud-est de l'Angleterre. Les Anglais lancèrent les premiers raids nocturnes au-dessus des villes allemandes.

En août, une étrangère arriva à Leigh's Dale ; une femme que personne n'avait jamais vue. Elle fut aussitôt au cœur de toutes les conversations et les rumeurs les plus folles coururent sur son compte. On fut un temps convaincu qu'elle était allemande, et probablement espionne. Quelques-uns, ici et là, réclamèrent qu'on la chasse *manu militari*, d'autres qu'on lui montre ce qu'il advenait de ceux qui dénonçaient des Anglais aux Allemands. Les plus sensés firent toutefois remarquer, et à juste titre, que s'il y avait un endroit où une espionne avait peu de chances de se livrer à ses activités favorites, c'était assurément Leigh's Dale.

Il se révéla que la jeune femme était une Française qui avait fui devant l'occupant allemand. Elle était descendue à l'auberge *The George and Dragon*, qui louait quelques chambres, et avait emménagé dans une petite mansarde sous les toits. En ce chaud mois d'août, il y régnait une chaleur épouvantable ; en hiver cet endroit serait impossible à chauffer. Le patron de l'auberge racontait à qui voulait l'entendre qu'elle parlait un anglais tout à fait correct mais avec un accent français, pas du tout allemand, et qu'elle avait présenté un passeport français. Elle s'appelait Marguerite Brunet.

Frances s'était peu intéressée à l'émotion suscitée par l'arrivée de Marguerite Brunet. Elle avait beaucoup de soucis en tête car toute une partie de ses jeunes ouvriers agricoles avaient été mobilisés et partout le travail s'amoncelait.

— Ce maudit Hitler, dit-elle un jour à son père, tout allait si bien. Il faut qu'il mette l'Europe à feu et à sang et tout s'effondre !

— Comment peux-tu être aussi égoïste ! intervint Victoria, qui passait par là et avait entendu sa sœur se plaindre. Nous sommes plutôt bien lotis. Pense un peu à tous ces pauvres gens en France, en Hollande ou, pire, en Pologne ! Ils souffrent beaucoup plus de la guerre que nous !

— Qu'est-ce que tu en sais ? répliqua Frances. Tu es là à traîner toute la journée, tu te fais servir et tu pleurniches sur ton mariage brisé. Ce n'est pas toi qui te débats au milieu des problèmes pour faire tourner la ferme !

— Tu es une personne détestable qui croit toujours tout savoir, riposta Victoria. Il faut toujours que tu fasses la leçon à...

— Mes enfants ! s'interposa Charles d'un ton las.

Depuis qu'il savait que Victoria voulait divorcer, il paraissait un peu plus vieux, un peu plus fatigué et un peu plus replié sur lui-même. Les disputes sans fin de ses filles lui étaient, à l'évidence, très pénibles.

— En tout cas, que ça vous plaise ou non, j'ai invité

Marguerite Brunet à prendre le thé cet après-midi, annonça Victoria. Il faut bien que quelqu'un s'occupe un peu d'elle. Elle a l'air complètement perdue. Ce doit être terrible d'être si loin de son pays.

— Eh bien, tu as rapidement retourné ta veste, remarqua Frances d'un ton acide. Il n'y a pas trois jours, tu étais encore convaincue que c'était une espionne allemande. Tu oses l'inviter à prendre le thé ? Est-ce bien raisonnable ?

Victoria haussa les épaules.

— C'est normal d'être prudent, en temps de guerre. Mais maintenant qu'on est sûr de son identité, on se doit de l'accueillir décemment.

Pour l'heure, Frances était convaincue que seuls l'ennui et la curiosité incitaient sa sœur à s'intéresser à Marguerite Brunet, mais elle comprit plus tard que c'était la solitude qu'elle ressentait qui lui avait dicté ce geste d'amitié. Victoria offrait son aide, alors qu'en réalité c'était elle qui avait besoin de sollicitude. Elle n'avait pas trouvé d'autre solution que se séparer de John, mais elle en restait désespérée.

Presque chaque matin elle apparaissait au petit-déjeuner les yeux rougis de larmes, buvait trois gorgées de café du bout des lèvres, grignotait un toast et avalait sans conviction quelques cuillerées d'œuf brouillé. A ses traits tirés on devinait qu'elle trouvait rarement le sommeil. Il y avait plusieurs années que le cours de sa vie avait commencé à déraper, et elle s'était usée à mener un combat perdu d'avance. Le douloureux échec final s'accompagnait d'un épuisement psychologique qui laissait peu de chances à Victoria de remonter seule la pente.

Elle n'avait personne à qui elle aurait pu s'ouvrir de ses problèmes. Son père persistait à condamner sa décision de vouloir mettre un terme à son mariage et refusait d'en entendre parler. Frances ne songeait qu'à la ferme, courait sans cesse de droite et de gauche, et paraissait de si méchante humeur que personne n'aurait osé l'importuner avec des histoires personnelles. Restait Adeline. Mais Adeline était une vieille femme, qui de surcroît n'avait jamais été mariée, et beaucoup des choses que lui racontait Victoria sur John lui échappaient totalement.

Ce fut seulement des années plus tard que Frances comprit qu'elle aurait dû encourager les efforts entrepris par Victoria pour se lier d'amitié avec Marguerite Brunet. C'était, en effet, la toute première fois qu'elle faisait quelque chose pour reprendre sa vie en main.

Mais en ce mois d'août 1940, elle n'était pas dans des dispositions très généreuses et cela l'agaçait de voir Victoria se parer des atours de l'amour du prochain dans le seul but de se donner de l'importance et de fouiner dans les affaires des autres.

— J'attends désespérément des nouvelles de mon mari, dit Marguerite Brunet.

Elle s'exprimait dans un anglais correct mais avec un fort accent français. C'était une jolie jeune femme brune aux yeux sombres et, en dépit de la simplicité d'une petite robe légère qui avait été beaucoup portée, d'une remarquable élégance tant du fait de son maintien gracieux que de sa façon de se mouvoir. Victoria était suspendue à ses lèvres. Frances, qui avait eu l'intention de dire bonjour puis de s'éclipser était finalement restée et écoutait. Charles, dans son vieux fauteuil, paraissait revivre.

— Les Allemands l'ont arrêté le lendemain du jour où Paris est tombé, poursuivit Marguerite. Ils sont arrivés au petit matin, nous dormions encore. Il n'a pas eu le droit d'emporter quoi que ce soit, pas même quelques vêtements chauds pour plus tard.

— Il reviendra peut-être avant l'automne, avança Victoria.

Marguerite sourit tristement.

— Ça m'étonnerait.

— Quelle était la raison de cette arrestation ? demanda Frances.

— Fernand – mon mari – travaillait pour la Résistance. Il faisait partie d'un réseau qui aidait des personnes poursuivies en Allemagne à passer la frontière et à se réfugier en France. Il avait commencé par ne rien me dire, mais j'ai bien remarqué qu'il me cachait quelque chose et qu'il y avait des nuits où il ne rentrait pas à la maison. J'ai même pensé qu'il y avait une autre femme...

Elle se mordit la lèvre inférieure puis ajouta à voix basse :

— Si seulement cela avait été le cas... Ça n'aurait pas été facile, mais, au moins, pas aussi grave que ce qui est arrivé.

— Votre mari aurait dû s'enfuir quand Hitler a envahi la France, dit Charles.

— Je l'ai supplié de le faire. Je lui ai dit de partir le plus vite possible. Il a refusé. Il ne voyait aucun danger à rester. Il était convaincu que les Allemands ignoraient son existence et qu'il pourrait continuer à faire passer des gens sans être inquiété.

— Mais ils le connaissaient, murmura Frances.

Marguerite hocha la tête.

— Je suppose que quelqu'un l'a dénoncé. En tout cas, ils n'ont pas perdu de temps. Il était affreusement pâle quand ils l'ont emmené. Il avait tellement peur...

Personne ne sut quoi dire. Essayer de la consoler aurait paru ridicule. Même Victoria, qui semblait toujours n'être au courant de rien, savait que le mari de Marguerite avait toutes les raisons d'avoir peur.

— J'ai fait des recherches. J'ai réussi à découvrir qu'il avait été envoyé en Allemagne. Il est dans un camp de concentration, près de Munich. A Dachau.

— Vous savez, la vie est certainement très dure dans ces camps, mais on peut sûrement s'en sortir, dit Frances. Même les Allemands ne peuvent pas tuer tous les gens qui ne leur plaisent pas. Ils finiront bien par le libérer. Il est aussi possible que tout ça tourne court. Hitler ne peut pas gagner éternellement. Il y a bien un moment où toutes ces horreurs vont cesser !

— Malheureusement, je sais, parce que mon mari me l'a raconté, que les choses sont bien plus graves que les gens ne l'imaginent, objecta Marguerite. Dans ces camps, ils tuent systématiquement les prisonniers. Ce serait un miracle qu'il en réchappe.

— Ne dites pas une chose aussi abominable ! s'exclama Victoria.

Marguerite lui lança un regard étrangement froid.

— Il faut voir les choses en face. Je sais, quand quelqu'un est déporté, qu'il ne faut pas perdre tout espoir, mais il ne faut pas non plus se bercer d'illusions. J'essaye de m'en tenir à un juste milieu.

— Toujours est-il qu'il me semble très raisonnable que vous ayez quitté la France, intervint Charles.

— Vraiment ? J'ai l'impression de déserter. Deux semaines après l'arrestation de mon mari, j'ai reçu un mystérieux coup de téléphone. C'était un homme. Il m'a dit que j'allais être arrêtée le lendemain. Je ne sais toujours pas qui c'était. J'ai hésité la moitié de la nuit. Je ne voulais pas abandonner mon mari. Je me disais que, si j'étais arrêtée, je le retrouverais peut-être. Nous pourrions alors au moins nous soutenir mutuellement. Puis je me suis dit que rien ne me permettait d'être sûre qu'ils m'envoient dans le même camp que lui. Et, une fois arrêtée, je ne pourrais plus rien faire pour lui. Au petit matin, j'ai emballé quelques affaires et je me suis réfugiée chez des amis. J'ai ensuite gagné l'Espagne, puis le Portugal et de là, l'Angleterre.

— Comment êtes-vous arrivé dans le Yorkshire ? demanda Frances.

— Je me suis souvenue qu'une de nos lointaines parentes vivait à Bradford. Une cousine au troisième ou quatrième degré du côté de ma mère. Il s'est finalement avéré qu'elle était morte depuis quelque temps, mais, puisque j'étais là, autant rester. J'ai alors cherché un hébergement dans un village, parce que c'est moins cher qu'en ville, et je suis, par hasard, arrivée à Leigh's Dale.

Elle eut un haussement d'épaules désabusé.

— C'est un endroit qui en vaut bien un autre... Cela dit, il ne me reste pas beaucoup de temps pour trouver un travail. Je n'aurai bientôt plus d'argent. C'est peut-être une erreur d'avoir choisi de m'installer à la campagne. Il y a sans doute plus de possibilités en ville.

— Nous vous aiderons à trouver quelque chose, dit Frances.

— A Paris, j'enseignais dans une école, précisa Marguerite. J'ai suivi des études de mathématiques et de biologie, mais je crains que cela ne me soit pas d'une grande utilité ici. Je pourrais peut-être donner des cours de français à des enfants ?

Frances n'eut pas le cœur de lui dire qu'il n'existait aucun enfant dans le voisinage susceptible d'apprendre le français. Les deux seules familles du village qui attachaient quelque importance aux études, la sienne et les Leigh, n'avaient pas d'enfants en âge scolaire. Il n'y avait pour le reste que des familles de paysans. Et l'apprentissage du français ne faisait pas partie de leurs priorités.

Victoria surprit tout le monde en déclarant qu'elle s'inscrirait volontiers sur la liste des élèves de

Marguerite. Il est vrai qu'elle avait étudié le français à l'école et que c'était une langue qu'elle avait beaucoup aimée.

— Mais... commença Frances.

Victoria ne la laissa pas aller plus loin.

— J'ai envie de rafraîchir mes connaissances. En admettant que je n'aie pas tout oublié. Je n'ai pas parlé français depuis des lustres.

Marguerite partie, elle dit à Frances :

— Elle a besoin d'argent. Mais elle n'accepterait jamais une aide sans contrepartie. Je vais donc prendre des cours de français. Ce sera ma façon de l'aider un peu. C'est terrible, ce qu'elle doit vivre, tu ne trouves pas ? Je ne supporterais pas cette incertitude.

— Elle n'a pas le choix, dit Frances, avant d'ajouter sur un ton désagréable : Tu m'étonnes, Victoria. Je ne savais pas que tu t'intéressais tant aux autres. Marguerite a l'air de te plaire.

— Je trouve qu'elle est belle et cultivée. Par ailleurs... Par ailleurs, je suis très seule. J'ai besoin de me changer les idées. Avec des cours de français, j'aurai au moins une occasion de me distraire un peu.

— Eh bien, comme ça, vous y gagnerez toutes les deux.

Frances appréciait Marguerite, elle la trouvait sympathique, très intelligente, mais elle doutait qu'elle et Victoria puissent se lier d'amitié. Quel intérêt Marguerite trouverait-elle à une Victoria, qui ne savait que se plaindre ?

En septembre, les bombardements allemands visèrent Londres. La ville fut dévastée. Chaque nuit, la population se réfugiait dans les caves des immeubles ou les stations de métro. Des pâtés de maisons entiers étaient en flammes, partout des équipes de secours luttaient contre le feu, des monceaux de gravats bloquaient les rues. La guerre se rapprochait dangereusement, la détermination de l'ennemi était manifeste.

Depuis juillet, Hitler tentait de débarquer en Angleterre, mais, faute de conditions météorologiques favorables, il devait sans cesse reporter son « Opération Seelöwe ». La Royal Air Force réussit à infliger de lourdes pertes à la Luftwaffe. L'Allemagne commençait à comprendre que l'Angleterre ne se laisserait pas facilement abattre. La population, néanmoins, avait peur, particulièrement dans les grandes villes et les régions industrielles. Les bombardements qui ravageaient le pays brisaient aussi la résistance des hommes. Passer des nuits entières à attendre dans des abris antiaériens sans savoir si l'on pourrait en ressortir, avec le sifflement des bombes qui tombaient, les effroyables déflagrations quand elles explosaient, usait les nerfs et sapait le moral. Les rumeurs d'un débarquement imminent de troupes allemandes achevaient de semer la terreur.

Septembre touchait à sa fin quand Frances reçut un coup de téléphone d'Alice. Dans le Yorkshire, l'automne était déjà là. Il faisait frais, un brouillard oppressant qui étouffait tous les bruits stagnait sur la campagne immobile. Une odeur de feuilles mortes et de terre mouillée flottait dans l'air. La nuit tombait quand Frances revint des écuries, où depuis le matin elle s'était occupée d'une jument qui avait des difficultés à mettre bas. Le poulain était enfin né et elle avait pu laisser la mère et son petit se reposer.

Frances était fatiguée et frigorifiée, elle n'aspirait qu'à une chose : un bon bain chaud. En passant dans le vestibule, elle entendit Victoria et Marguerite bavarder en français dans la salle à manger. Marguerite riait.

On peut dire ce qu'on veut de Victoria, songea Frances, mais elle apporte un réel réconfort à cette pauvre femme.

A cet instant, le téléphone sonna.

— Un appel de Londres pour vous, annonça l'opératrice quand Frances se fut présentée.

C'était Alice. Elle avait l'air dans tout ses états, parlait très vite, d'un ton suraigu. Les mots se bousculaient dans sa bouche.

— Frances, c'est affreux ! Cette nuit, notre immeuble a été touché. Il est complètement détruit. Complètement ! Il n'y a plus un mur debout. Heureusement, la cave a résisté. Mais quand la poussière et le plâtre ont commencé à tomber du plafond, j'ai cru que c'était la fin. Il y avait un bruit... C'était l'enfer. L'enfer ! Quand on est remontés, dehors, la ville était en feu. Le ciel était complètement rouge à cause de tous les incendies. Les gens criaient et...

— Alice, l'interrompit doucement Frances, calme-toi. Vous est-il arrivé quelque chose ?

— Non. Nous allons bien.

— Où es-tu, en ce moment ?

— Nous sommes chez des gens que Hugh connaît. Il ne reste plus rien de notre appartement. Nous avons tout perdu. Nous n'avons plus rien, seulement les vêtements que nous avions sur nous !

A sa voix, on devinait Alice au bord de la crise de nerfs. Frances regarda par la fenêtre : dehors, le brouillard s'épaississait, la campagne s'endormait, silencieuse et calme. Comment imaginer qu'un pareil enfer s'était abattu sur Londres quand tout ici était si paisible ? Alice semblait appeler d'une autre planète.

— Alice, ressaisis-toi, ce n'est pas le moment de craquer. Tout va s'arranger. Mais en attendant, qu'est-ce que je peux faire pour t'aider ?

— Tu peux prendre mes filles chez toi.

Laura et Marjorie arrivèrent à Northallerton le 11 octobre. Il faisait gris, il pleuvait et il y avait du vent. C'était une journée sinistre.

— Ils évacuent les enfants de force, avait dit Alice. J'ai peur pour mes filles. Les enfants d'une famille que je connais ont été emmenés il y a quelques jours. Ils se sont retrouvés un matin avec une centaine d'autres au milieu d'un champ des Cotswolds et les paysans des environs sont tous arrivés pour choisir ceux qui leur convenaient. Les frères et sœurs ont été séparés. Il paraît qu'il y a eu des scènes atroces. Je ne veux pas que les miennes vivent ça, mais si je les garde ici, on me les prendra. Chez toi, au moins, je suis sûre qu'elles seront ensemble.

— Ça leur fait quel âge, maintenant ? demanda Frances.

Elle n'aimait pas particulièrement les enfants. Et elle ne savait pas bien non plus comment se comporter avec eux. Mais comment dire non ?

— Laura vient juste d'avoir quatorze ans, répondit Alice, et Marjorie en a onze. Elles sont très perturbées depuis la nuit dernière, surtout Laura. Mais elles sont gentilles. Elles ne te causeront certainement aucun souci.

Deux enfants perturbées, et de surcroît une adolescente à un âge difficile ! Il ne manquait plus que cela. Mais elle accepta et, après avoir raccroché, s'accorda un double whisky.

Au moment de partir chercher les enfants, elle se sentait étrangement oppressée. Il y avait quelque chose de funeste dans l'air, comme un mauvais présage. Charles était parti très tôt au cimetière. Il était grippé et il aurait mieux valu qu'il ne sorte pas, mais personne n'avait pu le convaincre de renoncer à se rendre sur la tombe de Maureen. Victoria était

475

inquiète parce que Marguerite n'était toujours pas là alors qu'elles étaient convenues d'une leçon à 9 heures.

— Je ne comprends pas ce qui passe, dit-elle à Frances alors que celle-ci s'apprêtait à partir pour Northallerton. Elle est d'ordinaire très ponctuelle et il est déjà 9 h 30. Ça ne lui ressemble pas...

— Il y a sans doute une bonne raison, répondit distraitement Frances. Ecoute, Victoria, pourquoi ne m'accompagnerais-tu pas à la gare ? Ce serait bien pour les enfants, tu gagneras plus vite leur confiance que moi !

— Je préfère attendre Marguerite. Elle peut arriver d'un moment à l'autre.

Tout en conduisant, alors que les essuie-glaces balayaient sans relâche le pare-brise, Frances chercha à comprendre pourquoi elle se sentait aussi mal à l'aise. Craignait-elle de ne pas être à la hauteur avec ces deux pauvres enfants ? C'était ridicule. Elle avait surmonté bien d'autres difficultés dans sa vie. Pourtant, quelque part sur cette route solitaire qui sillonnait des prairies détrempées par les pluies d'automne, des collines noyées dans le brouillard, avec ici et là des bosquets dénudés, alors qu'une tristesse inexplicable lentement s'insinuait dans tout son être, elle comprit que pour la première fois de sa vie elle se sentait vieille et lasse, et que c'était cette lassitude qui lui pesait tant.

Jamais auparavant elle n'avait songé à son âge. Elle avait toujours pensé que vieillir était un avantage ; jamais elle n'avait regretté sa jeunesse. Sa jeunesse ? Elle se sentait aujourd'hui bien plus forte, bien plus épanouie. Elle avait trouvé sa place et suivait sa voie. Elle avait cessé de poursuivre des chimères. Elle était en paix avec elle-même, elle avait appris à s'accommoder de ce qu'elle avait et aussi de tout ce qui lui avait été refusé. Il y avait des années qu'elle n'enviait

476

plus la beauté de Victoria et qu'elle ne pleurait plus parce qu'elle lui avait pris John.

Pourtant, aujourd'hui...

Dans quelques minutes, elle serait face aux filles d'Alice. Des enfants dont la seule présence la confronterait impitoyablement à la fuite du temps. Pourquoi ne pouvait-elle chasser cette image de son esprit ? Alice et elle fumant le cigare sur le muret du fond du jardin, toutes deux si jeunes encore ; et les voix qui venaient de la maison : Maureen, Kate, Charles, Victoria... Et George... George que la guerre n'avait pas encore brisé.

Peut-être était-ce cela qui faisait si mal. Pas la fuite du temps. Mais ce que l'on avait perdu. Les blessures. Le temps n'efface pas la peine. Bien au contraire. La douleur s'avive au fil des années.

Le train avait du retard. Frances avait trois quarts d'heure à attendre avant qu'il n'arrive. Il n'y avait presque personne sur les quais. Elle s'installa au buffet de la gare, commanda un café et frotta ses pieds glacés l'un contre l'autre sous la table pour les réchauffer. Derrière elle, une femme se lamentait parce que plus rien ne marchait correctement depuis que le pays était en guerre, parce que avant les trains étaient toujours à l'heure, parce que tout allait à vau-l'eau, parce que l'Angleterre n'était plus ce qu'elle était... Son mari s'efforçait de la calmer mais elle parlait de plus en plus fort, s'énervait, elle commençait même à devenir grossière. L'intermède détourna Frances de ses sombres pensées et elle se sentit un peu mieux. Elle commanda un double cognac. Quand le train entra en gare, elle venait juste de le finir.

Plusieurs enfants descendirent des wagons, mais elle reconnut aussitôt les filles d'Alice. Du moins la plus jeune, qui ressemblait beaucoup à sa mère. Les deux fillettes portaient le même manteau gris d'où dépassait une jupe plissée bleu marine, d'épais bas gris et des chaussures mi-basses marron. Toutes les deux avaient de longues nattes blondes. Elles se tenaient par la main et regardaient autour d'elles, les yeux écarquillés.

Frances alla à leur rencontre.

— Vous êtes certainement Laura et Marjorie Selley, n'est-ce pas? Je suis Frances Gray. Bienvenue dans le Yorkshire.

— Merci beaucoup, murmura Laura.

Elle avait une bonne tête de plus que sa sœur et était nettement plus ronde qu'elle. Cette enfant – malheureusement, songea Frances – tenait plus de son père. Ce n'est pas qu'elle était laide, mais il y avait quelque chose d'obtus dans son regard bleu, une absence de vie. Elle avait l'air d'une gentille petite fille timide et un peu simple d'esprit.

— Vous verrez, Westhill Farm est un endroit très agréable, je suis sûre que vous vous y plairez, déclara Frances, soucieuse de se montrer optimiste.

Elle se pencha et prit le sac de voyage que les deux fillettes avaient posé entre elles.

— Oh, il n'est pas bien lourd. Vous n'avez pas apporté grand-chose!

— Nous n'avons plus rien, expliqua Marjorie, notre maison a été bombardée. Elle a été détruite puis elle a brûlé. C'est le sac qu'on prenait toujours quand on allait à la cave. C'est pour ça que nous l'avons encore.

— Oui, je sais. Votre mère m'a raconté. Eh bien, s'il manque quelque chose dont vous aurez besoin, nous l'achèterons, entendu?

Frances les conduisit à la voiture.

— Vous aimez les chevaux? demanda-t-elle.

— A Londres, il n'y a pas beaucoup de chevaux, répondit Marjorie.

478

— J'ai peur des grands animaux, ajouta Laura.

Frances étouffa un soupir et dit sur un ton qu'elle s'appliqua à rendre enjoué :

— Qui sait, peut-être allez-vous les adorer quand vous les connaîtrez. Nous verrons ça. J'espère surtout que vous ne vous ennuierez pas, là-haut. Il y a beaucoup moins d'animation qu'à Londres.

— C'est bien qu'ici ce ne soit pas bombardé, dit Laura.

Son petit visage sérieux était très pâle. Ses yeux reflétaient encore l'effroi des nuits de bombardement.

Ces fillettes ont dû vivre des moments très difficiles, songea Frances. Comment surmonte-t-on ce que l'on ressent, enfermé dans le noir d'une cave tandis qu'au-dessus de sa tête un immeuble entier s'effondre en brûlant ? Laura et Marjorie avaient certes échappé à cet enfer, mais pas leurs parents. Elles devaient être inquiètes et se sentir très seules. Curieusement, c'était Laura, l'aînée, qui semblait le plus souffrir de la situation. L'attitude de Marjorie, la plus jeune, révélait une certaine curiosité envers son nouvel environnement, elle se montrait attentive, regardait autour d'elle. Laura, elle, semblait se replier sur elle-même.

Dans la voiture, aucune des fillettes ne dit un mot. Pour rompre un silence qui commençait à lui peser, Frances dit soudain :

— Ce n'est pas de chance que le temps soit aussi épouvantable aujourd'hui. Quand il y a du soleil, l'automne est magnifique par ici. Mais vous aurez l'occasion de le voir, la pluie ne va pas durer.

— Je suis contente d'être ici, dit Laura poliment.

— Vos parents vous manquent, n'est-ce pas ? Sont-ils toujours chez ces amis où vous êtes allés après le bombardement ?

— Ils voudraient trouver quelque chose à eux, dit

Laura, mais c'est difficile parce que beaucoup d'immeubles sont détruits. Et papa n'a pas de travail.

— Ah bon ? Depuis longtemps ?

— Deux ans.

— Mais il était le gardien de votre immeuble.

— Les locataires n'arrêtaient pas de se plaindre de lui... Il n'arrivait pas à faire les réparations, et tout ça, ajouta Laura en baissant la voix. Alors ils l'ont renvoyé.

— Laura ! la rappela à l'ordre Marjorie. Maman a dit que personne ne devait le savoir !

— Mais Mme Gray est une amie de maman !

— S'il vous plaît, appelez-moi Frances, d'accord ? Je connais votre maman depuis de longues années. Nous avons été très liées autrefois.

— Tu vois bien, dit Laura à sa sœur.

Frances songea au Hugh Selley de la guerre précédente. Il arrivait si rarement à trouver du bois ou du charbon qu'ils avaient souvent eu froid. C'était quelqu'un qui ne savait pas s'imposer, il était gauche, indécis, d'une timidité à la limite du handicap. Elle n'était pas surprise qu'il ait finalement perdu son travail. Toute la charge du ménage devait maintenant incomber à Alice.

— Votre mère travaille à l'extérieur ?

— Oui, dans un bureau. Chez un avocat, expliqua Laura.

Ce qui a décidé Alice à épouser ce bon à rien de Hugh restera une énigme, songea Frances. Je crois que je ne comprendrai jamais.

Au moment où elles arrivèrent à Westhill, la pluie redoubla. Les quelques mètres qu'elles durent franchir entre la voiture et la maison suffirent à les transpercer jusqu'aux os. Laura et Marjorie grelottaient de froid et paraissaient épuisées. Elles étaient parties la veille au soir et n'avaient probablement pas fermé l'œil de la nuit, non plus que lors des nuits précédentes, à cause des alertes. Même Marjorie semblait ne plus tenir sur ses jambes.

— Vous allez prendre un bon bain chaud et vous vous mettrez au lit, décida Frances. Adeline va vous donner quelque chose à manger.

— S'il vous plaît, ne vous dérangez pas pour nous, dit Laura.

— Ce n'est pas un dérangement. Nous allons...

Elle s'interrompit en voyant Adeline sortir de la cuisine.

— Adeline! Adeline, voici nos jeunes invitées, Laura et Marjorie Selley. Mes enfants, je vous présente Adeline. Elle va vous montrer votre chambre et vous faire couler un bain. Entendu, Adeline?

— Madame Marguerite est là, dit Adeline à voix basse. Elle est au salon avec Victoria.

— Eh bien, elle est tout de même venue! Victoria s'inquiétait inutilement. Je savais bien que...

Elle s'interrompit en voyant l'expression d'Adeline.

— Que se passe-t-il?

— Je monte avec les enfants, répondit Adeline.

Frances l'approuva d'un signe de tête.

Frances l'avait senti. Dès le matin en se levant, elle l'avait senti. Quelque chose dans l'air comme l'imminence d'un malheur, une menace, l'avait mise mal à l'aise, l'avait déprimée et rendue nerveuse.

Marguerite était assise dans le fauteuil de Maureen, pâle comme la mort, les yeux immenses, le regard fixe. Ses mains serraient si fort la tasse qu'elles tenaient que ses articulations étaient blanches. La tasse était pleine. Marguerite n'avait sans doute pas bu la moindre gorgée, et elle la tenait à la hauteur de sa poitrine comme si elle avait, pour une raison quelconque, interrompu son geste et était restée figée dans cette position. Victoria, très pâle elle aussi et d'une élégance parfaite, comme de coutume, se tenait en retrait.

— Mais est-ce absolument certain ? demanda Frances.

Victoria haussa les épaules.

— Sa mère en a été officiellement informée par courrier. D'Allemagne. Fernand Brunet aurait succombé à une pneumonie.

— Elle peut récupérer l'urne avec ses cendres, ajouta Marguerite, toujours immobile, en remuant à peine les lèvres. Ça aussi, ils l'ont écrit. Mais seulement si elle s'acquitte des frais d'expédition.

— Cette lettre, Marguerite, vous ne l'avez jamais vue ?

Marguerite parut soudain se souvenir de la tasse qu'elle serrait dans ses mains. Elle la reposa devant elle. Un peu de thé déborda sur le plateau de la table.

— Je n'ai aucune raison de douter de l'existence de cette lettre. La mère de Fernand en a parlé aux amis qui m'ont aidée à passer en Espagne. Ce sont eux qui m'ont écrit. Pourquoi ne serait-ce pas vrai ? Qui aurait intérêt à inventer ça ?

Frances ne sut quoi répondre. Marguerite avait sans doute raison.

— Mon mari est mort.

Cette petite phrase qui rompait le silence du salon était si claire et si dure que tous tressaillirent.

— Je le savais. Je l'ai su dès que j'ai eu la lettre entre les mains. Peut-être même que je l'ai toujours su.

— Oh, Marguerite ! Je suis tellement désolée ! s'exclama Victoria, un peu trop théâtrale.

— Ne vous inquiétez pas, ça ira, dit Marguerite.

Ses yeux brillaient fiévreusement, mais ils étaient

secs. Elle ne pleurerait pas, Frances le devinait. Marguerite avait une volonté de fer.

— J'aimerais seulement savoir si cette histoire de pneumonie est vraie, poursuivit-elle. Je le souhaite presque. Ce serait pire qu'il ait été battu à mort. Qu'il ait été torturé.

Sa voix vacilla légèrement sur ces derniers mots.

— C'est vrai qu'avec les nazis on ne peut être sûr de rien, renchérit étourdiment Victoria.

— Mais pas du tout ! intervint Frances. S'ils écrivent pneumonie, c'est qu'il faut comprendre pneumonie. Pourquoi se fatigueraient-ils à inventer quelque chose ?

— Ce sont des brutes, répliqua Marguerite, mais ils n'en essaient pas moins de se parer d'une certaine aura. Cela ferait tout de même très mauvais effet s'ils écrivaient : « Nous avons torturé M. Brunet à mort. » Pneumonie passe mieux.

Elle se leva, fit quelques pas.

— Je ne connaîtrai probablement jamais la vérité. Je ne saurai jamais quels ont été ses derniers instants...

Personne ne sut quoi répondre. Que Fernand Brunet ait succombé sous la torture ou qu'il ait sombré dans le coma, sans soins, sur un grabat infâme, sa mort n'avait pas été douce. Aucune mort ne pouvait être douce dans un camp de concentration. Tous le savaient et il aurait été inutile d'essayer de prétendre le contraire devant Marguerite.

— Que comptez-vous faire ? demanda enfin Frances.

Marguerite haussa les épaules.

— Dans un premier temps, le mieux est encore que je reste ici. Ce ne serait pas raisonnable de retourner à Paris maintenant. La Gestapo ne m'a sans doute pas oubliée.

Elle prit son manteau, qu'elle avait jeté sur le dossier d'un fauteuil, et son sac à main.

— Victoria, si cela ne vous ennuie pas, nous rattraperons notre leçon d'aujourd'hui demain ou après-demain. Je crains de ne pas être bonne à grand-chose aujourd'hui.

— Je vous en prie, Marguerite. Venez quand vous le souhaitez.

— Voulez-vous un cognac, avant de repartir ? proposa Frances.

— Non, je vous remercie. Je ne bois pas d'alcool.

Son regard s'arrêta sur la fenêtre, puis se perdit dans le lointain.

— Tiens, vous avez de la visite, dit-elle. Deux hommes.

Victoria, qui avait suivi son regard, cligna des yeux.

— C'est John, souffla-t-elle.

Frances ne réussit même pas à s'en étonner : dans un sens, c'était le point culminant de cette journée noire.

Quand John poussa la porte, Charles, qui ne pouvait plus ni marcher ni tenir sur ses jambes, pesait de tout son poids sur son gendre. Il toussait, son front était brûlant. A chaque inspiration, un bruit de papier froissé s'échappait de sa poitrine. La pluie avait transpercé ses vêtements, il grelottait de froid.

Il apparut que John, en se promenant dans le cimetière – aussi alarmée qu'elle fût par l'état de son père, Frances trouva néanmoins le temps de se demander pourquoi John se promenait dans le cimetière par un temps pareil –, John, donc, avait découvert Charles tassé sur un banc devant la tombe de Maureen, toussant désespérément, perdu dans ses pensées, indifférent à la pluie qui tombait. Il lui avait parlé, lui avait posé des questions. Comme Charles ne réagissait pas, il avait décidé de le reconduire à la maison. L'amener jusqu'à la voiture n'avait pas été une mince affaire ; non que Charles se fût débattu, mais John dut le porter à moitié sur son dos comme un paquet mouillé, ses pieds traînant derrière lui dans la boue.

— Vous devriez appelez un médecin, dit John. Il n'est vraiment pas bien.

— Heureusement que tu l'as trouvé ! s'exclama Frances. Peux-tu nous aider à le monter dans sa chambre ?

Moitié tirant, moitié poussant, ils réussirent à eux deux à monter Charles au premier. Quand ils l'eurent allongé sur son lit, Frances fut soulagée.

— Merci, John.

John respirait lourdement.

— Je t'en prie.

Il souriait. Curieusement, ce matin-là, il semblait être à jeun.

— Dis-moi, Frances, comment vas-tu ?

— Nous avons deux pensionnaires. Les filles d'une amie de Londres. Leurs parents voulaient les mettre en sécurité.

Il hocha la tête.

— Bien sûr. Il paraît que c'est terrible, là-bas, en ce moment. Nous avons de la chance d'être ici.

— Oui...

Ils se tenaient l'un en face de l'autre sans savoir quoi faire. John ruisselait de pluie.

— Tu devrais rentrer chez toi te changer, finit par dire Frances. Sinon, tu vas attraper du mal, toi aussi.

Il se regarda.

— J'ai l'air d'une serpillière mouillée, c'est ça ? Mais tu as raison, il vaut mieux que je rentre.

Il posa fugitivement une main sur son bras.

— Quand nous revoyons-nous, Frances ?

Elle jeta un bref regard à son père. Charles avait les

yeux clos, il respirait difficilement. Il n'avait pas conscience de ce qui se passait dans la pièce.

— Je ne sais pas, dit-elle en baissant la voix. Nous devrions peut-être arrêter, ajouta-t-elle dans un murmure. Tu ne crois pas ?

— Je suis sur le point de divorcer. Nous ne ferions enfin plus de tort à personne. Et tu voudrais que nous cessions de nous voir ?

— Je crois, John que c'est justement à cause de votre divorce. Je ne peux m'empêcher de me demander quelle est ma part de responsabilité dans l'échec de votre mariage et je ne me sens pas à l'aise.

— Tu n'as aucune responsabilité dans cette histoire.

Il tendit les bras et l'attira à lui.

— Mes problèmes avec Victoria sont d'un ordre tout à fait différent. Tu n'es pas concernée.

Elle sentait son souffle tiède sur sa joue. Son étreinte était douce, en dépit de ses vêtements trempés de pluie. Elle s'était toujours sentie bien dans ses bras, et en cet instant aussi elle goûta pleinement le plaisir d'être contre lui. Comment lui expliquer que, si parfois elle considérait qu'il valait mieux mettre un terme à ces rendez-vous amoureux dans une cabane quelque part entre bois et forêts, c'était aussi parce que tous deux commençaient à ne plus être très jeunes ?

Dans trois ans, elle aurait cinquante ans. Ce n'est pas qu'elle pensait qu'à cet âge il était temps de renoncer au plaisir, mais elle s'en accommodait moins bien. A trente ans, rencontrer secrètement un homme et s'aimer en cachette était une chose, à cinquante c'en était une autre. A trente ans, c'était romantique. A cinquante, il était difficile de se départir du sentiment que l'on avait raté un tournant essentiel de sa vie. A quatre-vingts ans, se livreraient-ils encore à des étreintes passionnées dans la vieille maison de la colline pour rire ensuite en ôtant les toiles d'araignée dans leurs cheveux de neige ?

Divorce ou pas, en tant qu'ancienne belle-sœur de John, elle ne pouvait décemment pas surgir à Daleview et s'enfermer avec lui dans une chambre sous les yeux des domestiques ébahis. La nouvelle ferait le tour du comté en un rien de temps. Son père en mourrait, Victoria soupçonnerait que ce n'était pas nouveau et elle en ferait un drame sans fin.

Non, leurs rencontres devaient à jamais rester secrètes, à jamais rester placées sous le signe du mensonge et de l'intrigue, et c'était une chose qu'elle acceptait de moins en moins. John ne le comprendrait pas, aucun homme ne le comprendrait, mais il y avait aussi des raisons très prosaïques à sa réticence. Elle aspirait aujourd'hui à un vrai lit, bien plus qu'hier, le sien propre ou celui de John, peu importait, pourvu que ce ne fût plus la triste paillasse de la vieille maison qui avait connu les ébats de générations d'ouvriers agricoles. Et après, elle aurait aimé disposer d'eau chaude, de plein d'eau chaude pour ne plus avoir à se sentir sale en remettant ses vêtements. Souvent aussi, elle aurait aimé parler avec John, fumer quelques cigarettes avec lui, simplement parler et fumer, et ne pas faire l'amour.

Mais le fait qu'ils ne se voient que très rarement les mettait sous pression. Comme ils ne savaient jamais quand une occasion de se revoir se présenterait, ils auraient eu l'impression de gaspiller leur chance s'ils n'avaient pas fait l'amour. En même temps, ce systématisme créait un autre manque. Plus exactement, Frances ressentait un manque, parce que John, du moins en avait-elle l'impression, semblait, lui, se satisfaire de la situation.

Elle se dégagea de son étreinte. Elle n'était pas sûre

de ce que Charles, dans ses rêves fiévreux, percevait ou ne percevait pas. Elle recula d'un pas.

— J'ai besoin d'un peu de temps. Je ne sais pas très bien... où j'en suis.

Il hocha la tête en signe d'assentiment.

— D'accord, je comprends. Réfléchis, mais ne réfléchis pas trop longtemps. Nous ne rajeunissons pas.

Il a tellement raison, songea Frances en regardant les cheveux blancs qui striaient sa chevelure avec la même absence d'indulgence qu'elle observait les siens le matin dans sa salle de bains.

— Avec l'âge, on éprouve le sentiment croissant de ne plus avoir beaucoup de temps, dit-elle, cependant... on devient moins disposé à faire ce dont on n'a pas réellement envie. Nous avons vécu de très beaux moments, John. Mais je ne sais pas, aujourd'hui, de quoi demain peut être fait.

John tendit la main comme pour l'attirer à lui mais interrompit son geste et lui effleura simplement la joue.

— Jamais tu ne seras complètement à moi, n'est-ce pas ? dit-il doucement. Tu as refusé à dix-sept ans, comme aujourd'hui. Et il en sera toujours ainsi.

— Frances, je ne peux pas dormir, dit une petite voix sur le seuil de la chambre.

Frances sursauta. Marjorie, pieds nus et en pyjama, entra dans la pièce. Elle tenait à la main un ours en peluche râpé auquel il manquait une jambe et un œil.

— Marjorie ! Je croyais que vous étiez au lit !

— Laura y est. Elle dort à poings fermés, répondit Marjorie. Moi, je n'arrive pas à m'endormir.

Elle détailla John avec curiosité puis son regard s'arrêta sur Charles. Cet homme allongé tout habillé sur son lit et qui respirait avec difficulté dut lui paraître étrange.

— Qui est-ce ?

— C'est mon père. Charles Gray. Il est malheureusement très malade. John et moi venons de le monter et de le coucher.

Elle se demanda depuis combien de temps la petite était là. S'était-elle sciemment glissée dans la pièce sans faire de bruit ou ne l'avaient-ils pas entendue ?

Elle s'efforça de chasser son trouble et fit les présentations :

— John Leigh, notre voisin. John, voici Marjorie Selley. Une de nos deux petites pensionnaires de Londres.

— Bonjour, Marjorie, dit John.

— Bonjour, monsieur.

N'y avait-il pas quelque chose de sournois dans le ton de Marjorie, dans son regard ? Non, elle se faisait sans doute des idées.

— Marjorie, tu devrais au moins t'allonger. Ça te fera beaucoup de bien de te reposer, même si tu ne dors pas. Viens, John, descendons prévenir Adeline. Il faut qu'elle s'occupe de père.

— Je ne peux pas dormir, s'entêta Marjorie en fixant effrontément John.

Cette fillette va m'en faire voir, songea Frances.

— Je veux que tu ailles te coucher, Marjorie, dit-elle à haute voix. Si vraiment tu n'arrives pas à dormir, prends un livre et lis un peu. Tu es très fatiguée par tout ce qui est arrivé et je suis responsable de toi. Comprends-tu ?

Et tu fais ce que je te dis de faire, ajoutèrent ses yeux.

Marjorie comprit. Elle soupira exagérément et pivota sur ses talons. Son regard ne laissait rien présager de bon.

— Elle ne m'aime pas, dit Frances. Elle était à peine descendue du train que je l'ai senti. Je sens son hostilité.

— Je crois que tu te fais des idées, dit John. C'est une petite fille. Pourquoi éprouverait-elle de l'hostilité à ton encontre ? Elle n'est pas à l'aise, tout est nouveau pour elle, ici, et différent.

— Elle nous a vus. Elle t'a vu m'enlacer, elle a entendu ce que nous disions. Je l'ai lu sur son visage.

— Et puis après ? Tu ne crois tout de même pas qu'elle est capable d'en déduire quelque chose ? Je sais que tu n'apprécies que modérément les enfants, mais n'en fais pas pour autant des monstres !

Ils regagnèrent côte à côte le rez-de-chaussée. Adeline, Victoria et Marguerite étaient en bas. Victoria se tenait toujours en retrait. Il y avait plusieurs semaines qu'elle n'avait pas revu celui qui était encore son mari et, à en juger par l'alternance de couleurs qui se peignaient sur son visage, sa présence la mettait dans tous ses états.

John, en revanche, paraissait très à l'aise.

— Oh, bonjour, Victoria ! lança-t-il, aimable.

Victoria tourna les talons et disparut dans le salon.

— Que lui arrive-t-il ? demanda Marguerite, toujours très pâle.

— Je crains que ma femme ne soit pas très bien disposée à mon égard.

— Comment va M. Gray ? s'enquit Adeline. Je devrais peut-être monter le voir ?

— Oui, Adeline, ce serait très gentil.

Frances était gênée que tous maintenant entendent sa sœur sangloter dans le salon.

Elle pourrait, au moins une fois dans sa vie, faire l'effort de se contrôler, enragea-t-elle. Si seulement elle pouvait s'inspirer de Marguerite !

Adeline parut hésiter un instant entre aller d'abord consoler la « petite » puis s'occuper ensuite de M. Gray, mais décida finalement de monter.

Lorsqu'elle fut partie, Frances se tourna vers Marguerite.

— Il pleut de plus en plus, Marguerite. Restez donc encore un peu, sinon vous serez trempée avant d'arriver au village.

— Vous allez à Leigh's Dale ? intervint John. Je peux vous y conduire.

— Non, non, ne vous dérangez pas pour moi, protesta Marguerite. Vous n'allez certainement pas dans cette direction.

— Mais en voiture, ce n'est rien. Venez donc, mademoiselle...

— Madame Brunet.

— Je me présente : John Leigh. Je vous assure que ce n'est pas un problème de faire ce petit crochet par Leigh's Dale.

Elle lui plaît, songea Frances. Il y a longtemps qu'il n'a pas manifesté un tel empressement.

— Laissez-vous faire, Marguerite, dit Frances. John n'est pas du genre à se mettre en frais. Il ne vous le proposerait pas si ça l'ennuyait.

— C'est très aimable à vous, dit Marguerite à voix basse.

John ouvrit la porte d'entrée.

— Allons-y ! Frances, s'il y a quoi que ce soit pour Charles et que tu aies besoin d'aide, surtout n'hésite pas à m'appeler !

— Je n'y manquerai pas. Merci, John.

Elle les regarda courir jusqu'à la voiture en contournant l'immense flaque d'eau qui occupait le milieu de la cour. La pluie qui maintenant tombait dru formait un rideau gris qui masquait le paysage. Le vent s'était levé autour de la maison, les arbres balançaient mollement leurs branches lourdes de pluie. Des feuilles mouillées jonchaient le sol. Frances frissonna. Elle referma la porte. Les sanglots de

Victoria montaient du salon comme la plainte d'un animal blessé.

Elle se sentit coupable, il aurait fallu que quelqu'un s'occupe de sa sœur.

Mais pour le moment, c'était au-dessus de ses forces. Elle ne voulait plus rien voir, plus rien entendre. Elle n'aspirait qu'à une chose : s'enfermer le reste de la journée dans sa chambre et n'être là pour personne.

De novembre 1940 à juillet 1941

Ils furent tous étonnés que Charles survive à l'hiver. Son refroidissement s'était transformé en pneumonie sévère. Il avait déliré pendant des jours.

En novembre, le médecin qui venait quotidiennement s'enquérir de son état déclara que le pire était qu'il ait si peu envie de vivre.

— Il ne se bat pas, dit-il. Ça réduit beaucoup ses chances de guérison.

Frances fit pour son père ce qu'elle pouvait, de même que Victoria, qui le veilla des nuits entières. Dès que quelqu'un évoquait la disparition éventuelle de Charles ou que son état subitement s'aggravait, elle paniquait au sens strict du terme.

— Il ne doit pas mourir! Il ne doit pas mourir! s'exclamait-elle.

— Il est très âgé, disait Frances, et cela va faire bientôt vingt-cinq ans qu'il pleure la mort de mère. Ce serait peut-être une délivrance pour lui de disparaître à son tour.

Victoria devenait blanche comme un linge.

— Comment peux-tu dire une chose pareille?

Frances comprenait ce qu'elle ressentait. Charles ne pardonnait pas à Victoria d'avoir renoncé à sauver son mariage, mais il n'en était pas moins la seule personne qui comptât dans sa vie. Elle l'avait déçu, mais elle restait sa petite fille. Il la protégeait, et, même contrarié, il serait toujours de son côté. Victoria était terrorisée à l'idée de se retrouver seule avec Frances à

Westhill, avec justement cette sœur-là comme seul et dernier représentant de la famille. Frances savait que Victoria avait peur de son regard glaçant et de son ton autoritaire.

Jamais elle ne deviendra adulte, songeait-elle parfois, pleine de mépris, mais il lui arrivait aussi d'éprouver des remords et elle faisait alors de réels efforts pour être gentille avec Victoria. Le plus souvent, ces tentatives de réconciliation tournaient court car Victoria ne percevait que les manières trop brusques de sa sœur, jamais le fond amical de ce qu'elle disait. Au bout du compte, elles restaient à des années-lumière l'une de l'autre, ne se comprenaient pas et finissaient une fois de plus par se disputer.

L'année 1941 commença sous le signe de la grisaille et de l'inimitié, et tous étaient découragés parce que la guerre n'était qu'une source de mauvaises nouvelles. Hormis quelques revers minimes, l'Allemagne gagnait sur tous les fronts. Il y avait bien quelques voix pour prophétiser la fin de cette funeste série de victoires, sous prétexte que les troupes allemandes s'épuisaient, mais en attendant Hitler semblait invincible.

En novembre, les bombes allemandes avaient quasi rasé Coventry, une ville industrielle du centre du pays, près de Birmingham. Jamais attaque aérienne n'avait été aussi destructrice. L'Angleterre fut de longues semaines sous le choc. L'aviation allemande continuait son pilonnage des villes anglaises, notamment de Londres, mais avec la Royal Air Force elle devait désormais compter avec un opposant déterminé et techniquement supérieur.

« Nos petits gars en descendent un sur deux ! » déclarait-on avec une grande fierté patriotique. C'était assurément exagéré, mais le nombre d'engins allemands abattus par les Britanniques était effectivement très encourageant.

En cet hiver froid, boueux et sans neige, à Westhill, la vie s'écoula selon son cours habituel. Les enfants paraissaient s'habituer relativement bien à leur nouveau cadre de vie, du moins pour autant que Frances pût en juger car les filles d'Alice étaient très peu expansives. Laura parlait encore moins que Marjorie. En revanche, elle se jetait sur la nourriture comme si chaque repas devait être le dernier. A son arrivée, au début du mois d'octobre, elle avait des rondeurs que l'on pouvait encore mettre sur le compte de l'enfance ; en mars de l'année suivante, elle pesait dix bons kilos de plus, avait des hanches larges comme une matrone et une poitrine qui tendait son pull-over et ballottait à chaque pas.

Frances considérait l'appétit de Laura comme un bon signe ; quant à Adeline, elle se sentait flattée dans ses talents de cuisinière et débordait de fierté. Ce fut Marguerite qui un jour aborda le sujet avec Frances.

— Je m'inquiète pour Laura, dit-elle.

Désormais, Marguerite venait presque tous les jours à Westhill. Frances avait eu l'idée de l'engager comme préceptrice pour les deux enfants. Ni elle ni Alice n'avaient évoqué la question de l'école. Alice n'avait pensé qu'à protéger ses filles des bombardements ; la gravité de ce danger était telle qu'une question aussi secondaire que celle de leur éducation ne lui était même pas venue à l'esprit. Frances, cependant, ne tarda pas à réaliser qu'il était indispensable que Laura et Marjorie aient des journées structurées, particulièrement en hiver, où elles étaient astreintes à rester dans la maison et du soir au matin erraient les bras ballants de pièce en pièce. Les envoyer à Leigh's Dale lui parut toutefois peu sensé dans la mesure où l'école du village accueillait surtout des enfants de paysans qui, comme tous les enfants, apprenaient certes à lire, écrire et compter, mais rien au-delà de ces connaissances de base. Par ailleurs, les conduire chaque matin à l'école mieux adaptée mais très éloignée d'Aysgarth Village aurait été trop contraignant.

Ainsi Marguerite fut-elle embauchée à Westhill. Elle arrivait le matin et donnait cours aux enfants jusqu'à midi. Souvent, elle prenait part au déjeuner familial, puis, tandis que Marjorie et Laura faisaient leurs devoirs, elle s'installait près de la cheminée avec Victoria et elles s'entretenaient en français devant une tasse de thé. Frances savait que jamais Alice ne pourrait lui rembourser ce que coûtaient ces cours particuliers, mais Westhill Farm jouissait de confortables revenus et elle déboursait ces sommes sans se poser de questions. En outre, c'était un moyen d'aider Marguerite.

Et d'occuper les enfants ! Frances aurait volontiers donné le double pour que Marjorie, dont le visage lui faisait de plus en plus penser à un rat, cessât d'être toujours quelque part dans son dos à l'épier. Elle ne pouvait s'empêcher de voir quelque chose de sournois dans les yeux de la fillette. Elle tentait bien de temps à autre de se raisonner, consciente qu'il y avait quelque chose de ridicule à supposer autant de duplicité chez une enfant, mais sans grand succès.

Aussi fut-elle très surprise quand Marguerite lui dit qu'elle se faisait du souci pour Laura. Laura ? S'il y avait quelqu'un qui ne posait pas de problèmes, c'était bien Laura. Elle était un peu lente, maladroite, mais elle était pleine de bonne volonté et toujours d'humeur égale.

— Laura vous pose des problèmes ? Pas Marjorie ?

— Marjorie me semble aller bien, dit Marguerite, tandis que Laura... N'avez-vous pas remarqué à quel point elle a grossi ? Et continue à grossir ?

Frances était surprise.

— C'est pour ça que vous vous inquiétez ? Je trouve plutôt que c'est bon signe. Ça prouve que le grand air et le calme de la campagne lui réussissent, ils lui ouvrent l'appétit, voilà tout !

Marguerite secoua la tête.

— Je crains que ce ne soit pas aussi simple. Ce que manifeste Laura, ce n'est pas le bel appétit d'une adolescente en pleine croissance. Elle avale tout ce qui lui tombe sous la main, sans distinction. Ce n'est pas normal, Frances. A mon avis, il y a quelque chose de maladif dans ce besoin irrépressible de manger et c'est sans doute l'expression de problèmes psychologiques qu'il ne faudrait pas sous-estimer.

— Vous en êtes sûre ?

— Je ne suis pas une spécialiste. Je ne me permettrais pas d'être trop affirmative, mais j'ai souvent eu des adolescentes parmi mes élèves. A cet âge, les troubles de l'alimentation sont relativement fréquents. Certaines sont prêtes à tout pour maigrir, elles refusent de s'alimenter, et, si on les nourrit de force, se font vomir après les repas ; d'autres compensent leurs difficultés à vivre en mangeant, et grossissent démesurément... comme Laura.

— Mon Dieu ! soupira Frances.

— J'imagine que les problèmes de Laura sont liés à ce qu'elle vit en ce moment. Ne me comprenez pas mal, Frances. Vous vous occupez parfaitement des enfants. Mais elles ne sont pas sorties tout à fait indemnes de ces nuits d'horreur à Londres. Elles ont dû avoir extrêmement peur quand leur immeuble s'est effondré alors qu'elles étaient enfermées dans la cave. Il a ensuite fallu qu'elles quittent du jour au lendemain leur famille et qu'elles apprennent à vivre avec des gens qu'elles ne connaissaient pas, dans une région qu'elles n'avaient jamais vue. Ce ne sont pas des choses qui se font facilement. De plus, elles doivent être très inquiètes pour leurs parents. Elles savent parfaitement que Londres ne cesse d'être bombardée.

Elle se tut un instant, puis ajouta :

— Je sais ce que c'est. Je sais à quel point on peut souffrir de ne pas être chez soi. Je sais ce que c'est que d'avoir peur pour un être cher. Et d'avoir le sentiment d'être à la charge de quelqu'un. Mais j'ai trente ans, pas quatorze. Je suis mieux armée que Laura.

— Mais que puis-je faire ? demanda Frances.

— Peut-être devriez-vous parler avec elle. J'ai essayé, mais elle s'est fermée.

Frances songea que décidément il ne lui manquait plus que cela. Elle espéra de toutes ses forces qu'Alice appelle pour qu'elles puissent en parler ensemble, mais Alice ne téléphonait que sporadiquement et n'était, de son côté, pas joignable. Elle et Hugh avaient trouvé à se loger à Mayfair, dans une chambre de bonne « si petite qu'on ne pouvait même pas s'y retourner », avait dit Alice, et ils n'avaient pas le téléphone. Alice avait perdu son travail parce que l'immeuble dans lequel se trouvait le cabinet de l'avocat qui l'employait avait été touché par une bombe ; son patron était parti du jour au lendemain se réfugier dans le Devon. Depuis, elle travaillait de-ci de-là, quand l'occasion se présentait, et de temps à autre téléphonait à Westhill.

L'occasion de parler à Laura se présenta une nuit, à quelque temps de là, quand Frances la surprit dans la réserve vers 1 heure du matin. Elle faisait sa comptabilité dans la salle à manger et n'avait pas remarqué qu'il était si tard. Ils étaient en mars, c'était une nuit venteuse, froide, mais il y avait déjà dans l'air des prémices de printemps. Le vent faisait trembler les vitres, la maison gémissait, et néanmoins elle sursauta soudain en percevant un bruit qu'elle ne sut pas identifier, comme si quelqu'un marchait à pas furtifs sur le carrelage.

— Mon Dieu, il est déjà si tard! murmura-t-elle.

Elle se leva et alla dans le couloir. La porte entre-bâillée de la cuisine laissait filtrer un rai de lumière dans l'obscurité.

Laura n'avait allumé que la petite lampe de la fenêtre et laissé grande ouverte la porte de la réserve pour au moins voir ce qu'elle mangeait. Lorsque Frances entra, elle était assise par terre, pieds nus, boudinée dans une chemise de nuit blanche dont les coutures menaçaient de craquer. Devant elle, posé à même le sol, il y avait le saladier de crème au chocolat qu'Adeline avait préparé pour le lendemain. Elle était penchée au-dessus comme un chien sur sa gamelle et plongeait à mains nues dans la crème. Ses longs cheveux tombaient sur son visage, ils étaient maculés de chocolat.

— Laura! s'exclama Frances, horrifiée. Mais qu'est-ce que tu fais?

Laura sursauta violemment et dévisagea Frances, les yeux écarquillés. Elle faisait peine à voir avec son visage barbouillé, ses cheveux poisseux et ses doigts pleins de chocolat. Aucun son ne sortit de sa bouche.

— Tu avales cette crème comme si tu mourais de faim! dit Frances, consternée. Et avec tes mains! Tu ne pouvais pas, au moins, prendre une cuillère?

Laura se releva maladroitement.

— Je... c'est allé trop vite, bafouilla-t-elle.

— Qu'est-ce qui est allé trop vite?

Laura baissa la tête.

— Je n'ai pas eu le temps de prendre une cuillère. C'était... c'est... Quand c'est comme ça, je ne peux plus attendre...

Frances se souvint que Marguerite avait parlé de « quelque chose de maladif » et de « besoin irrépressible ». C'étaient les mots justes. Le comportement de Laura était manifestement maladif.

Elle prit l'adolescente par le bras et la conduisit dans la cuisine où elle la fit asseoir sur un banc, devant la table.

— Assieds-toi un instant, Laura, d'accord ?

Elle disparut dans le couloir et revint avec une paire de chaussons que quelqu'un avait laissée devant le portemanteau.

— Tiens, enfile ça, sinon tu vas être malade comme Charles !

Elle prit une assiette dans le placard, une cuillère dans le tiroir et alla chercher le saladier de crème dans la réserve. Elle posa le tout devant Laura sur la table.

— Voilà. Tu es une grande fille, n'est-ce pas ? Tu n'as besoin ni de venir la nuit en cachette dans la réserve ni d'avaler de la crème à quatre pattes par terre. Mange maintenant, s'il te plaît, comme quelqu'un de civilisé. Et la première chose que tu vas faire demain matin en te levant, c'est te laver les cheveux. Ils sont tout poisseux !

Mais l'appétit de Laura s'était envolé. Elle ne toucha à rien. Elle avait l'air d'un lapin terrifié et n'osait pas lever les yeux.

Frances s'assit à côté d'elle.

— N'aie pas peur, Laura. Je ne suis pas fâchée contre toi parce que tu te relèves la nuit pour manger en cachette. En revanche, je dois t'avouer que je me fais du souci pour toi. Ce n'est pas normal, la façon dont tu manges. Je ne te reproche pas de manger, la question n'est pas là. Moi aussi, il m'est arrivé d'avoir faim au point de me relever au beau milieu de la nuit pour aller chercher à manger dans la cuisine. Il est vrai que j'ai toujours pris le temps d'attraper une cuillère. Et... ce n'est pas non plus arrivé très souvent.

Elle s'interrompit. Laura, les traits décomposés, continuait à fixer la table.

— Ça t'arrive assez souvent, n'est-ce pas ? demanda prudemment Frances.

Laura hocha la tête. Des larmes silencieuses jaillirent de ses yeux et roulèrent sur ses grosses joues plates.

Quelle enfant disgracieuse, pensa Frances avec compassion. Ses yeux faisaient penser à ceux d'un poisson. De près, on découvrait qu'elle avait de longs cils épais, mais ils étaient du même blond incolore que ses cheveux et, de loin, on avait l'impression qu'elle n'en avait pas. Elle était tassée sur le banc comme un gros paquet informe. Ses grosses joues semblaient vouloir étouffer sa petite bouche aux lèvres minces.

— Je suis désolée, souffla-t-elle. Je sais que ce que j'ai fait n'est pas bien. Vous avez été si gentils de nous prendre avec vous, et je n'ai pas arrêté de vous voler. Je ne peux pas m'empêcher de manger.

Elle sanglotait violemment. Tout son corps était agité de soubresauts.

— Laura, ne t'inquiète pas pour la nourriture. Le problème n'est pas là. Je me fais simplement du souci parce que je vois que tu es malheureuse. Qu'est-ce qui ne va pas ?

— Je ne sais pas.

— Tu t'inquiètes pour tes parents ? Tu as peur qu'il leur arrive quelque chose ?

— Je ne sais pas...

— Tu penses souvent aux bombardements ? A la nuit où votre maison a brûlé ?

— Je ne sais vraiment pas, répondit Laura entre deux sanglots.

Maintenant, son nez aussi coulait ; elle s'essuya avec le revers de la manche de sa chemise de nuit.

501

Frances retint à temps la remarque qu'elle avait déjà sur le bout de la langue.

— Je ne sais pas. Ce n'est pas comme si je pensais toujours à quelque chose... à part manger. C'est mal, n'est-ce pas ? Je devrais penser à mes parents. Ils sont à Londres, toutes les nuits il y a des bombardements, ils ont du mal. Peut-être même qu'ils n'ont pas suffisamment à manger...

Elle s'interrompit, et soudain rit à travers ses larmes, mais d'un rire désespéré.

— Ça recommence ! Manger. Je ne pense qu'à ça. Mes parents ont sans doute d'autres soucis. Mais quand je pense à eux, je me demande surtout s'ils ont assez à manger.

Frances réfléchit un instant puis dit :

— Ecoute, Laura, pour le moment, je ne sais pas comment je peux t'aider, mais je vais y penser, je te le promets. En attendant, je voudrais te demander une chose : ne le fais plus en cachette. Ce n'est pas la peine. Entendu ? Je pourrai peut-être t'aider, mais il faut que tu ne me caches rien. Tu veux bien essayer ?

Laura fit oui de la tête et essuya ses larmes. Son visage était marbré de rouge et bouffi.

— J'essaierai, Frances. Merci.

— Marjorie est-elle au courant ?

— Oui, et elle n'arrête pas de m'embêter. Elle dit tout le temps que je suis grosse et répugnante.

— Je lui parlerai.

Frances se leva.

— Allez, viens Laura, nous devrions maintenant aller nous coucher. Ou veux-tu encore manger quelque chose ?

— Non, merci.

Laura se leva à son tour. Frances la détailla d'un œil critique.

— Tu as besoin de nouveaux vêtements. Toutes tes affaires sont devenues trop petites. Tu te sentiras mieux avec de jolis vêtements neufs.

— Oui, dit docilement Laura mais sans paraître très convaincue.

— Monte vite te coucher, maintenant.

Frances suivit des yeux Laura qui trottinait sur le carrelage de la cuisine avec la grâce d'une brebis pleine. Elle se sentit soudain exténuée et se rassit. Le saladier de crème au chocolat était toujours sur la table, elle le regarda avec dégoût, revit les mains de Laura qui y plongeaient. Il était presque 3 heures du matin quand enfin elle se ressaisit, versa la crème dans la poubelle, posa le saladier sale dans l'évier, éteignit la lumière et monta se coucher.

Le lendemain matin, elle passa Adeline, puis Marjorie à la question.

— Cette nuit, j'ai surpris Laura dans la réserve, dit-elle à Adeline. Elle était très occupée à avaler tout ce qui lui tombait sous la main. Nous avons parlé. Elle a reconnu qu'il lui était déjà arrivé plusieurs fois d'être prise comme ça en pleine nuit de frénésie de nourriture. Tu t'en es certainement rendu compte, Adeline. Et ne me dis pas que tu ne savais pas qui venait chaparder la nuit. Si tu ne l'avais pas su, tu aurais poussé les hauts cris et tout mis en œuvre pour débusquer le coupable. Tu savais que c'était Laura et tu l'as couverte.

— Mon Dieu, mais qu'est ce que je pouvais faire d'autre ? gémit Adeline. Vous dénoncer cette pauvre petite ? Elle a eu tellement de malheurs ! Et ma foi, j'étais bien heureuse que ma cuisine lui plaise tant. Voilà pourquoi j'ai fermé les yeux.

— Eh bien tu ne lui as pas rendu service. Laura est malade, Adeline. Elle a besoin d'aide. Tu aurais dû absolument m'en parler.

Adeline pinça les lèvres et ne répondit pas. A son expression, on devinait qu'elle tenait pour des fariboles ce que Frances venait de lui raconter. Laura, malade ! La petite avait un gros appétit et parfois mangeait un peu trop, voilà tout. Il n'y avait pas de quoi fouetter un chat. Tout ça se remettrait en place quand Laura arriverait à l'âge d'avoir envie de plaire aux garçons.

Frances parla beaucoup plus sévèrement à Marjorie.

— J'ai appris que tu te moquais de ta sœur. Tu la traites de grosse et de répugnante. Est-ce vrai ?

Marjorie prit un air buté et se tut.

— Je veux savoir si c'est vrai, répéta Frances.

Marjorie leva la tête et défia Frances du regard.

— Et alors, ce n'est pas ce qu'elle est ? N'est-elle pas grosse, répugnante et gavée ? Dites un peu comment vous, vous la trouvez !

— Marjorie, ça suffit ! Si tu es insolente je vais te faire découvrir un de mes talents qui ne va pas te plaire du tout !

Une franche hostilité se peignit sur le visage de Marjorie.

— Vous voulez me frapper ? Vous n'avez pas le droit.

— Si tu savais comme je me moque de ce dont j'ai le droit ou pas ! A ta place, je ne prendrais pas le risque de pousser le bouchon trop loin.

Marjorie ne répliqua pas.

— Bon. J'espère que je me suis bien fait comprendre. A partir de maintenant, tu laisses ta sœur tranquille. Je ne veux plus que tu te moques d'elle. C'est compris ? Et n'oublie pas que je t'ai à l'œil. N'essaie pas de faire tes coups par-derrière.

— Je peux m'en aller, maintenant ?

— Oui. Si nous sommes bien d'accord.

Marjorie tourna les talons et quitta la pièce sans desserrer les dents.

En avril, la Grèce capitula devant l'entrée des troupes allemandes. Les Britanniques venus à son secours furent contraints de rembarquer. Pour la première fois depuis qu'il était Premier ministre, la politique de Winston Churchill fit l'objet de critiques. On lui reprocha de ne pas suivre une ligne claire, de faire de beaux discours mais de ne pas se montrer très brillant sur le terrain face aux Allemands. Un sentiment de découragement gagna le pays. En mai, une bombe allemande détruisit la Chambre des communes. Beaucoup y virent un mauvais présage.

A cette époque, Frances était moins préoccupée par l'éventualité d'un débarquement allemand que par l'absence de nouvelles d'Alice. Il y avait maintenant plus de trois mois qu'elle ne s'était pas manifestée. C'était inhabituel et n'augurait rien de bon. Elle lui écrivit deux fois à la dernière adresse qu'elle connaissait. Sa première lettre resta sans réponse. Une locataire de l'immeuble répondit à la seconde. Elle informait Frances, avec une orthographe très approximative, que les Selley avaient déménagé en mars. Ils avaient dit qu'ils partaient s'installer quelque part vers Bethnal Green, dans l'East End, parce que M. Selley y avait trouvé une place de gardien. Elle ne connaissait pas leur nouvelle adresse.

Frances fut encore plus inquiète. Elle n'arrivait pas à imaginer Alice déménageant sans donner sa nouvelle adresse à ses filles. Elle s'efforça de cacher son inquiétude à Laura et à Marjorie, qui de leur côté n'abordèrent jamais le sujet.

Un jour qu'elle montait l'escalier, elle fut involontairement témoin d'un vif échange verbal entre les deux sœurs.

— Je parie qu'ils sont morts tous les deux, disait Marjorie sur un ton aigre.

— Ah bon ? Alors pourquoi tu écris une lettre à maman ?

La voix de Laura avait son habituel ton plaintif.

— Parce que j'en ai envie.

— Tu ne pourras pas l'envoyer. Tu n'as pas son adresse.

— Je ne peux pas l'envoyer parce qu'ils sont morts !

— Tais-toi ! Arrête de dire ça ! s'exclama Laura. Ce n'est pas vrai ! Et d'abord tu n'en sais rien du tout !

— Qu'est-ce que tu peux être bête ! Quand je pense que c'est toi l'aînée ! Tu es tellement naïve que tu ne comprends rien du tout !

— Maman va bientôt téléphoner, s'entêta Laura, butée.

Marjorie eut un rire strident.

— Ma parole, tu crois encore au père Noël ! Maman est morte. Nous ne la reverrons jamais. Et ce qui est pire, on est ici. Mais ils ne vont sûrement pas nous garder. Tu penses bien. Ils vont nous mettre à l'orphelinat !

Frances entendit Laura pleurer.

Ça suffit comme ça, se dit-elle en se dirigeant vers la chambre des filles. Elle allait pousser la porte quand Laura, en larmes, jaillit de la pièce et courut s'enfermer dans la salle de bains. On entendit le verrou grincer.

— Marjorie ! dit sévèrement Frances. J'ai par hasard entendu que tu...

— Quoi ?

Marjorie était extrêmement pâle.

— Qu'est-ce qu'il y a, encore ? Qu'est-ce que j'ai fait de mal ? J'ai raison, non ? Vous le savez bien ! Papa et maman sont morts ! Ils sont morts et ils ne viendront jamais nous chercher !

Sur ces mots, elle bondit à son tour hors de la pièce et s'enfuit avant que Frances puisse la retenir. Elle dévala les marches.

Frances poussa un soupir. Elle s'apprêtait à quitter la chambre quand son regard s'arrêta sur une feuille de papier à lettres, posée sur le petit bureau près de la fenêtre. Laura n'avait-elle pas demandé à Marjorie pourquoi elle écrivait à sa mère ?

Elle avança vers le bureau. Elle savait que cela ne se faisait pas, même une petite fille de douze ans a ses secrets. Mais savoir ce que Marjorie écrivait à sa mère sur la vie à Westhill la démangeait.

« Chère Maman, était-il écrit. Ici, c'est affreux. Tu ne peux pas imaginer comme Frances est méchante. Elle a un regard qui fait peur et une voix affreuse. Elle me déteste. Elle n'aime que Laura. Laura a le droit de tout faire. Même de manger sans arrêt. Pourtant elle est grasse comme un cochon. Frances a dit qu'elle me battrait si je dis encore une fois que Laura est grosse. Est-ce qu'elle a le droit ? Maman, je voudrais revenir à Londres avec toi et Papa. Est-ce que les Allemands lancent toujours autant de bombes ? Si tu ne viens pas bientôt me chercher, je vais m'enfuir. J'ai... »

La lettre s'arrêtait là, Marjorie avait dû être dérangée.

Frances sortit de la chambre. Elle savait que Marjorie ne l'aimait pas et ne se plaisait pas à Westhill. Elle était néanmoins assommée par ce qu'elle venait de lire. Jamais elle n'avait imaginé que Marjorie pût envisager de s'enfuir.

Pourvu qu'Alice appelle bientôt, songea Frances, en proie à une inquiétude de plus en plus vive. Cette responsabilité commence à me peser.

Les semaines passèrent. Elle surveilla discrètement Marjorie mais ne découvrit rien qui ressemblât à la préparation d'une fugue. La fillette ne se donnait désormais même plus la peine de cacher son hostilité envers Frances, qui de son côté continuait à s'interroger sur ce qui lui valait pareille inimitié. L'antipathie avait été immédiate, Frances l'avait perçue sur le quai même de la gare de Northallerton. Une antipathie au premier regard, aussi inexplicable qu'un coup de foudre. Un rejet instinctif, une impulsion hostile comme en manifestent parfois des chiens qui sans raison apparente se jettent l'un sur l'autre.

Frances se dit qu'un jour la guerre finirait et qu'elle et Marjorie s'oublieraient. Les filles d'Alice sortiraient de sa vie. Dans quelques années, elle se souviendrait à peine d'elles.

Le 22 juin, l'Allemagne envahit l'Union soviétique. En Angleterre, la consternation fut grande car on crut que l'optimisme affiché par Hitler qui osait s'attaquer à un ennemi aussi puissant prouvait que les Allemands étaient encore plus forts qu'on ne l'avait supposé jusque-là et disposaient de réserves insoupçonnées. Sinon, auraient-ils pris un risque pareil ?

Rares étaient ceux à voir dans l'attaque de l'Union soviétique un tournant décisif dans le déroulement de la guerre. Il y avait des mois que Churchill avait prédit que l'Allemagne tenterait de s'imposer à l'Est, et ses prédictions se confirmaient. Il faisait également partie de ceux qui étaient convaincus qu'Hitler surestimait ses forces et qu'il venait de sonner l'heure de sa défaite.

Pour le moment, les milliers de chars remarquablement rapides qu'Hitler avait lancés à l'attaque gagnaient du terrain.

— On dirait que rien ne peut les arrêter, dit Charles, qui écoutait les nouvelles à la radio. Comme si le monde entier capitulait devant la mégalomanie de ce peuple.

— Non, le monde ne capitule pas, rectifia Frances. Il a seulement été aveugle à tous les signaux d'alerte et il a mis beaucoup de temps à se remettre de sa surprise. Mais à partir de maintenant, Hitler va avoir beaucoup de mal à concrétiser ses délires expansionnistes. Oui, beaucoup. Bien plus même qu'il ne l'imagine.

Elle était convaincue que l'Union soviétique serait la perte d'Hitler. Mais Charles, qui était d'une nature pessimiste, ne partageait pas cette opinion. Pour lui, la fin du monde était proche.

Au cours de cet été 1941, il devint l'ombre de lui-même. L'hiver était passé, il avait surmonté sa pneumonie, mais il semblait maintenant chaque jour mourir un peu plus, tant il s'affaiblissait. C'était comme si chaque matin une nouvelle partie de lui-même n'était plus là. Quand Frances lui demandait comment il allait, il disait : « Très bien, mon enfant, très bien », sans plus s'étendre sur le sujet.

Chacun dans la maison sentait que sa fin approchait, mais personne n'en soufflait mot. Il n'y eut que Charles lui-même pour en parler un jour :

— Je suis heureux de mourir avant de devoir subir deux choses : la victoire du nazisme sur le monde et le divorce de Victoria.

Ce fut la seule fois où il évoqua sa mort devant Adeline et Frances.

Frances avait répliqué :

— Comment peux-tu être aussi sûr de la victoire du nazisme ?

Et Adeline, horrifiée, s'était exclamée :

— Ne dites surtout pas une chose pareille devant Victoria, monsieur ! La pauvre petite a déjà tellement mal !

Ensuite seulement les deux femmes avaient assuré à Charles qu'il se rétablirait bientôt et vivrait encore longtemps.

— Tu as bien meilleure mine aujourd'hui qu'hier, avait affirmé Frances.

Charles n'avait pas répondu. Il avait posé sur elle un long regard moqueur puis s'était levé péniblement de son fauteuil et avait quitté la pièce à pas lents.

Charles s'était trompé. Il ne mourut pas avant que Victoria fût officiellement divorcée. Personne ne lui avait dit – ou plutôt personne n'avait osé lui dire – que Victoria et John avaient choisi la procédure de divorce dite de force majeure et n'étaient pas, de ce fait, tenus de respecter les délais habituels.

Victoria avait justifié sa hâte par la « cruauté mentale » que manifestait son mari à son égard depuis vingt ans et John en était convenu sans la moindre difficulté. Là-dessus, Victoria avait replongé dans une longue série de nuits blanches passées à pleurer désespérément dans ses oreillers parce qu'elle avait cru que John s'opposerait à une procédure rapide et qu'elle aurait ainsi une chance de se réconcilier avec lui. Elle était blessée de devoir constater qu'il préférait prendre tous les torts sur lui plutôt que de rester marié avec elle plus longtemps que nécessaire. Il ne discuta même pas les conditions financières. Il semblait prêt à donner tout ce qu'il possédait pour retrouver enfin sa liberté. Dans son désespoir, Victoria se tourna vers Marguerite, mais Marguerite ne lui prêta pas l'oreille compatissante qu'elle escomptait.

Arriva le 23 juillet, jour où le divorce de John et Victoria fut prononcé. Le chagrin et les déceptions avaient entamé les aptitudes de Victoria à la diplomatie et au tact. Au lieu d'amener doucement son père à comprendre, elle lança la nouvelle sans ménagement lors du dîner.

— Au fait, père, John et moi sommes divorcés depuis ce matin, déclara-t-elle tout à trac au milieu d'une conversation anodine.

Puis elle jeta sa serviette sur la table et quitta la salle à manger.

Charles blêmit.

— Comment ? articula-t-il, stupéfait.

Sa main, qui tenait une fourchette, tremblait.

— Père, nous savions que ce moment arriverait, dit Frances. C'est seulement allé un peu plus vite que nous ne le pensions. Mais c'est une bonne chose que ce soit maintenant derrière nous.

— Ma fille est une femme divorcée, murmura Charles.

Tous ses traits, d'un coup, s'affaissèrent. Frances maudit en silence la brutalité avec laquelle Victoria avait annoncé la nouvelle. Laura ouvrit de grands yeux.

— Victoria, divorcée ? fit-elle, abasourdie. Mais c'est très mal, non ? En fait, on ne doit pas...

— Laura, je crains que tu ne saches pas de quoi tu parles ! l'interrompit sévèrement Frances.

Laura pinça les lèvres.

— Je voudrais monter me coucher, dit Charles à voix basse.

Il recula sa chaise mais ne réussit pas à se lever seul. Frances et Adeline le soutinrent, puis l'aidèrent à monter les marches, presque en le portant. Dans sa chambre, il se laissa déshabiller comme un bébé. Frances fut horrifiée en découvrant le corps de son père. Il était d'une maigreur effroyable. Ses côtes et les os de son bassin pointaient sous la peau blanche et plissée. Ses bras décharnés étaient menus comme ceux d'un petit enfant. Quelques malheureux poils gris parsemaient sa poitrine creuse.

— Il faut que le médecin vienne demain matin, dit

Frances. Père va encore moins bien que pendant sa pneumonie.

Charles ouvrit les yeux.

— Je n'ai pas besoin de médecin.

— Je veux seulement qu'il te voie. Et qu'il nous dise comment te retaper. Il faut absolument que tu grossisses.

— A quoi bon ?

Il mourut deux jours plus tard, dans son lit, en dormant. Il ne s'était pas levé depuis le soir où Frances et Adeline l'avaient couché. Le médecin qui l'avait examiné ne leur avait guère laissé d'espoir.

— Il est vraiment très faible, avait-il dit. Il n'a pratiquement plus de forces. Sa pneumonie de l'hiver dernier l'a épuisé. Et l'état de son cœur ne me plaît pas du tout. Il ne faut pas qu'il s'agite. Pas de contrariété, pas de fatigue. Sinon, il n'y a pas grand-chose à faire.

— Prends soin de Victoria, dit-il ce jour-là à Frances après qu'elle lui eut donné à la cuillère le bon bouillon de viande qu'Adeline avait préparé pour lui.

— Pourquoi me dis-tu ça ?

— Prends soin de Victoria, répéta-t-il seulement, puis il ferma les yeux ; il voulait dormir.

Ce furent ses dernières paroles.

Frances attendit quelques minutes, écouta sa respiration, qui paraissait calme et régulière, puis le laissa seul. Son cœur dut cesser de battre dans l'heure qui suivit. Quand, en début d'après-midi, elle vint voir comment il allait, il était mort.

Il se tenait dans la position exacte où elle l'avait laissé, mais il ne respirait plus. Sa bouche était entrouverte. Sa main pendait mollement sur le côté du lit.

— Père ! s'exclama Frances.

Elle avait dû crier assez fort, et sans doute paraître effrayée car aussitôt toutes les personnes présentes dans la maison, y compris Marguerite, se retrouvèrent dans la chambre. Frances prit la main de Charles, raide et glacée.

— Il est mort, dit-elle.

Victoria poussa un petit gémissement, puis murmura :

— Oh, mon Dieu...

Un cri d'effroi échappa à Adeline. Le visage de Laura était l'expression même du malheur. Marjorie manifesta une certaine curiosité. Marguerite ne dit rien mais ses yeux sombres étaient emplis de compassion.

— C'est ma faute, dit Victoria. C'est ma faute ! C'est...

— Ne dis pas de sottises, tu veux ! l'interrompit Frances, pourtant convaincue que Victoria était effectivement responsable.

Elle n'était pas responsable qu'il ait pris son divorce trop à cœur, mais en se lamentant continuellement elle avait ajouté à sa détresse, et l'inconscience avec laquelle elle lui avait asséné la nouvelle avait provoqué le choc qu'il n'aurait jamais dû recevoir. Il faudrait que Victoria entende cette vérité-là, mais pas maintenant, devant le lit de mort de leur père.

— Appelle le médecin, Adeline, ordonna-t-elle. Il faut qu'il établisse un certificat de décès.

— De quoi est-il mort ? demanda Marjorie.

— Je crois que son cœur a lâché, répondit Frances. Approchez, les enfants. Venez le voir et dites-lui adieu.

Laura, docilement, s'avança vers le lit mais Marjorie secoua la tête, pivota sur ses talons et se précipita hors de la pièce. On l'entendit dévaler les escaliers, puis claquer la porte de la maison derrière elle.

— Quand elle va revenir, il faudra qu'elle se surveille, dit Frances, en colère.

— Elle est trop jeune, remarqua Marguerite d'une voix posée. C'est trop pour elle de vivre ça.

— Pauvre M. Gray! murmura Laura.

Elle fixait le corps décharné du vieil homme. Ses mains trop potelées s'accrochaient au dossier d'une chaise.

— Quand sera-t-il enterré?

— Je vais en parler avec le pasteur, répondit Frances, et au même instant une idée lui vint et elle ajouta : Il faudrait aussi que je prévienne George et que je le ramène. Cette fois, il va devoir quitter sa retraite.

George ne quitta rien du tout. Pas un instant il ne songea à renoncer ne serait-ce qu'une journée à son isolement volontaire. Comment aurait-il pu se mêler à des étrangers alors que depuis un quart de siècle il n'avait de relations qu'avec sa sœur?

Frances s'était rendue en voiture à Staintondale dans l'idée de lui apprendre le décès de leur père de vive voix puis de le ramener avec elle, mais George avait déclaré qu'il ne viendrait pas. Il avait parlé très calmement, comme s'il ne doutait pas qu'elle le comprendrait, ou comme si cela lui était égal d'être compris. Frances n'était pas parvenue à savoir si la mort de Charles l'affectait. Son visage n'avait pas changé d'expression. Il avait semblé aussi loin que d'habitude, inatteignable dans le cocon qu'il avait tissé autour de lui et qui le protégeait de la folie.

— Il faut que tu viennes, l'encouragea Frances.

George ne répondit pas, il se tourna vers la fenêtre et regarda la mer, exactement comme il la regardait quand Frances était arrivée et avait troublé sa tranquillité.

— Personne ne comprendrait que tu ne viennes pas, insista Frances.

Le ton de sa voix lui fit tourner la tête et Frances vit alors l'expression d'étonnement qui se peignit sur son visage.

Elle détourna les yeux, honteuse, se leva et dit :

— Bon, eh bien... Sans doute lui diras-tu adieu à ta façon.

Jusqu'au dernier moment elle espéra le voir surgir pour rendre un dernier hommage à son père. Elle était peinée qu'il ne vînt pas, parce qu'elle savait que Charles en aurait été peiné. Tout le monde était là, seul son fils manquait.

C'était une belle journée de juillet. Tout le village était venu. Il faisait frais à l'ombre des grands arbres du cimetière, mais, quand le vent soulevait les branches, des rayons de soleil, chauds et lumineux, jaillissaient entre les feuilles et dessinaient des taches claires sur la mousse et les vieilles pierres. Les gens se tenaient autour de la tombe ; une tristesse sincère se lisait sur la plupart des visages.

Charles Gray n'avait jamais été l'un des leurs ; sa naissance, son éducation le plaçaient nettement au-dessus des paysans, mais il était discret et réservé, et jamais il n'avait donné le sentiment de se croire supérieur. Il saluait amicalement les gens, se montrait toujours poli. En outre, personne n'ignorait qu'il avait renoncé à vivre dans le luxe pour épouser la femme qu'il aimait, et cela suffisait à lui ouvrir les cœurs.

— C'était quelqu'un de bien, dit une paysanne qui présentait ses condoléances à Frances, des larmes plein les yeux. Vraiment quelqu'un de bien.

Frances vécut l'enterrement sans pleurer. Elle savait que pour Charles, la mort avait été une délivrance, que la lente agonie qui avait commencé vingt-cinq ans plus tôt était arrivée à son terme. Charles avait enfin trouvé la paix. Mais les larmes qu'elle ne versa pas ravageaient son cœur et elle songeait, découragée, que cette fois les choses n'étaient plus comme avant. Cette fois, il n'y avait plus de retour en arrière possible.

Jamais plus elle ne se sentirait à Westhill comme une enfant, elle ne pourrait plus y vivre protégée. Il y avait déjà longtemps qu'elle prenait seule les décisions et assumait seule les charges de la famille et de la ferme, mais Charles avait toujours été une sorte d'instance supérieure, un patriarche qui s'était retiré de la vie quotidienne mais dont chacun pouvait solliciter la sagesse et l'expérience.

Elle était seule désormais. Seule à porter la responsabilité de la maison et des terres, seule avec les soucis que lui causaient les enfants ou Victoria. De plus, c'était la guerre.

Elle prit une longue inspiration comme si cela pouvait alléger le poids qui écrasait sa poitrine.

— Que la terre retourne à la terre, disait le pasteur, la cendre à la cendre et la poussière à la poussière...

Elle releva la tête et fouilla l'assistance du regard, espérant toujours découvrir George. Elle vit John, très élégant dans un costume noir. Il n'avait pas encore bu de la journée. Ses joues étaient pâles, et ses mains, qu'il tenait croisées, tremblaient. Son alcoolisme prenait de nouvelles proportions. Voilà encore quelques mois, il était en forme quand il ne buvait pas, mais il semblait maintenant qu'il fût vraiment mal quand il était en manque. Elle remarqua que lui aussi fouillait l'assistance du regard et elle pensa qu'il la cherchait. L'espace d'un instant, ce fut pour elle comme si sa peine devenait moins lourde.

Puis elle comprit. Victoria et elle se tenaient juste devant la tombe, tout le monde les voyait. Elle le vit esquisser un sourire, suivit son regard et découvrit à qui son sourire s'adressait : Marguerite. Marguerite qui fronçait légèrement les sourcils comme si elle pensait qu'il était inconvenant d'échanger des sourires pendant un enterrement. Mais en même temps, elle semblait touchée.

Frances se figea, frappée par la foudre. Elle n'avait pas eu le moindre soupçon. Quelque chose s'était tissé entre John et Marguerite. Un lien certes encore ténu, mais on ne pouvait pas ne pas le voir.

Comment avait-elle pu si longtemps ne rien remarquer ?

Samedi 28 décembre 1996

Barbara lut presque toute la nuit. Vers 4 heures du matin, elle souffla les bougies du chandelier, s'enfonça dans son lit et s'endormit presque aussitôt.

Ce fut la lumière qui la réveilla, une vive lumière qui l'éblouit dès qu'elle ouvrit les yeux. Dans son demi-sommeil, elle se dit qu'il devait être déjà tard pour que le soleil éclaire sa chambre à ce point.

Puis elle réalisa que ce n'était pas le soleil qui l'avait réveillée, mais la lumière de sa lampe de chevet. Elle avait cent fois manipulé l'interrupteur au cours des jours précédents, et il avait dû rester en position « allumé ». Si la chaudière fonctionnait à nouveau, ils avaient donc de la lumière, de la chaleur et le téléphone. Restait le problème de la nourriture.

Dehors, il faisait encore nuit. Un coup d'œil à sa montre lui apprit qu'elle n'avait dormi que trois heures. Elle aperçut deux paquets de feuilles au pied de sa table de nuit. L'un, relativement important, représentait ce qu'elle avait déjà lu, l'autre, beaucoup plus petit, ce qui lui restait à lire. La suite attendrait, elle n'avait pas assez dormi.

Barbara éteignit la lumière. C'était une sensation étrange, elle s'était tellement habituée à s'éclairer à la bougie que l'électricité lui fit l'effet d'un luxe rare.

Elle s'enfonça dans ses oreillers et attendit que le sommeil veuille bien revenir. Vainement. Elle avait les yeux brûlants, la tête lourde de fatigue, mais elle demeurait réveillée. Son estomac l'élançait, des crampes nouaient ses intestins. Elle ne savait pas que la faim pouvait être aussi douloureuse. Pour une femme née à la fin des années cinquante, la faim était une notion abstraite, la vraie faim, s'entend. Elle avait suivi des régimes amaigrissants, il lui était arrivé de sauter des repas, faute de temps et d'avoir eu un appétit d'ogre en sortant du bureau, mais la faim plusieurs jours d'affilée était quelque chose qu'elle ne connaissait, jusque-là, qu'à travers les récits de ses parents ou de ses grands-parents.

C'est fou, cette situation, songea-t-elle. Complètement fou.

Elle s'efforça de penser au récit de Frances Gray pour oublier sa faim. Laura qui lui vint à l'esprit, Laura et sa boulimie. Elle ne put s'empêcher de sourire. Elle qui était dévorée par la faim, c'était l'épisode du saladier de crème au chocolat qui semblait l'avoir le plus marquée. Mais elle s'avoua que, si Laura était si présente dans sa tête, c'était surtout parce que l'histoire de l'adolescente avait éveillé en elle des souvenirs qu'elle gardait enfouis et répugnait à laisser remonter à la surface.

Barbara se revit au même âge. Ce n'étaient pas des souvenirs heureux.

Elle aurait pu raconter à qui voulait l'entendre qu'elle avait été une adolescente trop grosse, personne ne l'aurait crue. Pas seulement parce qu'elle était devenue très mince, mais parce qu'elle était en tout point parfaite. Ses vêtements, ses chaussures, ses bijoux, ses cheveux, son maquillage : tout était impeccable et même l'œil le plus critique n'aurait pu débusquer la moindre faute. Quand elle s'habillait simplement, voire « ne s'habillait pas » comme elle disait, c'était avec la même perfection que lorsqu'elle se mettait sur son trente et un. Elle passait pour une

« superwoman » à qui tout réussissait. Trop grosse, Barbara ? Quelle idée saugrenue !

Elle n'avait pas mangé à quatre pattes par terre en pleine nuit, mais elle n'avait cessé de se goinfrer, du soir au matin. Notamment de chips, au point de s'en rendre malade, et elle avait commencé à avoir de plus en plus de boutons. Mais elle ne pouvait pas arrêter. Et elle se consolait en se gavant de sucreries, de bonbons, de chocolat, de cacahouètes enrobées de sucre. Elle mangeait parce ce qu'elle était malheureuse d'être grosse et, plus elle se trouvait grosse, plus il fallait qu'elle se gave pour apaiser sa souffrance. Elle était prise dans un cercle vicieux où cause et effet se conjuguaient avec pour résultat un beau gâchis.

Ce n'est que beaucoup plus tard qu'elle se demanda si ce besoin compulsif de manger n'avait pas d'autres origines. Peu encline à faire de la psychologie sauvage, elle en était néanmoins arrivée à la conclusion que sa rivalité avec son jeune frère n'était peut-être pas étrangère à l'affaire. Elle avait toujours eu de bons rapports avec sa mère, et cependant elle n'ignorait pas que celle-ci avait fortement désiré un garçon.

— Nous n'avions même pas pensé à un prénom de fille, tant j'étais sûre d'attendre un garçon ! avait-elle un jour déclaré à Barbara.

Lorsque enfin le fils tant espéré était venu au monde, presque huit ans après la naissance de Barbara, sa mère avait été au comble du bonheur. Elle s'était toujours efforcée de ne pas faire de différence entre ses deux enfants, Barbara se devait de le reconnaître, et pourtant il y avait quelque chose de particulier entre la mère et le fils, un cordon ombilical invisible qui n'avait jamais été coupé, une connivence muette.

Barbara ne se souvenait pas d'en avoir ouvertement souffert, mais c'était une chose qu'elle percevait et qui, inconsciemment, devait l'avoir rendue malheureuse. Elle avait eu parfois le sentiment d'un froid soudain, sans raison apparente, mais si elle mangeait, cette sensation désagréable disparaissait et la chaleur se répandait à nouveau dans son corps. Peut-être était-ce à cause de son frère, peut-être était-ce aussi pour de tout autres raisons. Toujours est-il que le phénomène était enclenché. Elle se jetait sur la nourriture, pleurait en se voyant dans la glace, et se rejetait sur la nourriture pour sécher ses larmes.

Naturellement, pas un seul garçon ne s'intéressait à elle.

Barbara se tournait nerveusement dans son lit. Les souvenirs affluaient, elle n'arrivait pas à les chasser de sa tête. Les fêtes d'école qu'elle avait détestées mais auxquelles les élèves étaient tenus d'assister lui revinrent en mémoire. Elle en rougissait encore. S'amuser était de mise, la gaieté quasi obligatoire. Elle revit les salles en sous-sol, la lumière glauque, se souvint de la musique tantôt sirupeuse, tantôt rythmée, de l'odeur de transpiration, de parfum, de salade de nouilles à la mayonnaise, et d'alcool, bien que l'alcool fût interdit. Les couples s'agitaient sur la piste de danse et, en fin de soirée, glissaient enlacés, collés l'un à l'autre, un pas en avant, un pas en arrière, ou flirtaient sur place.

Barbara avait pris l'habitude de s'asseoir à côté du professeur chargé de la surveillance de la fête et elle se donnait un mal de chien pour entretenir avec lui une conversation passionnante afin de donner l'impression d'être beaucoup trop intéressée par la grande profondeur du sujet pour songer à danser. Le stratagème ne fonctionnait qu'imparfaitement. Il arrivait toujours un moment où le professeur se souvenait de son rôle pédagogique, attrapait un des garçons, lui disait « Maintenant, tu danses avec Barbara ! » et poussait une Barbara rouge de honte dans ses bras. Le garçon levait les yeux au ciel et faisait une tête de six pieds de long. Barbara bafouillait un « Je n'ai pas du tout envie de danser maintenant... » en jetant un regard suppliant à son professeur, mais elle voyait bien à son air décidé qu'il ne lui permettrait pas d'y échapper.

Une fois l'horrible danse derrière elle – au cours de laquelle, d'ordinaire, son cavalier ne s'était même pas donné la peine de cacher son exaspération –, elle courait se réfugier dans les toilettes. Hélas, dans les toilettes, elle tombait sur une nuée de filles qui gloussaient en se bousculant devant la glace, s'échangeaient leurs rouges à lèvres et se vantaient de leurs conquêtes.

— Imaginez un peu : Frank m'a peloté les seins ! Vous vous rendez compte !

C'était le genre d'agression dont Barbara ne pouvait que rêver.

Quand elle entra à l'université, elle était encore vierge et n'arrivait pas à se départir de la détestable impression que cela se voyait de loin. Au cours des deux premiers semestres, elle resta la fille à l'écart qu'elle avait toujours été mais mit à profit cette marginalisation pour se jeter à corps perdu dans les études. Elle se rendit compte, et ce fut pour elle un premier point positif, qu'elle possédait une intelligence aiguë et une faculté de compréhension exceptionnellement rapide. Sa confiance en elle fit un bond en avant.

Puis ses camarades de travaux pratiques découvrirent qu'il y avait une surdouée parmi eux qui raflait les premières places et jouissait d'un grand prestige auprès des professeurs. Cela lui valut quelques jalousies, et en même temps ils savaient maintenant à qui s'adresser quand ils avaient besoin d'aide dans leurs études : elle eut soudain une foule d'amis. Elle commença à prendre conscience qu'elle pouvait être aimée, qu'elle pouvait susciter de l'admiration et du respect.

Ce fut le déclic. Elle renonça dès lors aux « frites mayonnaise » et s'inscrivit dans un club de sport. Lorsqu'elle fit, dans un cours, la connaissance de Ralph, elle était encore ronde, mais sans comparaison avec ce qu'elle avait été. Qu'un homme s'intéresse enfin à elle, de surcroît un homme aussi séduisant que Ralph, la stimula encore plus. Elle fit de la gymnastique à outrance, s'affama jusqu'à perdre beaucoup plus de poids que nécessaire, transforma, avec l'aide de son coiffeur, le blond jaunasse de ses cheveux en un gracieux miel doré et découvrit qu'elle aimait s'habiller et jouissait d'un goût très sûr.

Elle enfouit aussi profondément que possible tout ce qui rappelait la Barbara d'autrefois, cacha ses blessures et ses cicatrices derrière des notes formidables et de très beaux succès, derrière des rouges à lèvres voyants et de superbes vêtements, derrière une assurance dont elle savait qu'elle pouvait paraître forcée mais qui lui valait le respect et l'attention de son entourage, et c'était tout ce qu'elle demandait.

Elle changea, se transforma sans même en être tout à fait consciente et surtout sans imaginer une seconde que Ralph pût ne pas trouver sa métamorphose absolument fantastique.

Ce matin-là, alors que les souvenirs qu'elle s'était depuis si longtemps appliquée à refouler se bousculaient dans sa tête, il lui apparut soudain que Ralph était tombé amoureux d'une femme qui n'était pas celle qu'elle était devenue. Il était bien possible qu'il n'en ait pas été aussi heureux qu'elle l'avait cru, convaincue qu'elle était que la chose allait de soi.

Elle s'assit dans son lit et rejeta les couvertures. Elle avait mis ces souvenirs et ces images en quarantaine, les avait évités comme une maladie contagieuse. Avec succès. Elle n'allait pas commencer aujourd'hui à remuer tout ça. Pas question de rester dans ce lit à ruminer. Elle allait se lever et s'occuper l'esprit avec autre chose. La suite de l'histoire de Frances Gray serait un excellent dérivatif et...

En bas, le téléphone sonna.

C'était ce qu'il lui fallait pour se changer les idées. Elle sauta au bas du lit, jaillit hors de la pièce et dévala les marches jusqu'au rez-de-chaussée. Pieds nus, elle atterrit sur le carrelage glacé avec un petit cri de surprise. La porte de la cave n'était pas fermée ; en bas, la lumière était allumée et elle entendit Ralph s'activer. Il devait essayer de remettre la chaudière en route. Elle pria pour qu'il réussisse : elle n'avait pas pris le temps d'enfiler un peignoir et elle était frigorifiée.

— Oui ? fit-elle, essoufflée, en décrochant le combiné.

— Barbara ? C'est Laura à l'appareil. J'espère que je ne vous ai pas réveillée ?

— Non, non, j'étais déjà...

Barbara s'interrompit. *Laura ?*

— Vous êtes toujours là ? s'enquit Laura, vaguement irritée.

— Oui... oui, bien sûr. Excusez-moi.

Elle était vraiment trop bête. Elle avait lu presque toute la nuit et s'était à moitié endormie sur sa lecture ; ce matin, en se réveillant, elle n'avait pas les idées très claires. Au bout du compte, ce n'est qu'en entendant leur logeuse se présenter qu'elle avait réalisé qu'elle et la malheureuse Laura du récit de Frances Gray étaient une seule et même personne.

Comment avait-elle pu ne pas faire le rapprochement ? Laura Selley était née en 1926, elle avait donc aujourd'hui soixante-dix ans, âge qu'elle avait spontanément indiqué. Il était difficile d'imaginer la vieille femme menue et sèche en adolescente boulimique, mais qui aurait pu imaginer cela de Barbara ? Pas plus tard que la veille, elle apaisait encore ses scrupules à se délecter du passé de Frances Gray en se disant qu'elle n'était pas indiscrète puisque tous les protagonistes de l'histoire étaient morts.

Barbara s'était bien trompée. Laura était vivante, elle l'avait même rencontrée. Pour la première fois depuis qu'elle avait commencé à lire cette histoire, elle comprit ce qui incitait Ralph à la mettre en garde. Elle se perçut soudain comme une voyeuse.

Elle n'avait pas vraiment écouté ce que disait Laura et avait perdu le fil.

— ... Mais Marjorie pense que je n'arriverai pas à remonter jusque chez nous, alors je voulais savoir ce que vous en pensiez.

— Excusez-moi, Laura, je n'ai pas bien entendu. De quoi s'agit-il ?

— Qu'est-ce qui se passe ? demanda Laura, soudain alarmée et méfiante. Barbara, vous avez l'air si... troublée.

— Je vous assure, tout va bien. Je suis seulement un peu endormie.

— Eh bien, je disais que je prévoyais de remonter le 4 janvier. C'est bien ce jour-là que vous devez repartir, non ?

— Oui. C'est ce qui est convenu.

— Marjorie, ma sœur, dit que je ne pourrai pas arriver jusqu'à Leigh's Dale et que vous ne pourrez pas en partir. A cause de la neige. Je voulais avoir votre avis.

Marjorie. La plus jeune des sœurs, la rebelle qui refusait l'autorité de Frances...

Il faut que je me concentre sur ce que dit Laura, pensait Barbara.

— D'ici au 4 janvier, la situation devrait avoir évolué, dit-elle. Ça fait longtemps qu'il ne neige plus, maintenant. Cynthia Moore nous a dit que la grand-route était dégagée. Il n'y a qu'ici que nous sommes encore bloqués.

— Et tout va vraiment bien ? insista Laura.

— Oui, oui. Nous allons bien et la maison est en parfait état.

Barbara se demanda si Laura était au courant de l'existence du manuscrit de Frances Gray. Etait-ce elle qui l'avait caché dans l'appentis ? Ou bien était-ce Frances, qui avait ainsi voulu emporter ses secrets dans la tombe ?

— Il n'y a nullement lieu de vous inquiéter, Laura, affirma Barbara. Nous pouvons d'ailleurs nous rappeler d'ici là, je vous dirai ce qu'il en est.

— Ce serait très aimable, Barbara. Au revoir. Ça s'arrangera, n'est-ce pas ?

Elle raccrocha sur ces derniers mots. Barbara, songeuse, raccrocha à son tour. Qu'est-ce que Laura avait voulu dire avec sa dernière phrase ? Pensait-elle à la neige ou à autre chose ? A autre chose de plus grave ?

— Elle était bizarre, rapporta Laura. Pas comme d'habitude. Nerveuse. La tête ailleurs... et en même temps, très réveillée. C'est curieux.

— Tu ne connais pratiquement pas cette femme, objecta Marjorie. Comment peux-tu savoir si elle était comme d'habitude ou pas ? Tu ne l'as vue qu'une fois et c'est tout juste si vous avez échangé dix phrases. Tu ne sais pas du tout comment elle est quand elle est « normale ».

— On s'en rend bien compte quand quelqu'un a la tête ailleurs, s'obstina Laura. Il n'y a pas besoin de la connaître pour ça. Quand elle a décroché, sa voix était normale, elle était tout à fait spontanée. Et puis tout d'un coup... oui, c'est ça, au début, elle était spontanée et puis tout d'un coup elle a eu l'air gênée.

— Tu te fais des idées!

Marjorie lisait le journal, assise à la table de la cuisine. Elle avait les traits tirés. Laura l'avait entendue se relever plusieurs fois au cours de la nuit, sans doute pour boire un verre d'eau dans la cuisine. Elle en avait conçu un grand sentiment de culpabilité. Elle avait été trop sévère avec sa sœur. L'appartement, le lotissement, la région tout entière : rien n'avait trouvé grâce à ses yeux. Elle avait dit à Marjorie que tout autour d'elle était affreux et qu'elle-même avait la tête de quelqu'un qui n'avait pas ri depuis des années. Elle s'était mise en colère, elle avait crié, s'était montrée blessante. Elle avait honte.

— Tu as appelé bien trop tôt! dit Marjorie. Sept heures du matin! Ça ne se fait pas.

— Elle n'avait pas l'air endormie, répliqua Laura. Elle s'assit en face de sa sœur.

— Marjorie, dit-elle d'une voix douce, pour hier... je suis désolée. J'ai exagéré. J'étais en colère, alors ce que j'ai...

— C'est bon. Il n'y a pas à revenir là-dessus.

— Mais je suis désolée de t'avoir...

— Laura! l'interrompit sèchement Marjorie. Taistoi, bon sang! Pour une fois que tu te mets en colère et que tu dis ce que tu penses, ne reviens pas dessus le lendemain! Ce n'est tout de même pas si compliqué. Accepte de t'être mise en colère et accepte tout ce que tu m'as jeté à la figure!

— Je...

— Tu es quelqu'un d'effroyablement gentil. Tu ne vas peut-être pas le croire, mais c'est tuant. Toujours aimable, toujours gentille, jamais un mot plus haut que l'autre, même quand on te marche dessus. Tu as toujours été comme ça. Sais-tu ce que ça te vaut, ce comportement ? Tu incites les gens à te traiter encore plus mal. Ça énerve, toute cette gentillesse, tu n'imagines pas ! Le résultat, c'est que les gens veulent voir jusqu'où ils peuvent aller. On se dit : mais, bon Dieu, elle va bien finir par se mettre en colère ! Elle va s'énerver, hurler, claquer la porte de toutes ses forces. Elle va enfin arrêter de se laisser marcher sur les pieds ! Mais rien. Il ne se passe rien. Tu ouvres des yeux ronds comme des soucoupes, tu rentres ta tête dans les épaules, tu prends un air de chien battu... mais tu ne réponds rien !

Laura se sentit blêmir. Elle ne s'attendait pas à se voir reprocher cela. Elle eut soudain la gorge sèche.

— Tu ne t'en rends pas compte, mais les gens te méprisent, poursuivit impitoyablement Marjorie. Tu crois qu'ils t'aiment parce que tu souris tout le temps et que tu dis amen à tout. En réalité, ils te trouvent surtout ennuyeuse. Frances Gray comme les autres.

— Marjorie !

— Possible qu'au début elle ait éprouvé une sorte de pitié. Après tout, tu étais encore une enfant, et avec les enfants, c'est différent. Mais tu as grandi, tu es devenue une adulte, et elle a fini par te traiter à peine mieux qu'une serpillière !

— Ce n'est pas vrai !

— Arrête de te cacher la vérité, Laura ! Une femme comme Frances Gray a toujours recherché la compagnie de gens auxquels elle pouvait se mesurer, se frotter, pas de gens qui absorbaient tout comme un mur de caoutchouc. Oh, bien sûr, c'était confortable pour elle de t'avoir. Tu faisais tout ce qu'il y avait à faire dans la maison. Tu te serais tuée à la tâche pour lui faire plaisir. Tu entretenais la conversation quand les soirées étaient longues et tristes. Tu t'arrangeais pour qu'elle ne se sente pas trop seule dans sa grande maison vide. Tu lui préparais du café le matin, tu lui rapportais du whisky, ce qui n'était pas rien, vu tout ce qu'elle consommait, et tu supportais ses humeurs. Et ça t'a valu quoi, tout ça ? Son mépris.

— Ça m'a valu Westhill.

Marjorie eut un rire cynique.

— La belle affaire ! Il fallait bien qu'elle lègue sa maison à quelqu'un, et à part toi, il n'y avait personne. Au fond, c'est d'un boulet au pied que tu as hérité. Ça fait des années que tu te bats pour garder une maison que de toute façon tu vas perdre.

— Tu as fini ? demanda Laura d'une voix blanche.

— En fait, je voulais seulement te dire que j'ai trouvé très juste ce que tu as dit hier, répondit Marjorie, soudain beaucoup plus amène, presque aimable. Je ne savais pas que tu pouvais être aussi dure.

Dure ? Laura aurait été bien en peine de trouver en elle la moindre trace de sa colère de la veille. Elle se sentait vidée, aussi molle qu'une poupée de son.

— Tu ne sais rien de Frances Gray et moi, répliqua-t-elle d'un ton las. Rien de ce qui nous liait. Rien du tout.

— Cette nuit, j'ai réfléchi à ce que tu m'as dit. Et tu n'as pas complètement tort. Ma vie est assez triste. Je me suis dit que nous pourrions peut-être réveillonner quelque part ?

Laura, médusée, dévisagea sa sœur. Que Marjorie souhaite fêter la Saint-Sylvestre était à peu près aussi surprenant que si la reine déclarait vouloir finir ses jours dans un couvent catholique.

L'index de Marjorie glissa le long des colonnes du journal ouvert devant elle sur la table.

— Je viens de regarder ce qu'ils proposaient encore pour le 31. Il y a un hôtel pas très loin, le *Whitestone House*. Ils organisent une soirée avec buffet et spectacle. Il reste encore des places.

Laura connaissait le *Whitestone House* pour être

passée plusieurs fois devant cet établissement. C'était un bâtiment hideux, une sorte de cube marron auquel, pour des raisons obscures, avait été donné le nom incongru de Maison de Pierres blanches. Mais il était possible que l'intérieur fût tout à fait agréable.

— Je téléphone pour réserver? demanda Marjorie.

Le sentiment d'impuissance qu'éprouvait Laura ne s'était toujours pas dissipé. Elle se sentait incapable de réfléchir à la proposition de sa sœur.

— Je ne sais pas, dit-elle, désemparée.

Ralph remonta de la cave les mains sales et les cheveux en bataille. Il portait un pull-over à col roulé bleu marine qui au début du voyage était très chic mais ressemblait maintenant, après ces heures à fendre du bois et pelleter de la neige, à un vieux pull-over réservé au bricolage. Néanmoins, ce matin-là, il s'était rasé et il paraissait plus soigné qu'avec sa barbe naissante.

— Le chauffage remarche, annonça-t-il. J'ai remonté les thermostats de tous les radiateurs. Ça va prendre un bout de temps avant que la maison se réchauffe, mais ça devrait déjà aller mieux ce soir. Et quand je reviendrai...

— Tu veux vraiment y aller?

Ils étaient dans le couloir. Barbara, qui avait l'impression d'être debout sur de la glace, faisait passer son poids d'un pied sur l'autre.

— C'est la seule solution, répondit Ralph. Nous n'avons plus rien de rien. Ça ne peut pas continuer comme ça.

— J'ai seulement peur que tu te perdes.

— Ne t'inquiète pas. De toute façon, je tomberai bien, tôt ou tard, sur une habitation humaine et je n'aurai qu'à demander mon chemin.

— Justement. Il n'y a plus de chemin.

— Oui, mais on m'indiquera la bonne direction.

Il fit un signe de la tête vers le téléphone.

— C'était qui, à l'instant ?

— Laura Selley. Figure-toi que je viens juste de...

Barbara ravala *in extremis* la fin de sa phrase. Ce n'était pas à Ralph, avec toutes ses réticences, qu'elle pouvait raconter qu'elle avait retrouvé Laura dans le récit de Frances Gray.

— Figure-toi qu'elle est déjà en train de se tracasser pour le jour où on doit repartir, se reprit-elle. Cette femme est un vrai paquet de nerfs. Elle a l'air de croire qu'on va lui transformer sa maison en capharnaüm.

— C'est son seul bien, elle y tient.

Ralph regarda sa montre.

— Va vite te mettre quelque chose sur le dos et prenons notre café ensemble. Je partirai après.

Le petit-déjeuner achevé, – du café et une miette de fromage chacun –, Barbara accompagna Ralph à l'appentis où il avait rangé les skis après les avoir essayés. Il était 8 heures du matin. Le jour se levait, pâle et gris derrière les collines enneigées. Un vent froid et mordant balayait la campagne. Le ciel, bleu et transparent les deux jours précédents, était chargé de nuages bas, sombres et menaçants.

Barbara, inquiète, scruta l'horizon.

— Je ne veux pas jouer les oiseaux de mauvais augure, mais... ça sent un peu la neige, ce temps, tu ne trouves pas ?

Ralph opina.

— Oui, un peu. Mais il est possible que le vent chasse les nuages. En tout cas, il ne faut pas que je tarde à partir. Je serai plus vite revenu.

Elle le retint par le bras.

— Il vaudrait peut-être mieux que tu n'y ailles pas.

Je trouve ça trop risqué. Imagine qu'il recommence à neiger comme au début. Tu serais drôlement mal.

— Il faut qu'on fasse des courses, Barbara, et si possible avant qu'on soit à nouveau enfouis sous la neige.

Il eut un sourire rassurant.

— Ne t'inquiète pas. Tu sais bien que je suis un skieur hors pair !

Ils posèrent les skis devant la maison. Il y avait près d'un mètre de neige de part et d'autre de la porte. Ralph installa difficilement ses après-skis sur les fixations en priant pour que cela tienne. Les seules chaussures de ski qu'il avait trouvées dans la maison étaient trop petites pour lui.

— Je serai drôlement contente de te voir revenir !

Elle se sentait de plus en plus inquiète. Ce projet ne l'avait jamais enthousiasmée, mais il n'existait pas d'autre solution. Le temps était en train de tourner à la neige et elle appréhendait la longue journée qui s'ouvrait devant elle. Elle-même serait en sécurité et au chaud dans la maison. Ralph, lui, le rat des villes qui aurait tout juste su se servir d'une boussole s'il en avait eu une, errerait dans la neige, avec son seul sens de l'orientation pour guide.

Il prétendait avoir une idée approximative – Barbara se demandait ce que « approximative » signifiait dans ce contexte – de la direction dans la laquelle se situait la grand-route. S'il la trouvait, tout irait bien. D'après Cynthia Moore, elle était dégagée et Ralph aurait peut-être même la chance de se faire prendre par un automobiliste. Peu importait, d'ailleurs, qu'il aille vers Leigh's Dale ou non, il y avait aussi des villages dans la direction opposée. Au pire, il faudrait qu'il marche un peu. Cela dit...

— Le retour ne va pas être facile, fit Barbara, envahie par un mauvais pressentiment.

— J'y arriverai.

— Promets-moi une chose. Quand tu arriveras à Leigh's Dale ou ailleurs, s'il est déjà tard et que la nuit commence à tomber, n'essaye pas de rentrer, d'accord ? Tu trouveras sûrement un endroit où passer la nuit. Je n'en mourrai pas de faire régime un jour de plus. Tandis que... ce serait imprudent de tenter de retrouver ton chemin dans le noir.

— Promis.

Ralph s'assura que son sac à dos était bien fixé. Il lui servirait à transporter ses achats ; en attendant, il contenait son portefeuille, une lampe de poche et une Thermos de thé chaud.

— Demande à quelqu'un de te refaire du thé pour le retour, dit Barbara sur un ton pressant.

Elle avait l'impression d'être une mère poule qui n'arrive pas à lâcher son petit garçon sur le chemin de l'école. A ceci près que Ralph n'était pas un petit garçon et que ce qui l'attendait était bien plus périlleux. Pour quelqu'un qui était un excellent avocat mais un sportif très occasionnel, et un skieur moyen qui ne savait pas ce qu'était un entraînement intensif, c'était à la fois un test d'endurance et un défi insensé.

Il l'embrassa sur la joue ; ses lèvres étaient froides. Elle le regarda s'éloigner en tentant maladroitement de glisser, ou plutôt en essayant de se dépêtrer de monceaux de neige humide et collante. Ce n'était pas une belle piste de ski. La brume et la grisaille de ce triste matin d'hiver engloutirent rapidement la fragile silhouette de Ralph.

Quand il eut disparu, Barbara se détourna et rentra dans la maison, claire et accueillante.

La chaleur, lentement, revenait. Les tuyaux du chauffage et les radiateurs gargouillaient. Barbara s'était resservi une tasse de café qu'elle buvait, toujours en peignoir, paresseusement adossée à l'un des radiateurs du salon, presque détendue, appliquée à ne pas penser à tous les dangers qui guettaient Ralph. La chaleur du café se répandait dans ses veines comme un élixir de vie. Quand elle fermait les yeux, elle voyait Ralph rentrer et déballer le contenu de son sac à dos sur la table de la cuisine. Qu'allait-il rapporter ?

La cuisine serait bien chaude, ils prépareraient un repas de fête, puis ils dresseraient le couvert dans la salle à manger, sur une nappe blanche, avec les belles assiettes en porcelaine. Peut-être feraient-ils un feu dans la cheminée, mais seulement pour l'ambiance, et non pas pour se réchauffer comme ils l'avaient fait jusque-là. Peut-être même rapporterait-il une bouteille de vin. Elle mangerait jusqu'à ce que...

A la seule idée de manger, une crampe douloureuse lui noua l'estomac. Elle rouvrit les yeux. Si elle continuait à rêver de nourriture, elle allait finir par baver comme un chien affamé. Il fallait qu'elle tienne le coup jusqu'au soir en s'occupant l'esprit avec autre chose.

Onze heures sonnèrent. Le jour semblait ne pas vouloir se lever tout à fait. Des nuages bas noyaient le paysage dans une brume diffuse. Ils étaient lourds de neige. Très lourds.

Barbara prit sur elle pour ne pas y penser. Pas maintenant, pas encore. D'ailleurs, pour le moment, il ne neigeait pas.

Elle monta au premier et se fit couler un bain. Dans l'armoire de toilette au-dessus du lavabo, elle découvrit un vieux flacon de sels de bain au romarin, fermé par un bouchon de liège, dont elle usa largement. Subjuguée, elle regarda la mousse qui se formait dans la baignoire. Après les privations de la semaine écoulée, le merveilleux parfum qui se répandit dans la salle de bains lui fit l'effet d'un luxe inouï.

Elle se laissa voluptueusement glisser dans l'eau chaude et ferma les yeux. Une situation dramatique comme celle dans laquelle ils s'étaient trouvés – et à vrai dire, se trouvaient encore – avait ceci de bon qu'elle permettait, au moins pour un temps, d'apprécier différemment les banalités quotidiennes. Sans cette mésaventure dans la campagne du Yorkshire, jamais elle n'aurait su quelles joies peut procurer un bain moussant.

Les yeux clos, elle rêva dans son bain jusqu'à ce que l'eau commence à tiédir. Tout en se séchant, elle s'examina dans la glace. Elle constata avec une satisfaction intense que les os de ses hanches pointaient et que son ventre s'était creusé. Comme la plupart des personnes qui ont souffert de surpoids, mincir avait quelque chose d'enivrant. Les muscles de son ventre étaient durs, sa peau ferme.

— Génial, murmura-t-elle.

Elle se lava les cheveux, les sécha et enfin se sentit à nouveau propre et soignée. Il faisait maintenant assez chaud dans la maison pour qu'il ne soit plus nécessaire de superposer quatre pull-overs. Elle enfila un caleçon noir, une chemise et un sweat-shirt puis, le pas léger, descendit au rez-de-chaussée. Il était presque 13 heures. En entrant dans le salon, elle vit par la fenêtre qu'il avait recommencé à neiger.

Elle eut l'impression d'un coup de tonnerre dans un ciel clair. Toute la matinée, elle avait refusé d'y penser et elle avait fini par croire qu'il ne neigerait pas. A vrai dire, il ne neigeait pas beaucoup, c'était plus une sorte de grésil qui tombait, mais cela venait à peine de commencer et il y avait toutes les chances que cela s'aggrave.

— Oh, mince, lâcha-t-elle.

Elle se précipita vers le téléphone. La veille, Ralph avait griffonné le numéro de Cynthia Moore sur le petit bloc posé à côté de l'appareil. Barbara composa le numéro et attendit. Le bien-être qu'elle éprouvait depuis sa sortie de la salle de bains s'était envolé, elle était tendue, son cœur battait trop vite.

— Oui ? fit la voix essoufflée de Cynthia.

— Cynthia ? C'est Barbara à l'appareil. J'appelle de Westhill Farm, vous vous souvenez sans doute ?

— Naturellement. Bonjour, Barbara ! Comment allez-vous ?

— A vrai dire, pas très bien. Je m'inquiète pour mon mari. L'avez-vous vu ?

— Vous voulez dire qu'il s'est mis en route ? s'étonna Cynthia. Parce que... hier soir, je lui ai effectivement conseillé de le faire, mais ce matin... il a recommencé à neiger.

Barbara eut l'impression que son cœur cessait de battre.

— Je ne suis pas parvenue à l'en dissuader, expliqua-t-elle, et je viens de voir qu'il neigeait à nouveau. Je me fais beaucoup de souci.

— Ecoutez, Barbara, je crois qu'il n'y a pas lieu de s'inquiéter outre mesure, fit Cynthia, qui semblait avoir retrouvé son entrain. Il arrivera jusqu'à chez nous sans problème. Je ne le laisserai pas repartir avant demain matin. J'ai une chambre d'amis où il sera très bien. Pensez-vous pouvoir tenir encore un jour sans ravitaillement ?

— Bien sûr. Ce n'est pas le problème. J'espère seulement qu'il ne va rien lui arriver.

— Rassurez-vous. Tout ira bien. J'y veillerai.

— En fait, le problème, c'est que je ne suis pas sûre qu'il vienne chez vous. Il avait l'intention d'essayer d'atteindre la route d'Askrigg et, une fois sur la route,

536

d'aller au plus près. Il est possible que ce soit Leigh's Dale mais aussi Askrigg, ou...

— ... Newbiggin ou Woodhall. C'est égal. Ça fait toujours très peu de magasins où il est susceptible d'aller. Je les connais, je vais les appeler pour leur demander de ne pas le laisser repartir.

Barbara raccrocha. Elle se sentait moins tendue mais peu rassurée. Elle connaissait Ralph. Il ne supporterait pas l'idée de la savoir seule enfermée dans la maison sans rien à manger. Il n'accepterait pas facilement de laisser passer une nuit entière avant de prendre le chemin du retour. Peut-être même refuserait-il tout net.

Elle savait que cela ne servait à rien de broyer du noir. Il fallait qu'elle s'occupe. Si elle passait le reste de la journée devant la fenêtre à compter les flocons, elle allait devenir folle.

Barbara remonta dans sa chambre, ramassa les feuillets posés au pied de son lit et redescendit. Autant finir tout de suite l'histoire de Frances Gray... Et s'appliquer à espérer que, pendant ce temps, tout se passait bien pour Ralph.

Elle s'installa à la table de la salle à manger, l'endroit le plus commode pour lire des feuilles volantes. Elle parcourut quelques pages en diagonale, sauta un passage : les mois qui suivirent la mort de Charles Gray, l'entrée en guerre des Etats-Unis en décembre 1941, après l'attaque de Pearl Harbor par les Japonais, l'hiver, très dur...

Elle reprit au début de 1942.

De janvier à avril 1942

En janvier 1942, George disparut. Il disparut au sens strict du terme. Un jour, il ne fut plus là.

Trois week-ends s'étaient écoulés sans que Frances puisse le voir. Il avait beaucoup neigé et les routes étaient quasi impraticables ; il n'aurait pas été raisonnable de prendre la voiture dans des conditions aussi difficiles. Par chance, comme si elle l'avait senti la dernière fois qu'elle lui avait rendu visite, elle lui avait apporté de quoi tenir un bon moment. Néanmoins, elle ne put pendant ces trois semaines se départir d'un mauvais pressentiment. Dès que les routes furent à nouveau dégagées, et bien que ce fût un jour de semaine et non un dimanche, jour où elle lui rendait traditionnellement visite, elle se mit au volant et prit la direction de Staintondale.

Le cottage était désert. Dans un premier temps, Frances ne s'en étonna pas. Il n'y avait aucune raison pour que George s'attende à ce qu'elle vienne et il était possible qu'il soit simplement allé se promener. Puis plusieurs détails lui parurent étranges : alors que George avait toujours tenu son intérieur avec le plus grand soin, elle aperçut de la poussière sur les meubles, des toiles d'araignée dans les coins. Les provisions qu'elle avait apportées en décembre moisissaient dans la réserve. Les tubes de peinture étaient secs : à l'évidence, il y avait des semaines que personne n'y avait touché. Ses toiles – il repeignait toujours sur les mêmes, sinon il n'aurait jamais eu assez de place pour ranger autant de tableaux – étaient posées contre le mur près de la porte de la cuisine. Les visages grimaçants agressaient l'œil, les flammes de l'enfer semblaient dévorer les toiles. Les pinceaux, que George d'ordinaire nettoyait à la térébenthine, traînaient, pleins de peinture sèche, les poils raides et collés. Tout indiquait que George était parti sans intention de revenir. Mais où était-il allé ?

Frances suivit l'itinéraire qu'empruntait son frère lorsque parfois il se promenait. Le chemin serpentait dans l'herbe le long de la côte puis se transformait soudain en un raidillon escarpé qui plongeait brutalement vers une petite plage de galets. Il gelait à pierre fendre, la mer était d'un gris de plomb, le ciel bas et noir. Frances escalada les rochers, parcourut la plage encombrée de paquets d'algues apportés par la marée ; elle appela George, mais le vent et le mugissement du ressac emportaient sa voix. Découragée, trempée par les embruns et à demi morte de froid, elle prit le chemin du retour.

Elle attendit jusqu'au soir dans la maison de George, grelottant de froid, guettant le moindre bruit. Rien ne vint troubler le hurlement du vent et le cri des mouettes. En fin de journée, elle décida à contrecœur de rentrer à Westhill. Elle s'arrêta chez ses plus proches voisins, une famille de paysans qui vivaient à plus de trois kilomètres de chez lui. Ils accueillirent Frances avec méfiance, puis se souvinrent de l'avoir déjà aperçue dans le coin. Non, l'original de Staintondale, ils ne l'avaient pas vu depuis longtemps.

— Si vous apprenez quelque chose, pourriez-vous m'en informer ?

Frances fouilla la pièce du regard, une salle basse de plafond, surchargée de bibelots sans charme et où le feu qui brûlait dans la cheminée faisait régner une chaleur étouffante.

— Avez-vous le téléphone ?

Non, ils n'avaient pas le téléphone. Mais il y avait quelqu'un, à Staintondale, qui l'avait.

— Je vais vous laisser mon numéro, dit Frances.

Elle nota une suite de chiffres sur un petit bloc. Elle arracha la feuille et la tendit à la femme, qui regarda le numéro d'un œil soupçonneux.

— Si on apprend quelque chose, on vous le dit, marmonna-t-elle.

Au cours des semaines qui suivirent, Frances revint à de nombreuses reprises chercher son frère sur la côte. Victoria, qui elle aussi était très inquiète, l'accompagna plusieurs fois. La même peur unissait les deux sœurs. Elles en oublièrent un temps leurs querelles et se soutinrent mutuellement.

Elles passèrent Scarborough au peigne fin, fouillèrent les taillis et les sous-bois des forêts qui cernaient Staintondale. Elles remontèrent la côte jusqu'à Robin Hood's Bay, une petite station balnéaire aux ruelles pavées et aux maisons de pierre reliées les unes aux autres par des escaliers. Le charme des lieux attirait de nombreux artistes, et Frances songea que George avait peut-être eu, lui aussi, envie de s'y installer pour peindre. Elle frappa presque à chaque porte, montra un tableau de George dans l'espoir que quelqu'un, peut-être, le reconnaîtrait à son style. Les gens avaient un mouvement de recul quand ils découvraient la peinture de George, puis ils disaient qu'ils ne connaissaient personne qui eût une vision assez noire du monde pour peindre de telles horreurs. A Whitby, ce fut la même chose.

Frances remonta même jusqu'aux solitudes des hautes landes, au nord, où le brouillard étouffait tous les bruits et masquait la campagne. Parfois, la brume se déchirait et l'on apercevait une vallée, une montagne ou des moutons qui apparaissaient et disparaissaient silencieusement.

— Il est peut-être parti au sud, suggéra Victoria un soir de février alors que, fourbues, elles prenaient la route du retour après deux jours de recherches qui les avaient menées jusqu'en Northumbria. Si ça se trouve, nous nous trompons de direction.

Frances secoua la tête.

— Je ne crois pas. George recherche la solitude. Plus on descend vers le sud, plus la campagne est peuplée. Non, je le vois plutôt aller en Ecosse.

Elle l'imagina dans les landes désolées des Hébrides, sur des plages balayées par les tempêtes hivernales : des paysages qui lui plaisaient.

— S'il vit encore, dit Victoria d'une voix sourde, puis d'un ton las, elle ajouta : J'arrête de chercher, Frances. Je n'en peux plus.

Aucune riposte acerbe ne franchit les lèvres de Frances. Pour une fois, elle n'éprouvait ni animosité ni colère. Elle comprenait Victoria. Elle-même n'en pouvait plus.

En dépit de la sourde inquiétude qui la rongeait à propos de son frère, jamais Frances ne cessa de garder un œil soupçonneux sur Marguerite et John, sans rien observer qui eût permis de supposer qu'ils entretenaient une liaison. Pourtant, elle était certaine de ne pas s'être trompée le jour de l'enterrement de son père.

Marguerite continuait à venir tous les jours à Westhill pour donner des cours à Laura et Marjorie. Elle ne prononçait aucune parole concernant John, mais elle ne parlait pas non plus de son mari, disparu dans un camp de concentration. On aurait dit qu'elle ne voulait plus songer au passé.

Un jour, Victoria commença à évoquer ce que Marguerite avait enduré, l'arrestation de son mari, sa fuite en Espagne, la mort de son mari, mais Marguerite l'interrompit avec une brutalité qui la laissa coite.

— Je ne veux plus entendre ça! C'est le passé. S'il te plaît, n'en parle plus jamais.

Victoria se tut, vexée.

Frances cernait mal la personnalité de la jeune Française. Marguerite s'était construit une carapace protectrice à laquelle se heurtait toute tentative pour la connaître un peu mieux. Elle se montrait amicale, avait un sourire pour chacun, mais il y avait quelque chose de forcé, d'artificiel dans son attitude. On devinait chez elle une dureté qui lui ôtait toute chaleur. Avait-elle toujours été ainsi, ou bien était-ce ce qu'elle avait vécu, et sa vie loin de son pays qui l'avaient transformée? Sa solitude était presque palpable. Quiconque la rencontrait percevait la même froideur, la même distance. Le seul être auquel elle portait une certaine affection était Laura, dont elle se sentait responsable et qu'elle avait décidé d'aider.

Quand elle arrivait le matin de Leigh's Dale et peinait sur le chemin qui montait à Westhill, on avait l'impression qu'elle était seule au monde, perdue au milieu de l'immensité. Frances l'avait plusieurs fois aperçue depuis la fenêtre. La neige avait fondu, cédant la place à la boue, et Marguerite avait des difficultés à se frayer un chemin. Autour d'elle, ce n'étaient que prairies désolées à perte de vue, de l'herbe brunie, tassée par l'hiver, et des kilomètres de murets de pierre sèche. A l'exception de Westhill, pas une seule maison à l'horizon, pas les moindres prémices de douceur printanière dans le vent froid. Pour Frances, c'était son pays. Mais elle se demandait souvent comment un étranger le percevait.

Il n'eût pas été étonnant que Marguerite cherchât

quelqu'un sur lequel s'appuyer. Victoria, en dépit de tous ses efforts, ne pouvait jouer ce rôle : elles étaient intellectuellement beaucoup trop différentes. En même temps, John... avec sa propension à boire beaucoup trop, son cynisme, son inconstance, quel soutien pouvait-il offrir à une femme blessée ?

Un jour, au début du mois d'avril, Marguerite, pour la première fois, ne vint pas seule. Frances qui la vit arriver de loin par la fenêtre, fut très étonnée de découvrir à ses côtés la silhouette d'une femme aux cheveux gris, assez forte et vêtue d'un manteau marron. Elle peinait à suivre le pas énergique de Marguerite. Un étrange sentiment qu'elle ne put s'expliquer prit aussitôt Frances.

Elle descendit au rez-de-chaussée et gagna l'entrée. Les deux femmes arrivèrent peu après. Marguerite, comme de coutume, était fraîche et dispose, seules ses joues étaient légèrement rouges et le vent avait décoiffé ses cheveux. Sa compagne, exténuée, reprenait haleine cinq pas derrière elle.

— Mon Dieu, quelle montée ! souffla-t-elle. D'en bas, jamais on ne croirait que c'est si raide !

Elle tamponna la sueur qui perlait à son front. Elle n'était pas aussi forte que Frances l'avait imaginé : c'était la coupe de son manteau qui donnait cette impression de loin, elle était même plutôt mince. La fatigue qui marquait son visage n'était pas récente non plus, ce n'était pas la simple montée de Westhill qui avait à ce point creusé ses traits.

Marguerite fit les présentations, puis elle se tourna vers Frances.

— Mme Parker a trouvé quelqu'un à la gare de Wensley qui a bien voulu la déposer à Leigh's Dale.

— Un camion plein de moutons ! précisa Mme Parker. Je crains ne pas m'être débarrassée de l'odeur !

— Mme Parker demandait juste le chemin de

Westhill Farm au *George and Dragon* quand je descendais, expliqua Marguerite. Je lui ai proposé de venir avec moi. Le chemin est assez fatigant quand on n'a pas l'habitude de marcher.

Frances réalisa soudain que Marguerite n'avait pas dit qui au juste était Mme Parker ni ce qui l'amenait. Le malaise diffus qu'elle éprouvait se précisa.

— Désirez-vous un café ? proposa-t-elle.

— Je préférerais un verre d'eau, si cela est possible, dit Mme Parker, qui enfin jugea bon d'en dire plus sur l'objet de sa visite : Je travaille pour l'Aide à l'enfance. J'arrive de Londres.

— Vous êtes donc là pour Laura et Marjorie Selley ?

Mme Parker acquiesça d'un hochement de tête.

— Oui. Et, malheureusement, j'apporte de mauvaises nouvelles.

Frances avait introduit la visiteuse dans la salle à manger car Marguerite faisait travailler les filles dans le salon. Elles ne savaient pas encore que quelqu'un venait d'arriver de Londres.

Mme Parker apportait effectivement de très mauvaises nouvelles.

— La mort de Mme Alice Selley remonte à presque un an, dit-elle. Elle a été tuée en mai 1941, lors d'un bombardement. Ce n'était pas chez elle. Elle se trouvait dans le petit magasin de souvenirs où elle travaillait, près de la Tour. Il était tard, mais elle faisait un peu de comptabilité pour son patron, après la fermeture, pour gagner quelques livres supplémentaires. Un immeuble mitoyen a été touché et la déflagration a été telle qu'une partie du plafond de la boutique s'est effondrée sur Mme Selley.

— Je m'en doutais, murmura Frances, il était évident que quelque chose avait dû se passer. Ça ne ressemblait pas à Alice de nous laisser sans nouvelles.

— Quand on lui a appris la nouvelle de sa mort, son mari n'a rien dit des deux fillettes évacuées dans le Yorkshire... Entre nous, ajouta Mme Parker sur le ton de la confidence, c'est un drôle de paroissien, ce bonhomme. Je veux dire... il n'est pas méchant, ce n'est pas un mauvais bougre, mais il est inexistant, et aussi un peu simple d'esprit, il me semble.

C'était exactement ce que Frances avait toujours pensé de Hugh Selley.

— Nous sommes un peu débordés en ce moment, poursuivit Mme Parker : il y a tant d'orphelins avec ces bombardements... Il nous a fallu un certain temps pour découvrir l'existence des deux enfants. Et ensuite un bon bout de temps pour retrouver la trace de M. Selley parce que, à force de ne plus payer son loyer, il avait fini par se faire expulser de son appartement. En fait, il n'a pas changé de quartier, il vit toujours à Bethnal Green, mais dans une maison à moitié en ruine. Je ne sais pas comment il fait pour garder la tête hors de l'eau. Toujours est-il qu'il a reconnu qu'il avait deux filles qui ne vivaient plus avec lui depuis longtemps, à cause des bombardements. Il nous a donné votre adresse, mademoiselle Gray. Et me voici.

Mme Parker se laissa aller contre le dossier de sa chaise et but une gorgée d'eau.

— Pauvre Alice, dit Frances à mi-voix, elle est morte, maintenant. Nous avons été très amies, à une époque, vous savez...

— Cette guerre est terrible, concéda Mme Parker, qui entendait chaque jour des histoires identiques et ne souhaitait pas s'engager sur le terrain de la tristesse et des regrets. Reste aujourd'hui le problème des enfants. Que vont-elles devenir ?

Frances sentit sur elle le regard pénétrant de la visiteuse. Elle se ressaisit. Alice lui était apparue, Alice telle qu'elle voulait la garder dans son souvenir, la militante pleine d'énergie et de détermination, la jeune femme sur laquelle on pouvait compter. Elle ne voulait plus penser à Alice telle qu'elle était devenue, de même qu'elle ne voulait plus penser à ce qu'étaient devenus son père ou George à la fin de leur vie.

Il y avait eu des jours heureux, c'étaient les images de ces jours heureux qu'elle voulait conserver dans sa mémoire.

— Oui, répéta-t-elle, que vont-elles devenir? Leur père...

— Le père dit que pour le moment il ne se sent pas capable de les reprendre avec lui. Et c'est aussi mon avis. Ce serait une catastrophe si ses filles devaient retourner chez lui. Il pourrait naturellement l'exiger et nous ne pourrions pas nous y opposer, mais je crois qu'il n'en a pas du tout envie. D'ailleurs, je ne vois pas bien comment il pourrait vivre avec deux enfants dans le trou dans lequel il habite.

Frances se sentit prise au piège. Si les adolescentes ne pouvaient pas retourner chez leur père, restait la solution du placement dans un foyer... Sauf si elles restaient, temporairement, chez elle. Temporairement? Que signifiait « temporairement »? A vrai dire, ce qu'elle redoutait depuis le premier jour. Elle se retrouvait avec les deux filles d'Alice à charge.

— Peut-être, commença Mme Parker avec une insistance pleine d'espoir, pourraient-elles au moins rester chez vous jusqu'à ce que la guerre soit finie? Et là, nous aviserions. Les foyers pour orphelins sont tellement pleins, en ce moment...

Et que dire, maintenant? songea Frances, consternée. Si je refuse, je vais passer pour quoi? Une égoïste? Un monstre? Une femme sans cœur?

— C'est-à-dire que... Ce n'est pas très facile. Je ne suis plus toute jeune. J'aurai cinquante ans l'année prochaine. Et je n'ai aucune expérience des jeunes filles.

— Eh bien...

— J'ai notamment beaucoup de problèmes avec Marjorie. Elle a déjà menacé de s'enfuir. Je ne sais pas pourquoi elle se plaît si peu ici.

— Peut-être devrions-nous laisser les enfants décider elles-mêmes, suggéra Mme Parker.

Frances capitula.

— Oui, d'accord. Laissons les filles décider.

Elle leur parla le soir. A midi, elle avait raccompagné Mme Parker à Leigh's Dale, où elle avait réservé une chambre au *George and Dragon* le temps que les enfants prennent leur décision. Frances savait que Mme Parker espérait qu'elles choisiraient de rester à Westhill, tandis qu'elle-même souhaitait le contraire, de toute son âme.

Tout l'après-midi, elle repoussa le moment de leur parler. Victoria et Adeline, mises au courant faisaient une telle tête que Laura et Marjorie ne cessèrent de poser des questions. En fin de journée, Frances, la mort dans l'âme, monta retrouver les filles dans leur chambre pour leur annoncer que leur mère était morte.

— Et qu'est-ce qui vous permet de dire ça ? attaqua aussitôt Marjorie.

— La dame qui était là ce matin appartient aux services d'Aide à l'enfance, expliqua Frances. C'est votre père qui lui a dit où vous étiez. Elle s'occupe aujourd'hui de trouver la meilleure solution pour votre avenir.

— Je savais depuis longtemps que maman était morte, déclara Marjorie. Ce n'est pas une nouveauté !

Son ton était ferme et assuré, mais elle était devenue livide.

— Je sais que c'est très dur pour vous, dit doucement Frances. J'aimerais tant pouvoir vous redonner votre mère...

Elle se tourna vers Laura, qui s'était laissée tomber sur le bord de son lit et regardait fixement le mur en face d'elle. Elle semblait en état de choc.

— Laura...

Laura ne réagit pas.

— Je veux aller chez mon père, dit Marjorie.

— Votre père... a un peu de mal à refaire surface. Il vit dans une sorte de cave à Bethnal Green. Ce n'est pas qu'il ne veuille pas vous prendre avec lui, mais en ce moment il ne pourrait pas s'occuper de vous comme il le faudrait. Mme Parker, la dame de l'Aide à l'enfance, propose de vous placer temporairement dans un foyer...

— Non!

Le mot avait jailli comme un cri désespéré. En même temps, Laura avait bondi sur ses pieds et s'était jetée dans les bras de Frances, qu'elle aurait presque renversée avec ses près de quatre-vingts kilos.

— Non! S'il vous plaît! Laissez-nous rester ici, Frances, s'il vous plaît! Ne nous renvoyez pas! Nous ferons tout ce vous nous demanderez, mais laissez-nous rester! Je vous en prie!

Elle sanglotait désespérément, tout son corps était agité de soubresauts.

— Mon Dieu, Laura! souffla Frances, bouleversée. Calme-toi et n'aie pas peur comme ça. Personne ne te chassera!

— Ma pauvre Laura, tu es complètement folle, lâcha Marjorie avec mépris. Tu ne vas pas rester dans cette mélasse!

Laura releva la tête. Son visage, qu'elle avait enfoui contre l'épaule de Frances, était baigné de larmes.

— Je veux rester ici! Je ne veux pas aller chez papa,

548

et encore moins dans un foyer. Frances, je vous en prie ! C'est ici, ma maison !

— C'est vraiment ce que tu ressens ? demanda Frances, déconcertée.

Elle savait naturellement que Laura, à l'inverse de Marjorie, ne s'était jamais rebellée contre Westhill, mais elle n'avait pas soupçonné qu'elle s'y était créé de nouvelles racines. Qu'une petite Londonienne s'attache à une ferme isolée du Yorkshire avec ses centaines de moutons, au point de la considérer comme sa maison, la stupéfiait.

Ensuite elle songea qu'entre un père inconsistant et une mère aigrie, déçue par la vie et constamment débordée, de surcroît dans un sinistre quartier de l'East End, Laura n'avait pas dû avoir une enfance très heureuse. Après tout, il était possible que la grande et belle maison de Westhill, le paysage environnant, l'air frais et léger et les nombreux animaux soient pour elle un paradis.

— Vous, Victoria et Adeline, vous êtes tout ce qui me reste, dit Laura entre deux sanglots. Et toutes les cinq... nous vivons si bien ensemble !

Frances allait de surprise en surprise. Jamais elle ne s'était doutée des sentiments de Laura. A l'évidence, celle-ci aimait la vie à Westhill, la vie entre trois femmes qui se chamaillaient ; elle semblait y trouver une certaine chaleur.

Elle était décontenancée, et touchée. Son idée première, qui avait été de brosser à Laura et Marjorie un tableau quasi idyllique de la vie en foyer d'accueil, s'effondra comme un château de cartes.

— Si c'est ce que tu souhaites, Laura, tu peux rester ici aussi longtemps que tu le désires, dit-elle.

— Laura a peur de ne pas avoir assez à manger dans un foyer pour enfants, insinua Marjorie.

Frances la transperça du regard. La fillette venait

d'apprendre qu'elle avait perdu sa mère, mais tant pis !

— Marjorie, sache une chose : si tu continues à te comporter ainsi avec ta sœur, tu ne vas pas rester ici longtemps, je t'en donne ma parole ! Je te mettrai d'autorité dans un foyer, et je ne plaisante pas.

— Marjorie doit rester ici, dit Laura à travers ses larmes.

— Il faut encore que j'y réfléchisse, prétendit Marjorie.

Son indifférence était feinte. Au cours des jours qui suivirent, Frances l'entendit maintes fois sangloter en cachette et elle avait constamment les yeux rouges et gonflés.

Quand il fut décidé que les filles d'Alice Selley resteraient chez Frances, Mme Parker, soulagée, rentra à Londres.

— Je suis heureuse qu'elles restent, dit Victoria. La maison aurait été vide sans elles.

— Nous aurions surtout eu moins de soucis, bougonna Frances, et moins de frais. Ces cours que Marguerite leur donne tous les jours sont tout de même une charge.

— Mais nous avons deux filles, répliqua Victoria et Frances comprit qu'il y avait longtemps que sa sœur, au fond d'elle-même, avait adopté les enfants.

Elle se tut. Victoria avait raison sur un point : Laura et Marjorie mettaient de l'animation dans la maison. Le soir, quand elles étaient toutes réunies autour de la table pour le dîner, avec Marguerite, qui était souvent invitée, elles étaient six et c'étaient un peu comme avant.

Comme si elles étaient une famille.

Août 1942

— Frances, je peux vous parler un instant ? demanda la voix de Marguerite.

Elle avait surgi entre les buissons et les arbres. Frances, qui travaillait un carré de légumes, à genoux au fond du jardin, sursauta. Elle leva la tête.

— Oh, Marguerite ! Je ne vous ai pas entendue arriver.

Elle repoussa les cheveux qui lui tombaient sur le front. Il faisait très chaud, presque lourd et elle était en nage.

— Quoi de neuf ?

— En ce qui concerne la guerre, rien de bon, répondit Marguerite en s'asseyant sur le muret. Rommel est aux portes du Caire et les Anglais se sont repliés au-delà des frontières de l'Egypte.

— Je sais. Mais Churchill dit que maintenant les Anglais ne vont plus lâcher un pouce de terrain. Et la Russie se révèle un vrai désastre pour l'Allemagne. Ça ne peut plus durer bien longtemps.

— Oui, c'est ce qu'on dit, mais Hitler est plus fort que ce que l'on imaginait. Il est tout à fait capable de gagner. On dit que le bien triomphe toujours du mal, mais c'est surtout dans les contes de fées que les histoires finissent comme ça.

Frances la scruta, étonnée.

— Vous avez l'air désenchantée, ce matin, Marguerite. Est-ce à cause de ces nouvelles déprimantes du front africain ou bien est-ce autre chose qui vous préoccupe ?

Marguerite parut chercher ses mots, ce qui chez elle était inhabituel. D'ordinaire, elle disait sans détour ce qu'elle pensait.

— J'ai un problème, dit-elle enfin. Avec Victoria. Enfin, c'est-à-dire que, pour le moment, elle l'ignore encore, mais...

— De quoi s'agit-il donc ?

— John et moi allons nous marier, répondit-elle en évitant le regard de Frances.

Frances laissa tomber la petite pelle qu'elle tenait à la main.

— Je sais, ça doit vous paraître très surprenant, poursuivit Marguerite. Nous n'avons jamais rien dit à personne et personne n'a rien remarqué non plus.

Alors, là, ma belle, tu te trompes ! pensa Frances. Le choc passait lentement. Elle se demanda ce qu'elle ressentait mais ne put définir de sentiments précis. Une curieuse sensation de vide l'avait envahie.

— Victoria a toujours été très gentille avec moi, dit Marguerite. Nous sommes naturellement très différentes et... parfois, elle m'agace un peu. Mais c'est la première personne à s'être intéressée à moi. C'est quelque chose que j'ai beaucoup apprécié, à l'époque. Nous ne sommes pas particulièrement amies, mais l'idée de lui faire de la peine m'ennuie.

Eh bien, c'est réussi... songea Frances. Peu à peu, la sensation de vide qu'elle éprouvait céda la place à un sentiment grandissant d'amertume.

Ça recommence. Me revoilà dans le rôle merveilleux de celle qui le regarde en épouser une autre.

— Je sais qu'elle n'est toujours pas remise de sa séparation d'avec John, poursuivit Marguerite. Et sans doute ne s'en remettra-t-elle jamais. Elle la vit comme un échec. Et pour autant que je puisse en juger, je crains qu'elle ne parvienne jamais à dépasser cet échec. Quand elle va apprendre que John et moi...

Elle n'acheva pas sa phrase. Elle paraissait désemparée.

Frances eut le sentiment qu'il était temps qu'elle dise quelque chose.

— C'est tout à fait certain ? John et vous êtes décidés ? C'est sûr ?

— J'attends un bébé, Frances, dit calmement Marguerite.

Frances, à genoux au milieu de son carré de légumes, s'assit sur ses talons et se prit la tête à deux mains.

Sa première réaction fut d'aller voir John pour lui parler, puis elle s'obligea à reprendre son calme et à ne pas se comporter comme une midinette vexée. A qui avait-elle donc récemment expliqué qu'elle allait bientôt avoir cinquante ans ? Ah oui, à cette pauvre Mme Parker, que la montée de Westhill avait épuisée. Eh bien, à cinquante ans, il était temps de mener dignement sa barque à travers les écueils de la vie. Il suffisait qu'elle se regarde dans une glace pour constater qu'elle avait désormais plus de cheveux gris que de cheveux noirs.

Quand on avait autant de cheveux gris, on ne courait pas à Daleview comme autrefois. Sauf à vouloir paraître ridicule. Qu'il vienne donc lui-même s'expliquer !

Il vint. Il surgit soudain par un après-midi lourd et orageux de la fin du mois d'août ; après des semaines de fortes chaleurs, hommes et animaux appelaient de leurs vœux l'orage salvateur. Frances comprit aussitôt que sa venue n'était pas inopinée. Un véritable plan avait été mis en place : Marguerite avait convaincu

Victoria de faire des courses à Leyburn pendant qu'Adeline passait la journée chez sa sœur à Worton. Frances serait seule avec Laura et Marjorie jusqu'au soir. Elle avait promis de s'occuper du dîner et se trouvait donc dans la cuisine, où elle épluchait consciencieusement des pommes de terre.

— Bonjour! lança John en entrant dans la cuisine. Excuse-moi d'arriver comme ça sans crier gare, mais personne n'a réagi quand j'ai frappé à la porte de la maison.

Frances leva les yeux.

— Je n'ai pas entendu.

— Ma foi... dit John.

Il se tenait au milieu de la cuisine, indécis. Il portait un costume gris clair et une cravate. A côté de lui, Frances devait avoir l'air pitoyable avec sa vieille robe de coton bleu, elle en avait conscience. S'il avait été ivre, elle aurait pu se sentir supérieure, mais il était à jeun. Elégant et à jeun. Elle avait oublié combien il était beau quand il n'avait pas de poches sous les yeux et de grosses gouttes de sueur qui perlaient sur son front.

— Où sont les enfants?

Frances haussa les épaules.

— Je ne sais pas. Je crois qu'elles sont dehors. Il y a des heures que je ne les ai pas vues.

Elle désigna une chaise en face d'elle, de l'autre côté de la table.

— Si tu veux t'asseoir... Il faut malheureusement que je continue mon épluchage, sinon nous n'aurons rien à dîner ce soir.

— Ne te dérange pas pour moi.

Il s'assit. Il ne semblait pas à sa place avec son élégant costume gris, devant ce tas d'épluchures de pommes de terre.

— Marguerite m'a dit qu'elle t'avait parlé, reprit-il. Elle pense que c'est avec Victoria qu'il y a un problème.

— Et ce n'est pas le cas ?

— Pas pour moi, non.

— Tu pourrais te soucier un petit peu plus de Victoria. Ça va être un coup terrible pour elle.

— Frances, nous sommes divorcés ! Elle a voulu cette séparation autant que moi. Elle ne peut tout de même pas exiger que je vive comme un moine le reste de mes jours. Je trouverais tout à fait normal qu'elle se remarie. Qu'est-ce que j'y peux si elle s'enterre ici et ne voit plus personne ?

— Là, tu es en train d'inventer une histoire et tu le sais. Elle ne voulait pas se séparer de toi. Tu as seulement été si dur avec elle que tu ne lui as pas laissé le choix. Elle en a été brisée. Ça ne veut pas dire pour autant que tu doives faire vœu de chasteté, mais ne transforme pas tout. Tu es responsable de ce qu'est devenue Victoria.

Il eut un rictus agacé.

— Et toi, alors ? Pendant des années tu n'as eu de cesse de...

— Je sais. Mais contrairement à toi, je ne cherche pas, au fond de moi, à me disculper. Je reconnais ma responsabilité.

John tambourinait nerveusement sur la table.

— Toujours est-il que je voulais t'expliquer...

— Tu ne me dois aucune explication.

— Voyons, Frances, je sais que je ne t'en dois pas. Mais il y a tout de même des choses que je veux t'expliquer.

Elle épluchait les pommes de terre beaucoup trop vite ; si elle n'y prenait garde, elle allait se couper. Elle se força à des gestes lents et mesurés.

— Pour moi, c'est comme si une autre chance

m'était donnée, dit John. Je ne veux pas la laisser passer.

— Et cette chance s'appelle Marguerite ?

— J'étais au bout du rouleau. J'étais seul, aigri. Et alcoolique. Encore quelques années, et j'en aurais crevé.

— Tu ne bois plus ?

Un éclair de fierté passa dans ses yeux.

— Non. Et je crois que je vais tenir. Je ne veux pas qu'en venant au monde, la première chose que découvre mon enfant soit l'image d'un père ivre.

Elle tressaillit. Elle savait, mais l'entendre parler de l'enfant lui fit mal. L'enfant était l'atout de Marguerite.

Elle se souvint que déjà le jour de l'enterrement de Charles, un an plus tôt, il n'était pas ivre. A l'époque, il présentait des symptômes de manque manifestes, il tremblait, il avait le teint terreux. Rien de tout cela n'apparaissait plus. Il semblait avoir surmonté le plus dur, et il était possible qu'il s'en sorte complètement. Frances aurait dû s'en réjouir, mais, même si c'était mesquin et bête de sa part, elle en fut incapable. Pour Marguerite, il avait cessé de boire. Pour elle, non.

T'es-tu battue pour ça ? demanda aussitôt une petite voix au fond d'elle-même. Cela t'était relativement égal qu'il boive, non ? Ne cherchais-tu pas avant tout à marquer des points sur Victoria ? Tu savais qu'elle lui reprochait en permanence de boire, alors tu avais décidé d'être celle qui était tolérante, celle avec laquelle il pouvait se montrer tel qu'il était sans devoir subir de leçons de morale. Et tu n'as jamais voulu savoir si tu lui rendais service en agissant de cette façon.

Sa réserve et sa froideur s'effondrèrent. Elle avait eu l'intention de lui offrir un visage lisse et impassible, mais sa fierté était devenue un sentiment minuscule qui clopinait loin derrière elle.

— Tu aimes beaucoup Marguerite? demanda-t-elle doucement.

Il réfléchit un instant puis répondit :

— Elle donne un sens à ma vie.

— Tu ne réponds pas à ma question.

— Dans un sens, oui. Je ne pense pas que je l'aime vraiment. Pas comme je t'aime et t'ai toujours aimée. Peut-être même qu'au début mes sentiments pour Victoria étaient plus forts que ceux que j'éprouve aujourd'hui pour Marguerite. Mais je ne pense pas que Marguerite éprouve pour moi ce qu'elle éprouvait pour son mari. C'est différent... nous avons besoin l'un de l'autre. Nous nous soutenons, nous nous réconfortons.

— Apparemment, ce réconfort, tu ne l'as pas trouvé auprès de moi, dit Frances.

Il ne restait que deux pommes de terre à éplucher. Elle en prit une et la fit lentement tourner dans sa main. Elle ne saurait ni quoi faire de ses mains ni où poser son regard quand elle aurait terminé.

— Tu n'as jamais partagé ma vie, dit John. La première fois que je t'ai proposé de le faire, tu es partie à Londres, où tu as cherché ta voie d'une façon plutôt originale. Puis lorsque j'ai été séparé de Victoria, tu as pensé qu'il n'était pas possible d'officialiser une relation qui durait secrètement depuis tant d'années. Sans doute avais-tu raison. Mais...

Il se passa les mains sur le visage, d'un air las.

— Pour moi, cela signifiait que je devais m'accommoder d'une vie de solitude. Peut-être ne t'en rends-tu pas compte parce que c'est une chose que tu n'as jamais vécue. Tu as toujours eu des gens autour de toi, Frances. Et c'est encore le cas aujourd'hui. En dépit des malheurs qui ont frappé ta famille, ta maison est pleine de vie. Les deux filles, toi, Victoria, Adeline... je me doute bien qu'il y a souvent des frictions entre vous, mais personne n'est jamais seul. Il y a beaucoup de chaleur dans ta maison.

Son regard fit le tour de la cuisine, s'arrêta sur les rideaux fleuris des fenêtres, le tapis de patchwork sur le dallage de pierre, les pots de fines herbes sur l'étagère.

— Il y a beaucoup de chaleur ici, répéta-t-il.

La dernière pomme de terre était épluchée. Si Frances continuait à la faire tourner sous le couteau, il n'allait rien en rester. Elle se leva, gagna l'évier et remplit une casserole d'eau. Puis elle se retourna et, ne sachant que faire, s'appuya à l'évier.

— Tu sais bien comment c'est à Daleview, reprit John. Ce n'est pas pour rien que tu as toujours redouté d'y vivre. Ces pièces immenses, trop hautes de plafond... Partout une lumière crépusculaire à cause de tous ces lambris foncés. Des couloirs sans fin... Et moi au milieu de tout ça avec un majordome d'un autre âge et quelques petites bonnes étourdies, des gens avec lesquels je n'ai aucun lien. Boire m'aidait à tenir le coup. Entre autres choses. Du moins je le croyais...

Il chercha le regard de Frances.

— Est-ce que tu me comprends ?

— Oui, je crois.

L'expression de John s'adoucit. Dans ses yeux apparut la tendresse qu'il avait toujours eue pour elle, une tendresse fondée sur des années d'intimité. Son regard l'enveloppa tout entière.

Que voit-il ? se demanda Frances, mal à l'aise. Une femme de bientôt cinquante ans, dans une robe défraîchie, qui continue à essuyer ses mains sur son tablier alors qu'il y a longtemps qu'elles sont sèches. Une femme dont les cheveux en désordre seront bientôt plus gris que noirs. Une femme aux traits trop aigus pour être jolis.

— Autant je t'aime, dit-il doucement, autant je t'aimerai toujours... il est arrivé un jour où il est devenu évident que ma vie ne pouvait pas se résumer au vide de ma maison et à des rencontres sporadiques avec toi quelque part dans une maison abandonnée. Ce n'est plus de mon âge.

— Je sais, dit Frances, qui avait pensé exactement la même chose peu de temps auparavant.

— Je voulais davantage. Je voulais une femme qui partage ma vie. Pas comme Victoria, avec laquelle je ne pouvais parler de rien. Ni comme toi, qui ne m'accordais toujours que quelques heures, m'offrais ton corps, puis repartais vers ta vie. J'aurais aimé que tu sois cette femme-là pour moi, mais...

Il leva les mains, les laissa retomber, résigné. A quoi bon ressasser le passé ?

— Peut-être aurions-nous aujourd'hui cinq enfants, peut-être même nos premiers petits-enfants, dit Frances.

John éclata de rire.

— Nous serions une grande famille bruyante et heureuse. Tu tricoterais des chaussons pour les bébés à naître et tu donnerais des conseils à nos filles.

— Tu boirais avec nos fils et il y aurait des discussions épiques s'ils n'avaient pas les mêmes idées politiques que les tiennes.

— Nos fils ne seraient sans doute pas là. Ils seraient tous en train de se battre contre Hitler.

— C'est mieux que nous n'en ayons pas.

— Oui, dit John en se levant.

Il contourna la table, s'approcha de Frances et prit ses mains dans les siennes. Elle regarda ses doigts. Ces doigts qui avaient tendrement caressé sa peau.

— Je voudrais que tu saches une chose, dit-il. Je

voudrais que tu saches que je t'aime. Pas moins qu'autrefois, sur les rives de la Swale, quand je suis venu te consoler. Rien depuis n'a changé. Quoi que je fasse. Quoi que tu fasses. Notre âge, nos cheveux gris, le mal que nous nous sommes fait... Rien n'a d'importance. Rien ne peut nous séparer.

Elle fit oui de la tête, mais son corps, soudain, si près du sien, éveilla en elle des sentiments qui l'anéantirent. Elle sentit le poison de la jalousie se répandre dans ses veines.

— Pourquoi Marguerite ? demanda-t-elle. Parce qu'elle est très belle ? Et qu'elle a près de vingt ans de moins que moi ?

Il secoua la tête, agacé.

— Frances ! Tu me connais mieux que ça. Marguerite est jeune et jolie, mais j'ai déjà eu une femme très jolie et ça n'a pas été un succès. Marguerite est importante à mes yeux parce qu'elle me comprend vraiment. Ce n'est pas un petit animal charmant qui sourit et bat des cils. Après la Première Guerre, ma vie est devenue un peu n'importe quoi. La vie de Marguerite elle aussi a été très bousculée. Elle a perdu son mari, son pays, de façon abominable. Elle a vécu sa part d'ombre, moi la mienne. Elle comprend que parfois je n'aie pas envie de parler, et elle comprend que parfois je veuille parler. Je crois que, lorsqu'on n'est plus très jeune, c'est ce que l'on recherche : la compréhension. Plus que la passion. En tout cas, c'est ce que je recherche.

Elle hocha la tête en signe d'assentiment. Quand il la prit dans ses bras, elle chassa de son esprit les images et les pensées qui la mettaient au supplice et elle s'abandonna sous ses mots apaisants parce qu'elle sentait qu'il avait dit la vérité, du moins la vérité telle qu'il la ressentait. Elle posa la tête dans le creux de son épaule.

Seulement pour un instant, seulement pour cet instant.

— Mon Dieu, comme je t'aime, dit-il tout près de son oreille.

Elle ouvrit les yeux. Par-dessus l'épaule de John, elle vit, dans l'encadrement de la porte, le petit visage haineux et sournois de Marjorie.

Plus tard, Marjorie affirma qu'elle n'avait jamais, mais alors vraiment jamais eu l'intention d'épier qui que ce soit. Elle ne s'était absolument pas glissée subrepticement dans la cuisine. Elle était entrée tout à fait normalement dans la maison.

— Et pourquoi? avait demandé Frances, la voix vibrante de colère rentrée.

— Comment ça « pourquoi »? avait demandé Marjorie en retour.

— Pourquoi es-tu entrée dans la maison?

— J'avais soif. Je voulais prendre un verre d'eau dans la cuisine. Et alors...

— Et alors quoi?

— Je vous ai vus, vous et John Leigh. Il était tout près de vous, tenant vos mains dans les siennes. Il disait qu'il vous aimait.

— Et à ce moment-là, il ne t'est pas venu à l'esprit de signaler ta présence?

— J'étais comme paralysée, prétendit Marjorie. Vous ne pouvez pas comprendre ça? J'étais très très surprise. Je ne savais pas du tout que vous et John Leigh...

Bien sûr que, si tu le savais, sale petite menteuse, pensa Frances. Depuis le premier jour où tu es arrivée ici, quand tu es entrée dans la chambre de Charles. Déjà, ce jour-là tu as vu plus de choses que tu n'aurais dû.

L'interrogatoire eut lieu plusieurs heures après

l'incursion de Marjorie dans la cuisine et une heure après le détestable éclat du dîner. Pour la première fois Frances avait cédé à l'envie qui la démangeait depuis si longtemps et giflé Marjorie. Elle en avait été vaguement soulagée, mais pour le reste cela n'avait rien arrangé.

Lorsqu'elle prit conscience de la présence de Marjorie, Frances repoussa John et, d'une voix qu'elle ne reconnut pas, demanda :

— Marjorie ! Qu'est-ce que tu fais ici ?

— Et vous, alors ? rétorqua Marjorie.

— Bonjour, Marjorie, dit John.

— Je t'ai demandé ce que tu faisais ici, insista Frances d'un ton menaçant.

Marjorie pivota sur ses talons et prit la fuite. Ses petits pieds nus martelèrent, légers, le dallage du couloir, puis la porte de la maison fut bruyamment claquée. Frances voulut courir derrière elle mais John la retint par le bras.

— Non, ne bouge pas. Faire une scène maintenant ne réussira qu'à aggraver inutilement la situation.

— Il n'y a rien qui puisse être aggravé. Elle sait tout.

— Elle ne sait pas ce qui s'est passé avant.

— En es-tu certain ? Il y a peut-être une éternité qu'elle était là à nous épier.

— Garde ton calme, Frances. Tu risques de compliquer les choses.

Frances repoussa les cheveux qui lui tombaient sur le front.

— Comment peux-tu être aussi stoïque ? Imagine qu'elle raconte à Marguerite ce qu'elle a vu ?

Il haussa les épaules.

— Eh bien, ce sera à Marguerite et à moi de voir comment venir à bout de l'affaire. En tout état de cause, je ne courrai pas derrière une gamine de treize ans pour la supplier de tenir sa langue.

Elle savait qu'il avait raison, et pourtant elle était incapable de se défaire du sentiment de l'imminence d'un drame. Après le départ de John, elle reprit les préparatifs du dîner, mais elle avait la tête ailleurs; tout lui tombait des mains et elle rata les plats les plus simples. Elle ne cessait de tendre l'oreille, espérant que Marjorie rentrerait avant les autres. Elle réussirait peut-être à découvrir ce que la fillette projetait.

La touffeur était devenue presque insupportable. De gros nuages bleu-noir s'étaient amoncelés dans le ciel et il fit soudain si sombre que Frances dut allumer la lumière. L'orage qui menaçait lui parut un mauvais présage. Enfin elle entendit la porte de la maison s'ouvrir.

— Marjorie? appela-t-elle, pleine d'espoir.

Laura apparut sur le seuil de la cuisine.

— C'est moi, dit-elle. Je ne sais pas où est Marjorie. Elle est entrée dans la maison, tout à l'heure, et depuis, je ne l'ai plus revue.

Elle s'approcha de la cuisinière.

— On mange bientôt?

— Dans une heure. Ecoute, Laura, si tu vois Marjorie d'ici là, peux-tu, s'il te plaît, me l'envoyer?

Adeline arriva une demi-heure plus tard, en nage et exténuée après avoir marché depuis l'arrêt du car. Peu après, Victoria se garait dans la cour, au moment précis où les premières gouttes s'écrasaient sur le sol poussiéreux.

— Mon Dieu, quelle journée! s'exclama-t-elle. Cette chaleur, c'était irrespirable, en ville!

— On va avoir un bel orage, annonça Adeline.

— Tu n'as pas amené Marguerite? s'étonna Frances.

— Je l'ai déposée à Leigh's Dale, devant l'auberge. Je lui ai proposé de dîner avec nous, mais elle a refusé. Elle paraissait très fatiguée.

Pardi, elle est enceinte, songea Frances, et de ton ex-mari, par-dessus le marché !

Victoria souleva les couvercles.

— Qu'y a-t-il de bon, ce soir ?

— Des pommes de terre et des légumes. Tu peux commencer à mettre la table. As-tu vu Marjorie dehors ?

— Non. Elle n'est pas dans la maison ?

— Non. Mais nous commencerons sans elle. Tant pis pour elle s'il n'y a plus rien quand elle arrive.

Le premier coup de tonnerre retentit au moment où elles passaient à table. Des éclairs zébraient le ciel. Des trombes d'eau s'abattirent sur la maison. Laura avait l'air d'un lapin apeuré.

— Où est passée Marjorie ? J'espère qu'il ne va rien lui arriver si elle est encore dehors.

— Elle se sera mise à l'abri quelque part, la rassura Frances.

— Quand l'as-tu vue pour la dernière fois, Laura ? demanda Adeline.

— En revenant des chevaux, on a décidé d'aller dans le jardin. Il était déjà un peu tard dans l'après-midi. En traversant la cour, Marjorie a dit : « Tiens, c'est la voiture de M. Leigh ! » et elle est entrée comme une flèche dans la maison. J'ai continué vers le jardin sans l'attendre parce que je croyais qu'elle allait revenir tout de suite, qu'elle voulait seulement demander quelque chose à M. Leigh. Mais je ne l'ai pas vue arriver.

Victoria avait tressailli et laissé retomber dans son assiette le morceau qu'elle s'apprêtait à porter à sa bouche. Elle se tourna vers sa sœur.

— John est venu ? Et tu ne m'en as rien dit !

564

— J'avais complètement oublié. Je n'avais pas l'intention de te le cacher.

— Qu'est-ce qu'il voulait ?

— Oh, il... commença Frances, qui cherchait désespérément quoi dire quand soudain, dehors, une porte claqua en même temps que retentissait un nouveau coup de tonnerre.

— Marjorie ! s'écria Laura.

Marjorie entra dans la salle à manger. Elle ruisselait. De la tête aux pieds. Ses cheveux, son visage, ces cils ruisselaient ; ses vêtements étaient plaqués sur son corps, ses chaussures pleines d'eau. Une flaque se forma autour d'elle.

— Dieu tout-puissant ! s'exclama Adeline. Il faut tout de suite que tu te changes !

Marjorie entra plus avant dans la pièce.

— Excusez-moi pour mon retard, dit-elle d'une petite voix.

Un éclair illumina la pièce. Au-dessus de la table, la lumière du lustre vacilla.

— Où étais-tu ? demanda Laura. Frances te cherchait partout !

Marjorie redressa la tête. Son regard rencontra celui de Frances, qui tenta de déchiffrer ce qu'il recelait. De la haine ? Une joie mauvaise ? De la satisfaction ? Elle aurait été incapable de le dire.

Marjorie baissa la tête. Avec ses vêtements qui lui collaient à la peau, elle avait l'air encore plus frêle qu'elle ne l'était. Un petit chat mouillé qui faisait pitié.

— Je... j'étais si troublée... dit-elle.

Elle parlait si bas que tous devaient tendre l'oreille pour la comprendre.

— Je voulais être seule. Je... je ne me suis pas rendu compte de... qu'il commençait à pleuvoir.

— Qu'est-ce qui t'a troublée à ce point ? voulut savoir Adeline.

— Je crois que Marjorie devrait commencer par prendre un bon bain chaud et ensuite filer au lit, intervint Frances. Sinon, elle va attraper la mort, mouillée comme elle est.

Elle repoussa sa chaise et se leva.

— Viens, Marjorie. Je monte avec toi.

— Une minute !

Victoria, à son tour, se leva. Elle était pâle comme un linge.

— Qu'est-ce qui t'a troublée, Marjorie, dis-moi ?

Il arrivait que même Victoria fût capable, de temps à autre, d'additionner deux et deux.

— Ne serait-il pas possible de reporter cet interrogatoire à demain ? s'interposa Frances.

— Je ne sais pas si j'ai le droit de le dire, minauda Marjorie.

— Tu as le droit de tout dire, l'encouragea Victoria.

Une nouvelle série d'éclairs blancs illuminèrent la pièce.

— Demain, Marjorie aura la grippe, dit Frances.

— John et Frances... pépia Marjorie.

Ces deux noms et la façon lourde de sens dont elle laissa sa phrase en suspens eurent bien plus d'effet que si elle avait prononcé une phrase entière. Un doute ravageur, une terrible suspicion s'installèrent. Victoria, pour autant que ce fût possible, parut pâlir un peu plus. Adeline ouvrit la bouche puis la referma aussitôt. Laura écarquillait les yeux.

— Il s'accrochait à elle, poursuivit Marjorie. Il disait... il disait qu'il l'aimait... Je n'arrivais pas à le croire...

Elle regarda Victoria, qui avait des larmes dans les yeux.

— C'était pourtant votre mari à vous, Victoria, dit-elle.

En trois pas, Frances fut près d'elle et lui donna une

paire de gifles. Quelqu'un cria. Au-dessus de la table, la lumière vacilla à nouveau et, cette fois, s'éteignit.

Le lendemain, Marjorie déclara qu'elle voulait absolument retourner chez son père à Londres, à quoi Frances répondit qu'elle considérait que c'était une excellente idée.

— Ce n'est pas la peine de continuer comme ça, Marjorie. Nous n'arriverons pas à nous entendre.

— Alors vous me renvoyez! dit Marjorie. Je dois partir parce que j'ai vu quelque chose que je n'aurais pas dû voir.

— Il me semble que tu veux t'en aller, non? Et que c'est ce que tu veux depuis le début?

— C'est vrai. Et je suis bien contente que vous ayez enfin compris.

Tassée sur son lit et le visage gris comme le ciel de ce jour pluvieux, Laura poussa un gémissement.

— Ne nous renvoyez pas, Frances! Nous n'avons que vous!

Marjorie fit face à sa sœur et la fusilla du regard.

— Nous avons encore un père, il ne faudrait pas que tu l'oublies! Notre maman est morte, mais pas notre papa, et...

— Il ne peut pas s'occuper de nous, Marjorie, dit Laura à voix basse.

— Tu peux rester, toi! Tu te plais tellement ici! Et puis c'est vrai qu'on ne peut rien te reprocher... A part que tu t'empiffres la nuit en cachette!

— Marjorie! protesta Frances. Epargne-nous tes remarques désagréables, tu veux! Bon. Pour ce qui nous concerne, tout est clair, maintenant, n'est-ce pas?

— Tout est clair, confirma Marjorie.

Laura eut un sanglot.

— Laura, arrête de pleurer, demanda Frances.

567

Frances était à la fois en colère et fatiguée. Elle avait mauvaise conscience; une petite voix intérieure lui disait qu'elle ne devrait pas accéder au souhait de Marjorie. En même temps, elle ne ressentait pas la moindre envie de la convaincre de rester. Au contraire. Ce serait pour elle un soulagement de ne plus l'avoir dans la maison.

— Je ne peux pas partir d'ici, sanglota Laura. Je ne peux pas. Je ne peux pas.

— Tu peux rester aussi longtemps que tu le souhaites, Laura.

— Mais je ne peux pas laisser Marjorie partir seule!

— Tu le peux tout à fait, intervint sèchement Marjorie. Je m'en sortirai, va, tu peux dormir sur tes deux oreilles!

Elle se tourna vers Frances.

— Tout le monde ici va penser que vous me renvoyez. Ça va ressembler à un aveu. Comme si j'avais visé juste. Comment on dit, déjà?

Elle fit semblant de réfléchir intensément.

— Il n'y a que la vérité qui blesse?

— Ne te fatigue pas avec ça, Marjorie. Réfléchis plutôt encore une fois à ce que tu vas faire. Tu veux vraiment aller à Londres chez ton père?

— Oui. Et si vous refusez, je me sauverai.

— Alors prépare tes bagages. Nous partons demain matin de bonne heure.

— Je prendrai toute seule le train.

— Oh, non. Certainement pas. Ta mère vous a confiées à moi, en vertu de quoi jamais je ne te laisserai te promener seule à ton âge. Je te confierai soit à ton père, soit à Mme Parker pour qu'elle te place dans un foyer et seulement alors ma mission sera terminée.

Elle se détourna et quitta la pièce, les pleurs de

Laura dans son dos, le regard plein de haine de Marjorie rivé sur sa nuque.

Adeline était en bas des marches. Elle semblait outrée.

— Vous ne pouvez pas faire ça! Vous ne pouvez pas laisser partir cette enfant!

— Marjorie veut partir. Elle préfère vivre avec son père, et c'est son droit le plus strict.

— Elle est trop jeune pour prendre une décision comme celle-là. Elle dit ça maintenant par bravade et parce qu'elle est furieuse. Son père est un bon à rien. Sa mère n'aurait pas voulu que...

— Je préfère l'amener à son père avant qu'elle fasse une fugue et soit pour le coup vraiment en danger. Bon, et maintenant je ne veux plus en entendre parler.

Elle prit une longue inspiration et demanda :

— Où est Victoria?

— Probablement encore dans sa chambre. Elle n'a pas pris de petit-déjeuner.

Adeline était l'image même de la désapprobation. Elle était très contrariée que la pauvre petite Vicky soit si malheureuse. Quant au destin de Marjorie, il paraissait beaucoup la préoccuper.

Et, une fois de plus, personne ne pense à moi, songea Frances, agacée.

— Je suis maintenant dans la salle à manger, dit-elle. Il faut que je fasse la comptabilité. On semble l'avoir oublié, mais j'ai aussi une exploitation à diriger. Les drames familiaux, ça va bien un temps.

Elle monopolisa la pièce toute la journée et contraignit le reste de la maisonnée à déjeuner dans la cuisine en étalant papiers, livres de comptes et registres sur la grande table familiale. Elle-même ne déjeuna pas ; elle s'absorba dans ses comptes, demanda à Adeline de lui apporter un café, et ne leva même pas les

569

yeux quand celle-ci revint avec un plateau. Depuis l'orage de la veille, il pleuvait sans discontinuer et la température avait fortement chuté. Quand on ouvrait les fenêtres, un air frais et humide entrait dans la maison.

En fin d'après-midi, Laura, les yeux rouges et les paupières gonflées, poussa la porte de la salle à manger. Elle était déchirée entre deux sentiments. D'un côté elle était convaincue de devoir partir avec Marjorie, de l'autre elle éprouvait une peur panique à l'idée de devoir quitter Westhill.

— Ne pourriez-vous pas essayer encore de la convaincre de rester ? demanda-t-elle à Frances. Elle est en train de préparer ses affaires. C'est ma petite sœur. Je ne peux pas la laisser partir toute seule.

— Elle n'est pas aussi démunie que tu le crois. Elle est tout à fait capable de se débrouiller. Et elle a toujours voulu partir. Elle se plaira davantage ailleurs.

— Je ne la comprends pas. Nous n'avons pas d'autre endroit. C'est chez nous, ici.

— C'est ce que tu ressens, Laura. Mais il n'en a jamais été ainsi pour Marjorie.

— Vous êtes très en colère après elle, n'est-ce pas ?

— Laura, la question n'est pas là... Bien sûr que je suis fâchée.

Elle posa son stylo et se prit un instant le visage entre les mains.

— Mais j'ai surtout peur de ce qui risque d'arriver si je la convaincs maintenant de rester. Marjorie a toujours refusé Westhill. Je ne sais pas pourquoi, mais elle ne s'est jamais plu ici. Elle m'en a voulu d'être là, elle nous en a voulu à nous tous. On ne peut pas forcer la volonté des gens. Ça ne sert à rien. Au bout du compte, si on insiste, ça tourne mal pour tout le monde. Marjorie a plusieurs fois menacé de s'enfuir, et ce matin encore. Elle en est tout à fait capable.

A vrai dire... A vrai dire, Laura, reprit-elle en se laissant aller contre le dossier de sa chaise, j'en ai assez d'être continuellement à me demander ce qui va bien pouvoir encore arriver. C'est une responsabilité trop lourde. J'aimerais que tu le comprennes.

Laura hocha la tête. Elle essuya ses larmes du revers de la main.

— Mais je peux rester ? s'assura-t-elle encore une fois.

— Bien sûr. Je te l'ai dit. Tu te plais ici, n'est-ce pas ?

— Oui, j'aime cet endroit, répondit gravement Laura. J'aime cette maison et la campagne alentour plus que je n'aime ma sœur. Sinon, je ne la laisserais pas partir sans moi.

Sans attendre de réponse, elle tourna les talons et quitta la salle à manger.

C'était, dans la bouche de Laura, une déclaration inhabituellement solennelle qui étonna beaucoup Frances, mais elle eut à peine le temps d'y songer. Laura était à peine sortie que Victoria entrait. Frances supposa qu'elle avait attendu dans le couloir que Laura s'en aille. Elle n'avait nullement l'air de quelqu'un qui avait pleuré, ce qui était pour le moins étrange chez une femme qui d'ordinaire faisait grand usage de ses glandes lacrymales. Elle donnait l'impression d'être en pleine possession de ses moyens.

Elle aborda le sujet sans détour :

— Tu renvoies Marjorie ? Dois-je en conclure que ce qu'elle a dit hier soir est conforme à la vérité ?

— Je ne la renvoie pas. Elle veut s'en aller.

— Et ça t'arrange drôlement, n'est-ce pas ? En tout cas, tu ne donnes pas l'impression d'avoir très envie de l'inciter à rester.

— Il y a une foule de raisons pour lesquelles je pense qu'il est préférable que Marjorie nous quitte.

— Qu'y a-t-il entre John et toi ?

— Rien.

— Rien ? Alors Marjorie a tout inventé ?

— Non. Mais il n'y a rien. John est venu me voir pour me parler, et sans doute qu'à un moment les souvenirs d'autrefois nous ont un peu chamboulés. Ou peut-être était-ce l'orage qu'il y avait dans l'air. Je ne sais pas...

— Votre « autrefois » commence à dater un peu, non ?

— Si. C'est d'ailleurs pour cela que ce n'est vraiment pas important.

Victoria s'appuya au dossier d'une chaise. Les plis d'amertume, à la commissure de ses lèvres, paraissaient, ce jour-là, plus marqués que d'habitude.

— Je me suis parfois demandé si tu t'en étais jamais remise, autrefois. Toi et John, vous étiez tout le temps ensemble, quasi inséparables. Et un jour tu t'en vas et il épouse ta sœur. A l'époque, je n'y ai pas beaucoup pensé. J'étais tellement amoureuse... Et si heureuse...

Frances se rendit compte que sa sœur attendait qu'elle réponde. Sans bien mesurer ce qu'elle disait, elle lança :

— Pourquoi viens-tu me parler de ça maintenant ? Qu'est-ce que tu veux entendre ?

— Est-ce que cela a été dur, pour toi ? D'arriver comme ça et de découvrir qu'on était mariés, John et moi ?

Frances tressaillit. Elle comprit à l'expression de sa sœur qu'elle s'était ressaisie une seconde trop tard. Victoria avait deviné. Elle avait demandé si cela avait été dur. La réponse, elle l'avait lue dans les yeux de Frances. Si dur que cela faisait encore mal aujourd'hui. Mal comme au premier jour.

— Oui, répondit Frances. Cela a été dur. Et ça l'est encore aujourd'hui.

Les deux sœurs se regardèrent : Victoria bluffée parce qu'elle n'escomptait pas une réponse franche, Frances dans l'attente de la suite.

Finalement, Victoria reprit la parole :

— Ah. Tout est clair, maintenant.

— Je ne vois pas ce qui est clair.

— J'imagine que pendant que nous étions mariés, tu as...

Victoria ne put achever sa phrase. C'était trop abominable, inconcevable, indicible.

Cette fois, Frances était préparée. Elle regarda sa sœur droit dans les yeux et dit :

— Non. Il n'y a rien eu quand vous étiez mariés. Absolument rien.

Pas même un peu de rouge ne lui monta aux joues.

Victoria, de toute évidence, hésitait entre la méfiance et le désir de croire ce qu'elle venait d'entendre. Avant que la méfiance ne l'emporte, Frances joua son va-tout. Il faudrait que ce soit dit, alors pourquoi pas maintenant, quand cela pouvait lui permettre de s'en sortir indemne ?

Elle se leva, en réprimant une petite grimace de douleur car elle avait le dos endolori. Depuis le matin, elle avait à peine bougé de sa chaise. Elle fit quelques pas prudents vers la fenêtre. Dehors, une pluie fine tombait et elle savait que cette lumière grisâtre vieillissait ses traits.

— Ce qu'il y a eu ou non entre John et moi, tu peux l'oublier au fond de ta mémoire. Parce que tu n'as pas idée de la raison pour laquelle il est venu hier.

— Quelle raison ?

Frances parlait tout en regardant par la fenêtre, comme s'il y avait quelque chose d'extrêmement intéressant à voir en dehors de l'herbe trempée, des arbres mouillés dans le jardin et des nuages qui masquaient les collines.

— Lui et Marguerite vont se marier, dit-elle comme s'il s'agissait d'une information anodine. C'est ça qu'il est venu me dire. Marguerite attend un enfant.

Victoria ne proféra pas un son. Frances se retourna. Tout le sang s'était retiré du visage de sa sœur. Ses lèvres bougèrent furtivement sans qu'on entende quelque chose.

— Fais-moi plaisir, dit Frances plus sèchement qu'elle n'en avait l'intention, s'il te plaît, ne commence pas à pleurer. Laura pleure déjà depuis ce matin, je ne supporte plus tous ces robinets ouverts.

Quelque chose dans les yeux de Victoria s'éteignit. Une petite lumière qui jusque-là leur donnait leur éclat.

— Je ne pleure pas du tout.

Sa voix était rauque, mais elle était ferme, sans la moindre trace de sanglots.

Frances et Marjorie partirent très tôt le lendemain matin. Victoria ne s'était montrée ni au dîner ni au petit-déjeuner. Laura était elle aussi restée dans la chambre qu'elle avait jusqu'à ce jour partagée avec sa sœur.

Adeline avait préparé un grand panier de victuailles.

— C'est pour toi, ma jolie, dit-elle à Marjorie. Faut que tu aies de quoi à Londres. On dit que c'est terrible, là-bas, le rationnement. Je t'ai fait un gâteau marbré, celui que tu préfères.

— Merci, Adeline, marmonna Marjorie.

— Il faut que nous partions, les interrompit Frances. Elle ignora volontairement le regard courroucé d'Adeline. Elle se sentait beaucoup plus mal qu'elle ne voulait bien le laisser paraître.

— Ecoute, Marjorie, dit-elle lorsqu'elles furent enfin installées dans la voiture, si tu veux réfléchir et revenir sur ta décision, il est encore temps et...

— C'est tout réfléchi, l'interrompit Marjorie. Je suis trop heureuse de pouvoir enfin partir !

C'était Marjorie au mieux de sa forme : arrogante, hostile et blessante.

Frances mit le moteur en marche.

— Alors allons-y.

Elles allèrent jusqu'à Northallerton, où elles prirent le train pour Londres. C'était un train direct, sans changement à York, et les voyageurs se bousculaient. Elles trouvèrent *in extremis* deux places assises. Tout le monde ne parlait que de la guerre et du front de l'Est, commencement de la fin pour les uns, dramatique confirmation de la toute-puissance nazie pour les autres. Frances ne se mêla pas aux conversations. Elle examinait de temps à autre Marjorie, du coin de l'œil. L'adolescente avait pris un petit air suffisant et s'appliquait à paraître gaie.

A Wensleydale, il pleuvait, mais vers le sud la pluie cessa et le ciel, peu à peu, s'éclaircit. A Nottingham, le soleil brillait.

— C'est une des raisons pour lesquelles je n'habiterai jamais dans le Nord, déclara Marjorie. Il y pleut tout le temps. Dans le Sud, il fait bien plus beau.

— Non, il ne pleut pas tout le temps, rectifia Frances.

Elle n'avait pas fini sa phrase que déjà elle s'en voulait d'être, une fois de plus, tombée dans le piège de la provocation.

Qu'avait-elle besoin de discuter avec Marjorie du temps qu'il faisait dans le Yorkshire ? L'adolescente pouvait bien penser ce qu'elle voulait. Et elle pouvait dire ce qu'elle avait envie de dire. Elle, Frances, était bien assez grande pour ne pas s'arrêter à cela.

Ce fut une ville triste et sombre, en dépit d'un soleil radieux et de la chaleur estivale, qui les accueillit à leur arrivée à Londres. Frances découvrit avec consternation les ravages des attaques aériennes. Partout, des immeubles détruits. Les vitres avaient explosé et été sommairement remplacées par des planches ou du carton. Certains n'avaient plus de toit. Il restait des tas de gravats et des pans de murs noircis percés de rectangles vides, des squelettes charbonneux qui dressaient leurs silhouettes sombres dans le ciel bleu.

Il leur fallut une éternité et un nombre incalculable de bus pour arriver jusqu'à Bethnal Green, une éternité et un parcours sinistre qui les mena à travers une ville dévastée. Au milieu de ce désastre, des gens, pauvrement vêtus, trop maigres et trop pâles pour la plupart, s'efforçaient de redonner un cours normal à leur vie. Beaucoup plus souvent qu'auparavant, on entendait, dans les rues, des langues inconnues ou dont Frances ne comprenait que quelques bribes. Londres hébergeait de nombreux réfugiés allemands ou originaires de pays occupés par l'Allemagne et qui avaient fui la barbarie nazie. Ils semblaient porter toute la misère du monde sur leurs épaules. Ballottés par la guerre, ils devaient maintenant se battre pour trouver un toit où s'abriter, trouver à manger, trouver de l'argent, et lutter contre le désespoir, qui était peut-être leur pire ennemi.

Leigh's Dale – mais Frances le savait déjà – était un îlot de paix. Jamais la guerre n'était parvenue jusqu'à eux. Le destin de Marguerite les avait tous émus. Ici, à Londres, il y avait des centaines de Marguerite dont personne ne se souciait parce qu'elles étaient noyées dans la masse de tous les malheureux.

Le réseau des bus était désorganisé, aucun horaire n'était respecté et il était déjà tard lorsque enfin elles arrivèrent à Bethnal Green. Dévasté comme le reste de la ville, le quartier était à peine plus désespérant que d'habitude : des briques noircies par la saleté, des pâtés de maisons à la dérive, des rues étroites dans lesquelles errait une jeunesse désœuvrée, ici et là un jardinet encombré de détritus. Du linge séchait, pendu à des cordes sur de minuscules balcons qui ne voyaient jamais le soleil, quelques plantes fatiguées survivaient dans des pots.

La chaleur était plus difficilement supportable que dans le centre-ville. Les fenêtres des appartements étaient grandes ouvertes, et de partout montait la musique des gramophones, les voix de la radio, les cris des enfants et les échos des disputes de couples qui ne se supportaient plus.

— Il y a plus d'animation ici qu'à Leigh's Dale, remarqua Frances.

Elle chercha dans son sac à main le papier sur lequel elle avait noté l'adresse que lui avait donnée Mme Parker. Elle n'en pouvait plus, elle transpirait des pieds à la tête, et une douleur lancinante palpitait derrière ses tempes. Quelle journée épouvantable ! songea-t-elle.

Elle espéra de toutes ses forces qu'elle ne trouverait pas Hugh Selley dans un état où il serait impossible de lui laisser sa fille – saoul ou au lit avec une prostituée, par exemple. Mais il fallait déjà qu'il soit chez lui. En dernier recours, il lui resterait toujours Mme Parker, mais cela signifiait qu'elles devraient à nouveau traverser la ville pour arriver jusqu'à elle et Frances ne s'en sentait pas le courage.

Elles demandèrent leur chemin à droite, à gauche et, après une demi-heure d'errance, trouvèrent enfin la maison dans laquelle vivait Hugh Selley. « A moitié en ruine », avait dit Mme Parker. Elle n'avait pas exagéré.

C'était un immeuble de cinq étages. Une moitié du toit manquait. Sur l'autre les tuiles avaient disparu en plusieurs endroits, laissant voir de grands trous béants. Une cheminée carbonisée se dressait. Un incendie avait dévasté les deux étages supérieurs, il n'y avait plus aucune vitre et les murs étaient noirs de suie. A en juger par le linge aux fenêtres et ici et là un rideau défraîchi, en dessous, les appartements paraissaient occupés. L'ensemble suait la misère. En hiver, les appartements devaient être humides et froids. L'été, la vie devait être plus supportable, mais tout aussi désespérante.

— Marjorie... commença Frances.

Mais Marjorie, qui regardait l'immeuble avec un air de défi, ne la laissa pas achever sa phrase.

— Qu'est-ce qu'on attend ? On y va, oui ou non ?

Aucun nom ne figurait à l'entrée de l'immeuble ; seul un écriteau accroché à côté de la porte informait les démarcheurs qu'ils n'étaient pas les bienvenus. Frances se demanda quel démarcheur irait s'aventurer dans une maison pareille.

La porte n'était pas fermée. Elles pénétrèrent dans un couloir sombre. Le sol orné d'une mosaïque de petits carreaux noir et blanc qui dessinaient de grandes spirales révélait que l'immeuble avait connu des jours meilleurs. Partout, des carreaux manquaient ou étaient cassés, et le blanc disparaissait sous des années de crasse. Une rangée de boîtes à lettres métalliques était fixée à un mur badigeonné en jaune pâle. Il n'y avait de courrier dans aucune. Un escalier de bois, raide à inspirer le vertige, montait vers les étages supérieurs. Il comportait une rambarde brisée en plusieurs endroits ; les barreaux orphelins pointaient dans le vide comme des cure-dents cassés. Frances se demanda si des vandales s'étaient acharnés sur l'escalier ou si c'était l'usure du temps, un simple défaut d'entretien, un défaut de temps et d'énergie pour réparer, un défaut d'argent.

Une femme entre deux âges était assise sur les marches, ses grosses jambes variqueuses assez écartées pour que l'on n'ignore rien de la couleur douteuse de ses sous-vêtements. Sa robe-tablier gris-vert remontait haut, dévoilant ses cuisses nues. Elle avait des cheveux mi-longs et gras qui lui tombaient sur le visage et qu'elle remontait continuellement derrière ses oreilles, d'un geste impatient de la main. Une forte odeur d'alcool flottait dans l'air mais Frances n'était pas sûre qu'elle vînt de la femme.

— Excusez-moi, dit-elle. Habitez-vous ici ?

La femme lui jeta un regard suspicieux.

— Pourquoi vous me demandez ça ?

— Je cherche quelqu'un. M. Hugh Selley. Je pensais que vous pourriez peut-être me dire où le trouver.

— Hugh ?

La femme changea d'expression : de suspicieuse, elle devint franchement hostile et ses traits se durcirent.

— Et d'où vous le connaissez, Hugh ?

Frances se sentit soudain comme un éléphant dans un magasin de porcelaine. Elle portait un tailleur en lin caramel et autour du cou les perles de Maureen. Elle était fatiguée, en sueur, mais elle détonait sans doute dans ce misérable environnement.

— Où puis-je le trouver ? demanda-t-elle, ignorant la question de son interlocutrice.

— Je suis sa fille, dit Marjorie.

La femme en resta bouche bée, les yeux exorbités.

— Sa fille ? articula-t-elle. Dieu tout-puissant !

Elle se leva en gémissant. Sa robe retomba sur ses cuisses. Elle n'était pas aussi grosse qu'elle en donnait l'impression, mais elle paraissait boursouflée.

— Et d'où tu viens, toi ? La fille de Hugh ? Non, mais je rêve !

— Où est mon père?

Elle descendit lourdement les marches.

— Je passe devant. Je me mets sur les marches parce que des fois, en bas, c'est pas supportable. Vous comprenez? Dans cette cave...

— Excusez-moi, dit Frances, prise d'un désagréable soupçon, qui êtes-vous, au juste?

La femme lui tendit la main. De près, il apparut qu'elle ne sentait pas du tout l'alcool. La puanteur devait suinter des murs.

— Mme Selley, Gwen Selley.

— Vous êtes...

— On s'est mariés en février, Hugh et moi. Vous n'étiez pas au courant?

— Non, absolument pas, répondit Frances, abasourdie.

Marjorie en était restée sans voix.

— Il a deux filles, non? demanda Gwen.

— L'aînée souhaite rester avec moi, dans le Yorkshire. Marjorie, elle, préfère... vivre avec son père.

L'information sembla peu enthousiasmer Gwen Selley.

Pas étonnant, songea Frances. Elle a mis le grappin sur un veuf, réussi à se faire épouser et voilà une grande fille de treize ans qui débarque et déclare qu'elle veut vivre avec son père. Ce n'était sûrement pas l'avenir que s'était imaginé Gwen.

Frances était atterrée que Hugh Selley ait épousé une femme pareille. Une souillon, une femme ordinaire. Après quelqu'un comme Alice! Elle n'arrivait pas à comprendre. Il n'avait certes jamais été fin ou subtil, mais qu'il ait pu tomber aussi bas! Pouvait-elle laisser Marjorie avec cette femme?

Gwen descendit le petit escalier sombre qui menait à la cave. La chaleur n'avait pas pénétré jusque-là.

580

Une sensation de fraîcheur les frappa au visage. L'air sentait le renfermé et le moisi. Gwen actionna un interrupteur, une ampoule nue pendue au plafond s'alluma.

— Hugh ! cria-t-elle. De la visite pour toi !

— Qui ? demanda un filet de voix derrière une porte.

— Tu vas pas en croire tes yeux ! pronostiqua Gwen. Elle ouvrit la porte.

— Ta fille !

Elles s'avancèrent dans une pièce si sombre qu'elles ne purent d'abord rien distinguer, puis leurs yeux s'habituèrent à l'obscurité. Le mur face à la porte était percé d'une fenêtre qui donnait sur un puits de lumière et diffusait une vague clarté qui se perdait quelque part entre les murs de la pièce.

L'ensemble était chichement meublé d'un lit aux oreillers et aux couvertures en désordre, de deux fauteuils recouverts d'une toile verte usée jusqu'à la corde et d'une table basse sur laquelle s'empilaient journaux et magazines. Assis dans un fauteuil, Hugh Selley dévisagea les arrivantes.

— Quoi ? fit-il.

Frances avança d'un pas.

— Je ne sais pas si vous vous souvenez encore de moi, monsieur Selley. J'ai habité, autrefois, dans l'immeuble dont vous étiez le gardien. J'étais amie avec votre femme... avec votre première femme, se reprit-elle promptement.

Quelque chose s'éveilla dans le regard de Hugh Selley.

— Frances Gray...

— Je vous ai amené Marjorie. Votre plus jeune fille. Elle aimerait revenir chez vous.

Elle fit passer devant elle Marjorie, qui se tenait timidement dans l'encadrement de la porte.

— Papa ! fit Marjorie.

Il y avait quelque chose dans le ton de Marjorie que Frances n'avait jamais entendu et qui ne laissa de la surprendre. De l'émotion ? Du chagrin ? Une étonnante sensibilité que jamais Marjorie n'avait montrée. Elle avait souffert d'être loin de ses parents, depuis le premier jour.

Hugh se leva, en prenant lourdement appui sur les accoudoirs, comme un vieil homme. Il devait avoir à peine plus de soixante ans mais en paraissait soixante-quinze.

— Marjorie ! murmura-t-il, incrédule.

Gwen suivait la scène, le visage fermé.

— C'est quand même drôle d'arriver comme ça sans prévenir, bougonna-t-elle.

— Ce n'est effectivement pas très poli, concéda Frances, mais les choses se sont un peu précipitées.

Gwen marmonna quelque chose d'incompréhensible. Hugh tendit les bras vers sa fille. Ses mains tremblaient.

— Marjorie ! murmura-t-il à nouveau.

Elle prit ses mains. Il l'attira à lui, la prit dans ses bras, s'accrocha à elle.

— Marjorie ! répéta-t-il.

Puis il l'éloigna un peu de lui, la regarda.

— Tu ressembles tant à mon Alice... Tu es comme elle. Comme mon Alice !

Pour la seconde fois en l'espace de quelques minutes, Frances fut surprise par l'intensité de sentiments dont elle avait mis l'existence en doute. Elle savait que Hugh avait quasi idolâtré Alice, mais elle avait pensé que c'était pour lui une façon de flatter son ego ; vouer tant d'amour à une femme qui lui était supérieure était, du moins Frances l'avait-elle supposé, un moyen de se valoriser. Et là, en quelques secondes, elle comprit combien Hugh avait aimé Alice. D'un coup elle prit conscience de l'immense solitude dans laquelle sa mort l'avait plongé, de l'immense détresse qui était la sienne, et elle comprit pourquoi il avait épousé Gwen. Son désarroi était tel qu'elle n'en avait fait qu'une bouchée.

— Pourquoi tu ne nous as pas écrit quand maman est morte ? demanda Marjorie. Pourquoi tu n'as pas dit qu'il fallait qu'on revienne chez toi ?

Il haussa tristement les épaules.

— Je ne pouvais pas. J'étais incapable de rien faire. Tout était si vide...

— Nous n'avons pas de place, ici, dit Gwen. Je ne vois pas où on mettrait la petite !

Elle se tenait les poings sur les hanches, tel un dragon décidé à interdire l'entrée de sa caverne. A l'évidence, Hugh était sous sa coupe et elle n'avait pas l'intention de renoncer à son influence sous prétexte que quelqu'un de sa famille venait de débarquer.

— Vous n'avez que cette pièce ? demanda Frances.

— On a aussi une cuisine et une salle de bains, précisa Hugh, une pointe de fierté dans la voix.

Il se dirigea lentement vers une porte que Frances n'avait pas remarquée. Derrière, se trouvait une cuisine : une sorte de cagibi également éclairé par un puits de lumière et sommairement équipé d'un poêle à charbon, d'un bahut branlant, sans portes, et d'un seau en bois. Il n'y avait pas de table. Frances se demanda où ils préparaient les repas. Le poêle servait-il à tout ?

De la cuisine, une autre porte menait à ce que Hugh Selley avait appelé « salle de bains », un bien grand mot pour ce réduit dépourvu de fenêtre qu'aucune lumière extérieure n'éclairait et trop petit pour que l'on puisse s'y tenir à deux. Un froid glacial montait du sol carrelé. Il y avait une cuvette de W.-C. et un lavabo minuscule fixé de travers et pourvu d'un robinet rouillé.

— Et l'eau courante, commenta succinctement Hugh.

Le logement était sombre et miséreux, mais dans l'ensemble il donnait l'impression d'être bien tenu. Apparemment, la peu avenante Gwen faisait régulièrement la vaisselle et nettoyait par terre. Ou bien était-ce Hugh?

— Marjorie, il est clair que tu ne peux pas habiter ici, dit Frances. C'est trop petit.

— Qu'est-ce que je disais? renchérit aussitôt Gwen. On ne tiendra pas à trois.

— On peut facilement rajouter un lit dans la grande pièce, dit vivement Hugh.

— Monsieur Selley, c'est... Vous comprenez bien que ce n'est pas possible, intervint Frances, mal à l'aise.

Qu'imaginait-il? Qu'ils allaient dormir à trois dans la même pièce, avec Marjorie dans l'intimité de son père et de Gwen?

— Pourquoi ce ne serait pas possible? s'étonna Hugh.

Gwen, qui avait compris ce que Frances voulait dire, eut un sourire mauvais.

— Pour ça, faut pas vous faire de soucis, madame Gray. Chez mon Hugh, ça ne marche plus!

— Oh... oui, mais je voulais dire aussi que cet appartement n'est pas très adapté à un enfant, s'empressa de rectifier Frances. Il est très agréablement arrangé, ce n'est pas ce que je veux dire, mais... enfin, c'est une cave. L'hiver, il doit être humide et plutôt froid.

Hugh montra le poêle en fonte, dans un coin de la pièce.

— Il chauffe très bien. Il fait très bon, ici, l'hiver.

584

Gwen fixa Frances.

— Je ne vous comprends pas, madame Gray. Vous vous doutiez bien que Hugh avait des difficultés, au point de vue argent, je veux dire. Vous aviez son adresse. Bethnal Green est un quartier pourri. Vous vous attendiez à quoi, en venant ici ? Là, tout d'un coup, vous regardez partout, vous êtes aux petits soins pour elle, mais vous avez quand même fait tout ce trajet depuis le Yorkshire pour vous débarrasser de la gamine. C'est pas vrai ? Vous en avez assez de la petite et vous êtes décidée à la laisser là, quoi qu'il arrive. Vous faites seulement un peu de manières pour vous donner bonne conscience. Ça ne vous empêchera pas de nous la coller sur les bras et de disparaître dans la nature !

— Vous devriez peut-être... commença Frances, consternée.

Mais aussitôt Marjorie lui coupa la parole.

— Je ne retournerai pas dans le Yorkshire, madame...

Appeler sa belle-mère par son nom de famille était au-dessus de ses forces. Elle s'interrompit, hésita puis déclara :

— ... Je vais rester ici, madame Gwen.

— Bien sûr que tu restes là, confirma aussitôt Hugh.

— C'est un coup monté ! s'écria Gwen.

Frances prit Marjorie par le bras.

— Viens, Marjorie, montons un instant. Il faut que je te parle seule à seule.

Marjorie la suivit à contrecœur. Après l'air confiné de la cave, même la chaleur étouffante de la rue sembla un délice à Frances. Elle soupira d'aise quand elle retrouva la sensation du soleil sur sa peau.

— Ecoute, Marjorie, dit-elle sur un ton pressant, nous avons peut-être un peu trop agi dans la précipi-

tation, toutes les deux. Ce qui est arrivé avant-hier...
Je n'aurais pas dû te gifler. Mais tu n'aurais pas dû...

Déjà elle sentait à nouveau la colère l'envahir. Pourquoi racontait-elle cela ? Elle ne pensait pas ce qu'elle disait. Elle ne regrettait pas d'avoir giflé Marjorie, tout au plus regrettait-elle de ne pas l'avoir fait plus tôt. Qu'avait-elle besoin de se raconter des histoires ? Elle voulait effectivement se débarrasser de Marjorie. Et elle maudissait secrètement Hugh Selley de ne pas être capable de se trouver un logement décent et d'avoir épousé cette femme impossible à laquelle n'importe qui aurait hésité à confier une jeune fille. Elle enrageait d'être déchirée entre son désir de se débarrasser de Marjorie et sa mauvaise conscience vis-à-vis d'Alice.

— Enfin, tu ne peux pas habiter ici ! Tu t'en es rendu compte par toi-même, non ? Te vois-tu vivre dans cette cave ? Sans lumière du jour, sans air ? Et Gwen est contre toi. Elle ne veut pas partager ton père avec toi. Elle va te rendre la vie dure, tu sais.

— Je ne retournerai pas dans le Yorkshire, répéta Marjorie, impassible.

— Alors laisse-moi au moins te confier à Mme Parker. N'importe quel foyer vaut mieux que cette solution !

— Amenez-moi à Mme Parker si vous voulez. Elle ne pourra pas me mettre dans un foyer contre la volonté de mon père. Et mon père m'aime. Je serai de retour dès demain.

— Mais pourquoi, Marjorie ? Pourquoi ?

— C'est mon père.

— Il ne peut pas s'occuper de toi. Tu as vu dans quel état il est !

— Il est vieux et pauvre. Et il est triste parce que sa vie n'est pas gaie ! dit Marjorie en criant presque. Mais c'est mon père !

586

Elles s'affrontèrent du regard, toutes deux fâchées, toutes deux blessées sans bien savoir pourquoi. Finalement, Frances déclara :

— D'accord. Je comprends.

Elle se rendit compte qu'elle tenait toujours à la main le sac de voyage de Marjorie. Elle l'avait descendu, puis remonté. Elle le posa sur le trottoir.

— Bon, eh bien, dans ce cas, je vais me chercher un hôtel. Je t'en donnerai l'adresse demain. J'y resterai trois jours, jusqu'au 1er septembre, puis je rentrerai chez nous. Si tu changes d'avis, nous remonterons ensemble. Et si plus tard ça n'allait pas... Westhill te sera toujours ouvert.

— Comme c'est généreux ! répliqua Marjorie avec dédain. Mais ce n'est pas pour moi que vous faites ça. Vous en avez par-dessus la tête de moi et vous seriez drôlement contente de ne plus jamais me revoir. Mais vous avez aimé ma mère, alors vous vous sentez toute bête. Ce n'est vraiment pas la peine, vous savez. Je vais très bien m'en sortir.

Elle prit son sac et, sans un regard pour Frances, retourna dans la maison. Frances l'imagina arrivant dans la pénombre de la cave et imposant sa présence à une Gwen qui n'avait pas fini de grincer des dents.

Je devrais la rattraper et l'emmener avec moi, songea-t-elle. Je devrais la tirer par les cheveux. Je devrais...

Tout en se répétant ce qu'elle devrait faire, elle s'éloigna à reculons, puis elle se retourna et marcha vite, de plus en vite pour finalement presque courir, mais elle n'en prit conscience qu'en remarquant à quel point elle était essoufflée en arrivant à l'arrêt de l'autobus.

Samedi 28 décembre 1996

Barbara s'était absorbée dans sa lecture, avait lu des heures sans oser s'interrompre, de peur de laisser l'angoisse s'installer. Mais, depuis quelques minutes, le stratagème avait du plomb dans l'aile. L'angoisse était là, elle grandissait, faisait battre son cœur plus vite, rendait ses mains moites. Elle ne parvenait plus à se concentrer. Pour la centième fois, son regard s'arrêta sur la fenêtre et une sorte de nausée l'envahit à la vue des flocons. Il neigeait beaucoup, presque autant qu'à Noël.

Elle repoussa le paquet de feuillets qu'elle n'avait pas encore lus. Elle finirait d'ici ce soir. Il était 15 h 30. Le jour commençait à baisser ; dans une demi-heure, il faudrait qu'elle allume la lumière.

Elle se doutait que Cynthia n'avait pas de nouvelles, sinon elle l'aurait appelée ; néanmoins, elle décrocha le téléphone et composa son numéro. Elle avait besoin d'entendre une voix humaine.

Cynthia mit du temps à répondre.

— Oh, Barbara, c'est vous ! Désolée de vous avoir fait attendre si longtemps, j'étais au sous-sol.

— Il n'y a pas de mal, Cynthia. J'espère seulement que je ne vous ennuie pas trop, mais je me fais beaucoup de souci pour mon mari. Il devrait être arrivé quelque part, à l'heure qu'il est.

Cynthia paraissait optimiste – ou bien s'efforçait-elle de le paraître ? se demanda Barbara, prise d'un doute.

588

— Il est sûrement quelque part dans un village. Mais toutes les liaisons téléphoniques ne fonctionnent peut-être pas encore. Vous êtes bien de mon avis ?

— Oui, mais... ça ne me semble pas très probable.

— Pour le moment, il n'y a rien à faire. Sinon garder votre calme. Ne vous inquiétez pas, il ne va rien arriver à votre mari.

— Mais il neige de plus en plus !

— Votre mari n'est plus un enfant. Je ne l'ai vu que brièvement, mais c'est un grand et bel homme. Il saura bien quoi faire, allez !

— Oui, vous avez peut-être raison, dit-elle sans conviction.

Cynthia ne connaissait pas Ralph, elle ne pouvait pas comprendre pourquoi elle était si inquiète. Cynthia était une femme de la campagne, elle avait grandi parmi des fermiers, vécu sur une terre rude et difficile où les gens avaient appris à dominer la nature et à résister aux tempêtes. Elle vivait dans un monde où on ne pouvait pas imaginer qu'un « grand et bel homme » ne soit pas capable de se débrouiller dans le froid et la neige, dans l'obscurité totale et sans repères pour se guider. Que savait-elle des gens qui passaient le plus clair de leur temps assis derrière un bureau et ignoraient tout de la façon de fendre du bois ou de s'orienter la nuit dans une tempête de neige ?

— Essayez de penser à autre chose, Barbara. Allumez la télévision, il y a peut-être une émission intéressante. Ou trouvez un bon roman.

Un bon roman... Elle songea aux feuillets sur la table de la salle à manger. Penser à autre chose...

— Avez-vous connu Laura et Marjorie Selley quand elles étaient enfants ?

— Laura et Marjorie ? Naturellement. Même si je n'étais pas bien vieille quand elles sont arrivées, pendant la guerre. Elles habitaient Londres, elles avaient été évacuées.

— Marjorie n'est pas restée longtemps.

— Ah, vous avez donc parlé avec cette brave Laura au téléphone ? fit Cynthia, étonnée. Elle vous a raconté ça ?

— Oui, nous avons parlé assez longuement...

— Personne n'a regretté son départ. Elles ne jouaient pas très souvent avec nous autres, les enfants du village, mais quand ça se trouvait, il y avait immanquablement des disputes avec Marjorie. C'était une vraie peste. Il fallait toujours qu'elle embête quelqu'un. Je crois qu'elle n'était pas heureuse. Il y avait quelque chose qui n'allait pas. Avec Laura, c'était très différent. Elle avait toujours peur de faire du tort à quelqu'un et d'être renvoyée à Londres. Elle était énorme, à l'époque, c'est difficile à imaginer quand on la connaît aujourd'hui... Elle est si menue ! A l'époque elle devait bien faire cent kilos.

— Marjorie n'est jamais revenue ?

— Oh, non ! Jamais. Même plus tard. Elle est retournée vivre chez son père, à Londres. Entre-temps, la mère était morte mais le père s'était remarié. Une fois, Laura a fait une allusion comme quoi Marjorie aurait tellement poussé cette femme à bout qu'elle aurait fini par partir. Ça ne m'étonne pas. Après ça, Marjorie a toujours vécu avec son père et, jusqu'à ce qu'il meure, elle s'est beaucoup occupée de lui. Faut le reconnaître. Maintenant, elle vit seule quelque part dans le Sud.

— Tandis que Laura a trouvé des racines ici, dit Barbara, songeuse.

— Oh, l'expression est faible ! Elle est attachée à Westhill au point que c'en est presque anormal. Et ça ne date pas d'aujourd'hui. Je l'ai toujours connue s'accrochant à la ferme comme un noyé à une paille.

Il faut dire aussi qu'elle n'a pas toujours eu une vie bien gaie. Elle a été très choquée par les bombardements, quand elle était enfant, et il lui en est toujours resté quelque chose. Là-dessus, la mort de sa mère... Un jour, elle m'a dit que Westhill était le seul endroit où elle se sentait en sécurité. Elle est anxieuse, vous n'imaginez pas ! Elle voit du danger partout. Pour finir, c'est bien compréhensible qu'elle tienne tant à l'endroit où elle se sent en sécurité.

— Elle n'arrête pas de nous téléphoner, comme si elle craignait je ne sais quelle catastrophe. Nous lui avons dit maintes fois que tout allait bien, mais elle a l'air d'avoir du mal à le croire.

— Il paraît qu'elle a de gros problèmes d'argent, rapporta Cynthia avec la délectation de quelqu'un qui se nourrit de commérages. On ne sait rien de très précis, mais... l'entretien de cette immense maison doit coûter les yeux de la tête, sans parler des impôts. Et elle ne doit pas avoir une bien grosse retraite. Après tout, elle n'était jamais que la dame de compagnie de Frances Gray ! Ce n'est pas là-dessus qu'on peut bâtir une fortune.

— Elle n'a plus autant de terres qu'avant, non ?

Cynthia étouffa un rire.

— Ah, ça, on peut le dire ! Elle a presque tout vendu à Fernand Leigh. Pour lui, évidemment, c'est une très belle opération. Westhill Farm scindait le domaine de Daleview en plusieurs morceaux. Maintenant, il a un ensemble plus cohérent.

Barbara se souvint des actes de vente qu'elle avait trouvés dans le secrétaire du salon. Elle ne pouvait pas avouer à Cynthia qu'elle avait fouiné dans les papiers ; sinon, elle lui aurait volontiers demandé pourquoi les transactions s'étaient toutes effectuées sur la base de prix ridiculement bas. Barbara n'était pas bien au fait de la valeur des terres agricoles, et encore moins de leur valeur en Angleterre, mais Laura n'avait reçu de Fernand Leigh que des sommes symboliques, sans doute pour que les ventes puissent être enregistrées. En réalité, elle avait bradé des hectares de pâtures. Pourquoi ? Pourquoi avait-elle accepté ces sommes dérisoires ? Etait-elle à ce point aux abois ? Y avait-il si peu d'acheteurs potentiels ? Fernand Leigh était peut-être le seul à être intéressé, et il avait fait baisser les prix en conséquence.

Il avait cyniquement et sans le moindre scrupule exploité la détresse de la vieille femme. Ou bien lui faisait-elle un procès d'intention ? Existait-il derrière ces sous-évaluations une volonté de tromper le fisc ? Y avait-il eu versement de dessous-de-table ? L'anxieuse et naïve Laura était-elle aussi anxieuse et naïve qu'elle voulait bien le faire croire ?

La première version paraissait nettement plus plausible. Laura était une victime née, et Fernand avait indubitablement quelque chose de malfaisant. Il suffisait de se souvenir du visage meurtri et de l'expression apeurée de sa femme pour s'en convaincre.

Soudain, Barbara comprit que Fernand devait être le fils de Marguerite, la jeune réfugiée française. Et pour la première fois depuis des jours, le rêve qu'elle avait fait lors de sa première nuit à Westhill lui revint en mémoire. Elle et Fernand... Le rouge lui monta aux joues.

Si elle a de telles difficultés à conserver cette maison, il est normal qu'elle se fasse tant de soucis, songea Barbara en s'appliquant à chasser Fernand de ses pensées.

— C'est une vieille fille un peu bizarre, dit Cynthia, reprenant l'expression qu'elle avait utilisée pour décrire Laura le soir où Ralph et Barbara étaient arrivés à Leigh's Dale.

Barbara se demanda pourquoi l'expression « vieille

fille » était toujours assortie d'un tel mépris. A partir d'un certain âge, la virginité devenait une véritable tare et, quand il y avait une étrangeté à expliquer, c'était elle que l'on invoquait. On ne se donnait plus la peine de chercher d'autres causes aux troubles qui affectaient une femme qu'aucun homme n'avait touchée.

— N'y a-t-il jamais eu aucun homme dans sa vie ? demanda Barbara sans cacher sa curiosité.

Cynthia réfléchit.

— Maintenant que vous me le demandez... non, mais... On a pas mal jasé, quand elle était jeune fille... Il y aurait eu un homme. Est-ce qu'il y a eu quelque chose entre eux... ça, mystère ! Mais c'est un fait qu'à l'époque elle a commencé à beaucoup moins manger et qu'elle est finalement devenue mince comme un fil. J'étais très jeune mais j'entends encore ma mère dire : « Je parie que Laura Selley est amoureuse ! C'est clair comme de l'eau de roche. Elle ne mange plus, elle fait attention à bien se coiffer et il y a quelque chose de différent dans ses yeux. » C'est ce que ma pauvre mère disait. Il y avait peut-être du vrai là-dedans, qui sait ?

— A quelle époque était-ce ?

— Eh bien, ça devait être... oui, nous étions encore en guerre. En 42 ou 43. Des gens prétendaient avoir vu un homme à Westhill. A cette époque, on n'appelait déjà plus l'endroit Westhill mais la Maison des Sœurs, même s'il y avait aussi Laura et une vieille gouvernante qui y vivaient. Enfin, toujours est-il que tout ça, ce n'était que des femmes et qu'on s'est mis à raconter qu'il y avait un homme qui allait et venait là-haut. Vous imaginez tout ce qu'on a pu inventer !

— Peut-être George, le frère de Frances, était-il revenu ? suggéra imprudemment Barbara.

Cynthia ne manqua pas de s'étonner.

— Ben dites-moi... Laura vous a vraiment beaucoup parlé ! Vous êtes même au courant de l'histoire de ce pauvre George ! Vous avez dû rester des heures au téléphone !

Barbara se mordit la lèvre. Il fallait qu'elle fasse plus attention sans quoi Cynthia allait se douter qu'elle avait une autre source d'information.

— Non, non, ce n'était pas ce pauvre George, dit Cynthia, qui adorait qualifier ses congénères de « pauvres ». Lui, on ne l'a jamais revu. Ça a été terrible pour Frances. Dès qu'on parlait de son frère, elle avait les larmes aux yeux, même des années après.

— Les gens se faisaient peut-être des idées, dit Barbara en manière de conclusion.

Elle aurait volontiers poursuivi la conversation, ne serait-ce que pour se changer les idées, mais elle venait de se rendre compte qu'il fallait qu'elle se dépêche de raccrocher. Ralph était peut-être en train d'essayer de l'appeler. Du coin de l'œil, elle regarda par la fenêtre. Il neigeait à gros flocons.

— C'est possible, dit Cynthia, songeuse, puis comme pour elle-même, elle ajouta : En tout cas, c'était peu avant que Victoria Leigh disparaisse.

Barbara plissa le front.

— Elle a disparu elle aussi ?

— Oui. Je crois que c'était en 1943. Une histoire bien mystérieuse. D'un coup, elle n'a plus été là. Frances Gray n'a jamais rien dit à personne, mais à un moment, on s'est rendu compte que plus personne ne voyait la pauvre Victoria.

Encore quelqu'un qui était pauvre, songea Barbara.

— John Leigh s'était remarié. Avec une Française qui avait fui la Gestapo. D'après ce qu'on a raconté, ça avait beaucoup affecté Victoria. Et elle, je veux dire la seconde femme, elle a tout de suite eu un enfant. John Leigh avait déjà quelque chose comme cinquante-cinq ans. Il y en a qui ont trouvé que ce n'était plus un âge pour être père. Sa femme était beaucoup plus jeune, elle avait seulement la trentaine, je crois. Enfin, toujours est-il que pour cette pauvre Victoria, c'en a été plus qu'elle ne pouvait supporter. Ma mère m'a raconté qu'elle avait essayé d'avoir un enfant pendant des années, alors vous pensez! D'après Frances Gray, elle n'a pas pu l'accepter. Elle ne voulait pas vivre à côté de la nouvelle famille de John Leigh, qui avait maintenant ce fils qu'elle n'avait pas pu lui donner. C'est pour cette raison qu'elle serait partie. Quelque part dans le Sud...

Barbara perçut un léger doute dans le ton de Cynthia.

— Et on n'a plus jamais entendu parler d'elle?

— Plus jamais. Comme pour ce pauvre George. Sauf que... enfin, je veux dire, c'est un peu bizarre, une famille où deux personnes disparaissent, non? Pour George, personne n'a été étonné. Personnellement, je ne l'ai pas connu, mais ceux qui l'ont vu à son retour de la guerre, avant qu'il parte s'installer à Scarborough, ils ont bien dit qu'il allait vraiment mal. Il n'avait plus sa tête, le pauvre. Il ne voyait personne, il ne parlait plus à personne, il était déjà ailleurs, en somme. Qu'il disparaisse du jour au lendemain, finalement, c'était presque normal.

— Mais pas pour Victoria?

— Oh non, alors. Je n'avais que neuf ans, à l'époque, mais je me souviens très bien d'elle, d'autant que mes parents et les gens du village en ont beaucoup parlé. On parlait souvent des Gray, comme des Leigh d'ailleurs. Ils n'étaient pas tout à fait comme nous, vous comprenez...

— Victoria...

— Victoria ne savait que se plaindre, déclara Cynthia sans ambages. Elle avait dû être affreusement gâtée, enfant. C'était la benjamine, la préférée de son père. Elle pleurnichait tout le temps, et après son divorce elle était convaincue de porter tous les malheurs du monde sur ses épaules. Où qu'elle aille, où qu'elle soit, il fallait qu'elle se plaigne. Rien que sa voix était geignarde. Elle geignait déjà en disant simplement bonjour.

— Mais alors il est plausible qu'un jour elle en ait eu assez et qu'elle ait choisi de changer de vie.

— Vous ne l'avez pas connue. Tout laisser tomber, maison, famille, relations, rompre comme ça avec le passé et recommencer une nouvelle vie quelque part, ça demande une grande détermination. Et beaucoup de courage. Elle n'est pas partie s'installer ailleurs tout en restant en contact avec sa famille, non, c'est comme si le sol l'avait engloutie. En plus, c'était la guerre, ce n'était pas une période facile. Personne ne savait ce que l'Angleterre allait devenir. Et Victoria n'était plus toute jeune, elle ne devait pas avoir loin de la cinquantaine. Non...

On devinait, à l'autre bout du fil, le hochement de tête dubitatif de Cynthia.

— ... Non, ça n'avait pas de sens. Ça ne collait pas avec le personnage.

— D'un autre côté, qu'aurait-il pu arriver d'autre? dit Barbara.

Cynthia soupira.

— C'est bien la question. Que s'est-il passé? On s'est beaucoup interrogé, pendant un temps, puis on n'en a plus parlé. Les gens avaient bien d'autres soucis. Pensez, avec la guerre... Et un jour, l'histoire a été oubliée.

Un jour l'histoire a été oubliée... Etait-elle complètement oubliée ou était-elle rapportée dans les dernières pages du récit de Frances Gray ? Barbara se rendit dans la salle à manger, regarda le petit paquet de feuillets manuscrits, en apparence anodins, empilés sur la table. Les vives réserves que suscitait chez Cynthia la version d'un nouveau départ de Victoria « quelque part dans le Sud » excitaient sa curiosité. Elle n'était pas avocate pour rien. Dès qu'elle flairait une histoire trouble, tous ses sens s'éveillaient.

En même temps, elle ne put s'empêcher de penser que Cynthia avait un indéniable côté commère. Elle devait adorer amplifier la réalité pour le seul plaisir de la rendre plus attrayante. A en croire le récit de Frances, Victoria avait souffert du remariage de John. La naissance du petit Fernand, qui la renvoyait au drame de sa vie, à savoir son incapacité à avoir des enfants, devait l'avoir blessée au plus profond d'elle-même. Il n'était pas absurde d'imaginer qu'elle avait plié bagage et voulu disparaître sans laisser de traces.

Barbara refoula l'histoire de Victoria dans un coin de sa tête. Elle avait des problèmes autrement plus graves à résoudre. Elle avait interrompu assez brutalement sa conversation avec Cynthia pour libérer la ligne au cas où Ralph aurait essayé de l'appeler. Cela faisait maintenant dix minutes qu'elle fixait le téléphone comme si elle allait réussir à l'hypnotiser pour le faire sonner. Il était 16 h 15. Il neigeait sans discontinuer et, dans une petite demi-heure, il ferait nuit.

— Mon Dieu, qu'est-ce que je peux faire ? gémit Barbara. Qu'est-ce que je peux faire ?

Elle alla dans la cuisine et mit de l'eau à chauffer pour préparer du thé. La seule vue du réfrigérateur – vide – déclencha une violente sensation de faim qui l'espace de quelques secondes lui fit tourner la tête. Son estomac se contracta ; ajoutée à son inquiétude, la douleur lui fit monter les larmes aux yeux. Elle n'avait pas éprouvé pareil désarroi depuis son adolescence, ou elle ne s'était pas autorisée à le faire. Elle s'était répété qu'elle était forte, qu'elle était solide, qu'elle n'avait pas peur, jusqu'à ce que son cerveau accepte de le croire.

Mais là, elle avait peur. Et le pire était qu'elle se sentait démunie. Comme un enfant. Comme l'adolescente trop grosse qu'elle avait été et dont elle aurait aimé ne plus se souvenir.

Puis soudain elle eut une idée. Elle courut comme une folle à travers la maison et dans chaque pièce elle alluma toutes les lumières. Dans l'obscurité, Westhill devait maintenant resplendir comme un phare et se voir à des lieues à la ronde. Si Ralph avait décidé de rentrer ce soir et errait quelque part dans la nuit, il aurait désormais au moins un point de repère.

Dans la cuisine, la bouilloire siffla. Barbara redescendit au rez-de-chaussée. Courir dans la maison avait momentanément anesthésié sa peur, mais, tandis qu'elle se tenait devant la table et attendait que le thé infuse, elle sentit à nouveau le désarroi monter. Elle envisagea même un instant de se précipiter dehors pour chercher Ralph. Tout lui semblait préférable à cette interminable attente dans la maison. Puis sa raison reprit le dessus. Elle n'avait aucune chance de le trouver, et toutes les chances de se perdre. De plus, elle n'avait même pas de skis. Elle s'enfoncerait dans la neige jusqu'à la taille, avancerait à la vitesse d'un escargot...

Barbara prit son thé et passa dans la salle à manger. Il fallait qu'elle pense à autre chose, sinon elle allait s'effondrer.

Elle s'assit par terre devant la cheminée et posa sans entrain le paquet de feuillets devant elle. Elle se sentait trop tendue pour se concentrer mais elle était décidée à se forcer. Mieux valait lire plutôt que de broyer du noir.

C'est ainsi qu'elle reprit sa lecture, seule dans la maison éclairée *a giorno*, non plus par curiosité, comme au début, mais pour ne pas laisser le désespoir l'envahir.

De septembre 1942 à avril 1943

Lorsque, le 1ᵉʳ septembre, Frances rentra à Westhill, elle sentit tout de suite que quelque chose n'allait pas. La maison, le jardin, la cour étaient silencieux dans l'écrin vert des prairies. La pluie avait cessé, toutefois la chaleur qui accablait encore Londres ne semblait pas se réinstaller. Il faisait chaud, mais le ciel était couvert et il y avait un peu de vent.

Frances n'aurait pas su dire ce qui l'alarma, mais quelque chose n'était pas comme d'habitude. Le silence qui l'accueillit était lourd, menaçant. Il était rare que la ferme fût très bruyante maintenant que peu de personnes y vivaient, mais là, c'était comme si la maison tout entière retenait son souffle.

Elle eut la désagréable impression d'avoir déjà vécu cette scène. Oui, deux fois déjà à son retour de Londres, le même silence funeste et immobile l'avait accueillie, et toujours il avait été le signe annonciateur d'un drame. La première fois, sa sœur venait d'épouser l'homme qu'elle aimait. La deuxième, sa mère et la petite fille qu'elle venait de mettre au monde avaient cessé de vivre. Maintenant...

Jamais deux sans trois, songea-t-elle, s'essayant au cynisme pour tenter de desserrer l'étau qui l'empêchait de respirer.

Puis, soudain, l'idée qu'il y avait un lien avec Marjorie, forcément avec Marjorie, jaillit dans sa tête.

Cela s'était mal passé. Quelque chose de terrible était arrivé dans la cave, à Londres. On avait prévenu

Westhill par téléphone. Tous, maintenant, attendaient le retour de Frances.

Ressaisis-toi, se dit-elle, agacée de se découvrir si émue. Agacée de penser tout de suite au pire parce qu'elle avait mauvaise conscience. Mais quelle raison avait-elle, au juste, d'avoir mauvaise conscience ? N'était-ce pas le choix de Marjorie ? Aurait-elle dû la retenir de force ici ? Non, eh bien alors ?

Elle se fit mal en donnant un coup d'épaule dans la porte d'entrée qu'elle pensait trouver simplement poussée, comme d'habitude. Elle étouffa un petit cri de douleur.

— Mais qu'est-ce que c'est que ça ? Qui ferme la porte au milieu de la journée, maintenant ?

Ce n'était plus le milieu de la journée puisqu'il était 5 heures de l'après-midi, mais d'ordinaire personne ne verrouillait la porte d'entrée avant la tombée de la nuit. L'appréhension de Frances grandit. Elle ne s'était pas trompée, il y avait quelque chose d'étrange.

Elle tambourina à la porte, appela plusieurs fois. Enfin elle entendit quelqu'un de l'autre côté de la porte :

— Qui est là ?

— C'est moi, Frances ! Mais enfin, qu'est-ce que vous fabriquez ?

La porte s'entrebâilla et Adeline passa la tête.

— Vous êtes seule ?

— Bien sûr ! Qu'est-ce qui se passe ? Il est arrivé quelque chose ?

Elle entra et, stupéfaite, vit Adeline refermer aussitôt la porte à double tour derrière elle.

— Qu'est-ce qu'il y a ? On a téléphoné de Londres ? demanda-t-elle, au bord de l'hystérie.

— Téléphoné de Londres ? Non. Pourquoi ?

— Pour rien... Je croyais... Vous avez des nouvelles de Marjorie ?

601

Pour le coup, ce fut Adeline qui la dévisagea sans comprendre.

— Marjorie? Vous étiez avec elle, non?

— Oui, mais... ah, ce n'est pas grave!

Bien qu'elle ne sût pas quelle surprise désagréable l'attendait, elle se sentit aussitôt soulagée.

— Adeline, qu'est ce qui se passe? Pourquoi vous enfermez-vous à double tour? Pourquoi n'y a-t-il aucun bruit dans la maison?

— Venez avec moi!

Frances, troublée, suivit Adeline au premier. Elles entrèrent dans l'ancienne chambre de George. Tout d'abord, Frances ne vit que Victoria et Laura, debout à côté du lit, puis elle perçut un gémissement et son regard tomba sur une forme allongée sur le lit. Elle s'approcha.

— Qui est-ce? demanda-t-elle.

C'était un homme. L'homme le plus sale, le plus mal soigné et le plus loqueteux qu'elle ait jamais vu. Elle crut, l'espace d'une seconde, d'une merveilleuse seconde, reconnaître George. Un éclair de joie la transperça. George était revenu!

Puis elle réalisa que ce n'était pas George, que ça ne pouvait pas être lui. L'homme était beaucoup plus grand que George, et nettement plus jeune, à en juger par ce que ses traits laissaient deviner à travers la masse de cheveux qui lui tombaient sur le front et la barbe de plusieurs jours qui lui mangeait la moitié du visage.

— Qui est-ce? répéta-t-elle.

— C'est Laura qui l'a trouvé, répondit Victoria. Dans une bergerie.

— Tout près de Bolton Castle, précisa Laura.

— Et qu'est-ce qu'il a?

— Il est blessé. Une vilaine plaie à la jambe.

Adeline souleva la couverture. Frances eut un

mouvement de recul en découvrant la blessure, monstrueuse, énorme, sanguinolente et purulente. La puanteur qui s'en dégageait lui souleva le cœur.

— Mon Dieu !

Adeline rabattit la couverture.

— Ça s'est vilainement infecté. Il est brûlant de fièvre.

— Oui, je vois bien, qu'est-ce que vous attendez pour appeler le médecin ? s'étonna Frances. Pourquoi vous barricadez-vous comme ça dans la maison ? Il a besoin de soins !

Tout d'abord, personne ne répondit, puis Adeline se décida :

— Des fois, il délire. Alors on sait... Ce n'est pas un Anglais.

— Ah ?

— Il est allemand, dit Victoria.

Frances détailla l'homme allongé sur le lit. Il portait des vêtements civils, un pantalon clair et une chemise bleue, et au poignet gauche une montre dont le cadran était cassé. C'était une montre de marque française.

— Vous en êtes sûres ?

— J'ai fait un peu d'allemand à l'école, dit Victoria. J'en suis tout à fait sûre.

Toutes regardaient l'homme. Il s'agita dans son sommeil, ses paupières tressaillirent. Il ouvrit les yeux. Ils étaient sombres et brillaient d'un éclat fiévreux.

— *Wasser*, murmura-t-il.

— Qu'est-ce qu'il dit ? demanda Frances.

— Il demande de l'eau. En allemand, répondit Victoria.

Elle prit la tasse posée sur la table de nuit, souleva la tête du blessé et fit délicatement couler un peu d'eau entre ses lèvres. L'homme but avidement mais avec difficulté. Puis il se laissa retomber sur l'oreiller et sombra aussitôt dans un sommeil agité. Il gémit, prononça des mots que personne ne comprit. Ce n'était assurément pas de l'anglais.

— Es-tu sûre qu'il est allemand ? insista Frances, qui mesurait peu à peu ce que cela impliquait.

— Je suis sûre que oui, répliqua Victoria, car je suppose que, quand quelqu'un délire, c'est dans sa langue maternelle. Non ?

— Il a des papiers ?

— Non. Seulement ça !

Adeline sortit un pistolet de la poche de son tablier et le tendit à Frances.

— Il était dans sa ceinture.

— Quand l'as-tu trouvé, Laura ?

— Ce matin. Je... j'étais un peu triste... à cause de Marjorie et... J'avais envie d'être seule, alors je suis partie me promener, comme ça, au hasard, à travers les pâtures, et à un moment je me suis rendu compte que j'étais près de Bolton Castle. Là, en passant devant une bergerie, j'ai entendu une sorte de gémissement. Je me suis dit qu'un animal s'était peut-être blessé, alors je suis entrée pour voir. Il était dans un coin, sur des balles de paille. Il était terrifiant, et il paraissait souffrir énormément. Je... j'ai eu très peur et j'ai voulu partir tout de suite, mais il a appelé. Il m'a demandé de rester. Il voulait que je l'aide.

— Il parlait en anglais ?

— Oui. Mais il allait mieux que maintenant. Il avait déjà de la fièvre mais il ne délirait pas. Il a dit : « Je suis grièvement blessé. Pouvez-vous m'aider ? » Je lui ai dit de ne pas bouger, que j'allais vite chercher un médecin, mais il m'a suppliée de ne pas le faire. « Pas de médecin, répétait-il toujours. Pas de médecin ! » Je lui ai dit que dans ce cas, je ne savais pas ce que je pouvais faire pour l'aider. C'est là qu'il m'a demandé si je ne pouvais pas l'emmener chez moi, pour un jour. Il avait seulement besoin de dormir une nuit dans un vrai lit, de manger un peu, de boire et, le lendemain, il pourrait repartir.

— Faut croire qu'il n'avait déjà plus les idées très claires, remarqua Adeline en aparté.

— Ça a été terrible de l'amener jusqu'ici, dit Laura.

A cet instant, Frances remarqua combien Laura paraissait fatiguée. Si elle avait moitié tiré, moitié porté ce grand gaillard depuis Bolton Castle jusqu'à Westhill, elle devait être à demi morte d'épuisement.

— Il s'appuyait sur moi, et à chaque pas il devenait plus lourd. Il allait de moins en moins bien. Je me rendais bien compte que sa fièvre montait, et il a commencé à parler dans une autre langue. Il est tombé plusieurs fois. C'était tellement dur de l'aider à se relever... J'ai cru que je n'y arriverais jamais...

A ce souvenir, des larmes brillèrent dans ses yeux.

— Il était affreusement lourd ! Et je n'arrêtais pas de me dire qu'il allait peut-être mourir, comme ça, dans l'herbe, et que ça serait ma faute parce que je n'étais pas allée chercher de médecin. En même temps, je voyais bien que dès que je parlais de médecin ça le rendait fou. Alors...

Laura leva à demi les bras, dans un geste d'impuissance.

— Tu as fait exactement ce qu'il fallait, la rassura Frances, et je dois dire que je suis très fière de toi. Amener de Boston Castle un homme grièvement blessé... je ne connais pas grand-monde qui en serait capable !

Laura rougit de plaisir. Ses mains tripotaient nerveusement l'ourlet de sa robe.

— Il a sans doute de bonnes raisons de se cacher, murmura Frances.

Victoria la regarda.

— Simplement parce qu'il est allemand? Mais c'est peut-être un réfugié et...

Frances secoua la tête.

— Ça m'étonnerait. Quand on est grièvement blessé et qu'on se cache dans une bergerie au lieu de demander de l'aide, c'est que l'on n'a pas la conscience tout à fait tranquille. En plus, il se promène avec un pistolet chargé. Ce n'est pas un gentil réfugié inoffensif.

— Crois-tu que... c'est un nazi? fit Victoria en écarquillant les yeux d'effroi.

Frances haussa les épaules.

— On le lui demandera quand il sera en état de parler. En attendant, faisons ce qu'il demande et n'en parlons à personne.

— Et si jamais il nous tue toutes cette nuit? s'inquiéta Victoria, qui apparemment se voyait déjà baignant dans son sang.

— Sottises! la rabroua Adeline. Il n'est même pas en état de tuer une mouche, le malheureux! Je vais nettoyer sa blessure et lui préparer une tisane pour faire tomber la fièvre.

Elle disparut, très affairée.

— Nous allons déjà commencer par rouvrir la porte de la maison, décida Frances, parce que sinon on comprendra tout de suite qu'il y a ici quelque chose de pas tout à fait normal. Et maintenant je vais cacher cette arme dans ma chambre et me changer. Ce voyage a été épuisant.

Elle gagnait déjà la porte quand Laura, timidement, la retint par la manche.

— Comment c'était... à Londres? hésita-t-elle. Comment... comment va Marjorie?

— Oh, je pense qu'elle va bien. Ton père a été très heureux de la voir. Il...

Elle hésita, mais il faudrait bien que tôt ou tard

elle lui dise que Hugh s'était remarié; autant le lui apprendre tout de suite.

— Il s'est remarié. Tu imagines?

Laura resta la bouche ouverte.

— Quoi?

— Nous avons été surprises, nous aussi. Mais au fond, ce n'est pas si mal. Marjorie est à un âge où elle a besoin d'une présence féminine.

— Comment est-elle?

— Qui?

— La... nouvelle... femme de papa?

Frances opta pour le pieux mensonge.

— Sympathique. Une femme simple, très gentille.

Laura la dévisagea, puis sans rien dire se précipita hors de la pièce. Quelques secondes plus tard, une porte claqua.

— Ne penses-tu pas que tu aurais pu lui annoncer ça avec plus de ménagement? demanda Victoria.

— J'aurais donc dû lui mentir et lui avouer la vérité seulement plus tard? Je pense que je lui ai déjà bien assez menti comme ça pour aujourd'hui. La femme de Hugh Selley est une souillon. Elle n'a pas du tout apprécié l'arrivée de Marjorie. Je ne leur donne pas une semaine pour se voler dans les plumes. Mais Marjorie n'a pas voulu changer d'avis.

— Et ça t'arrange bigrement.

— Exact, répliqua sèchement Frances. Ça m'arrange. Que nous ne nous entendions pas, Marjorie et moi, ce n'est un secret pour personne.

Elle sortit de la chambre avant que Victoria ait eu le temps de répliquer. Le pistolet était lourd et froid dans sa main. Quand elle l'eut enfoui dans sa commode, derrière des piles de linge, elle se sentit plus calme.

En dépit de la mystérieuse tisane qu'Adeline lui fit boire à la petite cuillère, la fièvre du blessé monta jusqu'au soir. Il délirait, disait des mots sans suite que même Victoria ne pouvait traduire. Elle ne quitta pas son chevet, humectant sans relâche son front avec des linges mouillés pour le rafraîchir. Adeline l'avait lavé et peigné. Elle avait ensuite nettoyé et pansé sa blessure, et lui avait mis un pyjama de Charles. Il avait meilleure figure qu'à son arrivée, mais il allait très mal.

— Si sa fièvre ne tombe pas d'ici demain matin, nous ferons quand même venir un médecin, dit Frances. Tant pis pour la suite.

— Que peut-il se passer ? demanda Victoria.

— Je n'en sais rien. Il avait l'air d'avoir peur... c'est peut-être un espion. Et je ne sais pas ce qu'on fait d'eux.

— On les pend ! dit Adeline, qui arrivait à cet instant avec un broc d'eau fraîche.

— Mais nous ne pouvons pas faire venir un médecin, alors ! s'exclama Victoria. Nous n'allons pas le laisser se faire pendre !

— Il te fait pitié, maintenant ? Il n'y a pas si longtemps c'était un nazi qui allait nous tuer dans notre sommeil !

— Il n'est peut-être pas nazi.

— Il est allemand, dit Frances, et probablement en mission pour le compte de l'Allemagne. D'Hitler, en somme. Ne nous apitoyons pas outre mesure sur son sort.

— C'est peut-être comme ce... comment s'appelle-t-il ? Rudolf Hess, suggéra Victoria. Peut-être a-t-il atterri quelque part en catastrophe pour prendre contact avec notre gouvernement. Rudolf Hess n'a pas été pendu. Il a simplement été fait prisonnier.

— Espion ou pas espion, moi, je ne vais pas le laisser mourir ! déclara Adeline en se dirigeant résolument vers le lit. Allez, poussez-vous ! Faut que je regarde sa jambe !

La jambe n'était pas belle à voir, la blessure s'était encore envenimée, elle était gonflée de pus.

— J'ai bien l'impression qu'il s'est fait tirer dessus, dit Adeline, et si je ne me trompe pas, la balle est encore dedans. Il faut l'enlever, sinon...

Frances se leva.

— J'y vais. Je vais à Aysgarth chercher le médecin. Il faut...

— Non ! s'écria Victoria.

— Ne nous précipitons pas ! dit Adeline.

— Il faut tout de même lui laisser la possibilité de s'expliquer, s'empressa d'ajouter Victoria.

Frances eut une moue dubitative :

— A en juger par son état, je crains qu'il ne passe pas la nuit...

— Il faut enlever cette balle, répéta Adeline en regardant Frances avec insistance.

Victoria, à son tour, fixa les yeux sur sa sœur.

— Oh, non ! Ne me demandez pas ça ! se défendit Frances en levant les mains. Je ne peux pas ! Je ne sais pas faire ça !

— En France, tu as bien travaillé dans un hôpital, non ? lui rappela Victoria. Tu as dû voir des dizaines d'opérations de ce genre.

— J'en ai vu, oui. Mais seulement vu.

— Ils faisaient ça avec des moyens très rudimentaires, dit Adeline. Du moins, c'est ce que vous nous avez toujours raconté. Et question instruments, ils n'étaient pas mieux équipés que nous ici, non ? Quant aux conditions d'hygiène, elles étaient certainement pires.

— Mais c'étaient des médecins ! Ils savaient ce qu'ils faisaient. Moi, je n'ai pas la moindre idée de la façon dont il faut s'y prendre !

Elle regarda l'homme dont le visage était en feu.

— Je pourrais le tuer !

— Je n'ai pas l'impression qu'il ait grand-chose à perdre, remarqua Adeline.

— Je vais chercher le médecin, répéta encore Frances, et presque simultanément elle laissa échapper un juron parce qu'elle savait qu'elle n'aurait pas le cœur de le livrer à un improbable destin.

Elles commencèrent à l'opérer vers 2 heures du matin, quoique le terme « opérer », compte tenu des circonstances, pût paraître exagéré. Elles avaient stérilisé un couteau dans de l'eau bouillante et préparé des montagnes de serviettes et de pansements. Le plafonnier et les lampes de chevet ne dispensant pas assez de lumière, Victoria avait été chargée de tenir une lampe au-dessus du lit. Elle avait les narines pincées et était si blanche que Frances craignait qu'elle ne tombe à la renverse, mais elle ne pouvait pas se passer d'elle dans la chambre ; dans quelques minutes, elle aurait besoin d'Adeline pour maintenir les bords de la plaie ouverts. Elles avaient appliqué un linge imbibé d'éther sur le nez et la bouche du blessé jusqu'à ce qu'il sombre dans une semi-inconscience. Par précaution, elles l'avaient également attaché au lit par les bras et les jambes, avec des ceintures. Elles avaient ensuite posé une sorte de garrot sur la jambe blessée, juste au-dessous de la cuisse, pensant ainsi limiter une éventuelle hémorragie, si tant est que ce fût possible.

La bouteille d'éther était à portée de main d'Adeline. Elle avait pour mission d'en faire respirer une nouvelle dose au patient s'il faisait mine de se réveiller.

Laura était couchée et dormait. Elles ne l'avaient pas informée de leurs intentions.

Frances avait décrété qu'elles n'avaient pas besoin

d'une jeune fille hystérique, mais elle commençait à se demander si Laura ne se serait pas mieux comportée que Victoria.

— On devrait commencer, la pressa Adeline.

Frances songea à tous les poulains qu'elle avait aidé à mettre au monde, aux moutons qu'elle avait soignés.

Imagine que c'est un mouton ou un cheval, se dit-elle. Elle ferma les yeux, les rouvrit, posa le couteau sur la blessure et, d'un geste, l'enfonça dans les chairs tuméfiées et fit une grande entaille, refusant de penser à la résistance des tissus sous la lame.

Le blessé n'était pas complètement anesthésié. Le hurlement qui jaillit de son corps leur fit à toutes dresser les cheveux sur la tête. En bas, les chiens se réveillèrent et à leur tour hurlèrent à la mort ; un oiseau, dehors, se mit à pousser des cris perçants et Laura, qui elle aussi avait été réveillée, apparut sur le seuil de la chambre, pieds nus et en chemise de nuit, les yeux écarquillés d'horreur devant le spectacle monstrueux qui s'offrait à elle.

— Mais qu'est-ce que vous faites ? Vous allez le tuer !

— Va-t'en ! s'écria Frances.

Puis, s'adressant à Adeline, elle supplia :

— De l'éther ! Bon Dieu, de l'éther !

Laura s'enfuit. Le blessé se débattait et gémissait comme une bête à l'agonie. Adeline retourna la bouteille d'éther sur le linge déjà imbibé et le plaqua sur son visage. Un soubresaut parcourut son corps, puis il émit un gargouillement et sombra dans l'inconscience.

— Vite, maintenant, dit Adeline.

Elle écarta à mains nues les lèvres de la plaie. Un flot de sang se répandit sur le lit.

Frances chercha la balle. En d'autres termes, elle

fouilla la plaie avec le couteau en déchiquetant les chairs. Elle se demanda comme un être humain pouvait survivre à un traitement pareil. L'homme ne bougeait plus du tout, maintenant. Victoria tremblait comme une feuille, le rond de lumière de la lampe tressautait au-dessus du lit.

— Je crois que je vais vomir, gémit-elle.

Frances poussa un cri :

— Je l'ai !

Elle souleva dans la lumière le morceau de plomb sanguinolent. Victoria laissa tomber la lampe et vomit sur le fauteuil de la fenêtre. Adeline eut un hochement de tête reconnaissant à l'intention de Frances.

— Bravo, dit-elle simplement.

Il s'appelait Peter Stein et il était originaire de Stralsund, une ville portuaire sur la Baltique, dans le Mecklembourg. Plus tard, elles apprirent également qu'il appartenait à l'une des plus riches familles de négociants de la région. Il avait vingt-neuf ans et était lieutenant dans l'armée de l'air. Lui et deux de ses camarades avaient été parachutés sur le nord de l'Angleterre deux semaines auparavant. Depuis plus de dix jours, il survivait, grièvement blessé, en se cachant tant bien que mal dans la campagne.

Il raconta tout cela dans un anglais quasi parfait et totalement dénué d'accent, deux jours après l'effroyable charcutage qui avait certes failli lui coûter la vie mais en même temps l'avait sauvé et dont il se remettait vite, maintenant qu'il y avait miraculeusement survécu. Il avait demandé de quoi se raser et ses vêtements.

— Je vous apporte de quoi vous raser, avait répondu Adeline, mais vos vêtements, je les ai jetés. Ils étaient en loques.

Il eut l'air contrarié.

— Puis-je avoir autre chose à mettre ?

— Plus tard. Pour le moment, vous allez rester au lit. Vous avez eu beaucoup de fièvre, jeune homme. Vous n'êtes pas aussi solide que vous le pensez.

Il se rasa assis dans le lit, aidé de Victoria qui lui tenait un miroir. Quand il eut terminé, il était baigné de sueur et épuisé.

— Je n'ai plus de forces du tout, dit-il en respirant lourdement, à la fois étonné et vexé. Jamais ça ne m'est arrivé !

— Vous avez vu la mort de très près, vous savez, expliqua Victoria. Vous avez perdu des litres de sang, et vous avez eu énormément de fièvre. Mais vous allez vous rétablir !

Il se laissa retomber sur ses oreillers. Maintenant que la barbe qui masquait ses traits avait disparu, il apparut qu'il était très amaigri ; ses joues étaient creuses, ses pommettes saillaient. Toutefois, sa peau brunie par le soleil d'été lui donnait un air trompeur de bonne santé. Il paraissait en bien meilleure forme qu'il n'était.

— Je crois qu'il est temps que je me présente, dit-il.

Frances, Victoria, Laura et Adeline : elles étaient toutes là autour du lit.

— Nous savons que vous êtes allemand, dit Frances.

— J'ai déjà beaucoup parlé dans mon délire, c'est ça ?

L'air résigné, il dit alors comment il s'appelait, quel était son grade dans l'armée et comment il avait sauté en parachute quelques jours auparavant.

— Il y a des façons plus simples d'entrer en Angleterre, remarqua Frances sur un ton peu amène.

— Effectivement, concéda-t-il, puis il se tut.

— Quand je vous ai trouvé, dit Laura, vous n'arrêtiez pas de dire qu'il ne fallait pas que j'aille chercher un médecin. Pourquoi ?

Peter Stein enveloppa d'un regard presque tendre la grosse silhouette disgracieuse de Laura.

— C'était donc vous ? Vous, la jeune femme courageuse qui m'a porté sur un chemin aussi long ?

Laura rougit. Personne encore ne l'avait qualifiée de « jeune femme ». Elle acquiesça, gênée, et piqua du nez. Peter sourit.

Puis son visage s'assombrit.

— Je ne vais pas vous cacher la vérité, commença-t-il. Mes camarades et moi avons été largués sur l'Angleterre avec pour mission de récolter des informations militaires. Principalement sur la marine.

— Scarborough, dit Frances.

— Oui. C'était notre but. Malheureusement... ça a mal tourné.

Il désigna d'un geste sa jambe blessée.

— Mais ce n'est pas en sautant en parachute que vous vous êtes blessé, constata Victoria. Ma sœur vous a ôté une balle de la jambe.

Il regarda Frances avec intérêt.

— Vous êtes médecin ?

— Non. Pas même infirmière. Mais il fallait que quelqu'un le fasse, sinon vous aviez toutes les chances d'y rester. Et comme nous ne voulions pas appeler de médecin...

— Pourtant vous avez su assez rapidement que j'étais allemand. Par conséquent, un ennemi de votre pays. Pourquoi n'avez-vous pas appelé de médecin ? Ou la police ?

— Nous voulions d'abord entendre ce que vous aviez à dire, expliqua Frances. En outre...

— Oui ?

— Vous étiez sans défense. Il ne nous a pas semblé juste de vous livrer dans un état pareil.

614

Peter hocha la tête.

— Je comprends. Et maintenant... qu'allez-vous faire ?

— Comment avez-vous été blessé ? demanda Frances en retour.

— Nous avons sauté en pleine nuit. Nous étions trois. On a été deux à atterrir sans problème, le troisième a eu moins de chance, il est mal tombé et s'est cassé une jambe. Nous ne pouvions pas le laisser comme ça. Alors nous l'avons amené au village le plus proche. Nous avions des passeports britanniques, nous espérions que personne ne douterait de nos identités...

Il poussa un soupir de regret, son regard s'assombrit encore.

— Ça aurait pu marcher. Au village, les gens étaient méfiants mais ils ne se sont pas doutés que nous étions allemands. Notre camarade a été pris en charge par le pasteur. Nous aurions dû partir tout de suite, mais nous étions à bout de forces. Quand un paysan nous a offert de dormir dans sa grange, nous avons accepté. Je ne sais pas au juste ce qui s'est passé pendant ce temps-là chez le pasteur, mais j'imagine qu'il a redemandé à voir les papiers de son hôte et que notre camarade a perdu les pédales. Il allait vraiment mal, il ne se contrôlait plus. Il a dû révéler sa véritable identité, en espérant sans doute que le pasteur ne le trahirait pas. Et le pasteur a alerté tout le village. Ils n'ont pas mis beaucoup de temps à arriver. Heureusement, je ne dormais pas, alors je les ai entendus. Mais il était tout de même trop tard pour fuir. Ils voulaient notre peau, ils tiraient sur nous. Mon camarade a été touché, il est mort sur le coup. Je n'avais pas d'autre choix que de me frayer un chemin en tirant moi aussi.

Il interrompit son récit. Ses yeux reflétaient tout le drame de cette nuit de cauchemar : la grange, l'obscurité, les lanternes surgissant de nulle part, les cris, les visages des paysans déformés par la haine. Son camarade s'effondrant sans vie à ses côtés. Et lui comprenant qu'ils ne lui laisseraient pas la vie sauve, qu'ils le pendraient s'ils l'attrapaient vivant. L'Allemagne suscitait une telle haine...

— Quand vous avez tiré pour vous enfuir, avez-vous blessé quelqu'un ? insista Frances, poursuivant son interrogatoire.

Il la regarda.

— J'ai tué quelqu'un.

Un silence embarrassé s'installa dans la pièce tandis que chacune mesurait l'importance de ce que cela impliquait.

— Vous en êtes sûr ? demanda enfin Laura.

— Je l'ai touché à la tête, répondit Peter, et j'ai vu comment... Enfin, peu importe ce que j'ai vu. Il est certainement mort.

— C'était de la légitime défense, dit Victoria.

Il sourit.

— Un espion allemand en état de légitime défense ? Non. S'ils m'attrapent, je serai exécuté pour meurtre.

— Quelle tuile ! lâcha Frances.

Il lui adressa un long regard.

— D'ailleurs, j'avais toujours mon arme...

Frances lui rendit son regard sans ciller.

— Je l'ai prise. Je pense que c'est mieux comme ça pour le moment.

— Si je comprends bien, je n'ai pas le choix, conclut Peter, manifestement furieux de se trouver dans un pareil état de dépendance, cloué au lit, blessé, incapable de marcher ou de se lever et incapable, faute d'arme, de se défendre.

— Vous aviez encore votre arme, dit Frances, mais comment se fait-il que vous n'ayez pas de papiers ?

— J'ai dû les perdre là-bas. Je suis tombé, quand j'ai été touché. Ils ont sans doute glissé de ma poche à ce moment-là.

— Dans ce cas, ils ont une photo de vous, dit Frances.

Il hocha lentement la tête.

— Oui. C'est beaucoup plus facile de me retrouver...

— C'est un miracle que vous ayez réussi à leur échapper, murmura Adeline.

Il devint soudain très grave.

— Oui. Il y avait des fourrés. Il faisait nuit. Et sans doute Dieu avait-il décidé de m'accorder un répit.

Il regarda l'une après l'autre les quatre femmes qui l'entouraient.

— Je crains de vous poser bientôt un sacré problème.

— Nous devons prendre rapidement une décision, dit Frances, parce que, chaque jour qui passe, nous nous compromettons un peu plus. Nous allons toutes finir devant un tribunal.

Elles tenaient une réunion de crise dans la salle à manger. Peter dormait dans sa chambre au premier. Son récit l'avait épuisé. Il avait fermé les yeux et sombré dans un profond sommeil.

Pour commencer, Frances s'était accordé un double whisky. Elle enrageait.

Elle se serait volontiers passée de ce problème. Qu'avait donc besoin Laura de trouver cet homme et de le ramener à la maison?

Laura, qui était assise près de la fenêtre, la mine défaite, parut deviner ses pensées.

— Je ne pouvais tout de même pas le laisser tout seul là-bas, murmura-t-elle, à la fois malheureuse et très ennuyée.

— Bien sûr que non, la rassura Adeline. Tu as très bien fait.

— Nous sommes fières de toi, Laura, ajouta Victoria.

— Seulement, nous avons maintenant un vrai problème, dit Frances. Nous hébergeons un homme qui a commis un meurtre et que l'on cherche sans doute déjà partout.

— Ce n'était pas un vrai meurtre, protesta Victoria qui répéta ce qu'elle avait dit au chevet de Peter : c'était de la légitime défense !

— Pas dans ce cas précis, dit Frances, dans des circonstances comme celles-là. Peter est d'abord un espion allemand entré illégalement en Angleterre et qui pour ne pas se faire arrêter tire sur de braves paysans anglais et, en plus, en abat un.

— Ils ne voulaient pas l'arrêter, répliqua Victoria, ils voulaient le lyncher.

— C'est ce qu'il dit.

— Mais ils ont tué son ami !

— Victoria, tout le monde va s'en moquer, de ce qui s'est passé ou pas. Il espionne pour le compte des nazis, c'est pour ça qu'il est venu, par pour autre chose. Personne n'aura envie de lui chercher des circonstances atténuantes. Pas en ce moment, pas en temps de guerre. Il y a eu trop de morts parmi les Anglais. Et ce que font les Allemands est vraiment trop abominable !

— Mais il appartient malgré lui à un système, il ne peut pas y échapper si facilement ! dit Victoria.

C'était assurément une remarque d'une profondeur surprenante chez quelqu'un qui d'ordinaire restait toujours à la surface des choses, considéra Frances.

— Je ne sais pas comment vous imaginez la suite, intervint Adeline, mais pour ma part, je ne me vois pas livrant ce malheureux, là-haut, à ses bourreaux. C'est encore un gamin !

— Adeline, pour toi, tous les gens de moins de soixante ans sont des gamins, dit Frances. Ce gamin-là n'est ni naïf ni inexpérimenté, sinon, il n'aurait pas été choisi pour ce type de mission.

— Eh bien, on le retape et il file, proposa Adeline. On le remet sur pied, et ensuite, à lui de se débrouiller tout seul.

— Mais ce n'est pas possible ! protesta Laura. Il n'a pas de papiers. Jamais il ne pourra quitter le pays. Et ils ont sa photo pour le retrouver. Si on le chasse, il n'aura nulle part où aller. Comment fera-t-il ?

— Ce n'est pas notre problème, répondit Frances.

Laura et Victoria la dévisagèrent, horrifiées.

— Si nous remettions le débat au jour où il sera rétabli ? proposa Adeline. Au moins, nous aurions son avis. Etes-vous d'accord pour que nous n'entreprenions rien pour l'instant et ne parlions de lui à personne ?

— Oui ! dirent Victoria et Laura d'une même voix.

— Oui, dit Frances d'un ton hésitant.

Elle vida son verre et se leva.

— A partir de maintenant, dit-elle, nous sommes complices. J'espère que vous êtes toutes conscientes que ça peut très mal se terminer pour nous. Nous risquons la prison, et si ça tourne vraiment mal nous risquons également de perdre la ferme.

Laura pâlit.

Tout en parlant, Frances se disait qu'elle devait être devenue folle. Pourquoi faisait-elle une chose aussi insensée ?

— Nous ne devons en souffler mot à personne, poursuivit-elle sur un ton pressant. A personne, Laura ! J'insiste. Que tu n'aies pas l'idée d'aller raconter ça à Marjorie dans une lettre !

— Bien sûr que non! répondit Laura, vexée.

Frances soupira.

— Je ne sais pas au juste ce qui nous attend, mais cette histoire va nous coûter cher, dit-elle, prise d'un sombre pressentiment.

Presque simultanément, elle songea que, si Marjorie n'était pas partie, elle aurait été bonne pour faire son testament.

Tout le mois de septembre, la photo ne cessa de paraître dans les journaux. C'était une photo très ressemblante, personne n'aurait eu de mal à l'identifier. D'après ses papiers, il s'appelait Frederic Armstrong, mais on supposait qu'il avait changé d'identité depuis longtemps. Comme il avait été blessé lors de sa fuite, il avait dû avoir recours à une aide médicale quelconque. Il était allemand, avait été parachuté en Angleterre à des fins d'espionnage et avait abattu un jeune fermier de dix-huit ans pour couvrir sa fuite.

— Un jeune de dix-huit ans! s'était exclamée Frances. Ça aggrave encore notre affaire!

— Je voudrais que ce ne soit jamais arrivé, dit Peter.

Il était rétabli, il avait retrouvé ses forces. Discrètement et avec beaucoup de gentillesse, il s'efforçait de se rendre utile dans la maison, d'offrir son aide dès qu'il le pouvait. Il répara la rampe de l'escalier, repeignit les fenêtres, recloua les lattes de parquet qui bougeaient sur le palier du premier étage, remit en état l'écoulement de la baignoire...

Frances l'observait, fascinée par son habileté.

— Vous venez d'une famille où il y avait certainement du personnel pour ce genre de choses. Où avez-vous donc appris à faire tout ça?

Il achevait d'installer l'étagère qu'Adeline avait

souhaitée dans la cuisine. Il se redressa et observa son travail.

— Mon père avait des principes, expliqua-t-il. Il estimait notamment que même si l'on avait une armée de domestiques à sa disposition, il était indispensable de savoir faire les choses soi-même. Dès notre plus jeune âge, il nous a donc appris, à mes frères et moi, tout ce qu'il savait faire de ses dix doigts, et il était très adroit.

— Etait?

— Mon père est mort. En 1938. D'un cancer du poumon.

— Et vos frères? Combien en avez-vous?

— J'en avais deux. L'aîné est tombé devant Moscou. Le plus jeune n'est pas revenu de France.

— Votre mère n'a plus que vous?

— J'ai une sœur plus jeune. De l'âge de Laura. Pour le moment, c'est le seul enfant qui lui reste.

Il posa le marteau de côté. Ils étaient dans la réserve attenante à la cuisine, là où Peter avait installé l'étagère. Une minuscule fenêtre éclairait modestement la petite pièce. C'était le soir, l'une des dernières journées chaudes de l'année s'achevait.

Le regard de Frances s'arrêta sur ses bras musclés et bronzés, remonta vers son visage. Ses joues étaient un peu moins creuses qu'à son arrivée. Parfois ses yeux pétillaient et un sourire désarmant éclairait ses traits. Souvent une mèche brune retombait sur son front; il avait l'habitude de la remonter d'un geste de la main, impatient et étonnamment vif. Ses mains...

Elle s'obligea à ne pas penser à ses mains. Se découvrir si réceptive à sa beauté l'irritait déjà bien assez.

Tu as l'âge d'être sa mère, se répétait-elle sévèrement.

— Vous êtes un jeune homme charmant, Peter, dit-elle en choisissant volontairement des mots qui soulignaient leur différence d'âge. Je n'arrive pas à faire concorder ça avec...

— Avec le fait que je sois allemand ?

— Pourtant, on ne devrait pas trouver ça étonnant, non ? Deux peuples se font la guerre, chacun n'emploie plus que le mot « ennemi » pour parler de l'autre. Et puis un jour, on rencontre un « ennemi » et on constate que c'est quelqu'un de tout à fait normal, une personne avec laquelle on s'entend très bien. C'est tellement absurde !

— La guerre est absurde en soi.

— Mais cette guerre, ce sont les nazis qui l'ont déclenchée, et vous...

— Je ne suis pas nazi. Je n'adhère pas au parti.

— Vous défendez l'idéologie de ces gens. Vos deux frères sont même morts pour eux. Vous êtes au service du nazisme. Que vous en soyez un ou non ne fait pas une bien grosse différence.

— Je suis au service de mon pays. Et mon pays, c'est l'Allemagne. Un pays et son peuple forment une sorte de couple, pour le meilleur et pour le pire. On ne peut pas se désengager comme ça.

— Même quand le... le chef de ce pays, le Führer, précipite la moitié du monde dans le malheur ?

Il s'assit lourdement sur une caisse. A la façon dont il étendit sa jambe droite devant lui, Frances devina qu'elle le faisait encore souffrir.

— Vous voyez cela de l'extérieur, Frances, ce qui est bien normal. Mais moi, je suis dedans. Refuser de m'impliquer dans la guerre, en admettant que ce soit possible, ne serait pas pour moi, en premier lieu, un refus d'obéissance au Führer. Cela signifierait surtout que je laisse tomber les autres. Que je les laisse faire le sale boulot pendant que je reste bien au chaud. Mes frères, mes amis... ils mourraient dans des tranchées pendant que je me la coule douce quelque part ?

— Vous faites plus que le nécessaire. Cette aventure en parachute...

— Oui. J'essaye aussi d'oublier deux ou trois choses, l'interrompit-il presque sèchement. Des choses qu'il faut que je dépasse.

Elle comprit qu'il parlait de ses frères.

— Parfois, dit-elle doucement, j'ai l'impression que la vie pèse sur nous comme une fatalité inexorable. On n'échappe pas au malheur, jamais, et même de moins en moins.

Il y avait dans les yeux de Peter une tristesse qui n'aurait pas dû s'y trouver à son âge.

— Oui, dit-il. C'est la nature même de la fatalité. On a beau faire, on ne peut s'y soustraire.

Soudain, il la regarda avec insistance.

— Je suis pour vous une part de cette fatalité, n'est-ce pas ? Pour vous toutes. Je suis certain que vous auriez préféré que Laura ne me trouve pas dans la bergerie, ce fameux 1er septembre, et ne me ramène pas chez vous !

— Ce qui est fait est fait. On ne peut pas laisser mourir quelqu'un tout seul sur la paille d'une bergerie. Nous n'avions pas le choix, ça ne sert à rien de revenir là-dessus.

— Vous auriez pu me livrer.

— Nous ne l'avons pas fait, et maintenant, de toute façon, c'est trop tard. Il faut seulement que cette affaire ne sorte pas d'ici.

— Vous avez peur.

C'était une constatation, pas une question, et Frances acquiesça parce qu'il lui aurait paru stupide de nier qu'elle avait effectivement peur.

— Oui. Mais parfois je ne pense même pas à ce qui

pourrait arriver. Tout dépend de notre aptitude à ne rien laisser filtrer. Et j'ai plutôt confiance.

Elle réfléchit brièvement puis reprit :

— C'est Laura qui m'a le plus préoccupée. Elle aurait bien été capable de tout raconter dans une lettre à sa sœur... qui, elle, se serait fait un plaisir de me créer les pires difficultés.

Il haussa les sourcils.

— Vraiment ?

— Elle me déteste. Je ne sais pas pourquoi. Elle est retournée vivre chez son père à Londres la veille du jour où vous êtes arrivé ici. Si elle avait été encore là, il aurait été impossible de vous cacher. Elle nous aurait aussitôt dénoncés.

— J'ai l'impression qu'entre vous les émotions bouillonnent pas mal.

— Ah ?

— C'est-à-dire que... Eh bien, je ne veux pas me mêler de ce qui ne me regarde pas, mais entre votre sœur et vous, les relations ont l'air particulièrement tendues. On sent qu'un rien mettrait le feu aux poudres.

— Vous avez l'air bien au courant.

— Victoria m'a dit que son ex-mari était sur le point de se remarier et qu'elle en était très malheureuse.

— Vraiment ? Il faut qu'elle ait drôlement confiance en vous pour vous raconter ça !

— Elle ne va pas très bien. On dirait qu'elle est constamment en quête de quelqu'un à qui se confier.

Et il faut qu'elle choisisse l'espion allemand qui se cache chez nous, songea Frances par-devers elle. La vie suit parfois des voies bien étranges...

— Quatre femmes – cinq même il y a encore peu – qui vivent, pas vraiment en vase clos, mais beaucoup les unes sur les autres, ça crée évidemment certaines tensions, reconnut-elle, songeuse.

Il hocha silencieusement la tête et elle comprit qu'il avait déjà maintes fois songé à la question.

Puis l'idée, soudain s'imposa à elle : quatre femmes seules dans une même maison, c'était une situation explosive ; surtout quand un homme surgissait au milieu de ce gynécée.

John et Marguerite se marièrent le 30 septembre. C'était la guerre et, de surcroît, pour chacun un second mariage, si bien que seule une modeste réception eut lieu à l'issue de la cérémonie. Chacun à Westhill fut invité. En dépit des circonstances, John se devait de respecter les convenances. Victoria avait déclaré qu'il était exclu qu'elle y aille. Elle ne voulait voir ni John ni Marguerite. En ce qui concernait celle-ci, elle dit que jamais encore elle n'avait connu pareille hypocrite et qu'il n'était pas question qu'elle assiste à son triomphe.

— Il faut toujours que tu exagères ! répliqua Frances. En outre, personne ne te demande d'y aller.

Elle-même aurait nettement préféré rester chez elle, mais Marguerite n'aurait pas compris qu'elle ne vînt pas. John lui avait-il rapporté l'incident de la cuisine ? Si oui, c'était une raison de plus pour accepter l'invitation. Elle se rendit donc à Daleview, avec Laura, heureuse que la jeune fille l'accompagne.

— Et surtout, fais bien attention à ne rien lâcher sur Peter, l'exhorta-t-elle une énième fois tandis qu'elles montaient en voiture.

Laura se sentit blessée.

— Je ne suis pas aussi bête que vous le croyez ! Au début, vous pensiez que je n'allais pas pouvoir m'empêcher de tout raconter à Marjorie et maintenant vous avez peur que je claironne ça au beau milieu du mariage. Vous me prenez vraiment pour une petite fille !

— Personne ne te prend pour une petite fille, Laura.

Frances soupira. Jusque-là, Laura ne lui avait pas semblé aussi susceptible.

— Je te dis simplement ça parce que je me rends compte que je dois moi-même constamment me surveiller. Avec le temps, Peter est presque devenu... un membre de la famille, n'est-ce pas ? Il nous est tellement familier qu'on risque de laisser échapper involontairement son nom.

Laura parut rassérénée.

— Frances... il n'est pas nazi, n'est-ce pas ? demanda-t-elle après être restée silencieuse quelques minutes.

— Non, répondit Frances, bien qu'elle ne sût pas elle-même à partir de quand quelqu'un était nazi ou non. C'est simplement un soldat qui se bat pour son pays.

— Et un espion, ajouta Laura sur un ton lugubre.

Frances la regarda.

— J'ai moi aussi du mal à l'accepter, avoua-t-elle. Beaucoup de mal. Il est gentil, serviable. Et il est vraiment très... séduisant. Tu ne trouves pas ?

Laura devint rouge comme une pivoine.

Tiens, tiens, se dit Frances.

Pour la seconde fois en trente ans, elle se rendit à Daleview pour voir John dire oui à une autre femme. Marguerite portait un tailleur sable et un petit chapeau à voilette. En dépit de ses talons hauts, elle ne dépassait guère l'épaule de John. Rien de sa grossesse ne se voyait encore. Elle avait toujours l'air d'un elfe gracieux.

John donnait l'impression d'être tendu et concentré. Bien qu'il ne parût pas éperdument amoureux de Marguerite, il la traitait avec un respect et une gentillesse dont Victoria n'aurait pu que rêver.

Frances sut, avec une certitude qui la surprit elle-même, que cela marcherait entre eux deux. Ce qui les unissait était solide. John avait raison d'agir ainsi.

Ce fut lors du déjeuner, qui réunissait une douzaine de personnes, que Frances, pour la première fois, remarqua que Laura ne mangeait presque rien. En société, elle s'efforçait toujours de cacher qu'elle mourait d'envie d'avaler tout ce qui était sur la table, mais jamais elle n'y parvenait complètement. Il y avait toujours un moment où elle était trop penchée sur son assiette, où elle mangeait trop vite, où on sentait qu'elle ne se maîtrisait pas. Cette fois, elle observait une distance presque timide à l'égard de son assiette, picorait sans gourmandise du bout de sa fourchette et mangeait à peine. Elle ne toucha pas au dessert. Soudain, Frances se rendit compte que cela faisait plusieurs semaines que Laura ne mangeait rien, ou presque. Elle ne semblait pas avoir déjà maigri, mais elle avait incontestablement l'air malheureuse.

Elle aborda le sujet sur le chemin du retour.

— J'ai remarqué que tu ne mangeais presque plus. Il y a quelque chose qui te tracasse ?

Laura se rongeait un ongle.

— Non, non. Tout va bien.

— Mais tu n'as plus d'appétit ?

— Si. Seulement... Eh bien, je me suis dit que... J'ai seize ans, maintenant. Il faudrait que je commence à maigrir un peu.

Sa vanité féminine s'éveille, pensa Frances. Ça ne peut pas lui faire de mal. Plus mince, elle se sentira peut-être mieux dans sa peau et n'aura plus l'air comme aujourd'hui de porter tous les malheurs du monde sur ses épaules.

— Oui, tu n'as pas tort, dit-elle à voix haute, mais donne-toi du temps, d'accord ? Ce n'est pas bon pour ton corps de le priver brutalement de nourriture comme ça du jour au lendemain.

— Mais c'est seulement que je n'ai pas faim. Je n'éprouve plus le besoin de manger.

Elle baissa les yeux et regarda tristement ses gros seins lourds, son ventre proéminent, la masse imposante de ses cuisses sous le mince tissu de sa robe d'été, ses mollets épais que des chaussettes tricotées à la main et des chaussures marron informes faisaient paraître encore plus massifs. Pour couronner le tout, ses jambes étaient couvertes de poils bruns.

— Ça va être très très long avant que je sois mince, constata-t-elle, accablée. On ne voit encore rien !

— Ce sera long, Laura, mais tu y arriveras. Et tu seras alors très fière d'avoir réussi.

Laura joua avec ses tresses.

— Je n'aime pas mes cheveux non plus. Pensez-vous que je puisse me les faire couper ?

Frances détailla le visage bouffi et disgracieux de Laura. Une coupe courte n'arrangerait rien, mais ne serait sans doute pas pire non plus. En fait, il n'y avait rien chez Laura qui puisse devenir pire.

— Tu peux faire ce que tu veux, mais réfléchis bien. Une fois que c'est coupé, on ne peut plus revenir en arrière.

— Avec ces nattes, j'ai l'air d'une petite fille. Je voudrais qu'on me prenne enfin au sérieux.

— Tout le monde te prend au sérieux ! Mais je te comprends, à ton âge, j'étais moi aussi très pressée d'être adulte. Plus tard, on se rend compte que ce n'est pas ça qui rend la vie plus facile.

— Je peux me faire couper les cheveux, alors ?

— Oui. Réfléchis seulement encore un peu avant de te décider.

A l'expression de Laura, il était clair que c'était déjà tout décidé.

A leur retour, elles découvrirent Adeline, Victoria et Peter installés dans la cuisine en train de jouer aux cartes sur la table. Frances s'attendait à trouver une Victoria ravagée par les larmes ou barricadée dans sa chambre. La sérénité de sa sœur la surprit. Elle était certes très pâle, mais elle semblait maîtresse d'elle-même.

— Ah, vous voilà, remarqua-t-elle simplement.

— Oui, répondit Frances, déconcertée.

Un silence gêné s'installa ; faire un compte rendu détaillé du mariage aurait été déplacé.

Ce fut Adeline qui finalement redonna un tour normal à la conversation :

— Peter nous a appris un jeu de cartes allemand. A vrai dire, ni Victoria ni moi ne nous sommes montrées très malignes.

— C'est normal que je joue mieux, intervint Peter. J'ai de l'avance sur vous. En revanche, au bridge, vous avez toutes les chances de me battre.

Frances le regarda avec intérêt.

— Vous savez jouer au bridge ? C'est... je veux dire, c'est très anglais comme jeu !

Gravement, parce qu'il savait que c'était un sujet épineux, il expliqua :

— Vous savez bien que j'ai été formé pour passer pour un pur produit anglais. Et ma formation ne s'est pas limitée à la seule question de la langue. Le quotidien, le système scolaire, les us et coutumes, les passions et les particularités de vos concitoyens, leur façon bien à eux d'apprécier certaines choses... J'ai dû apprendre tout ça. Apprendre à jouer au bridge n'a pas été l'exercice le plus difficile.

Elles furent un moment un peu embarrassées. Que répondre ? Que dire ? Comment admettre que ce jeune homme charmant et séduisant auquel elles avaient ouvert leur maison et leur famille avait été à dessein formé pour espionner au profit de l'Allemagne, pour les tromper ?

Ce fut à nouveau Adeline qui rompit le silence :

— Quelqu'un souhaite-t-il manger quelque chose ?

Frances prit un air horrifié.

— Pas moi ! J'ai tellement mangé à ce déjeuner que j'ai l'impression que je vais exploser. Toi, Laura ?

— Non, merci.

Adeline l'examina d'un œil désapprobateur.

— Ma petite Laura, tu ne manges pas assez, depuis quelque temps. Il y a quelque chose qui te tourmente ?

Laura lança un regard d'avertissement à Frances. Elle n'avait pas du tout envie de mettre ses problèmes de poids sur la place publique.

— Laisse-la, Adeline, s'immisça Frances. Les jeunes filles sont ainsi, il y a des jours où elles mangent et des jours où elles ne mangent pas. Que Laura fasse comme elle l'entend.

Adeline grommela quelque chose d'incompréhensible dans sa barbe.

— Asseyez-vous avec nous, Laura, proposa Peter, et faisons une partie de bridge. Si vous en avez envie, naturellement.

Laura rougit jusqu'à la racine des cheveux et le regarda fixement, subjuguée.

— Je... non, je... voudrais monter me coucher.

— Déjà ? s'étonna Victoria.

— Oui... je suis assez fatiguée.

Laura s'enfuit presque en courant.

— Ai-je dit quelque chose que je n'aurais pas dû dire ? demanda Peter, contrarié.

Tu lui plais trop, voilà tout, songea Frances.

— Non, répondit-elle, mais à cet âge les jeunes filles ont parfois... des réactions bien imprévisibles.

— Elle est très sensible, dit Peter. Elle me fait toujours penser à un jeune oiseau tombé du nid. Je n'ai jamais rencontré quelqu'un d'aussi seul. Et elle est éperdument accrochée à Westhill. Beaucoup trop, et beaucoup trop anxieusement. Cette maison est toute sa vie.

Les trois femmes le regardèrent, stupéfaites. Aucune ne s'attendait qu'il fasse ce genre de déclaration.

— Elle n'est pas seule, riposta Frances, elle nous a !

Il la regarda pensivement, et ses yeux disaient : Allons, tu sais bien ce que je veux dire ! C'est quelque chose que tu connais !

— Il existe une solitude intérieure que la présence d'un entourage ne rend pas moins lourde à porter, répliqua Peter. C'est de ce genre de solitude que souffre Laura, depuis fort longtemps déjà. J'espère qu'elle parviendra un jour à s'en défaire.

Elles se sentirent toutes trois confusément coupables. Jamais elles n'avaient prêté grande attention aux problèmes de Laura. En fait, elles avaient vis-à-vis d'elle d'autres devoirs que de veiller à ce qu'elle ait un toit au-dessus de la tête et suffisamment à manger dans son assiette.

La mauvaise conscience incita Frances à se rendre dès le lendemain à Northallerton pour conduire Laura chez le coiffeur et lui acheter de nouveaux vêtements.

— Je ne peux pas accepter, protesta Laura dans un premier temps. Vous avez déjà tellement de frais à cause de moi... Pourtant, vous ne devriez même pas avoir à vous occuper de moi.

— Ne dis pas ça. Je suis heureuse que tu vives avec nous et tant mieux si de temps en temps je peux te faire plaisir. Et maintenant, dis-moi : tu veux toujours te faire couper les cheveux ?

Laura n'avait pas changé d'idée. Le coiffeur examina la forme de son visage, ses joues rondes et pleines. Il tenta de la dissuader mais n'eut aucun succès. Alors il prit ses ciseaux et lui fit une sorte de carré légèrement dégradé, avec une frange, s'évertuant vainement à donner un peu de volume et de tenue à ses cheveux trop fins et trop mous.

— Vos cheveux sont fins comme ceux d'un bébé, constata-t-il. Ce ne sont pas des cheveux faciles à coiffer et ils vous donneront toujours du fil à retordre, mais j'ai fait de mon mieux.

Laura s'examina dans la glace. Son visage paraissait encore plus rond qu'avant mais, curieusement, elle parut satisfaite du résultat.

— Maintenant, je n'ai plus l'air d'une petite fille, déclara-t-elle.

La photo de Peter avait cessé de paraître dans le journal et aucun article n'évoquait plus son histoire, mais à Westhill personne ne se faisait d'illusions : le danger n'était pas écarté pour autant. Peter ne parviendrait pas à quitter le pays et il ne pouvait pas non plus prendre le risque d'aller quelque part, en ville ou dans un village, chercher du travail.

— Vous pouvez à tout instant être reconnu par quelqu'un, le prévint Frances, et même si ce n'est pas le cas, comment voulez-vous vivre où que ce soit en Angleterre sans papiers? Il faut vous cacher encore quelque temps.

— Ça me rend fou! Je suis un danger permanent pour vous toutes!

— Ne vous tracassez pas pour ça. Nous sommes heureuses que vous soyez là.

C'était vrai. Elles imaginaient à peine, et à vrai dire de moins en moins, de vivre sans lui. Il ne savait que faire pour se rendre utile. Les jours où la vie semblait moins facile, sa gentillesse et sa gaieté leur redonnaient du cœur à l'ouvrage. Lui-même s'efforçait toujours de se montrer d'humeur enjouée et de ne rien laisser paraître de ses soucis. Frances ne le vit que de rares fois céder à l'accablement, quand il écoutait les nouvelles de la guerre à la radio. Son visage se contractait, deux plis verticaux qui le vieillissaient barraient son front. La situation de l'Allemagne était préoccupante. La chance des premières années de guerre avait tourné. Les bombardements alliés terrorisaient la population, chaque nuit des villes brûlaient, des civils mouraient par dizaines. Sur le terrain, la débâcle menaçait, l'armée devait de plus en plus souvent battre en retraite. A Stalingrad, sur la Volga, une armée entière livrait un combat désespéré.

— Ils devraient renoncer, dit Peter, se replier, fuir Stalingrad ! Mais Hitler va une fois de plus les exhorter à résister, il va encore et toujours les exhorter à se battre pour le Reich !

Depuis quelque temps, il critiquait souvent le Führer. Un soir, Frances surprit une conversation entre lui et Victoria :

— Je pense qu'un jour on le considérera comme l'un des grands criminels de l'histoire, disait Peter.

— Peut-être que... s'il capitule maintenant...

— Il ne capitulera pas, Victoria. Un homme comme Hitler ne lâche jamais. Plus la situation va se détériorer, plus il va parler de victoire finale. Il préférera précipiter un pays entier dans le malheur et la désolation plutôt que de renoncer à son délire fanatique.

— Pensez-vous que ce sera vraiment terrible pour l'Allemagne ?

Peter ne répondit pas tout de suite.

— Ce sera terrible, dit-il enfin. Une catastrophe... la fin du monde.

— Quelle chance que vous soyez ici en sécurité ! s'exclama spontanément Victoria.

Il eut un sourire triste.

— Ah, Victoria, sans doute est-ce difficile à comprendre, mais c'est précisément ce qui m'est le plus pénible. Ma mère et ma sœur sont là-bas. Vous savez, c'est l'Allemagne qui a voulu cette guerre. Nous sommes responsables. Pourtant, c'est mon pays. Et mon pays est au bord de la catastrophe. Je n'arrête pas d'y penser. Et moi, je suis là... Je suis là et je ne fais rien. Rien !

Décembre arriva et le moral de Peter s'assombrit encore. Il était toujours aussi agréable, mais il paraissait avoir de plus en plus de mal à faire bonne figure. Souvent il se plongeait dans les livres du salon, des œuvres classiques pour la plupart, dans lesquelles il semblait trouver un certain réconfort. Deux fois, il fut sur le point de quitter Westhill, convaincu, disait-il, qu'il trouverait bien un moyen de gagner la France, puis, de là, l'Allemagne, mais les quatre femmes s'évertuèrent à l'en dissuader jusqu'à ce qu'il renonce à son projet. Par quel tour de passe-passe s'imaginait-il traverser la Manche ? Tous les transports de passagers étaient suspendus, pour cause de guerre, naturellement, et parce que la mer du Nord grouillait de sous-marins. Un bâtiment de la marine ? Sans papiers ?

— Et si jamais c'était votre intention, oubliez tout de suite la barque de pêche, le prévint Frances. Nous sommes en pleine période de tempêtes hivernales. Si vous échappez aux balles, vous n'échapperez pas à la noyade.

Elle disait vrai, il le savait, et il se rendit à la raison, mais son inquiétude grandissait et Frances comprit qu'elles ne pourraient pas l'empêcher de partir encore bien longtemps. Son inactivité lui pesait chaque jour un peu plus ; bientôt, il ne supporterait plus cet état. Il était prêt à prendre le risque de mourir car la perspective lui semblait plus acceptable que d'attendre tranquillement la fin de la guerre dans une ferme isolée du Yorkshire.

Puis ce fut Noël. Toutes s'étaient accordées pour lui préparer une belle fête. Il leur avait parlé de la tradition allemande de la veillée de Noël, inconnue en Angleterre, où la distribution des cadeaux avait lieu au matin du 25. Ainsi, le 24, décorèrent-elles le petit sapin qu'il était allé couper dans la forêt. Adeline, en dépit du rationnement qui sévissait partout dans le pays, lui offrit un vrai menu de réveillon avec dinde rôtie, salades diverses et quantités de desserts dont, naturellement, un imposant et très traditionnel pudding de Noël.

Peter fut touché.

— Vous n'auriez pas dû renoncer à vos traditions aux profit des miennes ! protesta-t-il gentiment.

— Mais ce soir, vous allez sans doute beaucoup penser à votre maman et à votre sœur, dit doucement Victoria. Nous voulions que leur absence soit plus légère.

Frances avait proposé que personne, ce soir-là, n'écoute les nouvelles, mais ils ne purent s'empêcher de tous se réunir autour du poste à l'heure des informations. Le speaker évoqua la situation dramatique de la VIe armée commandée par le maréchal Paulus, encerclée par les divisions soviétiques de Joukov dans les faubourgs en ruine de Stalingrad, incapable de franchir la Volga, incapable de se replier, mourant de faim, de froid et d'épuisement. Et Hitler refusait toujours de capituler.

— Il est en train de tous les tuer les uns après les autres, dit Peter, le visage dur.

Sa mèche rebelle, sans qu'il en prenne conscience, était retombée sur son front. Il paraissait étonnamment jeune et émouvant. Laura le dévorait des yeux comme si le Saint-Esprit en personne lui était apparu.

— Personne ne laisse mourir une armée entière, répliqua Frances, pas même Hitler!

Peter secoua la tête.

— Il ne fera pas machine arrière. Il va au contraire aller de l'avant.

Sur le sapin, la flamme des bougies vacillait. Victoria bondit sur ses pieds.

— Je ne veux plus entendre parler de guerre pour le reste de la journée! lança-t-elle. Et plus d'Hitler! Venez, commençons la distribution des cadeaux!

Dehors, il neigeait. Un bon feu crépitait dans la cheminée. Quand la voix de la radio se tut, la paix descendit sur la maison. Ils s'assirent, tous en harmonie, et déballèrent leurs cadeaux. Victoria avait offert un livre à Peter.

— « Poèmes de Robert Burns », lut-il. C'est merveilleux, Victoria, merci!

Victoria portait une robe de velours noir sur laquelle ses cheveux ruisselaient comme du miel doré. Ses joues étaient roses, ses yeux brillaient. Il y avait longtemps qu'elle n'avait paru aussi jeune et détendue.

— Ce sont des poèmes d'amour, précisa-t-elle.

Il sourit.

— Et vous y avez inscrit une merveilleuse dédicace. Cela me fait vraiment très plaisir.

Frances tendit la tête pour lire l'inscription mais elle ne put la déchiffrer de si loin. Elle considéra sa sœur d'un œil soupçonneux : Victoria avait-elle, elle aussi, succombé au charme de Peter?

Ce fut le cadeau de Laura qui remporta la palme. Elle offrit à Peter un pull-over qu'elle avait tricoté à son intention, un immense et chaud pull-over à col roulé en laine gris anthracite. Tous étaient stupéfiés car on n'avait jamais vu Laura tricoter.

— Mais quand l'as-tu donc fait? demanda Frances.

— Généralement la nuit, expliqua Laura, en cachette dans ma chambre.

— Personne ne m'avait jamais tricoté de pull-over, dit Peter, et voilà que c'est mon ange gardien qui me fait ce cadeau extraordinaire ! Laura, je suis absolument enchanté !

Il s'approcha d'elle et l'embrassa doucement sur la joue. Laura devint pâle comme un linge et s'effondra sans connaissance sur le tapis.

Il s'ensuivit un certain émoi. Tous s'affairèrent autour de Laura pour tenter de la ranimer. En désespoir de cause, Peter la souleva et la déposa sur le canapé. Là, elle rouvrit les yeux et regarda autour d'elle, l'air perdu.

— Que s'est-il passé ? demanda-t-elle.

— Nous aimerions bien le savoir, répondit Peter.

Il l'observa, soucieux.

— Vous avez soudain perdu connaissance.

— Oh !

Elle s'assit. Elle était toujours d'une pâleur extrême, ses mains tremblaient.

— C'est juste un peu de faiblesse...

— Peter t'a embrassée et hop, plus personne ! C'est d'un romantisme très victorien !

— C'est très flatteur pour moi, mais je ne crois pas qu'elle se soit évanouie parce que je l'ai embrassée, objecta Peter, qui ajouta : Vous avez très mauvaise mine, Laura. Depuis quand avez-vous ces vilains cernes noirs ?

Pour le coup, elle fondit en larmes :

— Je ne sais pas pourquoi je pleure, sanglota-t-elle. Je vous assure : je ne sais pas !

— Allons, allons, ma Laura, ce n'est pas grave. Ça arrive à tout le monde de pleurer sans bien savoir pourquoi ! la consola Adeline.

Elle s'assit sur le bord du canapé et attira Laura

contre elle. Soudain son expression changea et elle
éloigna la jeune fille de quelques centimètres pour
mieux la regarder.

— Laura, mais tu as terriblement maigri ! s'exclama-t-elle, horrifiée.

— Vraiment ? fit Frances.

Laura portait l'une des nouvelles robes qu'elle lui
avait achetées à Northallerton. Taillée large, comme
ses anciens vêtements, elle transformait la silhouette
de Laura en la masse informe que tous lui connaissaient. Mais Frances à son tour remarqua les cernes
sous les yeux, le menton, plus pointu, les joues, moins
rondes.

— Je le sens rien qu'en la touchant, dit Adeline.
Elle a beaucoup trop maigri !

— Je suis grosse, sanglota Laura. Je suis toujours
trop grosse !

Alors que tous, déconcertés, regardaient la malheureuse Laura qui sanglotait à fendre l'âme sur le
canapé, des coups violents furent frappés à la porte
de la maison. Ils sursautèrent.

— Qui cela peut-il être ? s'exclama Victoria, affolée.

— Peter, vite, montez au premier ! le pressa
Frances. Pourvu que personne n'ait regardé par la
fenêtre !

Peter disparut dans l'escalier, vif comme l'éclair.
Adeline alla ouvrir.

— Monsieur et madame Leigh ! s'exclama-t-elle.
Quelle bonne surprise !

John et Marguerite, les joues rouges de froid,
apparurent sur le seuil de la pièce, tout emmitouflés ;
des flocons de neige brillaient sur leurs cheveux.

— A vrai dire, je ne pensais pas réussir à monter en
voiture jusqu'ici, avoua John d'emblée, mais votre
chemin est magnifiquement déblayé. Qui d'entre
vous a tant de courage ?

Peter, songea Frances en même temps qu'elle répondait :

— Nous nous y sommes toutes mises.

John l'embrassa sur les deux joues. Un baiser chaste, ses lèvres étaient froides. Puis il se tourna vers son ex-femme :

— Victoria...

Il l'embrassa elle aussi.

Victoria accepta son baiser avec un détachement qui ne laissa pas de surprendre Frances. Elle réussit même à tendre la main à Marguerite, qui, maintenant qu'elle avait ôté son manteau, donnait à voir un ventre déjà bien arrondi.

Et moi qui pensais qu'elle serait la suivante à défaillir sur le canapé, se dit Frances.

— Mais que se passe-t-il ici ? demanda John en regardant autour de lui. Vous avez déjà allumé le sapin et déballé les cadeaux !

— C'est ce qu'ils font en Allemagne. Ils fêtent Noël le 24 au soir, expliqua Marguerite.

— Certes, mais je doute que Frances ait envie d'introduire des coutumes allemandes à Westhill, dit John en partant d'un éclat de rire.

Toutes rirent à l'unisson, comme s'il avait fait une remarque désopilante, mais Frances avait la désagréable impression que tous se rendaient compte que leurs rires étaient forcés et sonnaient faux.

Entre-temps, Marguerite avait découvert Laura assise sur le canapé, les yeux rouges et les joues encore mouillées de larmes.

— Mais que t'arrive-t-il ? s'exclama-t-elle.

— Laura vient de s'évanouir, expliqua Frances. C'est vraisemblablement une baisse de tension.

— Pas étonnant, fit Marguerite en fronçant les sourcils, elle a tellement maigri !

— C'est exactement ce que je viens de dire! renchérit Adeline.

— Je ne me suis rendu compte de rien, avoua piteusement Frances.

— Il faut dire que c'est difficile quand on voit quelqu'un tous les jours, dit Marguerite, mais pour moi qui ne l'ai pas vue depuis trois mois, ça saute aux yeux.

Tous les regards convergèrent à nouveau vers Laura, qui dès lors fit de gros efforts pour ne pas fondre une seconde fois en larmes.

— Ce que je ne comprends pas, c'est que Laura a presque toujours mangé normalement, dit Frances. Beaucoup moins qu'avant, c'est vrai, parce qu'elle voulait perdre du poids, mais elle ne s'est jamais affamée au point que cela me paraisse dangereux.

Laura enfouit son visage dans ses mains et pleura sans retenue.

— Je crains, dit Marguerite à mi-voix, qu'elle n'ait sa méthode à elle de moins manger.

— Ah? Et laquelle?

Marguerite se pencha vers Laura et doucement écarta les mains de son visage.

— Laura, ce n'est pas une chose dont tu dois avoir honte, mais il faut que tu nous dises la vérité, l'exhorta-t-elle d'une voix douce. Tu te fais vomir après les repas, c'est cela? Tu fais en sorte de ne rien garder de ce que tu as mangé?

— Mais ce n'est pas possible! s'exclama Frances, abasourdie.

— C'est une maladie. Et qui n'est pas si rare qu'on pourrait le croire.

Marguerite posa les mains sur les épaules de Laura, la secoua très doucement.

— C'est bien ainsi, Laura, n'est-ce pas? C'est ce que tu fais?

Laura hocha la tête. Des torrents de larmes jaillissaient maintenant de ses yeux.

— Je suis si grosse, hoqueta-t-elle, si répugnante à force d'être grosse !

— Son corps est de ce fait privé d'une grande quantité de vitamines et de minéraux, dit Marguerite. Et cela depuis des mois. Ce n'est pas surprenant qu'elle perde connaissance.

Victoria partit d'un rire hystérique.

— Dieu du ciel ! Et nous qui croyions déjà que c'était...

Frances la fusilla du regard. Victoria devint cramoisie et s'interrompit *in extremis*.

Décidément, on ne la changera pas, songea Frances, furieuse.

— Que croyiez-vous ? demanda John.

— Rien, répondit Frances. Rien du tout.

C'était si définitif que John n'insista pas.

— A vrai dire, commença Marguerite, en dehors du fait que nous souhaitions vous rendre une dernière fois visite avant Noël, nous sommes principalement venus à cause de Laura. Du jour où John et moi avons... été fiancés, j'ai cessé mes cours un peu brutalement, mais je pense que je devrais les reprendre. Le mieux serait que Laura vienne chez nous à Daleview, car d'ici quelque temps, ajouta-t-elle en passant la main sur son ventre, je ne serai plus très mobile. Et à la maison, nous serons entre nous. En dehors des leçons, nous pourrons parler un peu de toi, Laura. Qu'en penses-tu ?

Laura hocha la tête, renifla et fouilla ses poches à la recherche d'un mouchoir.

— Et vous, reprit Marguerite, veillez bien sur elle. Evitez de la laisser seule. Elle ne manquera pas une occasion de se mettre les doigts dans la gorge.

Tous se turent, impressionnés. Au bout d'un temps, Frances se ressaisit et dit :

— Excusez-nous, nous manquons à tous nos devoirs ! Vous arrivez et nous vous assaillons avec nos problèmes. Asseyez-vous, je vous en prie ! Vous prendrez bien quelque chose avec nous ?

— Volontiers, dit Marguerite, mais nous ne nous attarderons pas. Je crois que nous vous avons tout de même un peu dérangées. Nous ne sommes pas arrivés à un très bon moment.

Janvier 1943 arriva, et avec lui le début d'une nouvelle année. Depuis plusieurs semaines déjà, GI américains, armes, munitions et matériels de guerre étaient acheminés à travers l'Atlantique vers le sol anglais. A cette époque, personne au sein de la population ne se doutait qu'il s'agissait du début de la mise en place de l'opération « Overlord », et par là des prémices du débarquement des Alliés en Normandie.

Durant cette période, Frances refusa de laisser la guerre et tout ce qui avait un lien avec elle envahir sa vie. Les restrictions étaient de plus en plus sévères. Vivre au quotidien exigeait du courage et de la force. Elle n'avait pas le temps de s'occuper de ce qui n'était pas indispensable. Elle refusait de s'intéresser à la guerre, mais elle refusait aussi de s'impliquer dans les histoires qui agitaient le microcosme familial. C'était elle qui assurait le vivre et le couvert, tout reposait sur elle, et tous comptaient sur son efficacité.

Elle passait la majeure partie de ses journées aux écuries. Des nuits entières, elle veillait auprès d'une jument pleine qui menaçait de perdre son poulain. Elle était fatiguée et nerveuse. Les moutons avaient été décimés par une maladie. Rien n'allait vraiment bien. Aurait-il fallu en plus qu'elle soigne les plaies à l'âme des uns et des autres et compatisse à leurs petits malheurs ?

Laura devenait de plus en plus mince, mais Frances s'était largement déchargée du problème sur Marguerite et elle se rassurait en pensant que celle-ci saurait faire ce qu'il fallait. Laura se rendait chaque jour à Daleview ; cependant, dans son raisonnement, Frances avait omis de considérer que Laura ne pouvait rien dire de ce qui avait provoqué chez elle cette folie de la maigreur – son amour désespéré pour Peter – et qu'ainsi des faits essentiels à la compréhension de la situation échappaient à Marguerite. Pour sa part, elle ne prenait pas cet « amour » au sérieux, elle n'y voyait que la passade très banale d'une toute jeune fille pour un bel étranger séduisant. Une étape dans la vie de Laura, rien de plus. Un jour, elle n'y penserait plus.

Frances ne se rendait pas compte que rien chez Laura n'était « banal », que rien jamais ne pouvait être anodin. Elle avait trop souffert pour prendre la vie avec insouciance, pour savoir dépasser une déception. Laura n'avait jamais surmonté le traumatisme causé par l'effondrement de sa maison sous les bombes et jamais elle ne s'était consolée de la mort de sa mère. Elle souffrait d'être séparée de Marjorie, à laquelle elle ne se lassait toujours pas d'écrire des lettres interminables, bien que celle-ci ne lui répondît que rarement. Laura était convaincue que Peter était son grand amour, avec la même ferveur qu'elle était attachée à Westhill.

Peter aimait bien Laura, il savait qu'il lui devait la vie, mais à ses yeux elle était encore une enfant et il se comportait avec elle comme un grand frère avec sa jeune sœur. De son côté, avec son régime insensé, ses nouveaux vêtements et son soudain intérêt pour la grande littérature, Laura se donnait beaucoup de peine pour qu'il la considère comme une femme. Pour elle, rien n'avait désormais d'importance que Peter et l'amour qu'il pouvait lui porter. Elle était prête à s'affamer jusqu'à en mourir pour gagner son cœur.

Pendant ce temps-là, Victoria oscillait entre l'euphorie et la léthargie. Tantôt elle se terrait, amorphe, dans un coin, tantôt elle succombait à une sorte de gaieté exaltée que Frances ne supportait qu'au prix de gros efforts. D'un coup, elle se transformait en moulin à paroles, riait fort et rejetait sa tête en arrière de manière à faire danser ses cheveux. Cheveux que par ailleurs elle portait presque toujours flottants sur les épaules à la manière des jeunes filles. Frances trouvait cela ridicule, même si elle devait malgré tout reconnaître que sa sœur était toujours une femme très séduisante. Il n'empêche, elle n'était pas loin de la cinquantaine, et ses battements de cils et sa passion renaissante pour les bijoux, le maquillage et les décolletés profonds avaient, du moins aux yeux de Frances, quelque chose d'obscène. Elle avait ressorti de ses placards des vêtements qu'elle n'avait plus portés depuis des années, notamment des déshabillés de soie incrustée de dentelles, totalement déplacés dans l'environnement simple de la ferme et qui dataient du temps où elle avait vainement tenté de reconquérir le cœur de John Leigh.

Un peu de dignité, par pitié, songeait Frances, exaspérée, seulement un petit peu de dignité.

Mais parfois... parfois ce n'était pas de l'exaspération qu'elle éprouvait. C'était sa vieille jalousie qui renaissait, leur ancienne rivalité. Parce que, lorsque Victoria ne sombrait pas dans l'excès, quand elle ne ressemblait pas à un sapin de Noël, quand ses seins ne menaçaient pas à tout moment de jaillir de son décolleté et qu'elle n'avait pas l'air ordinaire, elle était réellement belle. Les fines rides qui marquaient son visage lui donnaient du caractère et ses cheveux brillaient comme de la soie. Avec l'œil aiguisé de la jalousie, Frances remarquait que Peter n'était pas insensible à sa beauté. Son regard s'attardait un peu trop longtemps sur elle et, à son changement d'expression, elle devinait qu'il la trouvait désirable.

Frances ressentait une colère qui l'effrayait. Elle s'interrogea sur les causes d'une réaction aussi violente, mais ne put démêler si la raison en était le fait qu'elle ait toujours envié la beauté de Victoria ou bien qu'elle portât elle-même un peu trop d'intérêt à Peter. Il y avait une éternité qu'un homme ne l'avait pas touchée. Mais quand ses pensées partaient dans cette direction, aussitôt elle les censurait. Elle refusait de toutes ses forces d'être la troisième après Laura et Victoria à se consumer d'amour pour Peter. Il ne manquait plus qu'Adeline avec ses quatre-vingts ans pour tenter elle aussi sa chance. Allaient-elles toutes perdre la tête?

Elle décida que c'était cette ancienne animosité entre elle et Victoria qui la mettait dans cet état de colère permanente; elle n'acceptait pas que ce pût être autre chose.

Puis vint le 7 avril 1943, une belle journée de printemps, lumineuse et chaude. Les narcisses sauvages couvraient les prairies d'un immense tapis jaune mousseux qui ondulait sous le vent. Partout on découvrait des brebis et leurs agneaux. Il n'y avait pas un seul nuage dans le ciel.

Laura, qui tous les matins se rendait à Daleview pour ses cours, revint à Westhill en fin de matinée, essoufflée et très excitée. Elle avait dû courir tout le long du chemin. Sa robe, bien qu'Adeline l'eût déjà rétrécie à deux reprises, flottait comme un sac sur son corps. Rien ne semblait freiner sa dramatique perte d'appétit. Ses yeux paraissaient immenses dans son visage amaigri.

— Ça y est! annonça-t-elle. Marguerite est en train d'accoucher!

Elle avait surgi dans le salon où toute la maison s'était réunie autour du poste de radio pour écouter les nouvelles. La campagne d'Afrique tournait au détriment de l'Allemagne, les forces alliées avaient réussi à encercler les troupes du Reich. Par égard pour Peter, qui semblait très tendu, personne ne commenta les torrents de louanges que le speaker déversait sur le général britannique Montgomery.

— Ah, tout de même! s'exclama Adeline en entendant Laura.

Le bébé de Marguerite aurait dû naître fin mars; le terme était dépassé de dix jours.

— J'espère que tout va bien se passer, poursuivit-elle, une petite femme menue comme elle... elle va avoir bien du mal.

Victoria se leva et quitta le salon en claquant la porte derrière elle.

Tous sursautèrent.

— Je croyais qu'elle avait surmonté cette histoire, dit Frances.

— Ce n'est pas un moment facile pour elle, répondit Adeline. Il y a des choses que l'on ne surmonte jamais.

Frances se leva et éteignit la radio, qui diffusait le *God save the King*.

— Adeline, nous devrions préparer le déjeuner. Que souhaites-tu manger, Laura? Y a-t-il quelque chose qui te ferait plaisir?

— Je ne veux rien manger.

— Il faut que tu manges quelque chose! Je vais finir par me fâcher.

— Je ne peux pas manger. Je suis grosse!

— Regarde-toi! Tu as l'air sous-alimentée, tellement tu es maigre!

Des larmes jaillirent.

— Ne me forcez pas, Frances, s'il vous plaît!

— Je vais te dire ce que je vais faire, commença Frances d'une voix dure. Je te donne encore une semaine exactement. Si d'ici là, rien ne se passe, je t'amène chez un médecin, qui, lui, t'alimentera de force. Sais-tu ce que cela signifie? Moi je le sais, parce que ça m'est déjà arrivé, et je peux t'assurer qu'il n'y a rien de pire. On t'allonge sur le dos et...

— Vous n'arriverez à rien comme ça, l'interrompit Peter. Vous allez seulement aggraver la situation.

Elle le fusilla du regard.

— Vraiment? Et je devrais faire quoi, d'après vous? Attendre qu'elle meure d'inanition? Et si pour changer vous preniez un peu les choses en main? Après tout, c'est votre faute, tout ça!

— Frances! avertit Adeline, inquiète.

Peter semblait tomber des nues.

— Quoi?

— Si vous ne comprenez pas de quoi je parle, eh bien vous êtes assurément le seul à ne pas être encore au courant dans cette maison!

Elle était maintenant en colère.

— Vous vous êtes figuré que vous alliez gagner la guerre comment, vous autres Allemands? En rêvant le nez en l'air? C'est pour vous que cette jeune fille s'affame plus que de raison! Pour vous qu'elle s'efforce d'être jolie, mince et désirable. Elle veut...

Laura poussa un cri de bête blessée et s'enfuit en courant.

Peter était devenu blême.

— Vous auriez dû me le dire plus tôt, Frances! Mais pas comme ça! Pas devant elle! Pourquoi l'avez-vous mise à nu de cette façon?

Il suivit Laura et pour la seconde fois la porte du salon claqua derrière quelqu'un.

— C'était vraiment très maladroit, dit Adeline.

— Ah, tu ne vas pas t'y mettre, toi aussi ! Viens, allons préparer le déjeuner ! Je commence à en avoir par-dessus la tête de toutes ces histoires !

Hormis Adeline et Frances, personne n'apparut à l'heure du déjeuner, et elles-mêmes mangèrent sans grand appétit. Adeline avait décidé de profiter du beau temps pour prendre son après-midi et rendre visite à sa sœur, souffrante depuis quelques jours. Dès qu'elle eut terminé la vaisselle, elle partit. Frances resta seule dans la cuisine, assise devant une tasse de café, sans avoir envie de se remettre au travail. Elle observait distraitement le manège d'une mouche qui se heurtait contre une vitre.

Peter réapparut. Il avait l'air fatigué.

— Etiez-vous avec Laura ? demanda Frances. Où est-elle ?

Il s'assit face à elle.

— Elle est dans sa chambre. Et j'espère qu'elle va bientôt cesser de pleurer.

— Que lui avez-vous dit ? Mais... euh... excusez-moi : voulez-vous un café ?

— Oui, merci. Ça ne me fera pas de mal.

Frances se leva, prit une tasse dans le placard et la posa devant Peter.

— Que pouvais-je dire ? Je lui ai dit que je l'aimais beaucoup, que jamais je n'oublierai que je lui devais la vie. Je lui ai dit qu'elle était jolie, mais qu'il fallait absolument qu'elle se remette vite à manger normalement parce que, sinon, d'ici quelque temps, elle ne ressemblerait plus du tout à une jolie jeune fille. Je...

Il s'interrompit, hocha la tête dans un aveu d'impuissance.

— J'ai beaucoup parlé, mais à quoi bon... ce n'était pas ce qu'elle voulait entendre.

— Buvez votre café pendant qu'il est chaud. Et cessez de vous mettre martel en tête.

Il but deux gorgées puis reposa sa tasse et, l'air grave, regarda Frances.

— Je pars, Frances. Demain matin.

— Comment ? A cause de Laura ?

— A cause de tout. Aussi à cause de Laura. Mais essentiellement parce qu'il y a bien trop longtemps que je suis ici. Je vous mets toutes, à Westhill, dans une situation difficile. Et dangereuse. Si je suis découvert, vous risquez de tout perdre, la ferme, vos biens. Ce n'est pas raisonnable de continuer ainsi.

— Vous ne parviendrez jamais à rejoindre l'Allemagne. C'est de la folie de partir ! Restez ! Vous en êtes en sécurité avec nous. Personne ne viendra vous chercher ici !

— Rien ne le prouve. Il faut que je parte. Je vous en prie, comprenez-moi.

Elle lut dans ses yeux combien il était déterminé. Elle soupira :

— Peter...

— Je dois rentrer chez moi, retrouver ma mère, ma sœur. Elles vont avoir besoin de moi.

— Certes, mais besoin de vous vivant. Attendez la fin de la guerre pour rentrer.

Il secoua la tête.

— Il sera alors trop tard. Pour moi, pour ma famille. Pour vous. Pour tout le monde.

Il finit par transmettre son inquiétude à Frances.

— Entendu. Je ne vous retiendrai pas, dit-elle un peu trop vite. Quand voulez-vous partir ?

— Tôt. Dès l'aube.

Pourquoi cette soudaine précipitation? Des mois il avait hésité, pesé le pour et le contre, et d'un coup, ça ne pouvait plus attendre? Avait-il une prémonition? Pressentait-il ce qui allait se produire?

Peu après 15 h 30, le téléphone sonna. Dans le silence qui pesait sur la maison, la sonnerie résonna comme un signal d'alarme. Frances dévala les escaliers mais, quand elle poussa la porte du salon, Victoria avait déjà l'écouteur à la main.

— Allo? Victoria Leigh à l'appareil.

Elle écouta un instant en silence puis dit:

— Merci pour votre appel.

Elle raccrocha et se retourna. Elle était livide.

— Victoria? Tout va bien?

— Si tout va bien?

Elle partit d'un rire strident, faux.

— Bien sûr que tout va bien! Tout va même extrêmement bien. C'est un garçon. John et Marguerite ont eu un fils. La mère et l'enfant se portent bien. N'est-ce pas merveilleux? Ils vont l'appeler Fernand, du nom du défunt mari de Marguerite!

Elle rit de nouveau.

— C'est John qui a téléphoné?

— Naturellement. La jeune accouchée n'est pas encore en état d'appeler. Il faut qu'elle se repose. C'est très fatigant de mettre un beau bébé au monde, non? Ah, il faut que nous réfléchissions à ce que nous allons offrir à la petite famille pour l'heureux événement. Il faut que ce soit quelque chose de beau, de particulièrement beau!

— Victoria, commença prudemment Frances, ne t'effondre pas maintenant. Il y a des mois que nous savions que Marguerite allait avoir un enfant. Ne te rends pas malade pour ça aujourd'hui.

— Mais je ne me rends pas du tout malade! Au

contraire, je suis très heureuse pour eux ! Je suis même folle de joie. Ça ne se voit pas ?

— Victoria, arrête ! Je sais que c'est difficile, mais tu as déjà réussi à accepter le mariage de John avec Marguerite, accepte maintenant cette naissance.

Les yeux de Victoria prirent un éclat étrangement dur.

— Si j'avais eu un bébé, nous serions encore ensemble.

— Allons, ça devient ridicule. Vos problèmes n'avaient rien à voir avec ça.

— Ah oui ? Et qu'est-ce que tu en sais, de nos problèmes ?

— Je sais au moins que tu as transformé le fait que tu n'aies pas d'enfant en une tragédie d'une dimension qu'il sera difficile d'égaler un jour. Tu as échafaudé toute une histoire et tu ramènes tout ce qui n'a pas marché dans ta vie au fait que tu n'aies pas pu avoir d'enfant. C'est absurde. Il faudrait que tu te décides un jour à voir les choses telles qu'elles sont.

— Tu as fini ?

— Je voudrais seulement que tu...

— Je peux m'en aller ?

— Où veux-tu aller ?

— Figure-toi que je n'en sais encore rien !

Elle tourna les talons et partit comme un trait.

— Elle a vraiment du mal à encaisser le coup, murmura Frances pour elle-même.

Ainsi John et Marguerite avaient-ils un fils. Elle refoula vite ses propres sentiments à l'annonce de la nouvelle.

« Nous serions une grande famille bruyante et heureuse », avait-il dit quand elle avait évoqué les cinq enfants qu'ils auraient pu avoir.

Bon, eh bien ce n'était pas le cas. Le destin en avait décidé autrement. Ça n'avançait à rien d'y penser.

Elle monta au premier et frappa quelques coups discrets à la porte de Laura.

— Laura ?

Pas de réponse. Elle ouvrit doucement la porte. Laura était allongée sur son lit, tout habillée, et dormait. Sa bouche était entrouverte, ses joues portaient des traces de larmes séchées. On lui aurait à peine donné douze ans. Elle avait l'air d'une petite fille, d'une petite fille qui avait beaucoup pleuré.

Elle est affreusement malheureuse, songea Frances, malheureuse et seule.

Elle quitta la pièce.

A 6 heures du soir, Adeline appela pour demander s'il était possible qu'elle passe la nuit chez sa sœur, qui allait relativement mal, et ne rentre que le lendemain, dans le courant de la matinée.

Frances lui assura que cela ne posait aucun problème et se rendit dans la cuisine pour préparer le dîner. Elle éplucha des légumes, sortit une casserole, puis au bout d'un moment se demanda pour qui au juste elle était censée préparer quelque chose. Qui avait envie de manger ? Un silence de mort régnait dans la maison. Même les chiens semblaient accablés.

Elle remonta au premier et passa la tête dans la chambre de Laura. L'adolescente dormait toujours, épuisée d'avoir trop pleuré et épuisée par son jeûne outrancier. Elle paraissait ne pas avoir bougé depuis que Frances était montée la voir.

Frances frappa à la porte de Victoria, en vain. Elle ouvrit doucement, la chambre était vide. Personne non plus dans la chambre de Peter. Elle avait beau se dire qu'elle se faisait du souci pour rien, elle finit par éprouver un vague malaise. Elle redescendit au rez-de-chaussée, regarda dans le salon et la salle à manger. Tout était vide et silencieux. Elle ouvrit la porte de la cave. Il y faisait noir comme dans un four mais elle appela quand même pour s'assurer que personne n'était en bas. Pas de réponse. De toute façon, qu'auraient bien pu faire Peter et Victoria dans le froid et l'obscurité totale?

Elle retourna dans la cuisine, où la soupe de légumes cuisait à petit feu sur la cuisinière. En regardant par la fenêtre, elle remarqua que la porte de l'appentis était entrouverte. Quelqu'un avait dû oublier de la fermer. Elle irait voir.

La soirée était claire et tiède, le ciel gris-bleu. Dans le jardin, l'herbe avait beaucoup poussé, elle cachait presque les dalles de l'étroit chemin qui menait de la porte de la cuisine à l'appentis.

Je demanderai à Peter de faucher, se dit-elle, et dans le même temps elle réalisa qu'il ne serait plus là. Ce serait à elle de manier la faux. Elle s'arrêta, regarda autour d'elle. Mon Dieu, comme la maison semblerait vide sans Peter...

Elle était encore à une bonne distance de l'appentis quand elle perçut des voix. L'une forte, aiguë, appartenait à Victoria; l'autre, douce et calme, se voulant apaisante, à Peter.

— Je me suis bien rendu compte de la façon dont tu me regardais! disait Victoria. Tu n'arrêtais pas de me dévisager. Tu regardais mes jambes. J'ai bien senti que tu avais envie de moi!

— Il est bien possible que j'aie regardé tes jambes. Tu as de très belles jambes. Tu es d'ailleurs une très belle femme. N'importe quel homme aurait plaisir à te regarder.

— Tu m'as fait croire que tu éprouvais quelque chose pour moi!

— Je n'ai jamais rien dit de pareil.

— Mais je m'en suis rendu compte!

— Là, tu t'inventes une histoire. Si tu penses à ce soir où...

— Oui, à ce soir d'octobre. C'est à celui-là que je pense.

— Si je me suis un peu laissé aller, j'en suis désolé.

— Tu m'as embrassée ! Et Dieu sait que tu ne m'as pas embrassée comme un frère embrasse sa sœur !

— Tu as fait ce qu'il fallait pour ça, et c'est arrivé. Toutefois, je me suis ensuite efforcé de corriger l'impression qui avait peut-être pu en découler.

Victoria partit d'un rire suraigu, le rire avec lequel elle avait accueilli la nouvelle de la naissance du petit Fernand.

— Tu t'exprimes une fois de plus d'une façon bien compliquée ! Tu t'es efforcé de corriger l'impression qui avait peut-être pu en découler ! Sans blague ? En me déshabillant du regard soir après soir ?

— Je n'ai pas fait ça.

— Bien sûr que si ! Ne joue pas maintenant les innocents ! Tu n'as pas cessé de me dévisager et de penser : Comme ce serait agréable, une petite aventure avec Victoria ! Il y a si longtemps que je n'ai pas tiré un coup avec une vraie femme !

De l'autre côté de l'appentis, Frances respira bruyamment. Une expression pareille ! Dans la bouche de Victoria ! De la très prude Victoria ! C'était pour le moins surprenant, mais donnait aussi un aperçu certain de son degré de frustration.

— Que veux-tu de moi ? demanda Peter.

Il parlait d'une vois très douce, soucieux de ne pas laisser la conversation s'envenimer.

— Ce que je veux ? Je veux te dire à quel point le petit jeu que tu as joué avec moi est minable ! D'abord tu m'embrasses fougueusement, passionnément et chaque soir tu me regardes comme si tu n'allais pas pouvoir te retenir de me sauter dessus et...

— Victoria, tu...

— ... et tout d'un coup, tes yeux s'ouvrent ! Tu remarques Laura, la grosse et vilaine Laura qui n'est soudain plus du tout aussi grosse. Tu prends conscience de la façon dont elle te regarde avec ses gros yeux de vache qui a vu le bon Dieu ! Elle est suspendue à tes lèvres. Tout ce que tu dis, même la dernière des banalités, est merveilleux de grâce et d'intelligence. Et voilà qu'elle commence à balancer son gros derrière pour t'aguicher quand elle marche devant toi.

— Mais elle n'a jamais fait ça !

— Alors tu te dis : Ah, ah, une nouvelle candidate ! Elle n'est assurément pas aussi jolie que Victoria, mais en contrepartie, c'est un sacré petit tendron ! Seize ans, pensez ! Une vierge énamourée qui ne laisse pas passer une minute sans te faire clairement comprendre qu'elle ne demande qu'à écarter les jambes pour te faire plaisir !

— Victoria ! murmura Frances, atterrée.

— Je t'en prie, ne t'arrête pas, Victoria, dit calmement Peter.

— Ça t'a excité, avoue-le ! Ça t'a fichtrement excité, hein, l'idée de la culbuter dans un coin et de lui prouver quel homme merveilleux tu étais dans ce domaine-là aussi !

— Ah bon. Et pourquoi ne l'ai-je pas fait, alors ?

— Parce que tu savais que Frances t'aurait arraché les yeux si elle avait eu vent de l'affaire ! C'est ça qui cloche chez toi, Peter : tu es un fichu trouillard ! En vérité, tu n'oses pas aller au bout de tes dégoûtants fantasmes !

— Tu as fini, maintenant ?

— Avoue-le ! Je veux que tu l'avoues !

— Je ne l'avoue pas parce que ce n'est pas vrai. Mais je n'ai pas envie non plus de continuer à me disputer là-dessus avec toi. Pense ce que tu veux de moi. Et restons-en là, d'accord ?

— Tu ne vas pas t'en tirer comme ça !

— Laisse-moi passer, Victoria. Je veux m'en aller.

— Jamais je ne te laisserai passer. Mais tu peux me tuer. Après tout, les Allemands sont réputés pour ça.

— Laisse tomber ce genre de provocation. Tu perds ton temps.

Frances s'approcha sans bruit. La façon dont la porte était ouverte ne permettait pas qu'on la voie de l'intérieur de l'appentis.

— J'ai besoin que quelqu'un s'occupe de moi. Est-ce si difficile à imaginer ?

Victoria ne criait plus, elle parlait doucement, sur un ton suppliant.

— Ma vie est sinistre, désespérante ! Je hais cette maison ! Cette saleté de ferme à moutons ! Cette misérable campagne ! Je ne vais quand même pas finir mes jours ici !

— Victoria, je crois surtout que cette journée est difficile pour toi parce que...

— Parce que quoi ? Dis-le ! Parce que mon ex-mari vient d'avoir un garçon ? Parce qu'une autre femme lui a donné ce que je n'ai pas pu lui donner ?

— Cesse de te martyriser avec cette histoire ! Tire un trait sur le passé, une bonne fois pour toutes ! Il le faut ! Sinon tu vas devenir folle.

— J'ai besoin d'aide, Peter ! Si tu...

— Je ne peux pas être celui que tu recherches. Je suis désolé.

— Pourquoi ?

— Parce que... Je... Peut-être simplement parce que ce n'est pas le bon moment.

— Parce que c'est la guerre ?

— La guerre ? Tu veux dire l'enfer ! Victoria, tu n'imagines pas à quel point la guerre vous touche peu, ici, à Westhill. Tu n'en as pas la moindre idée. Tu te plains parce que l'essence est rationnée et que tu ne peux plus te promener comme bon te semble, tu te plains de manger du mouton tous les midis parce qu'on ne trouve pas d'autre viande, et tu te plains parce que tout finalement est devenu plus difficile. Ce que tu sais de la guerre se résume à ça, et à quelques informations abstraites glanées à la radio sur des soldats tombés au front ou des bateaux coulés. Mais ce que ça signifie vraiment, au fond, tu ne le sais pas.

— Tu veux dire quoi, au juste ?

— Je veux dire qu'au moins pour le moment je ne peux pas imaginer d'entamer une relation avec une femme. Je ne me sens pas disponible. J'ai trop d'autres choses dans la tête.

Je devrais m'en aller, songeait Frances, mal à l'aise, ce sont des propos que je ne devrais pas entendre.

Quelques secondes s'écoulèrent, puis, d'une voix soudain très douce, Victoria dit :

— Ne pense plus à tout ça. Pour un instant seulement. N'y pense plus. Oublie la guerre et toutes ses atrocités. Oublie que tu es allemand et moi anglaise. Accorde-nous un peu de temps. Un peu de vie.

— Je n'ai pas de temps, Victoria. Je quitte Westhill demain. Je viens de le dire à Frances.

— Quoi ?

— Je veux essayer de regagner l'Allemagne. Je trouverai bien une solution.

A nouveau le silence.

— C'est de la folie, finit par dire Victoria, et pour la première fois depuis qu'elle écoutait derrière la porte, Frances fut de l'avis de sa sœur.

Persuade-le de rester, Victoria, supplia-t-elle silencieusement.

— Folie ou pas, je dois essayer. Je ne peux pas

657

continuer à rester ici les bras croisés. Je n'aurais jamais dû hésiter aussi longtemps.

— Tu n'y arriveras pas. Tu vas mourir !

— Mais non, j'ai une chance d'y arriver. Et cette chance, si petite soit-elle, je dois la saisir si je veux continuer à me regarder dans la glace. J'espère qu'au moins tu me comprends un peu.

— Je ne comprends pas qu'on se jette dans la gueule du loup.

— Je suis désolé, Victoria. Je ne reviendrai pas sur ma décision.

— Je signifie donc si peu pour toi ? Il y a une autre femme en Allemagne, c'est ça ?

Il soupira.

— Il y a deux femmes. Ma mère et ma sœur. Pour l'heure, ce sont les seules qui m'intéressent.

— Mais... ce n'est pas possible ! Ta mère et ta sœur ? Mais tu es un homme ! Ta mère et ta sœur ne peuvent pas te donner ce que je peux, moi, te donner ! Pourquoi refuses-tu ? Je n'en vaux pas la peine ? Je...

— Victoria...

— Tu penses que je suis une paysanne, c'est ça ? Je comprends. Tu dois trouver ça abominable, ici. Que des moutons, des chevaux et la solitude... Moi aussi je déteste cet endroit, tu peux me croire. Je ne suis pas ce que tu imagines. Je n'ai pas toujours vécu ici. John et moi habitions une merveilleuse maison à Londres. A l'époque où il était député. Nous donnions des dîners, et même des bals, parfois. Le Premier ministre était un habitué. J'avais à ma table les plus hautes figures du monde politique. Je...

— Pourquoi me racontes-tu ça ? Que cherches-tu à prouver ? Que tu es une femme intéressante et pleine de vie ? Je le sais déjà. Je t'estime sans doute plus que tu ne t'estimes toi-même. Je ne t'ai jamais considérée comme une paysanne. Je trouve cette région d'Angleterre magnifique. Je m'y sens comme sur une île paisible au milieu d'un océan déchaîné. Je pense seulement que, de Leigh's Dale, il est pratiquement impossible de se faire une idée de ce qu'est la guerre. C'est pour ça que tu as du mal à comprendre pourquoi je veux rentrer chez moi.

Victoria ne trouva rien à répondre. Le silence qui suivit ne fut troublé que par le chant des oiseaux et le bêlement de quelques moutons qui paissaient dans la prairie voisine. Frances était en train de songer qu'elle allait tousser ou faire un bruit quelconque pour signaler sa présence quand Victoria passa à l'étape suivante.

— Fais-moi l'amour, Peter, s'il te plaît. Ici, tout de suite.

On aurait cru entendre un enfant mendier. Frances voyait comme si elle était devant lui l'expression tourmentée qui se peignait sur le visage de Peter.

— Victoria, mais qu'est-ce qui t'arrive ? Pourquoi ?

— J'en ai besoin ! Mon Dieu, Peter, si tu savais à quel point j'en ai besoin ! Besoin qu'un homme me touche. Me désire. Je...

Elle fondit en larmes.

— Je me sens si rabaissée, hoqueta-t-elle entre deux sanglots. Si inutile. Elle a eu un bébé ! Elle a eu mon mari. Oh, Peter, je t'en prie, je veux seulement me sentir femme à nouveau, rien qu'une fois ! Redonne-moi ce sentiment... d'être jeune et belle...

— Ça n'a pas de sens.

— C'est à cause de toi que j'ai tout supporté, Peter. Ces mois, cette période affreuse depuis qu'ils se sont mariés, depuis que je sais qu'elle est enceinte... Tu étais là, tu me regardais... J'ai eu le sentiment d'exister à nouveau, d'être quelqu'un, de ne plus être une ratée. Une rien du tout.

La prend-il dans ses bras ? se demanda Frances.

— Victoria, je ne suis pas celui qui peut te redonner le sentiment de ta valeur, dit Peter d'une voix douce et apaisante, comme un père parle à sa fille, ou un frère à sa sœur. Comment a-t-il pu te blesser à ce point ? Personne ne peut détruire ce que tu es, personne ne peut t'humilier. Ote-toi ça de l'esprit.

— Je te veux, Peter. Maintenant. Ici. Par terre, dans ce fichu appentis. Viens !

Elle commençait à haleter. Sa voix devint rauque.

— Déshabille-toi ! Prends-moi ! Touche-moi ! Là ! Tu sens comment je...

— Arrête !

Pour le coup, il paraissait en colère.

— Ça suffit, Victoria ! Ne te rabaisse pas comme ça. Tu n'as pas besoin de supplier un homme de faire l'amour avec toi. Alors ne le fais pas.

— Peter...

— Non ! Je ne veux pas !

La voix de Victoria, jusque-là à la fois chargée de larmes et aguichante, changea soudain du tout au tout, devint suraiguë, vulgaire. Une poissarde.

— Eh, merde, tu n'es qu'un salaud ! s'exclama-t-elle. Un misérable petit salaud d'Allemand ! Tu fais les yeux doux à une femme, et quand elle cède et t'ouvre son cœur, ça t'amuse de la repousser ! Ça te donne un sentiment de puissance, hein ? Comme un type formidable après lequel toutes les femmes cavalent, c'est ça ? Tu es pitoyable ! Je te méprise ! Je te déteste ! Je te détesterai jusqu'à la fin de mes jours !

Sa voix se brisa et, presque au même instant, elle jaillit de l'appentis, pâle, le visage ravagé par les larmes. Elle faillit heurter Frances, qui n'avait pas eu le temps de s'esquiver.

— Qu'est-ce que tu fais là ? s'exclama-t-elle. Pourquoi tu viens fouiner par ici ?

— Le dîner est bientôt prêt.

Peter s'encadra dans la porte de l'appentis. Lui aussi était pâle et il avait l'air épuisé.

Victoria se retourna, telle une furie, et désigna Peter.

— Il a essayé de me violer! Ici, dans l'appentis, à l'instant! Il s'en est fallu de peu. Mais j'ai finalement réussi à lui échapper!

Peter se taisait.

— Malheureusement, il se trouve que j'ai surpris la fin de votre conversation, Victoria. Alors épargne-nous tes mensonges, tu veux bien?

— Mais ce que je dis est vrai!

Peter passa devant elles sans un mot et disparut dans la maison.

— Tu ne vas pas lui demander de s'expliquer? s'indigna Victoria. Tu vas le laisser s'en sortir comme ça?

— Je ne rentrerai pas dans ton jeu. Désolée, mais j'en ai trop entendu. J'aurais du reste autant aimé ne pas assister à cette pitoyable scène. Ta conduite est affligeante. Je n'ai jamais connu de femme qui ait aussi peu de fierté et de dignité que toi. Comment peut-on s'abaisser à ce point?

Victoria grinça des dents et se rua sur sa sœur, toutes griffes dehors, prête à lui lacérer le visage. Profondément humiliée, agressive comme un animal blessé, elle ne se contrôlait plus. Frances parvint à lui saisir les poignets et à arrêter son geste.

— Tu as perdu la tête ou quoi? haleta-t-elle. Ressaisis-toi, Victoria!

Elles luttèrent, bataillèrent comme des gamines dans une cour d'école, songea Frances, consternée.

Elle se sentait tellement ridicule qu'elle aurait voulu lâcher Victoria, mais elle craignait ce dont elle sentait sa sœur capable. Elle espéra seulement que Laura ne choisirait pas ce moment pour se réveiller et regarder dans le jardin. Le spectacle de ces deux

661

femmes vieillissantes en train de lutter à mains nues l'aurait accablée.

Victoria réussit enfin à se dégager. Avec ses cheveux qui lui tombaient sur le front, ses traits défaits, ses lèvres exsangues et son teint crayeux, elle était méconnaissable. Méconnaissable et effrayante. Il émanait d'elle quelque chose qui faisait peur. On sentait qu'on ne pouvait plus lui parler, plus l'atteindre.

— Espèce de salope, dit-elle doucement. Espèce de salope envieuse et jalouse !

C'était curieux, soudain, de ne plus l'entendre crier. Comme quelques minutes plus tôt, quand l'espace d'un instant, les éclats de voix s'étaient tus dans l'appentis, le pépiement des oiseaux se fit à nouveau entendre, enfla, et prit un ton menaçant. C'était comme si la quiétude et la douceur de cette tiède soirée de printemps s'était évanouie. La fraîcheur qui montait du sol était désagréable. Frances frissonna.

— Salope ? répéta-t-elle comme si elle avait du mal à comprendre le sens du mot.

— Ça t'amuse, hein, de m'humilier !

La voix de Victoria ne monta pas d'un ton.

— Parce que j'ai tellement de choses que tu n'as pas... Peter m'a embrassée. Très passionnément. J'ai éveillé en lui quelque chose que tu n'as pu éveiller chez aucun homme.

Les premiers signes d'un vertige diffus effleurèrent Frances.

— Je retourne à la maison, dit-elle. Je ne t'écoute pas.

Victoria, sans hâte, la suivit.

— Mais ce n'est pas de Peter qu'il s'agit. Je me trompe ?

— Je ne t'écoute plus, Victoria.

Frances entra dans la cuisine. Sur la cuisinière, la

soupe de légumes était en train d'attacher. Elle traversa la pièce sans lui accorder un regard pour gagner le couloir, Victoria sur les talons, telle une ombre silencieuse et malfaisante.

— Ce qui t'empoisonne, Frances, ce qui depuis des années t'empoisonne, c'est cette histoire avec John. Et c'est pour ça que tu ne veux pas me laisser Peter.

Mais qu'est-ce qui lui prend ? se demanda Frances. Elle est dérangée.

— Parce que c'est la deuxième fois que j'ai quelque chose que tu ne peux pas avoir.

— Cesse de dire des bêtises.

Elle regarda dans la salle à manger, dans le salon. Elle espérait découvrir Peter. Où était-il ? Avait-il quitté Westhill en catastrophe ?

— Tu n'as jamais digéré le fait que je te l'aie soufflé. Tu en rêves encore la nuit. Tu me vois dans ma robe de mariée. Et lui à côté de moi. Qui me sourit.

Le vertige se précisa. Arrête, Victoria ! Un bon conseil : s'il te plaît, arrête !

Elle monta lentement au premier.

— Ça a dû être drôlement difficile pour toi. Ça rouvrait une vieille blessure. Père, déjà, qui m'aimait plus que toi. Et voilà que John, à son tour, me préférait. Tu as dû en être malade, cette nuit-là. Tu n'as pas beaucoup dormi, n'est-ce pas ? Difficile de penser à autre chose qu'à ce que nous faisions. Tu imaginais comment il caressait mon corps. Comment il jouait avec mes cheveux. Et la façon dont ses mains emprisonnaient mes seins, tu y pensais ?

Le poison, lentement, se répandait. Peu à peu il s'insinua partout dans son corps. La supériorité qu'elle avait ressentie dans le jardin, face à Victoria en furie, disparut. Mais pourquoi cet accès de vertige ? Cela la rendait vulnérable à la rage quasi silencieuse de sa sœur.

— Parfois, je me demande comment tu as pu supporter toutes ces années. Quand nous vivions ensemble. Que tu savais que nous parlions, que nous riions. Et que chaque nuit il me rejoignait dans mon lit.

— Peter ! appela Frances.

Elle fut surprise que sa voix parût encore aussi ferme. Personne ne répondit. Elle regarda dans toutes les pièces, finit par la sienne. Il n'était nulle part. Mais il y avait encore une paire de chaussures au pied de son lit, des chaussures qui avaient appartenu à George et que Frances lui avait données.

— Il pouvait être très tendre, dit Victoria.

Ses yeux brillaient. Elle parlait avec une infinie douceur, comme si ses paroles empoisonnées n'étaient que sucre et miel.

Frances ouvrit une des portes de l'armoire. Les vêtements qu'il avait mis – qui provenaient également des affaires de George – étaient encore là, mais il ne les aurait de toute façon pas emportés. Elle ouvrit la seconde porte. Quelques chemises, quelques pull-overs étaient soigneusement pliés sur les étagères. Etait-ce un signe qu'il allait revenir ?

— Je crois que ses mains étaient ce que je préférais chez lui, dit Victoria. Dès le début, ce sont ses mains qui m'ont...

A cet instant, le vertige qui la paralysait s'envola. C'était comme si un voile l'avait enveloppée et protégée puis soudain se déchirait. La vérité apparut, crue, impitoyable. La voix douce de Victoria, ses mots qui étaient un couteau qu'elle plongeait dans la plaie et tournait et retournait avec une intense satisfaction.

Une petite voix intérieure l'avertit encore une fois ; l'avertit de ne pas céder à la provocation, d'être prudente. Elle mise sur le fait que tu vas craquer. Ne joue pas son jeu ! Montre-toi plus intelligente qu'elle.

— Victoria, dit-elle d'un ton uni, c'est étonnant que quelqu'un puisse être aussi aveugle aussi longtemps ! Il faut croire que quand on veut vraiment être aveugle, on le devient. Il y a assurément des choses qu'on n'aime pas voir.

Une ombre d'incertitude voila le regard de Victoria. Son sourire se figea.

— Qu'est-ce que tu veux dire ?

Frances haussa les épaules.

— Je veux dire que ce n'est pas la peine que tu perdes ton temps à me vanter les qualités d'amant de John. C'est inutile.

— Je ne comprends pas.

Le petit rire de Frances sonna faux.

— Je crois au contraire que tu comprends très bien.

Les yeux de Victoria se rétrécirent.

— Pourrais-tu être plus claire ?

— A quel point souhaites-tu que je sois plus claire ? Qu'est-ce que tu veux savoir ? Quand précisément nous nous sommes rencontrés ? Où ? Ce que nous faisions et combien de fois nous le faisions ?

Victoria se détendit.

— Tu mens, dit-elle simplement. Tu m'en veux, alors tu inventes n'importe quoi. Je ne crois pas un mot de tes histoires.

— Eh bien, à ta guise.

Frances se détourna pour refermer l'armoire. Peter n'était pas parti, il allait revenir. S'il apprenait qu'on avait fouillé dans ses affaires, il ne serait pas content.

C'est là qu'elle vit le pistolet dépasser de sous un pull-over. Elle le regarda, stupéfaite. Comment était-il arrivé là ? Elle l'avait caché dans sa commode, profondément enfoui sous son linge. Une seule personne avait pu le mettre dans cette armoire, et cette personne, c'était Peter. Il avait voulu récupérer son arme.

Dans un sens, c'était une chose qu'elle comprenait, mais en même temps, cela la décevait. Il avait dû le chercher partout. L'idée qu'il ait fouillé sa chambre l'irrita.

Il aurait pu demander, songea-t-elle.

— Jamais John ne se serait lié avec une personne de ton genre, dit Victoria avec mépris. Je sais bien à quel point il était furieux quand tu as manifesté avec les suffragettes et que tu t'es retrouvée en prison. Il a trouvé ça lamentable !

— Comme je te l'ai déjà dit, tu peux penser ce que tu veux.

Arrête, maintenant, l'avertit à nouveau la petite voix intérieure. Elle ne te croit pas ? Tant mieux, laisse tomber !

— Je te conseille néanmoins de te souvenir de Marjorie, poursuivit-elle. De ce qu'elle a raconté sur John et moi.

Les traits de Victoria reflétèrent une succession de sentiments contraires.

— Marjorie ?

— L'année dernière. En août. Tu n'as certainement pas oublié cette soirée. Elle nous avait surpris, John et moi, dans la cuisine, et il a fallu qu'elle aille claironner partout ce qu'elle avait entendu.

— Tu as dit que...

— Je ne voulais pas d'histoires. Mais le fait est...

Elle se retourna et fit face à sa sœur

— ... que plus de vingt ans durant nous avons été amants.

Victoria devint encore plus pâle.

— Ça a commencé quand ? murmura-t-elle.

— En 1916. En France. Dans un village de la côte. Il était en convalescence. Je me suis...

— Ce n'est pas vrai.

— Crois ce que tu veux.

666

Victoria étouffa une sorte de hoquet et pressa la main sur sa bouche. Elle semblait sur le point de vomir. Les yeux clos, elle lutta un instant pour refouler la nausée qui l'avait submergée. Quand elle rouvrit les yeux, ils n'étaient que haine.

– Je vais maintenant à la police, déclara-t-elle calmement. Je vais porter plainte. Je vais dire que nous cachons un espion allemand depuis plus de six mois, un espion qui par-dessus le marché a tué quelqu'un.

— Tu ne le feras pas, répliqua Frances. Jamais tu ne dénoncerais Peter.

— Tu te trompes.

Elle se tourna vers la porte.

— Mais toi aussi tu es compromise, Victoria! Ne sois pas stupide. Tu te feras arrêter comme nous.

Victoria sourit.

— Sauf que moi je n'ai rien à perdre.

— Si : ta liberté.

Victoria secoua la tête.

— Elle ne signifie rien pour moi.

Elle sortit de la chambre d'un pas décidé.

Frances était à nouveau sur terre. Son cerveau fonctionnait à plein régime. Victoria avait-elle l'intention de les dénoncer? Si oui, quand Peter rentrerait, il était possible qu'il se trouve nez à nez avec la police. Elle était certaine, maintenant, qu'il n'était pas parti, pas sans son arme, et...

Le pistolet! Elle pivota sur les talons, s'en empara et bondit hors de la pièce. Victoria descendait l'escalier. Elle se déplaçait comme une somnambule.

— Ne fais pas de bêtises, Victoria! cria Frances en se penchant par-dessus la rambarde.

Victoria continua à descendre.

Elle ne va tout de même pas nous mettre tous dans le pétrin, se dit Frances, consternée.

Elle dévala les marches derrière sa sœur.

— Victoria !

On aurait dit que Victoria ne l'entendait pas. Frances, finalement, la rattrapa et la saisit par le bras.

— Victoria ! Ce n'est pas en détruisant aujourd'hui notre vie à tous que tu vas changer quelque chose à ce qui s'est passé. Ça ne changera rien du tout !

Victoria la chassa comme un insecte importun.

Et soudain Frances comprit qu'elle allait le faire. Elle allait les dénoncer à la police. Elle le devina à sa démarche, à la façon dont elle tenait les épaules, à la raideur artificielle de son cou, à l'éclat mat de ses yeux. Ce jour avait porté un coup fatal à Victoria : l'enfant de John était né, Peter l'avait repoussée, Frances avait prétendu avoir entretenu une liaison avec John. Ce qui pouvait maintenant arriver lui était égal. Elle n'avait pas peur d'aller en prison. Elle n'avait pas peur de perdre Westhill. Elle était brisée. Elle se dirigea vers la porte.

Frances se tenait au pied de l'escalier.

— Victoria, je t'avertis, arrête-toi ! Arrête-toi immédiatement !

Victoria ouvrit la porte.

Quand j'ai tiré, ce n'était pas un geste réfléchi. Je ne suis même pas sûre d'avoir pensé à quelque chose quand j'ai pris l'arme dans l'armoire de Peter. J'étais comme un animal obéissant à son instinct de survie. Un animal que rien ne guidait que la peur de voir son existence s'arrêter. A cet instant, rien en moi ne voulait tuer Victoria. D'ailleurs, je n'ai éprouvé aucune satisfaction. Pourtant, ce n'est pas faute de l'avoir détestée, d'avoir été envieuse et jalouse. Mais quand je me suis trouvée dans la semi-pénombre de l'entrée et que j'ai tiré, il n'y avait plus rien en moi des sentiments mortifères qui me rongeaient. Qu'était devenue la haine que m'inspirait ma sœur depuis le jour lointain où notre père lui avait donné le prénom d'une reine ? Elle s'était dissoute dans le néant. Je ne savais plus ce qu'était l'envie. La jalousie s'était retirée dans sa tanière, pour la première fois de ma vie, elle ne me narguait plus. Tout était éteint comme si une vague avait traversé mon corps, emporté tout ce qui m'encombrait et m'avait libérée.

Plus rien en moi n'existait ; une seule pensée m'animait : je n'irais pas en prison. Adeline et Laura non plus. Je ne les laisserais pas arrêter Peter, je ne les laisserais pas le pendre. Et je ne les laisserai pas me prendre Westhill. Jamais ! C'était la seule chose que je possédais et je tuerais plutôt que d'y renoncer.

Le coup l'atteignit dans le dos. Elle tomba à genoux et resta quelques secondes dans cette position. L'espace d'un instant, ce fut comme si elle était agenouillée dans une église et priait.

Puis elle bascula lentement en avant et, comme elle avait à peine ouvert la porte, sa tête reposa sur les marches qui menaient à la cour tandis que son corps resta allongé dans l'entrée. Un tressaillement la parcourut. Ce fut à cet instant qu'elle mourut.

Je la regardais et me demandais pourquoi ses pieds étaient tournés de cette drôle de façon. Des varices marquaient ses mollets, encore discrètes, mais on ne pouvait s'y tromper. Je ne les avais pas remarquées auparavant. Elle avait toujours la même silhouette fine et gracieuse qu'à vingt ans. Elle portait une jolie robe. Ses cheveux ruisselèrent sur la pierre autour de sa tête, où ils formèrent une flaque dorée.

Il n'y avait pas de sang, pas la moindre goutte de sang. Seule une tache noire dans son dos, là où la balle avait pénétré, était visible, mais il n'y avait rien sur le sol et rien non plus sur les murs.

L'arme glissa de mes mains et tomba avec fracas sur le sol carrelé. Je me disais : Qu'est-ce que je vais

en faire, maintenant, qu'est-ce que je vais en faire ?
C'est au cadavre de ma sœur que je pensais.

Au cadavre de ma sœur.

Avant que mes jambes ne me portent plus et que je me laisse tomber quelque part, je perçus un bruit derrière moi, au premier étage. Je tournai lentement la tête.

Laura était penchée sur la rambarde. Jamais je n'oublierai l'horreur que je lus dans ses yeux. Et jamais non plus la vision de sa bouche ouverte sur un cri silencieux.

Samedi 28 décembre 1996

Barbara regardait par la fenêtre sans rien voir que l'obscurité. Elle avait éteint la lumière de la pièce et ne distinguait même pas son reflet dans la vitre. Ce n'est que lorsqu'elle se leva et s'approcha de la fenêtre qu'elle vit la neige. La lumière qui provenait des autres pièces l'éclairait. Elle constata qu'il avait cessé de neiger. La nuit était paisible, silencieuse.

Mais ce n'est pas du tout encore la nuit, rectifia-t-elle dans sa tête. Elle regarda sa montre. Il n'était que sept heures moins le quart. L'heure de dîner. Non ! Pas ça ! Surtout ne pas penser à manger !

Elle était bouleversée. Le récit de la mort de Victoria, ou plutôt de l'exécution de Victoria, car c'est bien comme la description d'une exécution qu'elle avait perçu ces lignes, l'avait atterrée.

La façon dont Frances et Laura avaient ensuite traîné le corps à travers la cour jusqu'au garage puis lavé à grande eau et avec des serpillières le sang qui avait coulé ; la réapparition de Peter, sa stupéfaction horrifiée au récit de ce qui s'était passé : les pages qui suivaient, elle ne les avait que survolées. Peter avait aidé les deux femmes à enterrer Victoria dans la lande de Whitaside, quelque part près des mines de l'Old Lead. La nuit était tiède et claire, ils n'avaient pas besoin de lanternes. Pour transporter Victoria dans la voiture, Peter l'avait enveloppée dans des couvertures.

En 1943, on pouvait se permettre pareil amateurisme. Aujourd'hui, songea Barbara, si une femme

disparaissait sans laisser de traces, il y aurait probablement une enquête. On trouverait des cheveux dans
la voiture, des fibres quelconques, de même dans le
garage où le corps avait séjourné plusieurs heures.
Mais à cette époque, les méthodes d'investigation
étaient loin d'être aussi sophistiquées. Sans compter
que, dans le cas de Victoria, il n'y avait même pas eu
d'enquête.

Qu'avait donc dit Cynthia ? Ah, oui : « Les gens
avaient bien d'autres soucis. Pensez, avec la
guerre... » Puis un jour, l'histoire avait été oubliée.

Il n'y avait pas trois heures qu'elle en avait parlé
avec Cynthia. Elle savait maintenant ce qui s'était
passé, et elle avait peine à le croire.

Victoria n'était pas partie. Victoria avait été assassinée. Un soir d'avril 1943, ici, dans cette maison,
cette ferme du bout du monde où l'on pouvait tuer
quelqu'un à coups de pistolet sans que personne s'en
rende compte.

Ils avaient brûlé toute une pile de vêtements et de
lingerie. Ils s'étaient en effet accordés la nuit même
sur la version d'un départ en catastrophe de Victoria,
avec une valise contenant l'indispensable. Le jour de
la naissance du fils de John. Nul n'ignorait que Victoria avait beaucoup souffert de ne pas avoir d'enfant.

Trois personnes connaissaient la vérité.

— Frances, Laura et Peter, murmura Barbara dans
l'obscurité. Peter était parti une semaine plus tard.
Elles n'avaient plus jamais entendu parler de lui.

« Pas de carte après la guerre, pas de coup de téléphone, rien, écrivait Frances. Tout porte à croire qu'il
n'a pas réussi à rentrer chez lui vivant. »

Frances était morte elle aussi. Elle avait libéré sa
conscience en racontant son histoire par écrit, puis
elle était morte. Barbara se remémora les dernières
lignes de son récit :

« Je pense souvent à Victoria qui gît là-bas dans la lande. Quand le printemps revient, quand partout les jonquilles refleurissent, quand les prairies sont pleines de jeunes agneaux, chaque fois je me demande si c'était indispensable. Peut-être y avait-il une autre solution. Je sais qu'à l'époque je pensais qu'il n'y avait pas d'autre moyen d'arrêter Victoria. Mais peut-être, quelque part au fond de moi, ne voulais-je pas croire autre chose.

« Peter a oublié ici le livre que Victoria lui avait offert à Noël. Il l'avait remercié pour la dédicace qu'elle avait écrite à son intention sur la page de garde. Depuis, je l'ai lue. Ce sont des vers de George Moore :

Dans le cœur de chaque être est un lac
Dont il écoute le murmure monotone
Année après année toujours plus attentivement
Jusqu'à ce que finalement il se taise.

« Victoria m'est apparue bien énigmatique. Si ce poème la touchait au point qu'elle désire l'offrir en dédicace à l'homme qui pour elle comptait tant parce qu'il l'avait sauvée de sa solitude, il y avait chez elle quelque chose dont j'ignorais tout.

« Mais n'est-ce pas le cas de chaque être ? N'y a-t-il pas en chacun de nous quelque chose dont personne ne sait rien et qui peut-être ne se révèle que lorsqu'on baisse la garde ? Dans un moment de grande tristesse. De désespoir. De mal de vivre. Ou bien d'amour.

« J'essaie de penser à ma sœur Victoria avec amour. Quelquefois, j'y parviens. »

Il n'y avait plus qu'un seul témoin du crime. Laura. La vieille Laura, discrète, réservée. Et si anxieuse.

Non, pas « témoin », se reprit Barbara. On aurait

673

fort bien pu l'inculper de complicité. Elle avait aidé à faire disparaître le corps, à effacer les traces. D'un autre côté, à l'époque, elle n'avait que seize ans, et c'était une jeune fille psychologiquement fragile...

Barbara commençait déjà à échafauder un plaidoyer dans sa tête, puis laissa tomber l'idée. Ce n'était pas à l'ordre du jour. Laura n'était pas sur le banc des accusés. Sans compter que plus de cinquante années s'étaient écoulées. Traduire cette petite dame bien correcte devant la justice! Pour meurtre! L'idée était absurde.

En tout état de cause, Frances l'avait généreusement dédommagée. Elle lui avait légué tous ses biens. Cela dit, à qui d'autre aurait-elle pu les léguer?

Barbara se détourna de la fenêtre et ralluma la lumière. Elle se sentait soudain mal à l'aise. Tout ça simplement parce qu'elle venait de découvrir qu'une femme avait été abattue sous ce toit, plus d'un demi-siècle auparavant, et pratiquement en état de légitime défense. Elle imagina la façon dont juge et procureur fronceraient les sourcils si elle invoquait la légitime défense. Juridiquement, c'était indéfendable. Elle partit d'un rire hystérique dont elle fut la première effrayée.

Ralph, songea-t-elle.

Elle aurait aimé ne pas être seule dans cette grande maison. Dans cette solitude glacée de bout du monde. Elle s'agenouilla devant la cheminée, rassembla les feuillets épars et reforma un paquet correct.

Et tu crains quoi, au juste? se demanda-t-elle, décidée à prendre la chose avec humour, et néanmoins inquiète. Que le fantôme de Victoria surgisse de la lande et vienne hanter la maison?

Elle se rendit à la cuisine. Dans le couloir, un grand frisson la parcourut tout entière, tous les poils de ses bras se dressèrent. C'était à cause de l'air glacé que laissait filtrer la vieille porte d'entrée disjointe. D'où, sinon, serait venue sa chair de poule ?

Elle tourna la tête. C'était là-bas, au pied des marches, que Frances s'était tenue. Victoria était de ce côté, tout près de la porte qu'elle venait d'ouvrir. Là-haut – elle leva les yeux – il y avait Laura, penchée par-dessus la rambarde, pâle à faire peur.

— C'était il y a cinquante-trois ans, dit Barbara à voix haute.

Elle entra dans la cuisine et mit de l'eau à chauffer pour préparer du thé. Puis elle se dit qu'un thé était la dernière chose dont elle avait besoin et elle éteignit sous la bouilloire. La bouteille de cognac était sur l'étagère ; elle la prit et en but une longue gorgée. Puis une deuxième. Avec son estomac vide, elle eut l'impression d'avaler du feu. L'espace d'un instant, elle crut qu'elle allait se trouver mal mais son malaise se dissipa presque aussitôt. Une légère sensation d'ivresse lui monta à la tête.

Lorsque le téléphone sonna, elle sursauta si fort qu'elle faillit lâcher la bouteille. Ses mains tremblaient.

— Mon Dieu ! s'exclama-t-elle à mi-voix. Ce n'est pas possible de se mettre dans un état pareil. C'est sûrement Ralph.

Elle se hâta dans le salon, la bouteille de cognac toujours à la main.

— Oui ? fit-elle, le souffle court. Ralph ?

— C'est Marjorie Selley à l'appareil, dit une voix sèche. Je suis la sœur de Laura Selley.

Ah, Marjorie, bien sûr ! faillit-elle dire d'un air entendu quand elle se souvint qu'elle était censée ne rien savoir de cette femme.

— Oui ?

— Je suppose que vous êtes la locataire ? J'appelle simplement parce que je me fais du souci pour ma sœur.

— Ah ? Elle n'est pas avec vous ?

— Elle est partie ce matin. Elle voulait rentrer chez elle.

— Mais nous avons loué la maison pour encore une semaine !

— Je sais. Mais pour une raison que j'ignore, Laura se fait un sang d'encre.

— A cause de la neige ? La maison n'a pourtant pas souffert, assura Barbara. Tout va très bien !

A ceci près que mon mari erre quelque part dans la neige et que je n'ai pas le moindre signe de vie de lui, ajouta-t-elle intérieurement.

— Vous savez, ma sœur ne supporte pas d'être loin de chez elle, dit Marjorie sur un ton où se mêlaient incompréhension et désapprobation. Chaque fois qu'elle doit louer Westhill, elle est malheureuse comme les pierres. Mais cette fois... c'était bien pire. Je ne l'ai jamais vue nerveuse comme ça. La neige y était sans doute pour quelque chose, mais...

— Elle va avoir du mal à arriver jusqu'ici. Il y a énormément de neige. Nous sommes coupés du monde, vous savez. Mais ça va tout de même beaucoup mieux depuis que le téléphone et le chauffage fonctionnent à nouveau.

— Ce n'est qu'une affreuse vieille baraque, grommela Marjorie Selley, qui devait pourtant bien savoir que la coupure d'électricité n'avait rien à voir avec l'âge de la maison. Je me demande bien pourquoi Laura s'y accroche comme ça.

— Westhill est sans doute tout ce qu'elle possède.

Marjorie émit un petit soupir méprisant.

— Parlons-en ! Une maison ! Une ferme ! Dans cet horrible endroit ! Perdue loin de tout... Je me félicite aujourd'hui encore d'en être partie !

— Vous avez, vous aussi, vécu ici ? demanda Barbara.

— Oui, il y a une éternité de ça... Enfant, pendant la guerre. Mais je n'y ai pas fait de vieux os. Je suis vite retournée à Londres. Ça n'a pas non plus été une partie de plaisir, mais c'était toujours mieux qu'à Westhill...

Marjorie semblait disposée à parler encore un bon moment, mais elle dut réaliser que c'était à une parfaite inconnue qu'elle était sur le point de raconter sa vie.

— Bref, fit-elle en manière de conclusion, tout ça va bientôt se terminer.

— Ah bon ? Et comment ?

— L'entretien de la maison coûte trop cher. A ce qu'elle dit. Pour moi, je ne vois pas très bien où est le problème. Je veux dire : ce n'est pas sur sa tête à elle que la baraque risque de s'effondrer. Alors, à quoi bon dépenser de telles sommes pour la conserver en état ? Je vous demande un peu... Pour quoi faire ? Pour qui ? Elle n'a pas d'enfant, après tout. Pour finir, c'est les Leigh qui vont tout récupérer, et ce n'est vraiment pas la peine qu'elle se donne tout ce mal pour eux.

— C'est la famille la plus riche de la région, n'est-ce pas ?

— Enfin... ce n'est plus ce que c'était. Dans le temps, ils étaient vraiment les « maîtres », et c'est aussi comme ça qu'on les appelait. Ils ont une maison immense, la quasi-totalité des terres leur appartient et tout Leigh's Dale est à eux. Westhill Farm les a toujours dérangés. Et ils lorgnent dessus depuis toujours. La propriété est au beau milieu de leurs terres. Encore qu'entre-temps ils aient mis la main sur presque tout ce qu'avait Laura.

Barbara songea aux actes de vente.

— Mais alors, votre sœur devrait avoir de belles économies si elle a vendu tant de terres aux Leigh.

— Eh bien c'est justement ce qui m'a le plus

intriguée! Du reste, je lui ai dit : « Eh bien, Laura, maintenant, tu dois avoir enfin assez d'argent ! » C'étaient tout de même des centaines d'hectares d'excellentes pâtures qu'elle avait vendues à Fernand Leigh ! Vous savez, parfois, j'ai l'impression qu'elle se lamente comme ça simplement parce que c'est sa façon d'être. Et puis à d'autres moments, elle semble sur le point de vendre la maison. A moins qu'elle me joue la comédie.

— Ce serait dramatique, pour elle.

— Pour Laura, tout est toujours dramatique !

Soudain, le ton de Marjorie changea du tout au tout :

— Ecoutez, cette conversation va finir par me coûter cher. Il faut que je raccroche. Bon, je vous disais donc que Laura est sur le chemin du retour. Si elle réussit à braver la neige jusqu'à Westhill – ça m'étonnerait, mais on ne sait jamais –, alors dites-lui qu'elle me passe rapidement un petit coup de fil. J'aimerais savoir qu'elle est arrivée.

Barbara reposa le combiné, songeuse. Tout cela était bien mystérieux. Apparemment, Laura n'avait pas avoué à sa sœur que c'était à un prix dérisoire qu'elle avait vendu ses terres à Fernand Leigh. Si elle avait souhaité dissimuler le prix réel pour tromper le fisc – difficile d'imaginer Laura dans ce rôle ! –, c'était, dans un sens, compréhensible. On se vante rarement de tricher. Mais dans ce cas, elle aurait dû conserver quelque part l'argent réellement perçu. Alors pourquoi avait-elle dit à sa sœur qu'elle allait devoir vendre Westhill ?

Et pourquoi diable avait-elle décidé de rentrer à Leigh's Dale avant la date prévue ? C'était déraisonnable. Outre le fait que l'engagement de location ne l'autorisait pas à débarquer sans crier gare, elle devait bien savoir que la neige ne lui permettrait que très difficilement d'atteindre la ferme. Qu'est-ce qui la rendait si nerveuse, qu'est-ce qui l'inquiétait au point qu'elle décide tout de même de rentrer ? La simple crainte que la neige ait pu endommager sa maison ?

Non. Laura, la petite fille que la vie avait blessée, la vieille dame qui n'était jamais vraiment devenue adulte, était peut-être passionnément attachée à sa maison et très soucieuse de la maintenir en état, mais elle n'était pas niaise au point de croire que la tempête de neige ou un tremblement de terre l'avaient réduite à l'état de ruine. De plus, elle avait eu Barbara et Ralph au téléphone et rien de ce qu'ils lui avaient dit n'avait pu l'alarmer.

Son regard tomba sur le paquet de feuillets resté par terre devant la cheminée. Des centaines de pages couvertes de lignes dactylographiées en interligne simple. La chronique d'une vie, la chronique d'un meurtre. Barbara se demanda si Laura connaissait l'existence du document. Encore qu'elle imaginât mal comment, dans ce cas, Laura aurait pu ne pas le brûler, du moins les dernières pages.

Elle était, elle aussi, compromise dans le meurtre de Victoria. Mais Laura n'était sans doute pas très versée en droit pénal et elle ignorait probablement totalement qu'elle ne pouvait plus être poursuivie pour ce crime, pour cause de prescription.

Peut-être pensait-elle aussi que, si la vérité venait à être connue, on lui prendrait la maison. Laura réagissait à tout de façon disproportionnée. Il eût été bien extraordinaire qu'elle ait pris cette affaire de meurtre avec détachement.

Elle ne sait pas que ce récit existe, décida Barbara. A moins que...

Elle se souvint de la façon fortuite dont elle avait découvert le manuscrit. Dans l'appentis, un trou sous une planche. A un endroit où d'ordinaire personne ne posait le pied.

Une autre idée lui vint : Laura, contrairement à ce qu'elle avait imaginé, connaissait l'existence du manuscrit. Elle n'avait jamais découvert l'endroit où Frances l'avait caché. Cela expliquait son extrême nervosité. Marjorie avait dit que, chaque fois que Laura devait louer sa maison, elle en était malade.

Comment s'en étonner ? Elle devait être sur des charbons ardents. Il y avait, caché quelque part dans la maison, un paquet de feuilles tapées à la machine décrivant sans fard, parmi sans doute de multiples récits et anecdotes, comment elle avait aidé à faire disparaître un cadavre. Penser que l'un de ses hôtes puisse découvrir quelque chose devait la mettre au supplice.

Et cette fois, songea Barbara, c'est encore pire à cause de la neige. Elle sait que nous sommes coincés dans la maison avec beaucoup plus de temps que tous nos prédécesseurs réunis pour fouiner partout, ce que nous avons d'ailleurs fait.

Un sentiment désagréable l'envahit à l'idée que Laura puisse surgir d'un moment à l'autre. Elle se demanda si elle serait capable de ne rien laisser paraître de ce qu'elle savait.

Je ne me mêlerai de rien, décida-t-elle. Je ne suis au courant de rien. Je vais remettre le manuscrit où je l'ai trouvé et me dépêcher d'oublier cette histoire. Ce crime remonte à plus d'un demi-siècle. Il n'a plus aucune importance.

Plus elle regardait le paquet de feuillets, plus il lui semblait urgent de le remettre dans sa cachette. Autant éviter qu'il retombe entre les mains de quelqu'un. Elle pouvait momentanément le cacher au premier, sous des pull-overs dans son armoire, et dès demain matin elle irait le ranger dans sa cachette dans l'appentis. Ou bien devait-elle le remettre tout de suite à sa place ? Sortir maintenant dans le froid et l'obscurité ne lui disait rien qui vaille ; d'un autre côté – c'était certes improbable mais mieux valait parer à toute éventualité – si Laura arrivait au cours de la nuit, elle n'aurait plus, demain, l'occasion de le faire. Il fallait qu'elle...

Son cœur s'arrêta. Quelqu'un tambourinait à la porte. Quelques secondes s'écoulèrent puis la porte s'ouvrit. Barbara se souvint qu'elle n'avait pas mis le verrou. Elle crut reconnaître le bruit de quelqu'un qui tapait ses chaussures sur le sol pour en faire tomber la neige.

Laura !

Au même instant, elle réalisa que ça ne pouvait pas être Laura. Pas si tôt. Et pas avec le temps qu'il faisait.

— Ralph ! s'exclama-t-elle en se précipitant dans le couloir.

Elle se trouva nez à nez avec Fernand Leigh.

Ses joues étaient rouges de froid. Essoufflé, il paraissait épuisé. Bonnet, écharpe, gants, anorak... il était complètement emmitouflé. De la neige s'accrochait encore à ses chaussures de ski. Elle se détachait par petits paquets qui fondaient sur le carrelage.

— Excusez-moi d'inonder ainsi votre entrée, dit-il, mais dehors, c'est le blizzard.

Encore sous le coup de l'émotion, elle le regarda, incapable de proférer un son.

— Je n'aurais pas dû débouler comme ça, s'excusa-t-il en commençant à se débarrasser de ses vêtements.

Il ôta son bonnet et remit de l'ordre dans ses cheveux.

— La porte n'était pas fermée, et...

Sa phrase resta en suspens, comme si ces quelques mots suffisaient à expliquer sa visite, puis il fit glisser de ses épaules un gros sac à dos que Barbara n'avait pas remarqué. Il le posa par terre en soufflant.

— Eh bien, on peut dire qu'il est lourd ! fit-il.

Barbara retrouva enfin la parole.

— Mais d'où arrivez-vous comme ça ?

— De chez moi. A skis. Par chance, votre maison est illuminée comme un sapin de Noël. Ça m'a permis de la repérer de loin et de m'orienter. J'ai mis au moins trois fois plus de temps qu'il n'en faut l'été pour venir à pied.

— Mais pourquoi ?

— Pourquoi il m'a fallu tant de temps ? Eh bien parce que...

— Non. Je veux dire : pourquoi êtes-vous venu ? Avec ce temps ?

Il désigna le sac à dos d'un signe du menton.

— Vous vous souvenez que nous nous sommes croisés, l'autre jour, avant Noël, dans le magasin de Cynthia ? J'avais remarqué que vous n'aviez pratiquement rien acheté, en tout cas pas de quoi tenir un siège. Là-dessus, il a commencé à neiger, et je connais cette bonne vieille Laura. Elle n'est pas du genre à laisser des provisions quand elle s'en va. Alors je me suis dit que vous et votre mari deviez commencer à avoir sacrément faim.

Barbara sentit ses genoux faiblir.

— Vous voulez dire que vous nous apportez du ravitaillement ? fit-elle d'une voix rauque, en regardant le sac à dos.

— Suffisamment pour rassasier une armée ! confirma-t-il avec une certaine fierté.

Il suspendit son anorak au portemanteau. Dessous, il portait un pull-over en laine naturelle blanc cassé et un jean délavé. Il regarda Barbara et tendit la main pour lui effleurer le menton.

— Comment vous êtes-vous fait ça ?

Elle avait oublié que son menton n'avait pas son aspect naturel.

— Je suis tombée.

En voyant le scepticisme se peindre sur le visage de Fernand Leigh, elle se souvint que sa femme ne trouvait pas de meilleure explication pour justifier un visage tuméfié ou une lèvre fendue.

— Ce n'était pas mon mari, dit-elle assez sèchement. Je suis réellement tombée.

Il rit.

— Ai-je émis le moindre doute à ce sujet? Dites-moi, Barbara, ça ne vous ennuie pas que je me repose quelques minutes avant de repartir? Pour ne rien vous cacher, je ne me sens pas le courage de me relancer dans la neige tout de suite.

— Je vous en prie. Restez le temps qu'il faudra. Voyez-vous un inconvénient à ce que nous déballions tout de suite vos provisions?

Maintenant que la perspective de manger était devenue une certitude immédiate et qu'elle n'avait plus besoin de mettre toutes ses forces en œuvre pour s'interdire de penser à quelque nourriture que ce soit, sa faim, littéralement, explosa et la submergea comme un ennemi incontrôlable. Son estomac se contractait rageusement, son pouls s'accéléra. Elle vida fébrilement le contenu du sac à dos, ses doigts tremblaient d'impatience. Elle se sentait au seuil du paradis. Jamais elle n'avait éprouvé avec une telle acuité le sentiment d'être réduite à un seul besoin : manger. Elle aurait baisé les pieds de son visiteur.

Du pain, du beurre, du fromage et du jambon, du bacon et des œufs, du rôti froid, divers plats tout préparés en conserve, une grosse salade verte, des tomates, des avocats, des noisettes, des fruits frais et enfin un pudding recouvrirent peu à peu la table de la cuisine. Puis Barbara sortit deux bouteilles de vin du sac.

— Eh bien... murmura-t-elle avec respect.

Il la regarda en souriant.

— Nous allons superbement préparer tout ça, décida-t-il. Où sont les assiettes et les couverts ?

Elle ne put s'empêcher de rire.

— Vous avez deviné que j'étais prête à me jeter sur la table et à tout avaler tout cru ?

— Il y a effectivement un peu de ça.

Il prit une bougie sur l'étagère et la posa au milieu de la table.

— Mais au fait, où est passé votre mari ? demanda-t-il.

Pour une raison obscure, quand il était arrivé, elle avait hésité à lui dire qu'elle était seule. Elle ne pouvait pas continuer à taire la vérité plus longtemps. D'ailleurs, sa réticence initiale lui parut ridicule.

— Il est parti tôt ce matin pour Leigh's Dale, expliqua-t-elle. Pour faire des courses. Nous ne pouvions pas nous douter que...

Elle fit un geste de la main qui engloba la table et toutes les merveilles qui s'y empilaient.

— Vu le temps qu'il fait dehors, remarqua Fernand avec un haussement de sourcils dubitatif, il est peu probable qu'il soit de retour ce soir.

— Si au moins je savais qu'il est arrivé quelque part ! Je n'ai aucune nouvelle. Cynthia Moore m'a promis de m'appeler dès qu'il pousserait la porte de son magasin. Apparemment, elle ne l'a toujours pas vu.

C'est vraiment trop bête, songea-t-elle. Ralph est perdu dehors je ne sais où, et moi je suis là, au chaud, devant une montagne de nourriture. Si seulement il n'était pas parti... Mais qui aurait pu deviner ?

— Avec toute cette neige, il est très difficile de ne pas se perdre, en particulier quand on ne connaît pas la région. J'ai moi-même failli manquer le chemin de Westhill. Et pourtant, je vis ici depuis que je suis né.

684

7 avril 1943, récita mentalement Barbara.

— Je doute qu'il ait atterri pile chez Cynthia, poursuivit Fernand. Il a dû arriver autre part.

— Mais il aurait appelé.

— Voyons, Barbara, les lignes téléphoniques ont été très perturbées. Je suis sûr qu'il y a encore des fermes où elles sont en dérangement. Il n'a sans doute pas la possibilité de téléphoner.

— J'espère qu'il ne lui est rien arrivé.

— Il ne lui est certainement rien arrivé. La région n'est pas très peuplée, je vous le concède, mais ce n'est pas un désert non plus. Il a sûrement trouvé un endroit où passer la nuit.

— Je me sens mauvaise conscience à être là, au chaud, devant cette table couverte de nourriture.

— Il est très probablement lui aussi installé bien au chaud devant un bon repas. Et sa conscience le torture parce qu'il croit que vous allez devoir, une fois de plus, vous coucher le ventre vide. Quand vous devriez, l'un et l'autre, profiter de ce qu'il y a devant vous... Ça, au moins ce serait raisonnable.

Comme il est gentil, pensa Barbara. Elle le regarda mettre la table avec des gestes rapides et précis, disposer les serviettes, dresser ce qu'il avait apporté dans des plats. Quand tout fut prêt, il déboucha une bouteille de vin et alluma la bougie posée sur la table.

— Voilà ! fit-il. Et maintenant : bon appétit !

Elle ne se le fit pas dire deux fois. Ce fut un plongeon dans une mer de délices. Elle commença par manger vite, avidement, comme si elle avait eu peur que quelqu'un vienne tout reprendre, puis elle s'apaisa, prit son temps et savoura chaque bouchée. Elle mangeait sans dire un mot, les yeux rivés sur la flamme de la grosse bougie rouge qui éclairait la table, tandis que dehors résonnait la plainte du vent glacial qui s'était levé sur la campagne.

Enfin, elle reposa ses couverts.

— Je ne savais pas que quelque chose pouvait être aussi agréable, déclara-t-elle, repue et heureuse.

Fernand s'était tenu en retrait et n'avait cessé de l'observer.

— J'aime la façon dont vous mangez, dit-il.

— Hum... Ce n'est pas tout à fait ma façon habituelle. D'ordinaire, je suis plus modérée.

— Dommage ! Je vous aime bien comme ça... gourmande et avide.

Elle lui jeta un rapide regard. Maintenant que sa faim était apaisée, elle avait à nouveau les idées claires, du moins à moitié claires, car le vin commençait à lui monter à la tête.

Fernand Leigh. Le fils de John Leigh. De l'homme dont Frances Gray n'avait jamais pu se détacher et qui de son côté n'était jamais parvenu non plus à renoncer complètement à Frances. Ressemblait-il à ce qu'était son fils ? Fernand Leigh était grand, aussi grand que Ralph, mais plus large d'épaules et plus solidement charpenté. Il devait tenir ses cheveux noirs et ses yeux bruns de Marguerite, sa mère française. Son visage était mince, il avait le teint hâlé et les traits marqués de quelqu'un qui vit beaucoup au grand air. Il ne faisait ni plus jeune ni plus vieux que ses cinquante-trois ans. Cynthia avait dit qu'il buvait trop, à croire que c'était un problème héréditaire. Barbara pensa à sa femme. Elle avait beaucoup de mal à accepter l'idée qu'il soit alcoolique et violent. Il donnait l'impression de quelqu'un de calme et de posé. Et c'était si gentil de venir comme ça, spontanément, leur apporter des provisions...

« Nous allons superbement préparer tout ça », avait-il dit, puis il avait mis la table. Elle avait été frappée par l'habileté de ses mains. Ses mains qui dans le fameux rêve qu'elle avait fait se posaient sur...

Elle se redressa vivement sur sa chaise.

— Il fait plutôt chaud, dans cette cuisine, vous ne trouvez pas ? dit-elle.

— C'est parfait. Ça permet à mes pieds de lentement dégeler. Voulez-vous encore un peu de vin ?

Elle acquiesça. Tandis qu'il remplissait son verre, elle se leva pour voir le temps qu'il faisait dehors. Elle s'approcha de la fenêtre, écarta le rideau. Le vent avait forci, il se déchaînait autour de la maison.

— Quelle nuit ! fit-elle en frissonnant. Mais au moins il ne neige plus.

Il faisait bon et chaud dans la cuisine, mais elle devinait à quel point il devait faire froid dehors. Elle ne pouvait que proposer à Fernand de rester à Westhill pour la nuit.

Quelle situation absurde ! songea-t-elle, de plus en plus nerveuse.

Le souvenir d'avoir eu faim commençait à s'estomper. Une demi-heure plus tôt, elle éprouvait tant de reconnaissance pour Fernand qu'elle se serait jetée dans ses bras. Maintenant, elle aurait payé cher pour qu'il ne se trouve pas dans la même pièce qu'elle. Pour être à nouveau seule. Ou pour que Ralph soit là.

De quoi as-tu donc peur ? se demanda-t-elle. Tu crains qu'il se jette sur toi ?

Sa petite voix intérieure répondit que ce n'était pas ce qu'elle craignait, ce qu'elle craignait, c'était... Mais Barbara ne voulait pas écouter. Elle savait déjà de quoi elle avait peur. Elle avait peur d'elle-même.

Elle se détourna de la fenêtre.

— Je crois qu'il vaudrait mieux que vous attendiez demain matin pour rentrer chez vous, dit-elle d'un ton uni. Vous pouvez sans problème passer la nuit ici.

Il approuva d'un hochement de tête.

— Je crois que je vais accepter votre offre. Je n'ai

guère envie de recommencer à lutter trois heures durant avec les éléments.

— Alors c'est entendu. Souhaitez-vous appeler votre femme pour la prévenir ?

— Elle va bien se douter que je suis resté.

Il se leva à son tour.

— Vous savez quoi ? Allez donc vous installer bien confortablement devant la télévision pendant que je fais la vaisselle.

— Il n'en est pas question. Nous allons faire exactement le contraire.

— Nous pouvons faire la vaisselle ensemble, si vous préférez.

— J'ai une meilleure idée, dit Barbara. Laissons la vaisselle en plan, nous la ferons demain matin.

Ils rangèrent les provisions dans le réfrigérateur puis ils passèrent au salon, où ils s'installèrent devant la télévision avec la seconde bouteille de vin. Ils regardèrent un film américain. Jamais Barbara ne parvint à se détendre, mais le vin l'aidait à surmonter sa nervosité. Pas une minute elle ne cessa d'espérer de toutes ses forces que Ralph téléphone. Ce dont elle avait besoin, ce qu'elle voulait, ce n'était plus tant un simple signe de vie que sentir sa présence, entendre sa voix, s'assurer qu'il existait. Mais la soirée s'écoula sans que rien vienne la troubler.

A un moment, Fernand déclara :

— Je crois que je vais aller me coucher.

Aussitôt, Barbara bondit sur ses pieds.

— Je vous montre votre chambre et l'endroit où vous trouverez des draps.

— Entendu, je vous remercie.

Il monta derrière elle.

Elle ouvrit la première porte à sa droite. C'était une chambre relativement petite. Là aussi la lumière était allumée : elle l'avait allumée partout.

— C'est une chance qu'il y ait tant de chambres dans cette maison, dit-elle en riant nerveusement. Quant aux draps, ils sont...

— Je ne vois pas en quoi c'est une chance qu'il y ait tant de chambres, dit-il à mi-voix.

Il lui prit le bras et la fit pivoter vers lui.

— Ce n'est pas possible, protesta-t-elle sans la moindre conviction.

— Vraiment ? fit-il avant de l'embrasser.

Plus tard, elle se dit que c'était sans doute une réaction purement physiologique qui lui avait fait perdre les pédales. Peut-être était-ce normal après plus de dix-huit mois de totale abstinence, même si pas un instant elle n'en avait souffert. Elle avait été beaucoup trop prise par son travail pour se demander si son corps manquait de quelque chose. Du reste, elle avait toujours associé l'activité sexuelle à une absence de sérieux. Cela ne menait à rien, ce n'était donc pas indispensable et mieux valait employer son temps à étudier un dossier ou peaufiner une plaidoirie.

Quelque chose avait dû, jusque-là, lui échapper.

Barbara aurait été incapable de dire comment ils s'étaient l'un et l'autre débarrassés de leurs vêtements. Elle savait seulement qu'elle était dévorée d'impatience. Elle était dans le même état que quelques heures plus tôt, dans la cuisine, quand elle avait dû prendre sur elle pour ne pas mordre à pleines dents dans le jambon ou ne pas se fourrer le rôti directement dans la bouche avec les doigts. C'était la même faim, la même avidité. La Barbara élégante et cultivée avait disparu quelque part. Seul subsistait un être qui n'aspirait à rien d'autre qu'à l'assouvissement immédiat de son désir.

Elle murmura à son oreille en allemand, faute de se souvenir d'un mot d'anglais, mais Fernand ne parut pas en être désorienté. Ils tombèrent sur le lit où il aurait dû passer la nuit seul et s'aimèrent à même le matelas, sous un gros édredon, avant même d'avoir pris le temps de mettre des draps. A un moment, l'idée de demander à Fernand s'il avait fermé la porte d'entrée à clé, parce qu'il n'était pas exclu que Ralph arrivât dans le courant de la nuit, avait traversé l'esprit de Barbara, puis elle n'y avait plus pensé et Ralph avait été ravalé au rang de ce qui n'avait plus d'importance.

Jamais elle n'avait connu son corps ainsi. Elle n'imaginait pas qu'il fût capable de telles réactions. Elle ne savait pas ce qu'était se fondre dans le désir et tout oublier jusqu'à la crainte de la mort ; tour à tour quémander, sans honte et sans pudeur, puis jouir du désir suppliant de l'autre. Son apparence physique en ces instants, ce qu'il pensait d'elle, s'ils tachaient le matelas, tout lui était égal. Elle voulait faire l'amour doucement et tendrement, elle voulait faire l'amour violemment et brutalement, elle voulait faire l'amour de toutes les façons possibles. Et elle voulait, par-dessus tout, que jamais cela ne s'arrête.

Vint un moment où ils furent l'un et l'autre épuisés. Ils restèrent allongés l'un à côté de l'autre, haletants, incapables de bouger. Barbara avait tout le corps douloureux, mais elle aimait cette sensation qui lui rappelait qu'elle était en vie. Son cœur battait la chamade, son visage était baigné de sueur. Elle avait perdu tout contrôle sur elle-même et ce qu'elle craignait le plus était arrivé.

A sa propre surprise, cela n'avait nullement été abominable. La terre ne s'était pas arrêtée de tourner, elle-même n'avait pas sombré. C'était plutôt comme si une nouvelle vague de vie avait réveillé ses sens, comme si la nature avait rattrapé le temps qu'elle lui avait fait perdre, et c'était une délicieuse, une merveilleuse sensation. Elle faisait à nouveau partie de ce monde. Elle ne nageait plus contre le courant mais avec lui. C'était comme si un long et pénible combat venait de s'achever. Elle en ressentait un tel soulagement qu'un léger soupir lui échappa.

Fernand se méprit sur son soupir et protesta.

— Oh non ! Pas déjà ! Accorde-nous une petite pause !

Elle se pelotonna plus étroitement contre lui. Elle se tenait le dos tourné vers lui, il la serrait d'un bras ferme contre sa poitrine.

— Ne t'inquiète pas, murmura-t-elle, je suis momentanément hors service moi aussi.

Il rit doucement.

— Pas étonnant ! Je n'ai encore jamais rencontré de femme comme toi. Tu es un vrai volcan, tu savais ça ?

— J'ai toujours cru que j'étais frigide.

— Ce n'est pas possible !

Il paraissait stupéfait.

— Qui t'a mis une idée pareille dans la tête ?

— Personne. Je le croyais, c'est tout.

— Eh bien, si seulement toutes les femmes pouvaient être frigides comme toi ! Ne t'a-t-on jamais dit que cela pouvait tenir à l'homme, qu'une femme n'éprouve pas de plaisir ?

Pour un macho du fin fond du Yorkshire, il énonçait quelques vérités d'une surprenante modernité, pensa Barbara.

— Dans mon cas, ce n'était pas aussi simple, remarqua-t-elle, songeuse.

Les doigts de Fernand jouaient avec ses cheveux.

— Parle-moi de toi. Je ne te connais pas du tout. Qui es-tu, Barbara ?

— Il n'y a pas grand-chose à raconter, prétendit-elle.

Cette nuit-là, elle raconta à Fernand ce qu'elle n'avait jamais raconté à personne, qu'elle avait été grosse, qu'elle avait été laide et qu'aucun garçon ne s'était intéressé à elle. Il la tenait serrée contre lui et l'écoutait sans l'interrompre. Elle sentait son souffle sur sa nuque, les battements de son cœur contre son dos. A un moment, elle se mit à pleurer, mais à cet instant non plus il ne dit rien. Il la laissa pleurer.

Jamais elle ne s'était dévoilée ainsi, pas même devant Ralph. Quand, avec lui ou avec des amis, il arrivait que la conversation roule sur l'époque du lycée, elle disait : « J'étais un petit tonneau empoté avec qui personne ne voulait danser ! » Mais elle riait en racontant cela et elle voyait bien à l'expression des autres qu'ils pensaient qu'elle exagérait, par coquetterie, parce que la belle et désirable Barbara, la super avocate à qui tout réussissait ne pouvait pas avoir vécu cela.

Quand une amie alors s'exclamait : « Toi, grosse et empotée ? Je ne peux pas le croire ! » elle était aux anges parce que c'était exactement la réaction qu'elle avait souhaité provoquer. Pourtant, quelque part au fond d'elle-même, elle se sentait seule et incomprise car personne ne voyait en elle la petite fille blessée et personne ne la consolait.

Elle parla aussi à Fernand du suicide de son client, et elle recommença à pleurer. En fin de compte, Fernand dut se lever pour se mettre en quête d'un mouchoir.

— Tu ne t'attendais sûrement pas à ça, dit-elle. Une femme qui ne trouve rien de mieux que de pleurer comme une fontaine !

— Je ne t'aurais pas demandé de me parler de toi

692

si je n'avais pas été intéressé par ce qu'il y a derrière ce que tu veux bien montrer, répliqua-t-il. Dis tout ce que tu as sur le cœur, parle autant que tu en as envie. Et pleure tout ton soûl.

Et puis soudain elle se sentit apaisée, détendue et délicieusement fatiguée.

— Je pense que je vais dormir, maintenant, murmura-t-elle.

Dimanche 29 décembre 1996

Laura n'avait pas fermé l'œil de la nuit. Toutes les demi-heures, il avait fallu qu'elle allume la lumière pour voir l'heure qu'il était. Les aiguilles n'avançaient pas. Elle était si impatiente de poursuivre son voyage qu'elle en tremblait. Elle avait réussi à atteindre Leyburn, ce n'était déjà pas si mal. Et beaucoup mieux que ce que lui avait prédit Marjorie, qui ne la voyait pas, dans le meilleur des cas, aller au-delà de Northallerton. « Tu penses bien qu'en ce moment aucun car ne circule ! » avait-elle déclaré avec un certain mépris.

Eh bien si, les cars circulaient. La route était bien dégagée et, pourtant, c'est le chauffeur du car qui le lui avait dit, il y avait eu entre-temps une deuxième tempête de neige. Mais Laura n'avait jamais douté que la route nationale serait praticable. Ce que dès le début elle redoutait, c'était la dernière portion de route, celle entre Leigh's Dale et Westhill Farm. Et ce fut là que le problème de la poursuite du voyage se posa.

Le car n'allait pas plus loin que Leyburn. Quand ils arrivèrent, il était tard et aucun véhicule ne circulait plus. Laura joua un instant avec l'idée de continuer à pied mais elle se ravisa. Il était plus prudent de passer la nuit sur place. Elle s'informa des possibilités du lendemain – malheureusement un dimanche, où elle n'aurait pas de car avant 10 heures du matin – puis elle se mit en quête d'un hébergement pour la nuit.

Elle trouva un « Bed & Breakfast » ouvert depuis relativement peu d'années mais dont les chambres étaient déjà défraîchies. Son seul intérêt résidait dans la modicité des tarifs. Elle s'acquitta de ses dix livres, se coucha, et commença à ruminer.

Elle se leva à 6 h 30. Dehors, il faisait encore nuit noire. Elle ouvrit la fenêtre, se pencha pour examiner le ciel, inquiète à l'idée qu'il puisse recommencer à neiger. Mais l'air était froid et sec. Dans la lumière des lampadaires, elle découvrit les montagnes de neige qui se dressaient de part et d'autre de la chaussée. C'était un avant-goût de ce qui l'attendait à Askrigg quand elle descendrait du car. Si elle ne trouvait aucun moyen de transport pour continuer, c'est là qu'elle devrait commencer à se frayer un chemin à travers la neige, d'abord jusqu'à Leigh's Dale, puis jusqu'à la ferme. Enfin, autant ne pas trop y penser pour le moment. Les problèmes arriveraient bien assez tôt comme ça.

Elle s'habilla et se demanda si elle pouvait déjà descendre prendre son petit-déjeuner. La maison était silencieuse. Son hôtesse devait dormir encore, elle n'apprécierait pas que Laura la réveille.

De toute façon, mon car ne part pas avant 10 heures, songea Laura en poussant un profond soupir à l'idée du temps qu'il lui restait encore à attendre. Elle s'assit dans l'unique fauteuil de la pièce, une antiquité qui s'effondra en gémissant sous ses quelques malheureux kilos, et réfléchit.

Cette Barbara Machin, sa locataire, avait un drôle d'air au téléphone. Elle n'aurait pas su dire ce qui lui avait paru si étrange. Mais Laura était certaine de ne pas se tromper. Quelque chose n'allait pas. Elle avait semblé absente, songeuse, complètement ailleurs, en somme.

Il pouvait, bien sûr, s'agir d'un problème personnel,

d'un différend avec son mari, ou de soucis professionnels, mais Laura sentait d'instinct que c'était elle-même qui était au cœur des préoccupations de Barbara. Elle savait que Marjorie ne manquerait pas de lui dire que ce qu'elle prenait pour son instinct n'était que sa façon obsessionnelle de tout ramener à elle et à *son* problème. Il n'empêche...

Elle était arrivée à un moment de sa vie où elle n'était jamais loin de céder au découragement. Depuis la mort de Frances, elle s'était battue pour Westhill, les soucis avaient pompé toute son énergie, ils l'avaient épuisée. Parfois elle avait l'impression de ne plus avoir de sang dans les veines.

Avec la mort de Frances, la source à laquelle elle puisait sa force et son assurance depuis qu'elle était enfant s'était tarie. En perdant Frances, elle avait perdu sa mère une seconde fois, une seconde fois elle s'était retrouvée seule et abandonnée. Sans rien d'autre que la maison. Elle avait beaucoup souffert de devoir céder les terres à Fernand Leigh, mais elle s'était consolée en se disant que de toute façon elle n'exploitait plus la ferme et que cela n'avait donc pas grande importance.

Il est vrai que, depuis, elle n'osait plus regarder la photo de Frances, sur la cheminée, tant elle avait honte. Elle savait qu'elle la désapprouverait. Frances n'avait aucune indulgence pour les marques de faiblesse, elle n'en avait jamais eu. Laura pouvait quasi l'entendre murmurer : « Pourquoi a-t-il fallu que je laisse tout à ce lapin sans cervelle de Laura ? C'est trop bête que je n'aie eu personne d'autre à qui léguer mes biens. Elle est en train de brader tout ce qui m'appartenait ! »

— Je te promets que je ne lâcherai jamais la maison, murmura Laura.

Mais Fernand Leigh voulait la maison, elle le

savait. Depuis le début, il la voulait. Et quand il s'était mis en tête d'obtenir quelque chose, il pouvait être impitoyable. Ça aussi, elle le savait.

Elle sentit à nouveau la panique l'envahir. Tout son corps la démangeait. Il ne faut pas que je m'énerve, se dit-elle, il ne faut pas.

Elle s'extirpa avec peine du fauteuil défoncé. Terrible, cette chose pour des vieilles articulations rouillées! Elle était restée un bon moment assise à réfléchir; dehors, le jour s'était levé. C'était un matin d'hiver gris, froid et triste. Le ciel était bas, lourd de nuages annonciateurs de nouvelles chutes de neige.

Elle devait d'abord découvrir ce que savait cette Barbara. Après elle s'intéresserait au problème Fernand Leigh. Une chose après l'autre. Et pour commencer, elle allait prendre son petit-déjeuner. Une grande tasse de thé brûlant...

Pourtant, elle sentait bien qu'aujourd'hui ce n'était pas un bon thé qui l'aiderait beaucoup.

Barbara dormit longtemps et profondément. Quand elle se réveilla, il lui fallut un certain temps pour remettre ses idées en place. Le jour s'était levé – si l'on pouvait appeler « jour » la grisaille qu'elle apercevait de son lit. Elle laissa distraitement son regard errer dans la chambre dont les rideaux étaient ouverts. L'armoire, la commode, un miroir, une tapisserie murale au petit point... Ce n'était pas sa chambre! Elle était bien au chaud sous un édredon épais et confortable, mais elle réalisa soudain qu'il n'y avait pas de draps ni de taies sur les oreillers.

Troublée, elle tâtait le matelas nu et légèrement rugueux quand la mémoire lui revint, et avec elle des images remarquablement précises. Barbara, consternée, en resta un instant paralysée dans son lit. Elle ferma les yeux, voulut croire, contre toute évidence, qu'elle avait rêvé, que rien de tout cela ne s'était réellement passé.

Mais de nouvelles images de la nuit surgirent devant ses yeux et elle sentit sa tête tourner. Un parfait inconnu. Elle avait couché avec un parfait inconnu. Avec quelqu'un dont elle ne savait quasi rien ; quant au peu qu'elle savait de lui, cela aurait dû la faire fuir. Mais elle n'avait pas fui. Rien ne lui avait fait peur, au contraire. Cinq fois... six fois de suite elle avait fait l'amour avec lui, elle aurait voulu que jamais ça ne s'arrête, elle avait été insatiable. Le lit devait être imbibé de sueur et de sperme ; elle s'était trouvée dans un tel état d'excitation – elle disait dans sa tête ces mots crus avec une sorte de satisfaction brutale – qu'elle n'avait même pas pris le temps d'utiliser son propre lit. Pour couronner le tout, elle lui avait confié des choses qu'elle n'avait jamais racontées à personne, et parler lui avait procuré un réel bien-être. D'ailleurs, elle avait tout le temps ressenti ce même bien-être. Elle s'était sentie libérée. De son sentiment de honte, de sa répugnance, de son exigence quasi pathologique de propreté.

Et maintenant ?

Très bien, se dit Barbara. J'apporte de l'eau au moulin de tous les machos de la terre ? « De quoi a besoin une femme mal baisée ? D'un homme, d'un vrai, d'un qui sait s'y prendre, et hop ! la voilà transformée ! »

Eh bien, non, n'en déplaise à ces messieurs. Elle était toujours elle-même. Elle avait découvert une facette d'elle-même qu'elle ne connaissait pas, mais elle n'en avait pas été transformée. La terre tournait toujours dans le même sens, il faisait jour comme hier à la même heure, et Barbara était toujours Barbara. Elle ne savait pas ce qui lui avait pris. Elle avait trompé son mari, alors que pour elle, pour qu'elle puisse enfin manger quelque chose, il était parti dans des conditions extrêmement difficiles, et Fernand Leigh avait trompé sa femme, qui, la malheureuse, en voyait déjà de toutes les couleurs avec lui. Il y avait beaucoup de choses qu'elle n'aimait pas chez cet homme avec lequel elle avait couché. Elle éprouva le besoin pressant de prendre une longue douche brûlante.

Elle se leva, ramassa ses vêtements épars sur le sol et ouvrit la porte de la chambre. Une odeur de café et de bacon frit montait de la cuisine. Elle se souvint qu'en lisant le récit de Frances Gray elle avait exactement imaginé la maison comme ça : un matin d'hiver, l'odeur de café et de bacon frit, la famille gaie et bruyante réunie pour le petit-déjeuner.

Si seulement c'était une famille gaie et bruyante qui l'attendait en bas, des frères et sœurs qui se chamaillaient, une mère à qui elle aurait raconté son mauvais rêve de la nuit et non cet homme dont elle se disait qu'elle aurait voulu ne jamais le rencontrer.

Elle se doucha longuement puis gagna sa chambre pour s'habiller. Elle se maquilla avec soin, non parce qu'elle désirait plaire à Fernand mais parce qu'elle éprouvait le besoin de revêtir une sorte de masque qui lui permettrait de ne pas s'offrir complètement à son regard. Le reflet dans la glace de son beau visage un peu trop apprêté l'aida à retrouver son équilibre. Elle avait découvert des marques rouges dans son cou et sur ses seins. Le pull-over à col roulé bleu marine qu'elle avait choisi de porter les cacherait. Elle était à nouveau l'impeccable et élégante super avocate. Restait maintenant à veiller à ce que Fernand ait quitté la maison avant le retour de Ralph.

La cuisine était vide. La table était dressée pour le petit-déjeuner et décorée d'une bougie et d'un bouquet de branches de sapin. Trois plats creux couverts étaient posés sur des chauffe-plats. Barbara souleva les couvercles : œufs brouillés et bacon, saucisses grillées, tomates et champignons sautés. Le grille-pain était branché, des tranches de pain de mie étaient posées dans une assiette à côté. Une cafetière isotherme était remplie de café chaud.

— Il est parfait, murmura Barbara, impressionnée.

Elle fit des yeux le tour de la pièce, espérant découvrir un petit mot de Fernand lui annonçant qu'il venait de partir, mais elle ne trouva rien de la sorte. En outre, la table était dressée pour deux, et intacte. A l'évidence, il avait l'intention de prendre le petit-déjeuner avec elle, ce qu'elle aurait eu mauvaise grâce à lui refuser.

Elle le trouva dans la salle à manger, moitié assis, moitié couché sur le rebord de la fenêtre, ses grandes jambes allongées devant lui. Dans la lumière pâle de ce matin gris, il n'était plus aussi irrésistible que la veille, à la lumière de la bougie. Ses traits étaient légèrement bouffis, avec des poches sous les yeux, signe de sa consommation excessive d'alcool. Il paraissait tendu.

— Bonjour, Barbara, dit-il.

Elle s'était arrêtée dans l'encadrement de la porte. Elle avança de quelques pas dans la pièce.

— Bonjour, Fernand. Désolée d'avoir dormi aussi longtemps.

— Pourquoi devrais-tu être désolée ?

— Parce que tu as préparé le petit-déjeuner tout seul.

— Oh, ça ! Ce n'était rien.

Etonnant combien on peut se sentir étrangers après une nuit pareille, songea Barbara.

Elle ouvrait la bouche pour lui proposer de passer à table quand son regard tomba sur ses mains. Il agitait lentement un paquet de feuilles qu'il avait roulées ensemble. Elle regarda le manuscrit, toujours par terre devant la cheminée. Fernand était arrivé au moment où elle s'apprêtait à le ranger et elle n'y avait plus pensé.

Elle le dévisagea, les yeux brillants de colère.

— Tu fouilles dans mes affaires ?

Il se leva et posa sur la table le rouleau de feuilles qu'il tenait à la main. Il souriait.

— J'ai plutôt l'impression que c'est toi qui as fouillé dans les affaires de Laura !

Elle tenta de découvrir à son expression ce qu'il avait lu. Certainement pas tout, il n'en avait pas eu le temps. Toujours est-il qu'il n'avait l'air nullement choqué ni bouleversé. Il était possible qu'il ne sût rien de l'assassinat de Victoria, qui avait tout de même été la première femme de son père.

— Ce que je fais ne te regarde pas, répliqua-t-elle sèchement.

— Où l'as-tu trouvé ? Ça fait seize ans que notre bonne vieille Laura le cherche partout. Il est vrai que Laura n'est pas particulièrement maligne.

Il savait beaucoup de choses. Cela irrita Barbara. Il y avait manifestement des années qu'il connaissait l'existence du manuscrit. Et il savait que Laura le cherchait – conclusion à laquelle ses propres réflexions avaient amené Barbara. Mais savait-il également pourquoi ?

— Je l'ai découvert par hasard, expliqua-t-elle. Dans l'appentis, sous une planche qui s'est cassée quand j'ai mis le pied dessus... C'est là que je suis tombée, précisa-t-elle en touchant son menton tuméfié.

Fernand hochait la tête.

— Je te crois. Mais il ne t'a sûrement pas fallu beaucoup de temps pour comprendre que ça ne t'était pas destiné.

Elle se demanda pour qui au juste il se prenait, à lui

poser ainsi des questions sur des choses qui ne le concernaient en rien.

— Je n'ai pas à me justifier devant toi, riposta-t-elle.

— Où en es-tu arrivée ?

— J'ai tout lu.

— Je n'ai lu que la fin. Je voulais savoir si elle l'avait vraiment fait.

— Si qui avait vraiment fait quoi ?

— Frances. Si elle avait effectivement fait les deux : tué sa sœur et ensuite raconté l'histoire par écrit. C'est la grande angoisse de Laura.

— Tu étais au courant ?

— Pourquoi est-ce que ça t'étonne à ce point ?

— Je n'aurais pas cru que Laura en ait parlé à quelqu'un. De toute évidence, même sa sœur Marjorie ne sait rien. Je ne savais pas que tu étais son confident.

Fernand éclata de rire.

Son confident ! Elle est bien bonne, celle-là !

Barbara plissa le front.

— Mais elle t'a raconté ce qui s'était passé, non ?

Il s'approcha de la fenêtre, les mains dans les poches de son pantalon, et regarda dehors. Ses larges épaules tendaient légèrement son pull-over.

— Elle ne m'a rien raconté du tout. Ça ne lui serait même jamais venu à l'esprit. Elle pourrait presque être ma mère ! Au fond, elle ne m'a jamais perçu autrement que comme un petit gamin du voisinage.

— Alors c'est Frances qui en a parlé ?

— Oh, non ! Frances était du genre à tenir sa langue. Ce qu'elle avait à dire, elle l'a écrit. Son erreur a été de ne pas brûler son manuscrit. Enfin, pour Laura, ça n'aurait pas changé grand-chose.

— Pourrais-tu cesser de parler par énigmes ?

Il se tourna vers elle, la jaugea du regard. Toute tendresse avait disparu de ses yeux.

— Quels sont tes projets ? demanda-t-il. Que comptes-tu faire des informations sur lesquelles tu as mis la main ?

Elle haussa les épaules.

— Que veux-tu que j'en fasse ? C'est de l'histoire ancienne. Et la meurtrière n'est plus de ce monde.

— Sa complice vit toujours.

— Laura ? Je ne suis pas sûre qu'on puisse l'inculper de complicité de meurtre. Mais c'est vrai que je ne connais pas le droit pénal anglais.

— En revanche, le droit pénal allemand n'a aucun secret pour toi. Depuis que tu m'as raconté, la nuit dernière, que tu étais une grande avocate, je suis encore plus impressionné. Tu es très intelligente, Barbara. Je trouve les femmes intelligentes extrêmement érotiques.

Barbara n'était pas disposée à l'entendre deviser sur le sujet.

— Pour en revenir à Laura, je trouve que...

— Que Laura se soit rendue coupable de complicité de meurtre ou pas n'est pas ce qui importe, l'interrompit Fernand. Le fait est qu'elle croit depuis toujours qu'elle est aussi coupable que Frances.

— Qui lui a fourré cette idée dans le crâne ?

— Elle-même, je suppose. Et j'imagine que Frances Gray n'a pas remué ciel et terre pour tenter de la convaincre du contraire. Toujours est-il que Laura avait une trouille bleue de parler. La peur n'est pas un mauvais moyen de pression.

— Mais au bout du compte, elle a tout de même fini par parler, non ?

— Elle n'arrivait pas à vivre avec ce secret. Et ça, c'est typique de Laura, de ne jamais arriver à rien. C'est une femme totalement dénuée de caractère. Je la connais depuis toujours. Elle devait avoir seize ou dix-sept ans quand je suis né, c'est dire si elle était jeune. Eh bien, bizarrement, je n'ai aucun souvenir d'elle comme quelqu'un de jeune. Elle avait toujours l'air soucieuse, elle riait rarement, elle donnait l'impression de porter le poids du monde sur ses épaules. Ma mère m'a raconté qu'elle avait été traumatisée par les bombardements pendant la guerre. Je veux bien le croire. C'est plutôt triste, tout ça.

— A qui s'est-elle donc confiée ?

— Tu n'as pas une petite idée ?

Barbara secoua la tête.

— Non.

— A ma mère. Elle a tout raconté à ma mère.

— Marguerite !

— J'étais encore bébé. Je n'en ai naturellement pas de souvenirs conscients. Mais, par la suite, ma mère m'en a reparlé. A l'époque, Laura venait presque tous les jours à la maison ; ma mère lui donnait des cours particuliers. Elle souffrait de boulimie. Aujourd'hui, c'est une maladie qu'on connaît parfaitement, la princesse de Galles lui a même, si j'ose dire, donné ses lettres de noblesse, mais dans les années 40 on était très ignorants, et ici, au fond du Yorkshire, encore plus qu'ailleurs. Je ne crois pas que Laura ait rencontré beaucoup de compréhension chez Frances, même si celle-ci s'est donné du mal. Mais Frances n'était pas le genre de femme à comprendre qu'une jeune fille se gave puis se fasse vomir. C'est même un comportement qui a dû l'agacer.

Barbara lui donna silencieusement raison. Frances avait fait tout ce qui était en son pouvoir, mais elle n'avait jamais compris le mal-être de l'enfant blessée. Marguerite, en revanche... En France, Marguerite avait été enseignante, elle avait de réelles connaissances pédagogiques et su d'emblée comment s'y prendre avec Laura.

— Ma mère s'était donné pour tâche d'aider Laura,

dit Fernand. Elle parlait beaucoup avec elle et Laura avait une grande confiance en elle. Au moment de la disparition de Victoria, elle a commencé à aller très mal. Ma mère, naturellement, s'en est rendu compte et a fait un rapprochement avec l'absence de Victoria. Elle pensait que Laura ne parvenait pas à accepter la perte d'un membre de sa nouvelle famille. Elle avait de véritables crises d'angoisse, une peur panique d'être abandonnée. Il fallait toujours qu'elle parle de Victoria, c'était plus fort qu'elle... jusqu'au jour où elle s'est effondrée et a tout raconté.

— Mon Dieu, murmura Barbara.

Fernand rit.

— C'est sans doute aussi ce qu'a dit ma mère. Elle était horrifiée et en colère, essentiellement parce que Frances avait caché un Allemand. Tu sais sûrement que son premier mari est mort dans un camp de concentration. Elle prenait ce qu'avait fait Frances comme une trahison. Je me demande même si à ses yeux le fait de cacher un Allemand n'était pas plus grave que de tuer Victoria.

— Mais elle ne l'a pas dénoncée à la police.

— Non. Principalement à cause de Laura. Elle aurait à coup sûr privé Laura d'un foyer auquel elle tenait énormément. Sans doute aussi ne voulait-elle pas se montrer déloyale envers Frances, qui l'avait aidée quand elle était arrivée à Leigh's Dale, totalement démunie et très seule. Maman ne pouvait pas faire une croix dessus et oublier ce qu'elle avait fait pour elle.

— Mais a-t-elle dit à Frances qu'elle était au courant ?

Fernand secoua la tête.

— Non. Elle s'est seulement éloignée d'elle. Je ne sais pas si Frances s'en est même rendu compte. A l'époque, elle vivait très centrée sur elle-même. Une fois la vieille gouvernante morte elle aussi, il n'y avait plus qu'elle et Laura à Westhill.

— Laura était une jeune femme. J'ai du mal à croire qu'elle n'avait pas d'autres ambitions que vivre à la ferme avec Frances Gray.

— C'était ce qu'elle voulait. Je me souviens qu'une année Frances a voulu que Laura suive une formation professionnelle, histoire de lui donner un peu d'autonomie. Elle lui a loué une chambre et l'a inscrite dans une école de secrétariat à Darlington. Un fiasco. Laura était si malheureuse qu'on a dû aller la chercher pour la ramener à Westhill.

— Elle me fait l'impression de n'avoir jamais vécu, remarqua Barbara, songeuse.

— On peut effectivement voir les choses comme ça. Elle a de telles angoisses, elle est habitée depuis toujours par une telle peur qu'elle ne s'est jamais épanouie. J'étais trop jeune pour m'en rendre compte. Pour moi, Laura faisait en quelque sorte partie des meubles. C'était un être sans âge qui avait la tête de quelqu'un qui a vu un fantôme. Elle était toujours très gentille. En fin de compte, elle avait fait une école ménagère à Leyburn et appris à cuisiner très correctement. Elle me donnait souvent quelque chose, un morceau de gâteau ou un reste de dessert. Elle avait une telle peur que Frances la renvoie qu'elle se mettait en quatre pour lui faire plaisir. Je crois que Frances se sentait responsable d'elle, et d'une certaine façon qu'elle en avait aussi pitié, mais la soumission de Laura lui tapait sur les nerfs. Elle houspillait la malheureuse plus souvent qu'à son tour et Laura avait toujours beaucoup de mal à s'en remettre.

— Tu venais souvent, enfant?

Il hocha la tête et son regard, si froid ce matin-là, retrouva un peu de vie et de chaleur.

— Très souvent. J'aimais Frances Gray. Elle avait tant de fierté... C'était une vraie battante. Parle-t-elle, dans son récit, des jours qu'elle a passés en prison avec les suffragettes quand elle avait dix-huit ans? Elle était très forte et très courageuse. Elle élevait des chevaux. C'est elle qui m'a appris à monter. Parfois, j'avais le droit de rester dormir. J'aimais la maison. Daleview me paraissait sinistre. Je crois que j'y avais constamment froid. D'ailleurs j'y ai encore constamment froid aujourd'hui.

C'était exactement ce que Frances disait de Daleview, songea Frances, et Victoria aussi. Peut-être qu'il existe des maisons dans lesquelles on ne peut pas être heureux.

— Quand Marguerite t'a-t-elle raconté ce qui s'était passé pendant la guerre?

— Oh, des années après. Mon père était mort depuis longtemps, et j'étais déjà marié. Ma mère est morte en 1974, six ans avant Frances Gray, alors qu'elle était bien plus jeune. Elle ne s'était jamais complètement acclimatée à sa vie en Angleterre. Je crois qu'elle n'a jamais pu oublier la mort abominable de son premier mari. Son mariage avec mon père était une affaire de raison, c'était ce qui pouvait arriver de mieux à une réfugiée sans le sou. A vrai dire, elle et mon père s'entendaient très bien, mais... son cœur appartenait à un mort. Quant au cœur de mon père... Il aimait Frances Gray depuis qu'il était enfant, ça aussi ça doit être dans le manuscrit, et il n'a jamais cessé de l'aimer.

Barbara approuva d'un hochement de tête.

— Ma mère avait un cancer, un jour est arrivé où elle a compris qu'elle n'avait plus très longtemps à vivre. J'avais trente et un ans, à l'époque. Elle m'a confié cette vieille histoire trois jours avant sa mort, et je me demande encore pourquoi. Elle était catholique, peut-être qu'elle ne voulait pas entrer dans l'éternité avec le poids de ce meurtre impuni sur le cœur. M'en parler était sans doute une sorte de confession, mais elle aurait beaucoup mieux fait de se confier à un vrai prêtre.

Il se tut un instant.

— Ce n'est que huit ans plus tard que j'ai dit à Laura que je savais tout, reprit-il. Quel choc! Pauvre vieille, elle est tombée des nues. Elle devait croire que Marguerite ne confierait jamais son secret, et surtout pas à son bon à rien de fils.

— Tu es un bon à rien de fils?

Il s'approcha d'elle.

— Et toi, comment me décrirais-tu?

— Je ne sais pas grand-chose de toi, répliqua Barbara en reculant d'un pas. Cynthia nous a raconté que tu buvais trop. Et que tu maltraitais ta femme. Elle était dans un état effroyable quand on vous a rencontrés dans le magasin de Cynthia. Je ne suis pas certaine que « bon à rien » soit le terme le mieux choisi.

— Et quel terme choisirais-tu?

— Impulsif... coléreux. Violent.

Il esquissa une révérence ironique, mais ses yeux brillaient d'un éclat mauvais.

— Merci pour le charmant portrait!

— Il ne fallait pas me demander.

— Tu as donc couché avec un homme impulsif, coléreux et violent? Et tu as sacrément aimé ça, pour autant que je me souvienne!

Elle s'appliqua à parler d'une voix ferme.

— J'aimerais que nous ne parlions plus de ça.

— Tiens. Revoilà notre vieille Barbara!

L'éclat mauvais de ses yeux s'accentua.

— Veux-tu savoir comment je te vois? Perfectionniste. Championne dans l'art de la maîtrise de soi. Personne ne doit se rendre compte de ce qui sommeille encore en toi de l'adolescente trop grosse qui a si souvent été blessée.

— En tout cas, je ne fais de mal à personne.

— A personne. Effectivement. Sauf à toi !

— Ça me regarde.

Il prit une longue mèche de ses cheveux blonds dans sa main, la fit glisser entre deux doigts.

— Je t'admire, dit-il à mi-voix. J'admire ton extra-ordinaire détermination à donner de toi cette belle image d'une femme absolument parfaite. J'admirais cette même détermination chez Frances Gray. Tu me la rappelles, Barbara. Dès que je t'ai vue dans le magasin de Cynthia, tu m'as fait penser à elle, bien que tu sois infiniment plus belle. Frances galopait encore par monts et par vaux à plus de quatre-vingts ans, alors qu'elle était percluse de rhumatismes. Quand elle ne se savait pas observée, on voyait combien chaque mouvement lui était pénible. Mais elle se serait coupé la langue plutôt que de le reconnaître et jusqu'à la fin elle a refusé qu'on lui tienne l'étrier pour monter.

Il rit doucement au souvenir de la vieille dame obstinée.

— Parfois, quand je venais la voir, qu'elle se tenait dans le jardin et n'avait pas encore remarqué ma présence, je surprenais un regard triste, perdu quelque part dans ses souvenirs. Mais dès qu'elle me voyait, la tristesse disparaissait de ses traits et elle redevenait le brave petit soldat qui ne se plaint jamais. C'était une femme formidable. (Et à mi-voix il ajouta :) Tu es une femme formidable !

— Non.

Barbara recula encore d'un pas ; elle était presque dans le couloir, maintenant.

— Ne parlons pas de moi, Fernand. Nous en étions à ton caractère. Je n'ai aucune indulgence pour ce que tu fais. Tu es un homme séduisant, solide, en bonne santé. Ton enfance n'a peut-être pas été dénuée de problèmes, mais tout de même ce n'était pas l'horreur non plus. Tu as hérité de suffisamment de biens pour vivre à ton aise. Aucune guerre ne t'a brisé ou déstabilisé comme ton père a pu l'être. Il n'y a aucune raison, tu n'as aucune excuse pour boire et t'en prendre à ta femme. Je n'aime pas que tu fasses ça. Malheureusement, hier soir, ça m'est sorti de la tête.

— Ça n'arrive pas souvent, hein ? Que quelque chose te sorte de la tête... C'est à croire – je suis vraiment très près de croire – que je t'ai tellement rendue folle de désir que tu en as tout bonnement oublié quel vilain, mais alors très vilain garçon était en train de te baiser !

— Je viens de te dire que je ne voulais plus que nous en parlions.

— Ah, ah.

Il s'approcha encore, un mur se dressait maintenant devant elle. Elle résista au désir de reculer encore une fois pour l'éviter. Il ne fallait surtout pas qu'il se rende compte qu'elle avait peur.

— Tu viens de le dire ? Et tes désirs sont des ordres ?

Elle ne répondit pas.

— Ça marche, avec ton mari ? Il accepte que tu lui parles sur ce ton ? Tu donnes des ordres et il baisse la queue et se couche comme un bon chien-chien, c'est ça, hein ?

— J'aimerais que tu t'en ailles, maintenant.

— C'est bien ce que j'avais imaginé quand je l'ai vu l'autre jour, poursuivit Fernand s'en s'émouvoir. Un mou. Pas étonnant que tu n'aies pas pris ton pied avec lui. Je savais bien que si je pouvais te coincer entre quatr'z yeux, tu partirais comme une fusée.

Elle plissa les yeux.

— Tu savais que j'étais seule, n'est-ce pas ? C'est pour ça que tu as débarqué sans prévenir.

Il parut un instant vouloir prétendre le contraire, puis il acquiesça d'un signe de tête.

— Oui, je le savais. Ma femme a eu Cynthia au téléphone, et si quelqu'un a la langue bien pendue, c'est elle. Elle s'est empressée de raconter que vous étiez coincés dans la ferme, à demi morts de faim, que ton mari s'était décidé à aller chercher de quoi manger et que tu t'inquiétais beaucoup parce que tu n'avais aucune nouvelle. C'est là que je me suis dit que...

— Que tu t'es dit que si tu surgissais chez la pauvre Barbara affamée avec un sac plein à ras bord de nourriture, elle t'en serait tellement reconnaissante que tu en ferais ce que tu voudrais.

Elle enrageait, après lui bien sûr, mais peu à peu, et de plus en plus, après elle. Le cynisme avec lequel il avait mis en scène son opération de secours était détestable, mais force était de constater qu'elle n'avait été que trop heureuse de mordre à l'hameçon. C'était une partition qu'ils avaient jouée à deux. Il avait dû toute la nuit se féliciter d'avoir si bien réussi.

— Je ne sais pas au juste ce que je pensais, dit-il gravement. Je sais seulement que je voulais être seul avec toi. Je n'arrêtais pas de penser à toi depuis notre première rencontre.

A nouveau il tendit la main pour toucher ses cheveux mais cette fois elle se recula à temps.

— Prenons le petit-déjeuner, dit-elle. Après, tu rentreras chez toi.

— Merci. C'est très aimable à toi de m'accorder une tasse de café avant de me jeter dehors, dit-il ironiquement.

Elle ignora sa remarque et se faufila devant lui pour prendre les feuilles restées sur la table.

— Je vais remettre ça où je l'ai trouvé. Laura n'a pas besoin de savoir que je connais son secret.

Il opina.

— C'est très raisonnable.

Barbara hésita.

— D'un autre côté... elle vit en permanence dans la crainte que quelqu'un trouve ce document. Elle a une peur panique d'être inculpée pour cette vieille histoire. Je ne suis pas certaine que ce soit bien de la laisser vivre avec cette peur pour le reste de ses jours.

— Ne joue pas les apprentis sorciers, Barbara, laisse faire les choses.

— Mais les choses ont voulu que je tombe sur cette histoire, insista Barbara. Je me sens investie d'une responsabilité.

— C'est ridicule !

— Cette pauvre femme ! N'a-t-elle pas mérité de vivre en paix au moins les quelques années qui lui restent ?

— Tu veux lui dire qu'elle n'a rien à craindre ?

— Je trouve presque inhumain de la laisser vivre dans un pareil état d'angoisse pour un crime qui premièrement est prescrit et deuxièmement pour lequel il aurait de toute façon été très difficile de l'accuser de complicité. Je n'arrive pas à comprendre comment elle a pu ne jamais se faire conseiller par un avocat. Depuis tant d'années !

— C'est quelqu'un qui pour toutes les questions de la vie ne se laisse guider que par un sentiment, la peur. Et la peur est mauvaise conseillère. Elle n'aurait fait confiance à aucun avocat, elle aurait eu trop peur qu'il la dénonce.

— Mais comment peut-on être ignorant à ce point ? Un avocat est tenu au secret professionnel. Elle aurait...

Barbara s'interrompit au milieu de sa phrase, ses yeux s'agrandirent. Elle dévisagea Fernand.

— Pourquoi ne le lui as-tu jamais expliqué ? Tu connaissais son secret. Tu savais que la peur la rendait malade, gâchait sa vie. Et pour rien ! Pourquoi ne lui as-tu rien dit ?

Il ne répondit pas et soutint son regard sans ciller. C'est à cet instant que Barbara comprit. Dans le silence qui s'installa entre eux, les pièces du puzzle se mirent en place, la vérité apparut, claire, évidente.

— Tu la fais chanter, dit Barbara, n'est-ce pas ? Tout s'explique. Tu n'as aucun intérêt à ce qu'elle apprenne qu'elle ne risque rien. Je parie même que tu n'as manqué aucune occasion de l'inquiéter encore plus, ce qui n'a pas dû être trop difficile avec une pauvre femme aussi fragilisée par la vie, d'autant que, ainsi que tu le supposais très justement, Frances Gray avait déjà entretenu une certaine incertitude. Frances avait en effet gros à perdre dans l'histoire, il fallait à tout prix que Laura tienne sa langue.

Elle se prit la tête à deux mains.

— Mon Dieu, que j'ai pu être bête ! C'est tellement évident... Je comprends maintenant pourquoi elle est constamment à court d'argent. Je savais qu'elle ne pouvait pas avoir de gros revenus, mais je n'arrivais pas à comprendre pourquoi elle avait de telles difficultés. Si tu n'arrêtes pas de lui demander de l'argent pour que tu te taises, elle n'arrive jamais à souffler.

Elle réfléchit quelques secondes.

— Sans doute aussi t'es-tu gentiment donné la peine de lui expliquer qu'il serait très dangereux de consulter un avocat. Qu'est-ce que tu lui as fait croire ? Qu'un avocat n'était pas tenu au secret professionnel dans le cas d'un meurtre ? Ou qu'il en était délié quand ça servait la justice ? Quant à la prescription, si Laura en a jamais entendu parler, je suis sûre

713

que tu lui as inventé une restriction taillée sur mesure, par exemple qu'elle ne pouvait certes plus être poursuivie pour le crime, mais qu'on lui confisquerait la maison parce que Frances ne pouvait hériter de la sœur qu'elle avait assassinée et par conséquent ne pouvait pas non plus léguer de biens à Laura, ou je ne sais quoi !

— On reconnaît bien l'avocate hors pair. Tu es décidément une femme très intelligente, Barbara.

— Ta mère est morte en 1974. On peut supposer que Frances n'a rédigé son récit qu'après, puisque le prologue, qu'elle a placé en tête mais écrit en dernier, est daté de 1980. Il a donc été écrit peu avant sa mort. Laura n'a commencé à avoir réellement peur que lorsqu'elle a su que le livre existait, puis surtout lorsqu'elle a compris que quelqu'un d'autre savait, en l'occurrence toi. Mais il était trop tard. La seule personne vers laquelle elle aurait pu se tourner, la seule qui aurait pu la rassurer – Marguerite –, était morte. Ta mère ne pouvait plus rien pour elle.

Fernand continuait à ne rien dire.

— Elle t'a vendu presque tout le domaine pour une bouchée de pain, poursuivit Barbara. Tu voulais ces terres, tu l'as obligée à te les donner. Les montants ridicules que tu lui as versés en contrepartie ne servaient qu'à prouver qu'il y avait eu vente. Et, bien évidemment, tu as pris soin de faire ça sur plusieurs années. Il ne fallait pas que ce soit trop voyant. Personne ne s'est étonné que Laura vende des pâturages, elle n'en avait pas l'utilité puisque la ferme n'était plus en exploitation. Sa sœur trouvait curieux qu'elle soit malgré tout constamment à se plaindre de ne pas réussir à joindre les deux bouts, mais comme finalement elle se plaignait toujours de quelque chose... Elle était rarement d'humeur à faire la fête, n'est-ce pas ? Restait à t'approprier la maison, et tu réalisais ce dont ton père et ton grand-père avaient rêvé : posséder le domaine des Gray. Il s'en est fallu de peu que tu réussisses. Laura serait partie s'installer chez sa sœur, ou ailleurs, et je ne doute pas que tu serais parvenu à la convaincre qu'il était indispensable qu'elle continue à se taire si elle ne voulait pas avoir de gros ennuis.

Il l'avait écoutée calmement, trop calmement. Enfin, il parla :

— Comment se fait-il que tu saches à quel prix elle m'a vendu les terres ?

— J'ai trouvé les actes de vente. Notre chauffage ne fonctionnait pas. J'avais besoin de papier pour allumer le feu. J'ai regardé ce que je pouvais dénicher dans le secrétaire. Les montants des transactions m'ont fait tiquer, mais je n'ai pas compris ce qu'ils cachaient.

— Ta mère ne t'a jamais dit que ça ne se faisait pas de fouiller dans les affaires des autres ? demanda Fernand d'une voix douce.

Son ton était dangereusement calme. Son expression avait changé. Ce que reflétaient ses yeux donna la chair de poule à Barbara. Elle comprit pourquoi sa femme paraissait si terrifiée. Il s'était métamorphosé, il suait la violence par tous les pores. Il n'y avait plus rien en lui de l'amant attentionné de la nuit, plus rien du voisin complaisant qui apportait du ravitaillement, mettait la table et la regardait engloutir les plats en souriant. Il s'était mué en un ennemi à la fois imprévisible et plein de rage. Et elle était seule face à lui.

Elle sentait d'instinct que la faiblesse ne l'attendrissait pas, mais que la force, en revanche, l'impressionnait. Il avait paru sincère quand il avait parlé de son admiration pour Frances Gray. Elle prit sur elle pour ne rien laisser paraître de sa peur.

— Je vais t'expédier en prison, Fernand, dit-elle. Tu as fait chanter Laura pendant des années de la façon la plus abjecte qui soit. Tu vas avoir du mal à trouver un jury bien intentionné à ton égard. Et ne te fatigue pas à me menacer de me faire chanter à mon tour. Je vais moi-même dire à mon mari que j'ai couché avec toi. Tu n'auras aucune prise sur moi.

Son poing partit si brutalement que Barbara ne put l'éviter. Une douleur fulgurante lui broya le bas du visage, elle eut l'impression que sa mâchoire venait d'exploser et, presque simultanément, elle sentit le goût du sang dans sa bouche. Elle vacilla en arrière et elle serait tombée s'il n'y avait pas eu la table derrière elle. Sa hanche droite heurta violemment le plateau, ce qui interrompit sa chute. Elle porta sa main à sa bouche, tâta ses lèvres. Elle regarda ses doigts : ils étaient plein de sang.

Elle releva la tête. A quelques centimètres d'elle, Fernand l'observait, aux aguets mais le sourire aux lèvres. C'est presque sur un ton amical qu'il dit alors doucement :

— Sale petite garce !

Elle marchait de long en large dans la chambre dans laquelle ils avaient passé la nuit et se creusait la tête pour tenter de deviner ce qu'il pouvait avoir l'intention de faire d'elle. Il l'avait saisie par le bras, pas brutalement mais d'une main assez ferme pour lui ôter toute velléité de fuite. Elle avait monté les marches en trébuchant devant lui puis il l'avait poussée dans la chambre avant de fermer la porte à clé de l'extérieur.

— Tu attends ici, avait-il lancé à travers la porte tandis que déjà ses pas s'éloignaient dans l'escalier.

— Qu'est-ce que tu fais ? Laisse-moi immédiatement sortir !

Elle avait crié, appelé, tambouriné contre la porte avec ses poings. Rien. Pas de réponse.

Elle avait fini par renoncer à s'acharner sur la porte.

La pièce était froide mais elle mit longtemps avant d'avoir l'idée de monter le chauffage. Elle évitait de regarder le lit sur lequel elle et Fernand s'étaient aimés jusqu'à l'épuisement. Au bout d'un moment, elle se décida à jeter un œil dans le miroir qui surplombait la commode. Elle eut un mouvement de recul. Son menton n'avait pas changé de couleur, il était toujours bleu et vert, mais maintenant sa lèvre inférieure était enflée et du sang commençait à sécher à la commissure de ses lèvres.

Il ne manquait plus que ça, murmura-t-elle.

Ce fut seulement à cet instant qu'elle réalisa à quel point le simple fait d'ouvrir la bouche lui faisait mal. Quand elle avait crié, tout à l'heure, elle était tellement en colère qu'elle ne s'en était pas rendu compte. Mais maintenant que le premier choc s'estompait, elle découvrait en grimaçant de douleur l'existence de muscles dont elle ignorait tout jusque-là. Tout le bas de son visage l'élançait, même quand elle n'essayait pas de parler. Sa tête bourdonnait et chaque minute la douleur gagnait en intensité.

— Ça, monsieur Leigh, ça va vous valoir en plus une belle condamnation pour coups et blessures, murmura-t-elle d'un ton vengeur.

Elle trouva des mouchoirs dans le tiroir supérieur de la commode, en prit un, ouvrit la fenêtre et ramassa une petite poignée de neige sur le rebord extérieur. Avant de refermer la fenêtre, elle se pencha pour évaluer les possibilités de fuite qu'offrait cette voie. Autant dire qu'elles étaient nulles. L'épaisseur de neige était conséquente, mais sauter d'une telle hauteur était très risqué, sans compter qu'elle n'avait ni manteau ni chaussures. Elle ne ferait pas cent mètres.

Barbara enveloppa la neige dans le mouchoir et le pressa alternativement sur sa bouche tuméfiée et sur son front. Avec la langue, elle examina sa mâchoire supérieure, puis inférieure, et constata avec soulagement qu'au moins Fernand ne lui avait cassé aucune dent.

Il n'y avait ni fauteuil ni chaise dans la chambre, seulement le lit, et Barbara refusait de s'y asseoir. Alors elle marchait, allait et venait comme un lion en cage. La douleur avait atteint une telle intensité qu'elle ne pouvait de temps à autre retenir un gémissement. Elle devait avoir une légère commotion cérébrale.

Elle avait terriblement soif. Elle ouvrit à nouveau la fenêtre pour prendre de la neige et, à défaut d'un récipient dans lequel la faire fondre, en fit une petite boule qu'elle suça. En bas, dans la cuisine, les œufs et les saucisses devaient être bons à jeter et le café froid. Mais elle n'aurait rien pu avaler de chaud : manger quelque chose de solide, pour le moment, était exclu.

Il était presque 1 heure de l'après-midi quand Barbara se dit que Fernand n'était peut-être plus là. Il n'y avait pas un bruit dans la maison. Il était probablement parti. D'ailleurs, pourquoi serait-il resté ? Pour attendre le retour de Ralph ? Pour attendre qu'ils préviennent la police ? Il l'avait enfermée pour la mettre hors d'état de nuire et gagner du temps pour organiser sa fuite.

Organiser sa fuite ?

Elle se demanda si Fernand Leigh serait prêt à renoncer à tout ce qu'il possédait pour échapper à la prison. La situation ne lui était pas favorable. Il serait difficile de prouver l'extorsion de fonds, mais c'étaient maintenant deux femmes qui témoigneraient contre lui : Laura et Barbara, et il suffirait que Laura produise les actes de vente pour semer le doute. Fernand ne pouvait être certain de s'en tirer sain et sauf. Mais il n'était pas un aventurier sans toit ni loi qui se moquait de savoir où et sous quel nom il passerait les prochaines années de sa vie. Il n'était pas non plus du genre à accepter n'importe quel travail au noir pour se maintenir la tête hors de l'eau, et encore moins à rentrer le soir dans un meublé de troisième zone.

Fernand avait gros à perdre. Un manoir, berceau ancestral de sa famille, un domaine immense, son statut d'homme le plus riche de la région, même si la fortune familiale n'était plus ce qu'elle était. S'il partait, il devrait renoncer à beaucoup de choses. Il ne le ferait pas.

Et il n'irait pas non plus en prison.

Barbara prit peur. Elle recommença à taper des deux poings sur la porte et à crier de toutes ses forces en dépit de la douleur qui chaque fois qu'elle ouvrait la bouche la transperçait comme un couteau. Finalement, elle se laissa glisser le long de la porte, épuisée, et s'assit par terre. Elle avait été stupide de croire que Fernand Leigh la laisserait tranquillement le dénoncer à la police et détruire tout ce qui était sa vie. Elle ne s'était à aucun moment sentie en danger. Elle savait maintenant que jamais sa vie n'avait été autant menacée. Elle devait regarder la vérité en face : l'homme auquel elle avait affaire était dénué de scrupules.

Des années durant, il avait exploité la peur et la crédulité d'une vieille femme un peu simple. Il n'était pas comme son père, l'homme que Frances Gray avait aimé. John Leigh n'avait pas toujours eu un caractère facile, et la malheureuse Victoria avait assurément beaucoup souffert de son indifférence, de sa froideur et de son alcoolisme, mais il n'aurait jamais commis de malhonnêtetés. Que s'était-il passé avec son fils ?

Peut-être Marguerite, dont le passé était si lourd, cette femme déracinée qui avait toujours souffert d'être étrangère, avait-elle trop idéalisé son fils, l'avait-elle trop aimé sans avoir le cœur de lui mettre des barrières. Elle lui avait donné le prénom de son premier mari, d'un héros mythique mort sous la torture. Un tel fardeau n'avait pas dû être facile à porter. A la fin de sa vie, elle lui avait confié le secret de Laura. C'était très surprenant de la part de cette femme intelligente qui devait savoir qu'il aurait été plus sage de garder cette histoire pour elle. Fernand lui-même pensait qu'elle aurait mieux fait de parler à un prêtre.

C'est pourtant à son fils qu'elle s'était confiée, à Fernand qui se présentait lui-même comme un bon à rien. Les faiblesses de son fils n'avaient pas pu échapper à Marguerite, mais peut-être n'avait-elle pas voulu les voir. Fernand était probablement la seule personne sur laquelle elle se leurrait et s'illusionnait, qui la rendait aveugle, malléable et influençable. Que devenait un enfant avec une telle mère ?

L'analyse psychologique de Fernand ne la mènerait nulle part. Fernand était ce qu'il était, savoir pourquoi ne lui servirait à rien. Pour l'heure, elle était en très mauvaise posture et l'urgence était de trouver le moyen de se sortir de ce pétrin.

Quand elle entendit des pas dans l'escalier, elle bondit sur ses pieds et s'éloigna légèrement de la porte. Son cœur battait à se rompre. Ralph ? Non, il l'aurait appelée. Il ne serait pas entré dans la maison sans se manifester.

Fernand Leigh entra dans la chambre. Il paraissait d'un calme olympien. Mais son haleine sentait l'alcool, il avait bu, et c'était sans doute ce qui expliquait son absence totale de nervosité en dépit de la situation.

Elle le regarda et ne comprit pas comment elle avait pu le trouver séduisant. Il était beau, mais il mettait mal à l'aise. Dire qu'elle avait succombé à ce mélange grossier de charme et de brutalité... Si sa tête ne lui avait pas fait aussi mal, elle se serait giflée. Et plutôt deux fois qu'une.

— Bon, eh bien voilà qui est fait, déclara-t-il. Le manuscrit de Frances Gray n'existe plus. Je l'ai brûlé.

— Et pourquoi ?

— Te figures-tu que j'ai envie qu'il arrive une deuxième fois ce qui est arrivé avec toi ? Qu'une deuxième petite curieuse à qui on n'a pas appris qu'on ne fourrait pas son nez dans les affaires des autres fouine partout et tombe sur cette histoire ? Et puis qu'elle parle à Laura, qu'elle déblatère sur mon compte et explique à la vieille qu'elle n'a rien à craindre, et me dénonce ensuite à la police ? Tu te doutes bien que ce n'est pas un risque que je vais courir.

— Tu viens toi-même de détruire la preuve qu'il y a eu crime.

— Je ne le dirai pas à Laura. Elle n'a pas besoin de savoir que le manuscrit a été trouvé, ni que maintenant il n'existe plus. Elle va tranquillement continuer à redouter qu'il surgisse un jour.

Barbara redressa les épaules.

— Tu oublies que je sais.

Sa voix manquait un peu de relief parce que parler lui était douloureux, mais elle s'était efforcée de donner une certaine solennité à sa déclaration.

Il l'observa avec un léger regret dans le regard.

— Oui. Seulement toi.

Apparemment, il ne lui était pas encore venu à l'esprit que Ralph, même s'il n'en connaissait pas le contenu exact, devait être au courant de l'existence du manuscrit. Barbara jugea plus prudent de le laisser pour l'instant dans l'ignorance. Tant qu'elle ne savait pas ce qu'il préparait, mieux valait ne pas risquer de mettre Ralph à son tour en danger.

— Qu'est-ce que tu comptes faire de moi?

Il ricana.

— Toujours prête à l'attaque, hein? Je parie qu'au prétoire tu es remarquable.

— Je voudrais savoir ce que tu comptes faire, répéta Barbara sans se troubler.

— Pourtant, tu es une petite chose très sensible, poursuivit-il. Ça m'a étonné que tu pleures, cette nuit, à cause du suicide de ton client. Tu n'es pas aussi détachée que tu voudrais bien le faire croire. Malheureusement.

— Je n'ai, en vérité, aucune envie de savoir ce que tu penses de moi. En plus, c'est faux. Je...

— Mais moi, ce que tu es m'intéresse, l'interrompit doucement Fernand. Les profondeurs de ton âme m'intéressent, Barbara. Ton caractère m'intéresse. Tu es fondamentalement une femme qui cherche toujours à rester au-dessus de la mêlée, au-dessus de ce qui nous, simples mortels, nous touche et nous perturbe tant. Et pourtant, je me suis tout de suite rendu compte que tu avais très envie de moi. Ça a dû drôlement te secouer de ressentir des pulsions aussi violentes. En tout cas, ça t'a permis de goûter à quelques extases inédites.

Le rire de Barbara sonna faux.

— Redescends sur terre. C'était agréable, mais ne va pas t'imaginer que je suis à tes pieds pour autant. Je ne perds jamais la raison bien longtemps. Si je la perds.

En bas, le téléphone sonna. Elle se précipita mais Fernand la retint par le bras.

— Non! Tu restes ici.

— Laisse-moi! C'est peut-être Ralph!

— Ça a déjà sonné plusieurs fois. Il rappellera.

Barbara tenta sans succès de se dégager.

— Si ça a déjà sonné, c'est sûrement Ralph. Il va trouver bizarre que je ne réponde pas.

— Et alors? Il trouvera ça bizarre. En quoi veux-tu que ça m'intéresse, ou même que ça m'inquiète?

Il attendit jusqu'à ce que le téléphone se taise, puis il lâcha Barbara. Elle recula d'un pas, faillit frotter son bras douloureux mais se retint.

— Et maintenant? fit-elle. Je reste enfermée ici dans cette chambre pendant que tu bois pour oublier dans quel guêpier tu t'es fourré?

Il prit l'air grave.

— C'est dommage que tu sois si hostile. Nous pourrions faire de grandes choses si tu voulais bien coopérer.

Elle se contenta de le regarder avec tout le mépris dont elle était capable.

— Je pensais, en effet, que nous...

Il s'interrompit. En bas, la porte d'entrée venait de s'ouvrir, quelqu'un entrait, tapait bruyamment ses chaussures sur le carrelage.

— Barbara!

C'était la voix de Ralph.

— Barbara, où es-tu? Je suis là!

— C'est Ralph! dit Barbara en essayant une seconde fois de se précipiter sur le palier.

Fernand, à nouveau l'arrêta par le bras.

— Toi, tu restes sagement ici, murmura-t-il.

— Ralph, je suis ici! Au premier! cria-t-elle.

— Désolé d'avoir été aussi long. Je n'ai pas pu rentrer hier soir. C'est incroyable ce qu'il peut y avoir comme neige! En plus, je me suis perdu dans la tempête. J'ai atterri dans une ferme complètement à l'opposé, tu te rends compte ! J'ai pu y passer la nuit, mais malheureusement ils n'avaient pas le téléphone. J'espère que tu ne t'es pas trop inquiétée ?... Barbara ?

— Réponds-lui, souffla Fernand.

— Non, non ! C'est bien ce que j'ai pensé ! cria Barbara.

Elle trouvait qu'elle avait une drôle de voix, contrainte, peu naturelle, d'autant que sa blessure l'empêchait d'articuler correctement. Ralph, pourtant, ne parut rien remarquer.

— Mais ils m'ont donné un tas de bonnes choses, cria-t-il vers le haut de l'escalier. Je parie que tu es au bord de l'inanition ! Tu ne veux pas venir voir dans la cuisine tout ce que je rapporte ?

— Il faut qu'il monte, menaça Fernand.

Il la retenait toujours par le bras. Mais qu'aurait-elle fait si elle avait pu se libérer ? Où aurait-elle couru ?

— Monte donc ! cria-t-elle.

Pour le coup, Ralph parut surpris.

— Pourquoi ne descends-tu pas ? Tu ne veux pas manger tout de suite ?

— Monte ! répéta Barbara, et cette fois Ralph dut percevoir quelque chose dans sa voix qui l'incita à monter.

La scène qu'il découvrit le laissa quelques secondes sans voix. Barbara se tenait dans l'encadrement de la porte de la première chambre. Elle avait une tête épouvantable, le menton vert, la lèvre inférieure monstrueusement enflée et fendue. A côté d'elle, la tenant fermement par le bras, il y avait Fernand Leigh.

— Ce n'est donc pas Ralph qui téléphonait, disait-il à Barbara.

Ralph s'arrêta avant la dernière marche.

— Tu n'es pas seule ? fit-il, très surpris.

Elle dégagea son bras.

— Non, mais Fernand était justement sur le point de partir.

— N'ai-je pas entendu parler d'un petit-déjeuner ? fit semblant de s'interroger Fernand.

— C'était il y a des heures. Avant que tu me battes et que tu m'enfermes dans cette chambre.

— Quoi ? fit Ralph avec le sentiment désagréable d'avoir été parachuté dans une mauvaise pièce de théâtre.

Fernand le regarda avec un sourire moqueur.

— Je me suis un peu occupé de votre femme. Elle était toute seule dans cette grande maison... et terriblement affamée.

Ralph eut l'impression que Barbara était au bord de la crise de nerfs.

— M. Leigh est arrivé hier soir, expliqua promptement Barbara. Il avait appris par Cynthia que nous n'avions rien à manger depuis plusieurs jours. Il... a eu la gentillesse de nous apporter quelques provisions. Je suis désolée, Ralph. Si on avait su, tu n'aurais pas eu besoin de te donner tout ce mal.

— Alors je me suis fait tout ce souci pour rien, dit Ralph. Si tu savais... J'avais tellement mauvaise conscience, hier soir, à table, devant tout ce qu'il y avait à manger... Je me disais que tu n'avais rien, que tu devais commencer à te sentir vraiment mal...

— Qu'est-ce que je disais ! intervint Fernand.

Quelque chose dans cette scène déplaisait à Ralph. Il y avait une telle tension entre Fernand et Barbara qu'elle était presque palpable. Pourquoi, tout à l'heure, tenait-il ainsi son bras ? Pourquoi étaient-ils tous les deux en haut ? Pourquoi Barbara n'avait-elle pas voulu descendre ? Et qu'avait-elle dit, exactement? « C'était il y a des heures. Avant que tu me battes et que tu m'enfermes dans cette chambre. » Ce fut seulement à cet instant qu'il parut comprendre le sens des mots qu'elle avait prononcés. C'était une plaisanterie, ou quoi? En même temps, ses lèvres étaient dans un tel état...

Il décida de se réfugier dans les conventions en espérant dissimuler son trouble et ses doutes.

— C'est très aimable à vous d'être venu ainsi à notre secours, monsieur Leigh, dit-il. Ma femme et moi vous en sommes très reconnaissants.

Fernand l'interrompit en souriant.

— Votre femme s'est déjà montrée particulièrement reconnaissante, dit-il sur un ton aimable.

Le sous-entendu fit sursauter Ralph. Il regarda dans la chambre, s'arrêta sur le lit défait. Barbara avait dû lui proposer de rester pour la nuit, c'était bien naturel. Avec la neige qui était retombée, elle ne pouvait pas le renvoyer chez lui, surtout dans l'obscurité.

Il se demanda tout de même pourquoi cet homme était encore là à cette heure de la journée, et pourquoi lui et Barbara se trouvaient dans la chambre à coucher. Un doute s'insinua en lui, un sombre pressentiment qu'il tenta aussitôt de refouler. Ce n'était pas possible, c'était absurde. Il se faisait des idées parce qu'il était épuisé. Il avait les pieds gelés, douloureux. Il avait tant espéré pouvoir prendre une douche chaude, se détendre, dormir...

— Fernand, j'aimerais parler avec Ralph. Seule, dit Barbara.

Fernand ne bougea pas d'un millimètre.

— Eh bien, moi, j'aimerais rester, répondit-il.

Là, ça va trop loin, se dit Ralph. Il secoua l'espèce d'engourdissement qui le paralysait. Cet homme devenait grossier. Il avait certes apporté de quoi manger à Barbara, mais cela ne lui donnait pas le droit de se comporter en maître des lieux.

— Vous avez entendu ce qu'a dit ma femme, n'est-ce pas ? s'interposa-t-il, surpris lui-même de son ton sévère. C'était très aimable de venir jusqu'ici par le temps qu'il fait, mais maintenant, je crois que vous devriez partir.

Fernand arbora de nouveau son sourire.

— Je ne crois pas que votre femme ait réellement envie que je parte.

— Bien sûr que si ! protesta Barbara. Je veux que tu débarrasses le plancher, immédiatement, même !

— Ça commence à sentir un peu le roussi pour toi. Depuis que ton mari a réapparu. Pour autant que je me souvienne, il n'y a pas si longtemps, tu te vantais de tout vouloir lui raconter. J'aimerais bien assister à tes aveux. Je suis curieux d'entendre tes excuses et tes explications. Finalement, défendre des comportements déloyaux, c'est un exercice que vous pratiquez quasi tous les jours, madame l'avocate.

— Fichez le camp ! lança Ralph sans élever la voix. Fichez le camp d'ici immédiatement. Je ne sais pas ce qui s'est passé ici, mais je ne vais pas tarder à le savoir. Si vous avez porté la main sur ma femme, vous aurez à rendre des comptes devant la justice pour coups et blessures, je vous en donne d'ores et déjà ma parole.

Ralph s'empara du bras de Fernand, lequel baissa les yeux sur la main qui le tenait.

— Lâchez-moi, dit-il sans plus élever la voix que Ralph. Otez immédiatement votre main de là.

Ralph ne desserra pas son étreinte.

— Maintenant vous descendez avec moi et vous quittez la maison.

— Je vous ai dit d'ôter votre main de là, répéta Fernand.

Ralph savait qu'il n'était physiquement pas de taille à se mesurer à Fernand Leigh, mais il n'imaginait pas qu'ils puissent en venir aux mains. C'est en parlant qu'on résolvait les problèmes, ou en faisant intervenir la justice. Les bagarres ne faisaient pas partie de son mode de vie, ce n'était pas sa façon de se comporter avec les gens.

Il ne s'attendait absolument pas à ce qui arriva.

Fernand se dégagea d'un seul geste et projeta son autre bras vers l'avant. Son poing atteignit Ralph à la poitrine. Il vacilla en arrière, chercha à se rattraper à la rambarde de l'escalier.

Il entendit Barbara crier :

— Non ! Ralph !

Puis le poing le toucha une seconde fois, toujours à la poitrine, lui coupant la respiration. Il ouvrit la bouche pour aspirer de l'air et perdit l'équilibre. Ses pieds reculèrent dans le vide. Il dévala les marches à l'envers, roula sur lui-même et enregistra avec étonnement qu'il ne sentait rien, en tout cas rien en tombant : seule sa poitrine était douloureuse, et il avait toujours du mal à respirer. Sa tête heurta plusieurs fois l'arête des marches, puis tout devint noir autour de lui. Au moment où il sombra dans l'inconscience, il entendit Barbara crier.

Il était midi et demi quand Laura arriva à Leigh's Dale. Elle avait l'impression de ne plus pouvoir mettre un pied devant l'autre, et pourtant le plus dur restait à faire. Il lui fallait encore monter le long chemin jusqu'à Westhill...

Il faut que je fasse une petite pause, se dit-elle, seulement une petite pause, et après, ça ira. C'est un peu plus dur à soixante-dix ans, voilà tout.

Le village était endormi sous la neige. Les toits semblaient ployer sous leur épais manteau blanc. La neige, comme un coup de baguette magique, avait transformé Leigh's Dale en un délicieux village de conte de fées, l'un de ceux que l'on voyait sur les cartes de Noël. Il ne manquait que quelques paillettes dorées et, au détour d'un chemin, un père Noël rouge sur un traîneau tiré par des rennes.

Aucun car ne circulait le dimanche, Laura avait dû parcourir à pied tout le trajet entre Askrigg et Leigh's Dale. Par chance, la route était bien dégagée et elle avait progressé d'un bon pas. Ce qui l'attendait maintenant était autrement plus dur. Elle allait devoir se frayer elle-même un chemin dans la neige jusqu'à Westhill. Et elle était déjà si fatiguée...

Elle remonta la rue principale jusqu'au magasin de Cynthia. Cynthia ne fermait jamais, pas même le dimanche et les jours de fête. Et on pouvait venir la voir même les jours de fermeture « officielle ». Cynthia ne pouvait se passer ni de son magasin ni de ses palpitantes conversations avec ses clients. Elle n'aurait pas supporté de se retirer une journée entière dans son arrière-boutique, les bras croisés et privée de toute source d'information sur les derniers potins du pays.

La porte s'ouvrit en faisant tintinnabuler un carillon. Laura entra et se laissa aussitôt choir sur l'une des chaises mises à la disposition des clients qui n'en pouvaient plus de rester debout quand Cynthia se perdait dans l'une des grandes conversations dont elle avait le secret.

— Mon Dieu, soupira-t-elle en ôtant d'un geste las son bonnet de laine. J'ai cru que je n'en verrais jamais le bout !

Cynthia surgit de derrière un présentoir où, penchée au-dessus d'une caisse, elle triait des marchandises.

— Laura ! s'exclama-t-elle. Mais d'où tu arrives comme ça ?

— Eh bien, de chez ma sœur. Je suis partie hier, et j'ai passé la nuit à Leyburn, expliqua Laura qui n'avait toujours pas repris son souffle. Je monte à Westhill.

— Mais ce n'est pas possible !

Cynthia avait l'air à la fois stupéfiée et inquiète.

— Laura, la ferme est inaccessible. Rien n'a été dégagé, par là-bas. Tu n'y arriveras jamais !

— Si, si. Ça ira. Il faut seulement que je me repose un petit moment. Cynthia, s'il te plaît, pourrais-je avoir une tasse de thé ?

— Bien sûr, tout de suite ! Je viens juste d'en faire. Mon Dieu, mon Dieu ! Tu es tout de même une drôle de bourrique !

Cynthia disparut dans son arrière boutique et revint avec une tasse et une théière pleine.

— Tu es encore tout essoufflée, constata-t-elle. Tu es venue d'Askrigg à pied, c'est ça ?

Laura opina puis porta la tasse à ses lèvres et but à longues gorgées. Le thé trop chaud lui brûla un peu la langue, mais presque aussitôt elle sentit un peu de vie renaître en elle.

— Il faut que j'aille voir ce qui se passe à Westhill. Barbara, la locataire, avait une drôle de voix au téléphone.

— Quand as-tu parlé avec elle ? En ce moment, elle a une drôle de voix. Elle se fait du souci pour son mari. Il est parti hier matin parce qu'ils étaient à court de ravitaillement, et depuis : rien, aucune nouvelle. Elle se fait beaucoup de mauvais sang.

— C'était hier matin, très tôt. Alors je suis sûre qu'elle ne se faisait pas de souci, parce que son mari n'était pas encore parti.

— Oui, mais peut-être qu'elle était déjà préoccupée parce que, justement, il voulait partir. Bonté divine,

Laura, ne me dis pas que tu es rentrée plus tôt que prévu seulement parce que Barbara avait l'air bizarre au téléphone ?

Laura fit comme si elle n'avait pas entendu. Elle en avait assez que les gens la prennent tous pour une demeurée, pour une « drôle de bourrique ». Qu'est-ce qu'ils en savaient, tous autant qu'ils étaient ?

— Le mari de Barbara n'est toujours pas rentré ? demanda-t-elle au lieu de répondre.

— Je ne sais pas, reconnut Cynthia avec une pointe d'inquiétude dans la voix. J'ai déjà essayé d'appeler Westhill deux fois. Personne ne répond.

— Personne ne répond ?

Laura reposa maladroitement sa tasse.

— Ce n'est pas possible !

— A vrai dire, je crains que Barbara n'ait décidé de partir à la recherche de son mari. Ce qui voudrait dire qu'ils sont maintenant tous les deux quelque part dans la neige. Mais... elle était vraiment très inquiète. Possible qu'elle n'ait pas supporté d'attendre comme ça sans rien faire...

— Je peux essayer encore une fois de l'appeler ?

— Je t'en prie !

Cynthia lui indiqua le téléphone, posé sur le comptoir.

— Tu auras peut-être plus de chance que moi...

Laura composa le numéro et attendit. Elle laissa sonner une éternité.

A l'autre bout de la ligne, personne ne décrocha.

— Je ne comprends pas, dit-elle.

— S'ils ne répondent toujours pas demain matin, il faudra qu'on parte à leur recherche, décida Cynthia.

Laura regagna sa chaise et s'assit lourdement. Ses jambes ne la tenaient plus. Elle était tellement fatiguée... C'était trop rageant de ne plus être jeune ! Un rien l'épuisait, maintenant.

— Je finis mon thé, je me repose encore un quart d'heure, et je me mets en route !

— C'est de la folie, Laura. Même quelqu'un de plus jeune et de plus fort que toi aurait beaucoup de mal à aller jusqu'à Westhill. Et tu es déjà à bout de forces. Tu vas faire la moitié du chemin et t'effondrer, j'en suis sûre. Ne pars pas, Laura. Reste donc dormir ici.

— Cynthia, je n'ai pas parcouru tous ces kilomètres depuis Chatham pour m'arrêter chez toi à Leigh's Dale.

Il y avait, dans l'attitude de Laura, une détermination que Cynthia ne lui avait jamais vue.

— Il faut que j'aille à Westhill. Je veux aller à Westhill. Et j'y arriverai !

— Tu vas y laisser ta santé !

Laura ne répondit pas. Elle s'absorba dans la contemplation de son thé comme si elle puisait des forces dans le fond de sa tasse.

Cynthia eut un geste d'impuissance. Comment convaincre Laura ? Des gens déjà âgés qui surestimaient leurs forces et s'obstinaient quand tout était contre eux, elle savait ce que c'était. Elle l'avait vécu avec sa mère, et elle connaissait beaucoup de ces « vieilles bourriques », comme on les appelait dans le village.

Chez Laura, toutefois, cet entêtement la surprit. Pour peu que quelqu'un ait émis des réserves ou exposé un avis contraire, jamais, jusqu'à ce jour, Laura n'avait essayé d'imposer quoi que ce fût. Telle que Cynthia la connaissait, Laura ne pouvait pas s'entêter. C'était une feuille portée par le vent, un être dépendant à ce point de l'avis des autres qu'elle était incapable de savoir ce qu'elle voulait.

« Qu'en dis-tu ? », « Que ferais-tu, toi ? », « Et à ton avis... ? », « Et crois-tu que... ? » Laura ne savait que poser des questions. Quand on lui avait expliqué ce

qu'on pensait, ce qu'on ferait, ce qu'on déciderait si...,
elle hochait la tête et disait : « Oui, tu as raison » et
renonçait à sa fragile, très fragile idée première.

Cela ne lui ressemblait pas de faire quelque chose
de déraisonnable sans écouter les conseils de son
entourage. A vrai dire, elle n'avait pas demandé son
avis à Cynthia. Et ça, ça lui ressemblait encore moins.
Ce que pensait Cynthia lui était parfaitement égal.
Elle buvait son thé sur sa chaise, pour une fois indifférente aux autres, seulement préoccupée d'elle-
même, avec sur le visage une expression... oui, sem-
bla-t-il à Cynthia, une expression qui révélait toute la
détermination du monde. Cynthia pouvait parler, le
village entier pouvait parler, tout le monde pouvait
penser qu'elle avait perdu la raison : Laura Selley
allait finir son thé et prendre le chemin de Westhill.

C'était inhabituel et effrayant. Le petit monde de
Cynthia en fut sérieusement ébranlé. Si Laura n'était
plus Laura, à quoi pouvait-on encore se fier ?

Peu après 1 heure, le téléphone du comptoir sonna.
Quand elle avait compris qu'elle ne parviendrait pas à
dissuader Laura, Cynthia était retournée à ses range-
ments. Laura s'était accordé un petit somme de cinq
minutes, assise sur sa chaise, pour reprendre des
forces. Quand la sonnerie retentit, elle se réveilla en
sursaut et regarda autour d'elle sans comprendre où
elle se trouvait.

— J'y vais, annonça Cynthia derrière ses étagères.
Elle décrocha le combiné.

— Allô ?
Elle écouta un instant en silence.

— Qui ? Ah, Lilian ! Je ne vous avais pas reconnue.
Votre voix est toute drôle !

En entendant « Lilian », en un éclair Laura
retrouva sa lucidité. Elle se leva.

— Lilian Leigh ? demanda-t-elle.

Cynthia hocha silencieusement la tête. Elle écouta encore un instant puis dit :

— Voyons, Lilian, calmez-vous ! Que s'est-il passé ? C'est encore Fernand... Ah, il n'est pas là ?... Où ça ? Ah... Et c'était quand ?... Hier soir... Mais bien sûr, Lilian. Il est certainement resté là-bas... Vous savez bien qu'il n'appelle jamais. Il est comme ça... A la vérité, je suis plutôt rassurée. Je craignais que Barbara ne soit partie à la recherche de son mari, mais jamais Fernand ne l'aurait laissée faire... Oui, c'est effectivement surprenant... Nous n'arrivons pas non plus à les joindre... Oui, figurez-vous que Laura Selley est là... Oui... Eh bien, elle veut monter à Westhill... Je ne sais pas très bien. Je crois qu'elle craint que la maison ne se soit envolée...

Cynthia éclata de rire.

— Qu'est-ce qui se passe ? demanda Laura.

— Lilian, il ne lui est certainement rien arrivé, reprit Cynthia sur un ton apaisant. Vous savez ce que je pense ? Barbara a réussi à le persuader de partir à la recherche de son mari avec elle... Comment ?... Pensez donc, bien sûr que non ! Fernand connaît la région comme sa poche. En revanche, si Barbara était partie seule, là, oui... Bien sûr, Lilian, bien sûr. Dès que je sais quelque chose, je vous appelle... Oui. C'est promis. Et rassurez-vous, Lilian. Au revoir, à bientôt !

Elle reposa le combiné.

— Eh bien, soupira-t-elle, on peut dire que cette Lilian a les nerfs à fleur de peau. Voilà qu'elle pleure parce qu'elle ne sait pas où est Fernand. Elle ferait mieux de se réjouir d'en être momentanément débarrassée ! Ça lui laisse un peu de répit. Et du temps pour soigner ses bleus de la dernière fois.

— Fernand est à Westhill ? fit Laura, alarmée.

— Oui. Il y est parti hier soir. Dans un sens, c'est

un peu ma faute, parce que j'avais dit à Lilian au téléphone qu'ils n'avaient plus rien à manger. Quand Fernand l'a su, il a tenu à leur apporter quelque chose... à Barbara, tout au moins, puisque Ralph n'était pas là. Eh bien, je dois dire que ça me touche !

Un petit sourire satisfait étira les lèvres de Cynthia.

— Ma pauvre mère disait toujours qu'il y avait du bon en chaque être. Eh bien, elle avait mille fois raison. Tu aurais cru, toi, que Fernand Leigh était aussi serviable ?

— Il n'est toujours pas rentré chez lui ?

Cynthia prit un air entendu.

— Eh bien, c'est-à-dire que, je ne pouvais pas le raconter à Lilian, mais ça ne doit sûrement pas lui déplaire d'être seul avec la jolie Barbara. Je ne veux pas dire que... euh... ils font quelque chose d'incorrect... mais il n'est sûrement pas pressé de rentrer chez lui pour retrouver cette malheureuse Lilian.

— Lilian aussi a été très jolie, rappela Laura.

— C'est vrai. Mais aujourd'hui, elle n'est plus que l'ombre d'elle-même. En tout cas, je suis sûre que Fernand fait les yeux doux à cette Barbara.

— Ce n'est pas ça qui les empêche de répondre au téléphone, répliqua Laura.

Elle paraissait très tendue et encore plus nerveuse que lorsqu'elle était arrivée. Cynthia se demanda quelle mouche l'avait piquée.

— Ils sont sans doute partis à la recherche du mari de Barbara, expliqua-t-elle. C'est ce que je viens de dire à Lilian. Auquel cas il n'y a aucune raison de se faire du souci. C'est un soulagement de savoir Fernand avec Barbara.

— J'ai un mauvais pressentiment, murmura Laura, au bord des larmes.

— A cause de Fernand ? Il ne fera rien à Barbara. Avec Lilian, il ne se contrôle pas toujours, mais avec une femme qu'il ne connaît pas... je ne peux pas imaginer que ça lui arrive.

Laura allait et venait en se tordant les mains. Quand elle était arrivée, elle était rouge et essoufflée. Maintenant, elle était pâle comme un linge.

— Laura... tenta Cynthia d'un ton apaisant.

Laura prit son bonnet et d'un geste décidé l'enfonça profondément sur sa tête.

— J'y vais, maintenant. Il faut que je parte tout de suite.

— C'est de la folie ! Dis-moi au moins pourquoi tu tiens tant à y aller ?

— C'est une longue histoire... Longue et très ancienne.

Elle enfila ses gants et serra son écharpe autour de son cou.

— Merci pour le thé, Cynthia. Je te le paierai une prochaine fois.

— Je te l'offre. Si tu pars maintenant, qui sait s'il y aura une prochaine fois...

Laura ne l'écoutait plus. Elle ouvrit la porte du magasin. Le son clair et joyeux du carillon retentit. Cynthia la regarda descendre la rue principale. Même de dos, on devinait sa détermination. Jamais elle n'avait relevé la tête ou redressé les épaules de cette façon. C'était une petite silhouette énergique tout de noir vêtue.

— Mais c'est qu'elle va y arriver... murmura rêveusement Cynthia.

— Barbara, gémit Ralph. J'ai tellement soif...

Barbara était assise sur une chaise, les jambes relevées et serrées contre elle. Elle leva les yeux.

— Je ne peux que te redonner un peu de neige, dit-elle.

— C'est mieux que rien.

Elle ouvrit la fenêtre, prit une poignée de neige sur le rebord extérieur et revint à côté de Ralph. Il était allongé sur une couverture à même le sol. Il souffrait, on pouvait le lire sur son visage.

— Comment te sens-tu ? demanda Barbara.

Il essaya de sourire, sans succès.

— Pas terrible. J'ai l'impression que ma tête va éclater.

Barbara lui fit sucer un peu de neige, humecta ses lèvres.

— Tu as certainement un traumatisme crânien. Ta tête a heurté plusieurs fois les marches. Il ne faut surtout pas que tu bouges.

— Il n'y a pas de danger. J'en serais bien incapable.

Puis, soudain, Barbara se rendit compte qu'ils étaient dans la salle à manger, ils avaient tous les verres et toutes les tasses qu'ils voulaient à leur disposition. Elle prit trois grands gobelets dans le placard sous la desserte, retourna à la fenêtre et les remplit de neige. Ensuite elle les plaça sous le radiateur.

— Voilà. Comme ça, on aura au moins de l'eau à boire.

Elle regarda la fenêtre.

— Je pourrais facilement l'enjamber, tu sais.

— Non, Barbara, surtout n'en fais rien. Tu n'as ni manteau ni chaussures. Tu n'arriveras jamais à Leigh's Dale sans skis. Et tu mourras de froid en cours de route.

— Quel salaud ! Quel fichu salaud !

Quand elle avait vu Ralph recroquevillé et immobile au pied de l'escalier, elle l'avait cru mort.

— Tu l'as tué, avait-elle hurlé. Mon Dieu, tu l'as tué !

Fernand n'avait pas pu la retenir. Elle avait dévalé les marches comme une flèche. Ralph gisait sur le

737

ventre. Très doucement elle l'avait fait basculer sur le dos et c'est seulement à cet instant qu'elle s'était rendu compte qu'il respirait encore.

— Il faut immédiatement appeler un médecin, dit-elle en se relevant.

— A quoi bon? objecta Fernand, qui était descendu derrière elle. Il ne pourra jamais arriver jusqu'ici.

— Bien sûr que si! Ils feront passer un chasse-neige. Ou il viendra en hélicoptère. Quand il y a une vraie urgence, ils trouvent toujours le moyen d'arriver.

Elle se précipita dans le salon. Mais elle avait à peine porté le téléphone à son oreille que Fernand, qui l'avait suivie, posa sa main sur la fourche.

— Non.

Elle le dévisagea.

— Comment ça, non? Il est peut-être en train de mourir! Il a peut-être des lésions internes et...

— Et tu te figures que je vais me laisser coller ça sur le dos?

— Je m'en fiche complètement!

— Eh bien, pas moi. Aide-moi à le transporter dans la salle à manger.

Fernand était parfaitement calme.

— Dans la salle à manger? Mais il n'y a aucun endroit où on puisse l'allonger, alors qu'ici, dans le salon...

— ... il y a le téléphone. Je ne doute pas que ça t'intéresse beaucoup. Aide-moi, maintenant. A moins que tu préfères qu'il reste dans le couloir sur le carrelage glacé?

Elle fut bien obligée de le suivre dans le couloir. Ralph, toujours inconscient, gémit quand ils le soulevèrent pour le transporter dans la salle à manger. Ils l'allongèrent par terre. Fernand disparut un instant

738

puis revint avec une couverture en laine qu'il jeta à Barbara avant de disparaître à nouveau en fermant la porte à clé derrière lui.

Barbara confectionna tant bien que mal une sorte de couche, puis attendit. Elle maudit Fernand, jura, pria, s'assit, se leva, marcha de long en large dans la pièce, eut le sentiment de devenir folle.

Plusieurs fois, à côté, dans le salon, le téléphone sonna. Elle se demanda qui appelait. Probablement quelqu'un de la famille. A moins que ce ne fût Cynthia, qui voulait savoir si Ralph était revenu. Ou Lilian, qui devait commencer à se demander où était passé son mari. L'une comme l'autre devait trouver étrange que personne ne réponde. Mais iraient-elles jusqu'à prévenir la police ? Et même... La police jugerait-elle utile pour autant de faire déblayer la route à grands frais afin d'aller voir de près ce qui se passait à Westhill ?

Il lui revint à l'esprit que Laura était en route. Restait à savoir si elle réussirait à se frayer un chemin dans la neige. A soixante-dix ans... De toute façon, leur serait-elle d'un grand secours ? Que pourrait-elle faire contre Fernand ? Elle risquait surtout d'être la troisième à tomber dans le piège.

Peut-être est-ce Marjorie qui essaye d'appeler, songea Barbara. Elle est certainement très inquiète pour sa sœur.

Elle s'accrocha à l'idée qu'il y avait au moins trois personnes qui à plus ou moins long terme se rendraient compte qu'il se passait quelque chose de bizarre à Westhill. Mais combien de temps faudrait-il pour qu'elles se mettent en action ?

Elle ne s'y connaissait pas beaucoup en médecine, mais elle devinait que Ralph avait d'urgence besoin d'une prise en charge médicale. Il n'avait pas de blessures apparentes, seulement quelques contusions qui allaient virer au bleu. Mais il y avait beaucoup trop longtemps qu'il était inconscient et elle avait encore dans l'oreille le bruit sourd de sa tête rebondissant sur l'arête des marches. Il avait au moins un traumatisme crânien, mais il pouvait aussi avoir une fracture du crâne. Dans ce cas, il devait impérativement être hospitalisé. Il pouvait avoir fait une hémorragie, avoir un hématome, si on ne lui faisait pas rapidement une ponction, il ne survivrait pas.

A 15 heures, Ralph n'avait toujours pas repris connaissance. Barbara lui avait frotté le front avec de la neige en espérant que le froid le réveillerait mais il n'avait eu aucune réaction. Elle chercha son pouls, longtemps, puis le trouva. Il lui parut normal. Son souffle également, sa poitrine se soulevait et s'abaissait régulièrement. Elle imagina cent possibilités de s'enfuir, mais aucune ne lui parut assez fiable pour être tentée. Plusieurs fois, elle appela Fernand. Jamais il ne répondit. Il n'y avait pas plus de bruit dans la maison que durant la matinée, rien ne bougeait. On aurait pu penser que Fernand était parti, mais elle savait maintenant qu'il pouvait rester des heures parfaitement silencieux.

Si à 17 heures il ne s'était toujours pas manifesté, elle sauterait par la fenêtre, casserait celle du salon pour entrer de l'autre côté et appellerait la police.

Assise à la table, elle fixait le tas de cendres dans la cheminée. Elles n'étaient pas complètement éteintes. C'était tout ce qui restait du manuscrit de Frances Gray. Elle regretta de ne pas avoir suivi le conseil de Ralph. Elle n'aurait pas dû le lire. Ou alors, elle aurait dû être assez maligne pour ne pas le laisser traîner une fois qu'elle avait mesuré la gravité des révélations qu'il contenait. Mais comment aurait-elle pu se douter que cette histoire n'était pas terminée ? Qu'elle se poursuivait loin au-delà de la mort de Frances Gray ?

La page n'était pas tournée. Rien n'était oublié. Il fallait que le meurtre de Victoria sorte de l'ombre. Tant qu'il ne serait pas révélé et éclairci, jamais les survivants de la tragédie ne trouveraient le repos.

Ralph revint à lui peu après 16 heures. Il réclama aussitôt à boire. Barbara s'était imaginé qu'il lui faudrait un certain temps pour retrouver ses esprits, savoir où il était et qui il était, mais il n'en fut rien. Il se souvenait de ce qui s'était passé.

— Mais qu'est-ce qui lui a pris, à ce Fernand Leigh, il est cinglé ou quoi ? demanda-t-il après avoir tenté de s'asseoir et s'être laissé retomber en laissant échapper un gémissement de douleur.

Son visage était exsangue, ses lèvres décolorées.

Barbara lui fit un résumé des faits. Elle lui raconta comment Victoria Leigh avait trouvé la mort, comment Fernand Leigh était au courant du meurtre, comment il se servait de ce qu'il savait pour faire chanter la malheureuse Laura. Et elle raconta qu'elle avait été assez stupide pour le menacer de tout révéler à la police.

— Il est dans une situation sacrément difficile, Ralph, conclut-elle. Je suis – et maintenant tu es toi aussi – au courant de faits qui peuvent l'envoyer en prison. Et en t'agressant, il s'est de surcroît rendu coupable de coups et blessures. Il a gros à perdre dans cette histoire.

— Tu sais ce que tu es en train de dire ? articula Ralph. Qu'au fond, il n'a pratiquement pas d'autre choix que celui de nous tuer.

— Eh bien, il prend son temps. Il est 16 heures. Ça fait trois heures que nous sommes enfermés ici. Je me demande ce qu'il prépare. Sa femme va tout de même finir par le chercher. Cynthia doit commencer à se poser des questions... Et il le sait. D'ailleurs, à côté, le téléphone n'arrête pas de sonner. Au fait, ajouta-t-elle en baissant la voix, Laura Selley est en train d'arriver.

— Comment ça ?

— Elle a dû me trouver bizarre, au téléphone. J'en suis certaine. Elle doit être convaincue que j'ai trouvé le manuscrit qu'elle cherche depuis des années. Et maintenant, elle a terriblement peur, au cas où il y serait question du meurtre, que je la dénonce à la police.

— Elle n'arrivera pas à monter jusqu'ici, dit Ralph, avant d'ajouter : En tout cas, c'est ce qu'il faut lui souhaiter. Sinon, elle va se jeter elle aussi dans la gueule du loup.

Peu après, il se rendormit, pour ne se réveiller qu'à 16 h 45. Il se plaignit à nouveau d'une soif intense. Dehors, la nuit était tombée. Barbara alluma un petit lampadaire qui se trouvait dans un angle de la pièce. Elle craignait que l'éclat du plafonnier aggrave les maux de tête de Ralph.

— J'avais décidé d'attendre 17 heures et, si rien ne se passait d'ici là, de passer par la fenêtre pour entrer dans le salon et d'appeler la police, dit Barbara.

— Leigh ne te laissera pas faire.

— S'il est encore là. Ça fait des heures qu'il n'y a plus un bruit dans la maison.

— C'est trop risqué. Ne le fais pas.

Ralph était de minute en minute plus pâle. Barbara l'observait avec inquiétude.

— Tu as l'air moins bien que tout à l'heure.

— J'ai affreusement mal au cœur. Je crois que je vais vomir.

— C'est classique, avec un traumatisme crânien. Mais je... Je devrais tout de même vraiment essayer d'atteindre le téléphone.

Ralph avait beaucoup de mal à parler :

— Ne le provoque pas... Ce n'est pas une bonne idée.

Il essaya à nouveau de sourire.

— C'est réussi, ces vacances... Tu ne trouves pas ?

— Dans le genre... effectivement ! Je te promets que pour tes cinquante ans je t'offrirai un cadeau sans risque : un ordinateur ou une voiture...

— Ça peut devenir très dangereux, une voiture.

— Ce n'est pas obligé de mal tourner à chaque fois.

Il essaya de soulever un peu la tête. La souffrance avait creusé ses traits. Il avait l'air d'avoir dix ans de plus.

— Tu as... couché avec lui, n'est-ce pas ? se décida-t-il à demander. C'est bien ce qu'il voulait dire... avec ses sous-entendus ?

Il eût été inutile de le contester. Et le moins qu'elle pouvait à cet instant accorder à Ralph, c'était de ne pas lui mentir.

— Oui. Je l'ai fait. Et je n'ai jamais eu autant honte...

— Parce qu'il s'est... révélé être une ordure ?

— Parce qu'il l'a toujours été. Parce que je le savais. Et parce que je n'ai tout de même... pas pu résister.

Ralph laissa retomber sa tête sur la couverture.

— Pourquoi ? demanda-t-il d'une voix sans timbre, tant il était épuisé.

Elle eut un geste d'impuissance.

— Je ne sais pas.

— Tu dois pourtant bien le savoir !

— C'est tellement difficile de...

Elle rejeta ses cheveux en arrière et à cet instant se rendit compte qu'elle ne savait plus quoi faire de ses mains. Si ça continuait, elle allait se ronger les ongles comme une petite fille. Elle s'assit et croisa les mains sur ses genoux.

— Tout ce que je pourrais expliquer aurait l'air d'excuses, dit-elle. Et je ne cherche pas d'échappatoire. C'est arrivé. Je le regrette.

— Es-tu amoureuse de lui ?

— De Fernand ? Après tout ce qui...

— Je veux dire... avant. Y a-t-il eu un moment où tu t'es... sentie amoureuse de lui ?

— Non.

C'était un non spontané et sans ambiguïté.

— Non, il n'y a jamais eu de moment comme ça.

— Si... s'il n'y avait pas eu toute cette histoire... le livre de Frances Gray... Je veux dire, s'il n'avait pas fait chanter Laura, s'il n'était pas devenu fou furieux... tu aurais eu envie de rester avec lui ?

— Il y trop de « si » dans ta question, Ralph. Il est ce qu'il est. Même s'il n'avait rien entrepris contre Laura, reste le fait qu'il boit et qu'il maltraite sa femme. Je m'en serais, au pire, souvenue dès le matin suivant.

Elle se tut un instant, puis ajouta :

— Ça m'est revenu à l'esprit dès que je me suis réveillée. Je ne savais encore rien du reste. Mais je me demandais déjà comment j'avais pu faire ça.

— Ça ne serait pas arrivé si tout allait bien entre nous.

— Je ne sais pas.

Elle détourna son regard.

— Peut-être que si. C'était... Je n'étais plus moi-même. J'ai l'impression que finalement ça n'a pas tant à voir avec Fernand Leigh que ça. Il aurait pu arriver tout à fait autre chose. C'est...

Elle cherchait désespérément les mots justes. Comment lui expliquer ce qu'elle avait ressenti, quand elle-même ne parvenait toujours pas à comprendre ce qui lui était arrivé ?

— C'était comme si quelque chose en moi s'ouvrait. Je me faisais l'impression d'être quelqu'un qui ne vivait plus depuis de longues années, du moins pas réellement... et d'un seul coup faisait quelque chose de fou, d'absurde, d'interdit, et se rendait alors compte qu'il y avait encore de la vie en lui. Ralph...

Elle se leva.

— Je sais que... c'est très blessant pour toi. Pourtant, j'ai l'air de me chercher des excuses... pour rendre plus honorable une banale histoire de... pour ne pas passer pour une femme qui a tout bêtement trompé son mari. Ralph, s'il te plaît, parlons-en plus tard. Quand tu iras mieux. Quand tu pourras y penser à tête reposée. Nous verrons, alors, comment continuer.

— Crois-tu que nous puissions continuer?

Elle s'agenouilla à côté de lui.

— S'il te plaît, Ralph, pas maintenant. Ce qui importe, pour le moment, c'est de trouver le moyen de nous en sortir. On s'occupera du reste après. D'accord?

Elle lui caressa doucement la joue. Il garda les yeux clos.

Dix minutes plus tard, il commença à vomir. Elle dut le soutenir, l'aider à relever la tête. Il gémissait de douleur.

Elle comprit que, si elle n'entreprenait rien, il mourrait avant le lendemain.

Il était déjà plus de 18 heures quand elle osa le laisser seul. Elle était décidée à entrer par l'extérieur dans le salon pour appeler la police, mais il fallait qu'elle attende d'être sûre que Ralph n'allait pas recommencer à vomir car, sans son aide, il s'étoufferait. Vingt minutes s'écoulèrent sans que ses nausées le reprennent ou qu'il gémisse. Elle décida que le moment était venu de mettre son plan à exécution.

Il était essentiel qu'elle soit rapide. Premièrement

parce qu'elle ne pouvait pas laisser Ralph seul long-temps; deuxièmement parce que Fernand pouvait surgir à tout moment. Elle devrait casser la fenêtre du premier coup, sauter dans le salon et décrocher aussitôt le téléphone.

Elle chercha autour d'elle avec quoi elle pourrait casser la vitre. Une bûche aurait été parfaite, mais il n'y en avait plus une seule à côté de la cheminée. Dans les placards, il n'y avait que de la vaisselle et des verres. Allait-elle devoir prendre une chaise?

Elle parcourut la pièce du regard, le plafond, les murs, la cheminée, et s'arrêta sur le visage souriant de la jeune Frances Gray. Le cadre doré retint son atten-tion. Elle le prit dans ses mains. Il était lourd, le contact du métal était froid. Frances avait un sourire ironique.

— Oui... Ça devrait faire l'affaire, murmura Barbara.

Elle se pencha encore une fois sur Ralph. Son souffle était faible, son teint avait viré au gris, mais les nausées semblaient s'être calmées.

— Je vais chercher de l'aide, murmura-t-elle à son oreille. Ne t'inquiète pas. Tout va bien se passer.

Un air glacé s'engouffra dans la pièce quand elle ouvrit la fenêtre. Le ciel était clair, les premières étoiles brillaient déjà. Un mince croissant de lune donnait un éclat bleuté à la neige. C'était une magni-fique nuit d'hiver, paisible, immobile, pas un bruit ne troublait le silence de la campagne. La beauté du pay-sage emplit Barbara d'émotion. L'espace d'un instant, le cauchemar qu'elle vivait perdit de sa réalité. Elle prit une longue inspiration, emplit ses poumons de froid et d'obscurité. Elle comprenait dans sa chair, avec une intensité presque douloureuse, pourquoi Frances Gray avait tant aimé cette terre. Elle serra le cadre contre elle.

— Si tu peux faire quelque chose pour moi, c'est maintenant...

La neige crissait sous ses pas. Ce n'était plus de la neige fraîche, elle commençait à se tasser et à geler. Barbara se glissa le long du mur jusqu'à la fenêtre du salon.

Elle leva les yeux. Aucune des fenêtres de la maison n'était éclairée.

Il est parti, se dit-elle. Je suis sûre qu'il est parti. Ça commençait à chauffer un peu trop à son goût. Je suis idiote d'avoir attendu aussi longtemps. Mais c'est précisément là-dessus qu'il comptait. Plus on laissait passer de temps avant de bouger, plus il en avait pour disparaître.

Barbara renonça à son plan initial. Casser la fenêtre n'était pas utile. Elle pouvait aussi bien passer par la porte d'entrée.

Elle continua à longer le mur jusqu'à la porte. Prudemment, elle pesa sur la poignée. Comme elle s'y attendait, le battant n'était pas verrouillé. Personne ne fermait jamais les portes par ici.

Elle n'alluma pas. Après tout, elle n'était pas sûre que Fernand n'était plus là. Elle laissa la porte d'entrée grande ouverte pour qu'un peu du pâle éclat de la lune pénètre dans la maison puis elle commença à avancer lentement, sans faire de bruit. Elle dépassa le portemanteau en tâtonnant, trébucha sur une paire de chaussures. La porte de la cuisine était entrebâillée. Tout y était sombre et silencieux.

Elle n'alluma pas non plus dans le salon. Elle savait très bien où se trouvait le téléphone. Elle se revit la veille au soir regarder la télévision, assise sur le canapé à côté de Fernand, un verre de vin à la main. Depuis, vingt-quatre heures ne s'étaient pas écoulées. Elle avait l'impression que c'était une éternité.

Elle se cogna le genou contre une table basse mais

n'y prêta pas attention. Sa main trouva le téléphone, ses doigts se refermèrent sur le combiné.

La lumière s'alluma. Elle sursauta. Derrière elle, Fernand avait encore la main sur l'interrupteur.

— J'en étais sûr.

Il avait la voix un peu traînante.

— Je savais que tu viendrais. Tu as seulement attendu plus longtemps que je ne pensais.

Rien ne lui vint à l'esprit qu'une question absolument superflue :

— Tu es encore là ?

— Comme tu peux le constater. Je t'attendais assis là-dedans ! ajouta-t-il en désignant un fauteuil près de la porte.

Elle prit sur elle pour ne pas laisser la panique l'envahir et s'efforça de prendre un ton assuré.

— Qu'est-ce que tu veux, Fernand ? A quoi rime ce jeu du jeu et de la souris ?

— Et toi, que veux-tu ? demanda-t-il en retour.

— Je veux appeler un médecin. Mon mari va mal. Il a un traumatisme crânien, et peut-être une fracture du crâne. Je...

Elle n'arrivait pas à prononcer les mots terribles qui la hantaient depuis le début de l'après-midi.

— Je... crois qu'il va... mourir s'il n'est pas rapidement hospitalisé.

— Vraiment ? Il va mourir ? En es-tu certaine ?

— Fernand, laisse-moi appeler un médecin. S'il meurt, tu auras un meurtre sur la conscience. Ce que tu as fait jusque-là, ce n'est que relativement grave. Tu as des chances de t'en sortir sans trop de casse. Un meurtre, c'est une autre histoire.

— Certes...

Il parut réfléchir intensément.

— Mais il est possible que tu fasses venir un médecin et que ton mari meure quand même,

748

n'est-ce pas? Et j'aurais toujours un meurtre sur la conscience.

— Homicide volontaire. Ou coups et blessures ayant entraîné la mort. Je suis bien tranquille, on fait aussi la différence en Angleterre. Et en ce qui concerne la condamnation, ça fait pour le coup une sacrée différence, tu peux me croire!

— C'est vrai, ça. Il faut toujours que j'oublie à qui j'ai affaire. Vous êtes une juriste éminente, Miss Barbara! Une super avocate! Mais dis-moi : tu accepterais de me défendre?

— Je ne suis pas habilitée à exercer en Angleterre, répondit Barbara d'une voix vibrante d'impatience et d'énervement.

Elle avait le sentiment qu'il n'était plus accessible à une argumentation raisonnable. Etait-il d'ailleurs accessible à quoi que ce fût? Il était si bizarre... Il était resté là des heures à l'attendre. Pourquoi ne s'était-il pas enfui?

— J'appelle un médecin! décida-t-elle en décrochant le téléphone.

En deux pas, il fut sur elle, saisit son poignet et la força à reposer l'écouteur sur sa fourche.

— Non! fit-il d'une voix mauvaise. Personne ne téléphone, madame l'avocate! Nous sommes en train de parler. Tes parents me semblent avoir été bien négligents dans leur façon de t'éduquer, Barbara. Hier, je constate qu'ils ne t'ont pas appris à ne pas mettre ton nez dans les affaires des autres. Et voilà qu'aujourd'hui je me rends compte que ce sont tes manières en général qui laissent à désirer. On ne se met pas à téléphoner quand quelqu'un s'entretient avec vous!

Barbara sentit son haleine chargée d'alcool.

— Je crois que tu as trop bu.

Il rit.

— Finement observé. Tu ne savais pas que j'étais alcoolique ? Allons ! Je suis sûr qu'une de nos charmantes commères s'est empressée de te mettre au courant. Que veux-tu, les chiens ne font pas des chats. Mon père avait une sacrée descente. J'ai de qui tenir !

— Où as-tu trouvé à boire ? Il n'y avait plus rien.

— Mais si. J'avais prévu le coup. Il y avait aussi du whisky dans mon sac. De l'excellent whisky. Frances lui aurait fait honneur. Elle adorait le whisky. Elle ne pouvait pas s'en passer. Mais je ne la mets pas dans le même sac que moi. Frances n'était jamais ivre. Elle ne buvait jamais plus d'alcool qu'elle ne pouvait en supporter. Frances savait se maîtriser. Comme toi. Une cérébrale, tu vois ce que je veux dire ? Encore que parfois, je me demande...

Il lâcha son poignet mais ne la quitta pas des yeux, prêt à intervenir. Barbara comprit qu'il était inutile qu'elle tente une deuxième fois de décrocher le téléphone.

— Oui, parfois je me demande si elle ne s'éclatait pas dans le lit de mon père comme tu t'es éclatée dans le mien. C'est une question intéressante, non ? Est-ce qu'elle en parle, dans son bouquin ? Toi qui l'as lu ?

— Je ne me souviens pas. Fernand, je...

— Ce n'est pas un sujet à ton goût, hein ? Je comprends ça. Ton mari est dans la pièce à côté, grièvement blessé ; il est peut-être en train de mourir, et là, il va falloir que tu t'arranges du fait que tu l'as trompé pendant la dernière nuit de sa vie. Je n'aimerais pas être à ta place. Pour sûr.

Elle ne répondit pas. Il était trop ivre pour qu'elle fasse appel à sa raison. En même temps, il ne l'était pas assez pour être un adversaire facile à maîtriser.

Mais ce n'est pas un meurtrier, songea-t-elle. Il aurait eu mille fois le temps de nous réduire au silence s'il l'avait voulu. Il ne sait pas quoi faire. Il est dans le pétrin et ne sait pas comment s'en sortir. Le problème, c'est que du coup il laisse Ralph mourir. Le laisser par terre sans soins, l'oublier jusqu'à ce qu'il meure, ça, il en est capable!

— J'étais là, dans le fauteuil, j'attendais, et j'ai regardé la nuit tomber, dit-il. J'ai souvent regardé la nuit tomber, assis dans ce fauteuil. Je t'ai dit que j'aimais beaucoup venir à Westhill, autrefois, non? On s'asseyait souvent ici, Frances, Laura et moi. Frances nous racontait sa vie. Pas de façon ennuyeuse et compassée, comme le font souvent les vieux qu'on écoute seulement par politesse. Non, elle était vive, drôle, elle avait un sens aigu du bon mot. Et elle excellait dans l'art de l'autodérision. Parfois, je l'écoutais bouche bée. Elle avait vécu des choses extraordinaires, surtout avec les féministes qui se battaient pour le droit de vote, et en France, pendant la Première Guerre. C'était une vie que je ne connaissais pas, que je ne pouvais pas connaître. J'étais fasciné. Par ces histoires... et par la femme.

— Je te comprends, Fernand. Mais maintenant, il faut absolument que je...

— Ce n'était pas une attirance physique que j'éprouvais pour elle, évidemment, poursuivit-il. Pour ça, elle était trop âgée. Elle avait soixante-dix ans quand j'en avais vingt. Mais il peut exister autre chose entre un homme et une femme qu'une attirance physique. J'ai sans doute eu plus de sentiments pour Frances que pour beaucoup de jolies femmes avec lesquelles j'ai couché. Tu aurais cru ça?

— Tu l'as aimée...

Il la regarda pensivement.

— Oui. Je crois que je l'ai aimée.

Voilà peut-être le biais par lequel je vais pouvoir l'atteindre, songea Barbara.

— Je ne crois pas que Frances approuverait ce que

751

tu fais. Que tu boives, que tu fasses chanter Laura depuis des années. Et que tu laisses mon mari...

Du mépris se peignit sur le visage de Fernand.

— Ah, Barbara ! C'est minable. Tu as cru que tu m'aurais avec une ficelle aussi grosse ? Je t'imaginais plus fine psychologue, et plus classe.

— J'ai tenté ma chance.

— N'en rajoute pas. Je commence à avoir l'impression que ce que je raconte ne t'intéresse pas. Ou du moins, seulement dans la mesure où tu peux en tirer quelque chose pour m'embobiner. Sinon, tu t'en moques éperdument.

Une colère noire envahit Barbara. Satané type ! Il avait raison, il ne l'intéressait pas. Qu'il garde son discours pour quelqu'un d'autre. La fatigue, la tension, la peur... elle sentit qu'elle allait fondre en larmes.

Elle explosa si soudainement que Fernand sursauta.

— Non ! hurla-t-elle. Tu as raison ! Ça ne m'intéresse pas ! Je m'en fiche comme de ma première chemise de ce que tu as éprouvé pour Frances Gray ! Tes pensées profondes sur ton passé me laissent de marbre ! Ton baratin sentimental me donne envie de vomir. Comment tu écoutais, assis bien gentiment dans ce salon ! Et je suppose que la suite, ça va être ton enfance malheureuse entre une mère dépressive et un père qui non seulement aurait pu être ton grand-père mais en plus aimait une autre femme ! Et combien c'était sinistre, cette maison de Daleview, si glauque que tout le monde y sombre dans l'alcoolisme et la dépression ! Et que le foyer que tu cherchais, c'est ici, à Westhill que tu l'as trouvé, auprès de Frances Gray qui à tes yeux symbolisait la force et la sécurité, te donnait ce que tu ne pouvais recevoir de nulle autre et voilà pourquoi tu l'aimais et avais besoin d'elle ! Et tu vas me raconter que c'est pour

752

cette raison que tu veux absolument Westhill. Pas du tout par appât du gain ou par vil besoin de possession, non, c'est l'amour que tu éprouvais pour elle qui fait que tu désires ce qui jadis appartenait à Frances. Eh bien, laisse-moi te dire que ça non plus ça ne m'intéresse pas ! Pas du tout, parce que dans la pièce à côté, il y a mon mari, mon mari que j'aime et qui est grièvement blessé ; et je veux qu'il vive, tu comprends ? Je veux qu'il *vive* !

Des larmes ruisselaient sur ses joues, mais elle ne s'en rendait pas compte. Elle était à bout de forces, épuisée, vidée d'avoir tant crié. Elle ne se défendit pas quand Fernand l'attira dans ses bras.

— Tu me comprends, murmura-t-il. Même si tu dis que ça ne t'intéresse pas, tu me comprends. Après Frances, tu es la seule personne qui m'ait jamais compris. Tu es aussi forte qu'elle, Barbara. Et tu es très belle.

Elle lui aurait volontiers avoué qu'à cet instant elle se sentait si faible qu'elle l'avait laissé l'attirer contre lui et qu'elle avait enfoui son visage dans le creux de son épaule. Il était son ennemi, mais elle devinait aussi chez lui une fragilité et une complexité qui l'empêchaient de le haïr. Elle avait l'impression qu'elle ne pouvait plus rien éprouver qu'une fatigue infinie.

Il lui caressait les cheveux, encore et encore, murmurait des choses à son oreille qu'elle entendait à peine et ne comprenait pas, mais elle n'avait pas l'impression que cela avait une quelconque importance. Elle n'aspirait qu'à une chose, s'endormir, puis se réveiller et découvrir qu'elle venait de faire un rêve, un rêve long et trouble.

Elle releva la tête, les yeux lourds. Elle avait entendu quelque chose. Un bruit au-delà du doux murmure des mots à son oreille. Une porte. Des pas.

Elle se réveilla. Ce n'était pas le réveil qu'elle avait

appelé de ses vœux, celui qui aurait chassé le mauvais rêve. Le mauvais rêve était toujours là.

Les pas se rapprochèrent. Des pas lents, hésitants. Terriblement lourds. Une silhouette apparut dans l'encadrement de la porte, frêle, toute vêtue de noir, prête à s'effondrer.

Laura.

— Laura! s'exclama-t-elle.

Son corps, qui s'était laissé aller, lourd et fatigué dans les bras de Fernand, se redressa.

Laura vacilla. Elle remua les lèvres, comme pour parler, mais sans émettre aucun son. Elle se dirigea vers le fauteuil dans lequel Fernand avait attendu Barbara. Elle semblait avoir à peine la force de l'atteindre.

Fernand lâcha Barbara et se retourna. On aurait cru qu'il voyait un fantôme.

— Laura! Mais qu'est-ce que vous fabriquez ici? Comment avez-vous fait?

A nouveau Laura remua les lèvres, à nouveau elle fut incapable de prononcer un mot.

Fernand avait repris ses esprits. Il répéta sa question, l'air mauvais.

— Je veux savoir ce que vous faites ici!

Laura s'effondra dans le fauteuil. Ses lèvres étaient violettes, sa respiration sifflante. Ses efforts désespérés pour parler avaient quelque chose de terrifiant.

Fernand tournait le dos à Barbara. D'un coup elle reprit conscience du cadre doré qui pesait dans sa main. Il n'était plus froid comme lorsqu'elle l'avait pris sur la cheminée, mais doux et tiède contre sa peau. Elle ne l'avait pas lâché, elle s'y était accrochée comme à un talisman.

Elle n'hésita pas, n'attendit pas qu'un scrupule la paralyse. Cet instant était sa seule chance. Et la seule chance de Ralph.

Elle leva le bras et frappa. Le cadre doré se fracassa sur l'arrière de la tête de Fernand. Le verre éclata en morceaux. Fernand fit un geste pour se retourner et, l'espace d'un horrible instant, elle crut qu'elle n'avait pas été assez déterminée, qu'elle n'avait pas frappé assez fort, comme Ralph le premier jour où il avait essayé de fendre du bois dans l'appentis. Mais déjà Fernand interrompait son geste. Il poussa un soupir et s'effondra sur lui-même.

Il tomba comme au ralenti et resta allongé par terre, immobile.

Barbara posa le cadre brisé à côté du téléphone. Frances Gray souriait toujours.

— Laura, je m'occupe tout de suite de vous. Et de Ralph. J'appelle un médecin. Mais d'abord, il faut que je traîne Fernand dans la cuisine et que je l'enferme. Entendu ? Je reviens tout de suite.

Laura remua une nouvelle fois les lèvres et, après deux vaines tentatives, réussit enfin à parler.

— S'il vous plaît, je pourrais avoir du thé ? articula-t-elle.

Mercredi 1ᵉʳ janvier 1997

Les trois femmes prenaient ensemble le petit-déjeuner dans la cuisine. Il était encore tôt ; cependant, à l'est, une lueur rose, promesse d'une journée ensoleillée, teintait l'horizon. Les prairies enneigées étaient encore dans l'ombre, mais bientôt elles scintilleraient sous le soleil et des milliers de petits cristaux refléteraient la lumière du jour.

Laura avait proposé d'inviter la pauvre Lilian Leigh, très éprouvée par les événements, à fêter la nouvelle année avec elles, à Westhill. Barbara avait accepté, non sans quelques réticences, parce qu'elle se sentait mal à l'aise vis-à-vis de cette femme, puis elle s'était dit qu'il n'était pas écrit sur sa figure qu'elle avait couché avec Fernand. De plus, l'heure n'était plus aux mesquineries. Trop d'événements s'étaient produits. Leurs vies à tous avaient été bouleversées.

A minuit, elles avaient ouvert une bouteille de champagne et trinqué en choquant leurs coupes. Alors Lilian avait pleuré tandis que Laura était sur un petit nuage parce que Marjorie avait téléphoné pour lui souhaiter une bonne année.

— C'est la première fois ! La première ! Jamais elle ne serait restée éveillée aussi longtemps. Et surtout, jamais elle n'aurait été prête à dépenser l'argent de la communication !

Laura était restée deux jours en observation à l'hôpital. Les médecins avaient diagnostiqué un refroidissement, une fatigue extrême et de sérieux troubles

756

du rythme cardiaque. Ils souhaitaient qu'elle reste au moins une semaine hospitalisée, mais Laura voulait absolument fêter la Saint-Sylvestre chez elle et elle se bagarra avec les médecins jusqu'à ce que le chef du service finisse par céder.

— Qu'est-ce que je peux faire de plus pour vous dissuader? Me mettre en travers de votre chemin? dit-il. Une femme de soixante-dix ans qui est capable de faire un trajet pareil dans autant de neige, rien ne saurait l'arrêter.

Cette étonnante déclaration laissa Laura sans voix pour plusieurs minutes.

Ralph, lui, n'avait pu être autorisé à sortir. Il devait rester hospitalisé plusieurs semaines. Un rapatriement sanitaire n'était pour le moment pas envisageable. Outre une grave commotion cérébrale, il souffrait d'une double fracture de la base du crâne. De l'avis des médecins, il avait eu une chance extraordinaire. Une chute pareille aurait pu le tuer dix fois.

Barbara avait eu l'intention de passer la Saint-Sylvestre à l'hôpital auprès de Ralph, mais le 31, sa belle-mère, qu'elle avait dûment informée des événements, avait débarqué d'Allemagne à l'improviste. Elle s'était installée au chevet de son fils, n'avait pas manifesté la moindre intention de céder sa place et n'avait cessé de se disputer avec Barbara, qu'elle rendait responsable de la situation. Quant à Ralph, il était trop faible et souffrait trop pour intervenir dans le débat. De guerre lasse, Barbara avait baissé les armes. Elle et Ralph auraient toujours le temps de discuter plus tard. Elle pouvait bien laisser momentanément le terrain au vieux dragon.

Fernand était en détention préventive. Il s'en était sorti avec une grosse bosse derrière la tête. Barbara en fut heureuse. Elle avait voulu le mettre hors d'état de nuire, pas lui fracasser le crâne. Bien qu'il eût failli tuer Ralph, elle ne nourrissait aucun sentiment de vengeance à son égard. Il lui restait, de tout ce qui s'était passé, une disposition particulière à comprendre et pardonner. Peut-être parce qu'elle connaissait trop bien les différents protagonistes de l'histoire.

Elle trouvait difficile de condamner un homme quand elle pouvait comprendre, même de façon théorique, ce qui l'avait poussé à agir.

Elles formaient un étrange tableau, ces trois femmes dissemblables qu'un caprice du destin avait réunies autour d'une même table.

Impeccablement maquillée, les cheveux brillants, comme à l'accoutumée, Barbara était belle et parfaite. Elle maîtrisait la situation, elle se maîtrisait, les événements avaient glissé sur elle sans laisser de traces. C'était l'image d'elle-même qu'elle donnait. Qu'elle soit fausse était son secret. Barbara considérait qu'elle avait bien le droit d'avoir un secret.

Lilian avait l'air de quelqu'un dont le monde vient de s'écrouler, et dans son cas, c'était une réalité concrète. Laura avait eu beau tout lui expliquer, elle ne parvenait toujours pas à comprendre comment les événements s'enchaînaient. Il y avait plusieurs années qu'elle paraissait plus que son âge, mais ce matin-là elle semblait avoir encore vieilli de dix ans. Elle était dans l'incertitude totale. Qu'allait-elle devenir si Fernand était condamné à une peine de prison ferme ? Elle n'avait pas la moindre idée de la façon dont on gérait un domaine comme Daleview et elle ignorait de quels biens elle disposait. Toute sa vie de femme, elle l'avait passée, apeurée, dans l'ombre d'un mari dont elle guettait les sautes d'humeur, pour se mettre, s'il en était encore temps, à l'abri. Elle avait désappris à vivre. Son horizon se limitait à son mari, son alcoolisme et sa violence. Au-delà de cette menace permanente, rien n'avait de consistance. Elle se trouvait soudain confrontée à des urgences et à des exigences dont elle avait oublié jusqu'à l'existence et devant lesquelles elle reculait comme devant un obstacle inattendu et trop haut. Pour l'heure, elle se réfugiait dans les larmes.

Barbara se disait que lorsqu'elle aurait versé toutes les larmes de son corps, elle se rendrait peut-être compte que le destin venait en réalité de lui offrir une formidable chance de se construire une nouvelle vie.

Laura était toujours très mal en point. Elle toussait constamment et avait les yeux secs et fiévreux. Elle avait mis six heures pour atteindre Westhill, et usé jusqu'à la dernière petite parcelle de force qu'il y avait en elle. Il lui faudrait plusieurs semaines pour se rétablir. La police et les équipes de secours qui étaient arrivées ce fameux dimanche, précédées d'engins de déblaiement, avaient mis un certain temps à accepter l'idée qu'une vieille femme ait pu faire le chemin à pied dans la neige.

— Eh bien, vous pouvez dire que vous avez eu de la chance de ne pas tomber d'épuisement en cours de route. Vous seriez tout bonnement morte de froid, avait remarqué sans rire l'un des deux médecins. C'était de la folie de partir comme ça dans la neige. Comment avez-vous pu avoir une idée pareille ?

Bien qu'elle eût déjà bu plusieurs tasses de thé brûlant, Laura éprouvait toujours de grandes difficultés à parler.

— Je savais qu'il y avait ici quelque chose qui n'allait pas, avait-elle lentement articulé. Et c'est ma maison. Il fallait que je vienne voir ce qui se passait.

Le médecin avait secoué la tête sans faire de commentaires.

A Leigh's Dale, ce qui s'était produit dans la Maison des Sœurs alimentait toutes les conversations, même lorsque les gens ignoraient presque tout de l'affaire.

Ce qu'ils ne savaient pas, ils l'inventaient. Les bruits les plus fantaisistes commencèrent à circuler.

Au matin du 31, Barbara était descendue en voiture faire des courses ; la route était maintenant déblayée et les policiers l'avaient aidé à dégager sa voiture, à la faire démarrer et à mettre les chaînes. La plus grande effervescence régnait dans le magasin de Cynthia, où tout le village s'était donné rendez-vous pour commenter l'actualité. Quand le carillon tinta, tous les regards se tournèrent vers la porte et d'un coup les conversations se turent. Barbara n'eut pas besoin de faire la queue, spontanément tout le monde s'écarta pour la laisser passer.

Cynthia se montra très empressée à manifester sa connivence avec Barbara. C'était le moment ou jamais de montrer combien elles étaient intimes et, par conséquent, combien elle-même était proche des événements. Quand Barbara quitta le magasin, elle entendit Cynthia qui disait encore à ses clientes captivées : « ... oui, et figurez-vous qu'à l'époque, Victoria Leigh n'est pas encore partie. C'est Frances Gray qui la retenait prisonnière dans la cave de la maison, et un jour... »

Barbara imagina le rire sonore qui aurait secoué Frances.

Mais ce premier matin de l'année était calme et paisible, aucun commérage, aucune folle rumeur ne le troublait. Seul le bruit léger et familier des tasses et des couverts que l'on reposait ou entrechoquait rythmait la conversation.

— Pensez-vous aller à l'hôpital voir votre mari cet après-midi, Barbara ? demanda Laura.

Barbara fit une moue dubitative.

— J'aimerais bien. Mais ce sera sans doute une nouvelle occasion de prise de bec avec ma belle-mère. Elle pense que je suis responsable de ce qui est arrivé et que je ne peux m'en prendre qu'à moi, parce ce voyage était mon idée. Elle a d'ailleurs toujours été contre, depuis le début.

— Vous devez êtes dégoûtée du Yorkshire, fit Lilian.

Ses yeux sombres paraissaient immenses dans son petit visage étroit.

— J'imagine que vous n'êtes pas près de revenir.

Dans la bouche de Lilian, la remarque ne surprit pas Barbara.

— Mais si, je reviendrai, répondit-elle. J'ai envie de voir à quoi ressemble la région en été. Je comprends que Frances Gray l'ait tant aimée. J'aimerais la connaître beaucoup mieux.

— Là, je ne vous comprends pas, dit Lilian sur un petit ton flûté.

Laura s'éclaircit la gorge.

— Je vous aurais bien proposé Westhill, Barbara, mais ça ne sera pas possible.

— Ah ? Vous aurez pourtant l'occasion de rendre visite à votre sœur, non ?

— Je...

Des marbrures rouges apparurent sur les joues de Laura.

— Je vais m'en aller. Je vends Westhill.

Barbara et Lilian, stupéfaites, dévisagèrent Laura avec la même incompréhension.

— Comment ? s'écria Barbara.

— Mais je croyais que... commença Lilian.

— Pourquoi, Laura ? insista Barbara. Après tout ce que vous... avez enduré ? Vous avez vécu dans l'angoisse pendant des années, vous vous êtes saignée aux quatre veines pour conserver Westhill et, maintenant que le cauchemar est terminé, que vous pouvez enfin vivre heureuse et en paix dans votre maison, vous voulez la vendre ?

761

— Oui... C'est sans doute difficile à comprendre, hésita Laura, qui parut un instant presque aussi peu sûre d'elle qu'auparavant. Je ne sais pas comment l'expliquer. Quand j'avais tant de mal à avancer dans la neige, en arrivant ici, l'autre jour, que j'avais peur de tomber et de mourir, quand je n'en pouvais plus mais que je savais qu'il fallait que je continue parce qu'il commençait à faire nuit et de plus en plus froid, et que si je m'asseyais pour me reposer, je m'endormirais et ne me réveillerais plus... eh bien, pendant tout ce temps, si j'ai tenu, c'est parce que j'étais en colère, à chaque pas un peu plus en colère. A la fin, j'étais dans une telle rage que... que je pensais qu'il était impossible que je meure parce qu'on ne pouvait pas mourir quand on était autant en colère.

— Contre qui étiez-vous en colère à ce point ? demanda Barbara.

— Contre moi. Seulement contre moi.

— Mais... tout est la faute de Fernand ! s'étonna Lilian, qui décidément ne comprenait plus rien et dont les yeux s'embuèrent au seul souvenir de ce dont son mari avait été capable.

Un éclair de mépris passa dans les yeux de Laura.

— Lilian, c'est grave de ne chercher la responsabilité que chez les autres, parce que c'est comme ça que rien ne change. Quoi que Fernand ait fait, il ne l'a pas fait seul. Il fallait être deux pour ça. Un qui fait et un qui laisse faire. Et ce qui l'autre jour m'a tant mise en colère, c'est que je me suis toujours laissé faire. Toute ma vie. Pendant soixante-dix ans.

Barbara hocha la tête. Elle comprenait.

— D'abord Frances, puis Fernand. Marjorie a raison, Frances ne m'a pas spécialement bien traitée. Mais j'ai accepté. Comme ensuite j'ai accepté que Fernand me fasse chanter. J'étais à leur merci parce que je tenais à une chose à laquelle j'aurais dû renoncer depuis des années. Oui, des années. C'est bien sûr à Westhill que je pense. Si j'y avais renoncé, j'aurais été libre, et ils n'auraient rien pu me faire. Jamais.

— C'est trop tard, maintenant, dit Lilian.

Les yeux de Laura jetèrent des éclairs.

— Trop tard? Parce que j'ai soixante-dix ans? Je n'ai pas l'intention de mourir dans les deux années qui viennent!

— Non... parce que Fernand ne peut de toute façon plus rien. Et parce que Frances est morte depuis longtemps. Ça ne sert plus à rien de te séparer maintenant de Westhill.

— C'est probablement une chose que tu ne peux pas comprendre, Lilian, soupira Laura. Je dois le faire pour moi. C'est important. Je veux en être débarrassée. Je ne veux plus avoir ces chaînes aux pieds!

— Vous avez raison, Laura. C'est une bonne décision, dit Barbara. Avez-vous déjà une idée de l'endroit où vous souhaiteriez vous installer?

— Sans doute quelque part dans le Sud, peut-être dans le Somerset. Je suis allée une fois dans le Somerset, enfant. Je m'y étais plu. Le climat y est agréable. Sûrement meilleur pour mes rhumatismes que les hivers sans fin de par ici, avec tout ce brouillard en automne et ce vent, au printemps...

Elle se mordit les lèvres.

Elle aime cet endroit, se dit Barbara. Elle l'aime encore tellement... Mais c'est vrai, parfois on est obligé de se séparer de ce qu'on aime. Peut-être Ralph et moi n'aurons-nous, nous aussi, pas d'autre solution que la séparation...

Elle se leva.

— Si nous débarrassions, maintenant? proposa-t-elle. J'aimerais sortir un peu. C'est tellement beau, dehors... On peut au moins aller jusqu'au village, la route est dégagée.

— Je préfère rester ici, dit Lilian sans hésiter.

Après ce qui s'était passé, elle était paniquée à l'idée de rencontrer quelqu'un du village.

— Laura ?

— Je reste aussi. Il y a tellement de choses à faire. Mais allez-y, Barbara. Et vous avez sans doute besoin d'être un peu seule.

Elles débarrassèrent ensemble la table, firent la vaisselle et rangèrent vaisselle et couverts, en parfaite harmonie, puis Lilian se retira dans la chambre que Laura avait mise à sa disposition. Barbara enfila son manteau, des bottes, et s'apprêtait à mettre ses gants quand Laura, petite ombre discrète, surgit derrière elle.

— Barbara, s'il vous plaît...

Elle la prit par le bras et l'entraîna derrière elle dans la salle à manger.

— Que se passe-t-il ?

Laura paraissait gênée.

— Je... j'aimerais vous demander quelque chose.

Elle parlait à voix basse, comme si elle craignait qu'une troisième personne puisse l'entendre.

— Vous allez penser que je suis sotte, mais...

— De quoi s'agit-il ?

— Eh bien... ce récit de Frances Gray... je sais qu'il n'existe plus. Personne ne peut plus le lire. Vous êtes la seule qui sache ce qu'il y avait dedans.

— Oui ?

— Alors, j'aurais aimé que vous me disiez...

Laura triturait nerveusement un coin de son tablier.

— ... Voilà : je voulais savoir si... En fait, ça devrait m'être égal. J'ai décidé de commencer une nouvelle vie, ça veut dire qu'il faut aussi que je me détache de Frances et que j'arrête de la porter aux nues. Je vais y arriver. Quand j'ai dit que Marjorie avait raison, ce n'était pas simplement une façon de parler, vous savez. C'est vrai. Parfois, Frances a été réellement... méprisante...

Barbara prit la main de la vieille femme et la garda dans la sienne.

— Que voulez-vous savoir, Laura ?

Laura chuchota :

— Peut-être pourriez-vous me dire ce qu'elle a écrit sur moi ? Etait-ce seulement méprisant ou bien... a-t-elle de temps en temps dit quelque chose de gentil sur moi ?

Quelle que soit l'importance de ce que Laura avait compris de ses relations avec Frances, Barbara devina à son regard que sa sérénité dépendait de ce qu'elle lui répondrait. Elle décida qu'elle pouvait bien lui accorder cette paix intérieure. Ce fut quand les mots franchirent ses lèvres qu'elle se rendit compte qu'elle ne mentait pas.

Ce qu'elle avait eu l'intention de dire par compassion n'était que la vérité.

— Elle vous a aimée, Laura, dit-elle. Elle vous a aimée, à sa façon bien à elle.

Laura sourit, et Barbara trouva qu'elle avait indiscutablement l'air heureuse.

Achevé d'imprimer par N.I.I.A.G.
en Janvier 2002
pour le compte de France Loisirs
Paris

Dépôt légal : Février 2002
N° éditeur : 36306

Photocomposition *CMB* Graphic, 44800 Saint-Herblain